苏联史

第四卷

斯大林模式的形成

Утверждение сталинской системы

徐天新◎著

人民出版社

序

李 凤 林

苏联是曾经显赫一时的超级大国，对世界历史发展产生过巨大的影响，在现代中国的发展中也留下过重要痕迹。虽然苏联仅存在七十多年的时间，但是在这短短的七十多年中，它两次震撼了世界，改变了世界，一次是1917年的十月革命，另一次是1991年的苏联解体。

历史是一个绵延不断的长河，苏联是俄国历史中的一个阶段，一个时期，俄国作为苏联的前身和继承者，其历史是整个俄国历史这一有机整体中的一个重要组成部分。

历史是最好的老师，无论个人还是国家，都可以从历史的经验和教训中汲取营养。研究历史不仅可以使我们更好地认识过去，也可以使我们更好地把握未来。

历史是人创造的，人在创造历史的过程中，其精神的和物质的活动离不开他所生活的环境。俄国拥有横跨欧亚大陆的广袤国土，博大的生存空间和独特的气候条件孕育了俄国人豪爽、粗犷的性格，以多神教为基础的东正教培育了俄国人推崇平均主义、自给自足、自我封闭、自我欣赏的民族意识以及拯救人类的弥赛亚（救世主）情结。俄国人在这片广袤的国土上创造了灿烂的文明，它在科技、文化、艺术等领域取得的伟大成就得到世界的承认和敬仰。与此同时，俄国人的社会意识和俄国的社会现实往往是矛盾的，例如崇尚自由的俄国人又非常信奉权威，崇尚平均主义的俄国人又可以经常心安理得地生活在垄断的社会经济和政治环境中，生活节奏平缓的俄国人又会在社会变革中急于求成，急躁冒进。俄国人和苏联人正是在这种自然和社会环境中创造自己的历史的。1917 年的十月革命和 1991 年的苏联解体都表现了俄国人的这种民族特点和社会特征。了解这个历史需要超乎寻常的智慧和方法。正如 19 世纪俄国诗人丘切夫诗中所描绘的那样："俄罗斯，你用智慧无法理解，用通常的尺度无法揣摩，它有与众不同的性格，相信它是你唯一的选择。"

苏联是我们的近邻，也是我们的重要伙伴。中国革命和新中国六十年来的发展与苏联有着千丝万缕的联系。在苏联存在的七十多年中，中苏关系经历了兄弟般的联盟关系，苏联对新中国的发展和建设提供了大量援助；与此同时，中苏也经历了意识形态对抗甚至局部的边界冲突；目前中俄关系已经发展成为平等、信任长期的战略协作伙伴关系，双方宣布永远做好邻居、好朋友、好伙伴。对苏联历史的研究有助于我们总结历史的经验教训，深化中俄关系，造福于两国人民。

历史上，苏联对我们的影响是巨大的。这种影响包括历史的、思想的、政治的、经济的、文化的、国际关系方面的……

在意识形态方面，苏联的影响是非同寻常的。1949 年，毛泽东在总结中国共产党 28 年的光辉历程时提出，"十月革命一声炮响，给我们送来了马克思列宁主义"，形象化地揭示了一个基本事实，即中国共产党人了解马克思列宁主义，并以它作为自己指导思想的理论基础是从苏联学来的。被称作"马克思主义百科全书"的《联共（布）党史简明教程》对中国思想界的影响是"深远的"。在政治方面，我们正是在学习苏联的情况下建立了自己的国家政权。在经济方面，苏联不仅向我们提供了巨大的援助，而且其经济管理体制曾经被我们照搬照用。在文化方面，苏联文化和文学曾经影响几代中国人，许多已经被俄国人淡忘的苏联歌曲几乎成为中国的民歌。在国际关系方面，我们在新中国成立初期曾经实行向苏联"一边倒"的外交政策，把国家的建设和发展同苏联紧密地联系在一起。如此等等。

中国的建设深受斯大林模式的影响，在某种意义上说，中国的改革开放是对苏联发展模式的反思、修正或扬弃。因此，研究苏联历史对于当今中国的改革开放和现代化建设事业具有极其深远的历史意义和现实意义。

苏联历史，对于四五十岁以上的中国人来说，是一门既熟悉又陌生的学问。之所以这样说，是因为凡是受到过高等甚至中等教育的人，都或多或少地接触过这门学科，知道苏联历史中的一些重要事件或人物，此其一；其二，我们大多是通过《联共（布）党史简明教程》了解苏联历史的，而此书对苏共历史和苏联历史的阐述、描绘是程式化的，不能全面反映苏联发展的真实历史。

因此对苏联的历史很有必要重新学习，重新研究。历史科学是一门包罗万象的学科，涉及一个社会的方方面面，需要从政治、经济、文化、社会、思想等等各个方面对历史的进程进行全面的考察。研究任何一个历史题目并作出结论，需要具备一系列主客观条件，要有正确的立场、严谨的学风、科学的方法、充分的史料，等等。因此，正确认识历史离不开历史学家的辛勤劳动。可以说，在新形势下撰写和出版一部能够全面反映苏联走过的历程的学术著作是我国史学工作者多年的夙愿。

如今，实现这种夙愿的客观条件已经基本具备，包括：(1) 苏联已经成为历史，我们可以在历史的距离中考察这段历史，使历史研究的成果具有较大的客观性；(2) 苏联解体后，大量的历史档案已经公布，为客观地研究这段历史提供了较为充分的史料；(3) 中国三十多年改革开放的实践使我国的历史学家能够对苏联模式在特定历史条件下的积极意义作出更加客观的分析，同时对这一模式的弊端有了更加透彻的理解，他们更加成熟，思想更加解放，研究方法更为科学；(4) 我国已经拥有一批掌握扎实的专业基础知识，科学的研究方法，长期潜心研究苏联历史方面的专家。他们站在马克思主义的立场上，运用科学的研究方法，在分析研究新鲜史料的基础上已经撰写出大量有关苏联史学的最新研究成果。

由中央编译局和人民出版社与国内一批历史学家合作撰写出版的九卷本《苏联史》是苏联史学术研究领域的一件大事。这套著作的出版无疑会在学术界引起强烈反响。参加这套著作撰写的，既有老一代历史学家，也有年富力强的中青年史学工作者。老一代历史学家几乎一生都在研究苏联历史，他们撰写出的著作反映了其毕生的心血。而中青年史学工作者在市场经济大潮中，面对花花世界的各种诱惑，能够坐冷板凳，甘于寂寞，潜心研究历史问题，是值得称道的。

这套著作系统考察和研究了苏联各个时期的历史，对历史事件、历史人物、历史发展脉络进行了全方位的考察和研究。尤其难能可贵的是，这套著作对以往一些研究不够充分的历史时期和某些很少涉及的问题，进行了比较深入的研究和介绍，在某种意义上说，填补了学术研究的空白。就我所知，到现在为止俄罗斯联邦尚未出版过这样规模的反映苏联历史的巨著。

这部九卷本《苏联史》是一个整体，总体上反映了写作集体对苏联史的看法，而每卷书又是由负责写作的学者独立完成的，表现了作者本人的学术观点和研究成果。像任何学术研究一样，这部苏联历史著作中的某些观点也可能引起争鸣。由于所掌握的史料的不同，看问题的角度不同，对同一个历史问题往往会有不同的认识，不同的解读。不同观点的碰撞会推动学术研究的深化，这是好事。相信这部著作的出版一定会有助于我们进一步了解俄国，对于深化中俄战略协作伙伴关系发挥积极的作用。

我本人不是专门学历史的，从1950年学习俄文起，一生都从事对苏工作，而在苏联和俄国学习和工作23年的经历和外交工作的需要，使我不断学习苏联历史，长期关注苏联历史的研究。本书的有些作者是我的老朋友，我在这里向本书的问世表示祝贺，同时更要向潜心研究俄国，包括它的历史和现状的学者，表示由衷的敬意！

2009年夏

（作者系中国前驻俄罗斯联邦大使，现任国务院发展研究中心欧亚社会发展研究所所长）

主编的话

郑 异 凡

公元 1991 年 12 月，苏联共产党执政了 74 年的苏联解体了。正如 20 世纪初的十月革命曾经震惊世界一样，苏联的解体同样震惊了世界。此后苏联历史成了举世瞩目的研究对象，各国学人和政界都在探讨一个世纪之谜——一个超级大国轰然倒塌的原因。大家都想了解这样一个超级大国是怎样兴起，又是怎样一步步走向衰亡的。

苏联历史的轨迹

我们首先看看苏联走过的道路。

俄国是在一个落后的农业国进行社会主义革命的，不具备社会主义的必要的物质前提。这是列宁后来公开承认的。另一个不足是对搞社会主义的理论准备不足。列宁曾是革命的阶段论者，长期以来，一直认为俄国应当先进行民主革命，然后再进行社会主义革命，因此在 1917 年以前列宁关于民主革命谈得很多，比较具体、周密，而关于社会主义革命谈得较少，比较泛泛。1917 年突然提出社会主义革命的任务，在理论和思想准备方面都存在严重的准备不足。对党内高层领导人来说更是如此，因此列宁的主张社会主义革命的“四月提纲”应者寥寥。在举行武装起义问题上，列宁的主张起初不为中央所接受，后来又受到党内声望颇高的季诺维也夫和加米涅夫的顽强反对，这一切都不是偶然的。那时只有少数人主张直接进行社会主义革命，顺便解决民主革命的任务，如布哈林、托洛茨基。

列宁是现实主义者，在第一次世界大战环境所形成的革命危机的形势下，他力促布尔什维克党抓住不可多得的历史机遇，发动武装起义并取得了胜利。这个选择没有错，但这并不改变社会主义需要必要的物质前提这一客观历史要求本身，而仅仅是历史发展顺序的变更。无论如何，发展生产力这一课必须补上。

布尔什维克党夺取政权后，马上遇到政权的建设问题，没有现成的方案，基本上是摸索前进。此前的一些设想非常不完备，部分借鉴巴黎公社，而更多的是从第一次世界大战期间各国（包括沙皇俄国）的战时措施中借鉴而来。由于战争的需要，那时的交战各国都采取了军事管制的办法，政府把生产和消费统统管起来，于是有人认为这就是社会主义的雏形了，称之为“战时社会主义”或“军事社会主义”。国家战时对粮食的垄断，居民消费品的定量供应(配给制)等等，在布尔什维克党执政的情况下就被当作共产主义的措施了。资本主义国家为战时的需要所采取的措施一旦被披上“共产主义”的外衣，加上取消市场、货币关系等传统的共产主义观念中的措施，这一切就变成了所谓的“军事共产主义”。列宁后来说，那时认为把全国的生产和消费统统管起来，就是共产主义了。

高度集中的军事管理体制对战争来说是非常必要的，它保证了苏维埃政权取得国内战争和反击外国武装干涉的胜利。苏俄军事共产主义的一项最基本的措施是“粮食征收制”。这个词通常译作“余粮收集制”，这种译法有两个问题，其一，当时征收的不仅仅是“余粮”，而几乎是农民的所有粮食，其二，这不是和平的收集，而是凭借暴力的强取。何况这是沙俄和临时政府实施过的政策，并非布尔什维克的发明。因此按照这个词的原意改译为“粮食征收制”较为贴切。在这种制度下出卖粮食，甚至家藏粮食都是“投机倒把”和“反革命”行为，要遭到严厉的惩罚。这种做法引起广大农民的严重不满，国内战争的后期，农民反对苏维埃政权的起义蜂起，被称作“小国内战争”，严重威胁到苏维埃政权的存在。

这迫使列宁承认苏维埃政权遇到了十月革命以来最严重的政治和经济危机。在这生死存亡关头，列宁决定赶快后退，向农民让步，实行粮食税，于是出现了所谓的“农民的布列斯特”。由于农民在缴纳了粮食税之后可以自主支配手头的粮食，就引出了交换的问题。于是出现了运用市场、商品、货币这类向来被看作是资本主义的东西的问题，新经济政策应运而生。

这是苏联70多年历史中的第一次改革，是列宁执政五年时间里发生了第一次模式的转换：从军事共产主义转向新经济政策。新经济政策的最重大的突破是在社会主义建设中运用市场机制，这是在马克思主义发展史上应当大书特书的大事。这充分说明列宁不是按预先设定的、固定不变的模式进行社会主义建设的。

新经济政策下尽管也遇到一系列困难，甚至危机，但经过及时的政策调整，苏俄在经济建设中取得了巨大的成绩，工农业生产很快得到恢复。这是苏联走向兴盛的时期。

这时候的政治体制仍然是"一党专政"(这是列宁和俄共公开承认的用语)，取缔其他社会主义政党（孟什维克党和社会革命党）和本党内的反对派，驱逐持异议的知识分子（"哲学船事件"），以救灾的名义镇压东正教人士，消除东正教在广大群众中的影响，压制不听话的少数民族干部（格鲁吉亚事件），这样俄共也就失去了党内外的有效监督，没有一支政治和社会力量能够对布尔什维克政权实施监督、施加压力以实施政治体制改革。军事共产主义时期高度集中的政治体制，把全国作为一个军营来管理的军事化体制，已经与和平时期经济建设的需要不相适应，政治体制的改革应当与经济体制的改革同步进行，更不用说，经济改革需要政治体制的保护。但是在新经济政策时期，政治体制没有进行相应的改革，而是朝削弱党内国内民主，朝着高度集权的方向发展。列宁在生命的最后时日感觉到这个问题的严重性，他在给俄共第十二次代表大会的信中建议进行政治制度的改革，要求加强对包括政治局和总书记在内的各级组织和领导人的监督，但为时已晚，已经重病在身的列宁，力不从心，由季诺维也夫、加米涅夫和斯大林组成主政的"三驾马车"对列宁的建议阳奉阴违，置之不理。

政治体制的日益集权化和僵化最终决定了新经济政策的命运。列宁的改革宣告失败。布哈林、李可夫等人在最后关头据理力争，但已无济于事，他们在羽翼丰满的斯大林面前无能为力，无法挽狂澜于既倒。

新经济政策在弥补社会主义革命物质和理论准备不足方面发挥了重大作用——在社会主义建设的理论上加进了利用市场机制这一重要成分，在物质方面，它提供了在落后国家发展经济、和缓社会矛盾的有效手段。到20世纪20

年代末新经济政策处于社会主义发展的十字路口——一个方向是向市场经济和民主化发展，最后形成有特色的苏联社会主义模式；另一个方向是向高度集中的计划经济和集权体制发展，这就是我们在20世纪30年代看到的斯大林模式。

1929年，斯大林在击败了所有反对派之后中断了新经济政策，宣布让新经济政策“见鬼去”，在苏联实行了第二次模式的更换，实行“斯大林模式”，回到了已被历史所否定的军事共产主义模式。斯大林模式通过农业集体化、国家工业化——实际上是重工业化和军事工业化，实行严格的高度集中的计划管理，一方面使苏联的重工业得到高速度的发展，使苏联的一些工业发展指标赶上或接近西方发达国家，另一方面，开始暴露出苏联经济片面发展的弊病——农业和轻工业严重落后，国民经济综合平衡失调。

20世纪30年代形成的斯大林模式是对列宁新经济政策模式的否定和反动，它有三大支撑点：

1. 实行农业全盘集体化，剥夺全体农民。集体农庄并不是列宁所主张的合作社，而只不过是国家向农民征收粮食的大型连环保组织，国库得以充实，而农民变得更穷了。1932—1933年的大饥荒在很大程度上是人为的：全盘集体化对农村生产力的严重破坏，收过头粮，为换取外汇而不断增加粮食出口，向全国和国外隐瞒灾情，拒绝国外援助，等等。

2. 在国家工业化名义下的重工业化和军事工业化，把全国的物力人力集中到重工业和军事工业的发展中去，而置与人民日常生活休戚相关的轻工业于不顾，整个农业生产的首要任务也完全是为重工业服务，为之提供资金和原料。

3. 在阶级斗争尖锐化的借口下在国内对各阶层、各民族实施大规模镇压，以维持斯大林的个人独裁统治。经过20世纪30年代的大清洗、大镇压，列宁的战友和“老近卫军”被消灭了，领导层中有独立见解、有创造精神的人员被消灭了，武装部队中熟悉现代化战争的有才能的将领被消灭了，文化界有创造性的理论家、作家、艺术家、剧作家、历史学家、自然科学家、技术专家被消灭了。这是斯大林的“自宫”行为，其恶果在卫国战争中立即暴露无遗。苏军俘获了德军保卢斯元帅被看作是一重大胜利，而战前斯大林却处决了自己五大元帅中的三个元帅，并且恰恰是懂得现代化战争的元帅（剩下两位元帅伏罗希洛夫和布琼尼都是骑兵出身）。这正是德国统帅部求之不得的天大好事！

在文化界开展的大批判运动，不仅使用了“批判的武器”，而且也动用了“武器的批判”，借此确立了斯大林主义在意识形态领域、文化领域的绝对统治地位，用一本《联共（布）党史简明教程》来治天下。这直接导致马克思主义发展的停滞和倒退，庸俗唯物主义、教条主义的盛行。

在政治上，坚持并强化一党专政的路线，终于形成了斯大林的个人专权。斯大林模式的出现和形成开始了苏联由兴向衰的转折。

在战云密布的 20 世纪 30 年代末，斯大林最终采取同希特勒德国结盟、祸水西引的方针，以牺牲他国的利益来保全自己。这一战略让斯大林搬起石头砸了自己的脚，使希特勒赢得时间做好准备，入侵苏联。由于对希特勒德国的入侵丧失起码的警惕，由于大清洗对军队的严重摧残，苏联在战争初期遭受严重挫折。

这场战争终于胜利了，高度集中的军事动员体制、俄国反抗外来侵略的民族主义传统即人民的力量对胜利的结局发挥了决定性的作用。高度集中的体制，使苏联在卫国战争中能迅速把整个国民经济纳入战时轨道。卫国战争的胜利是苏联各族人民保卫祖国浴血奋战的胜利，也是包括中国在内的世界各国对苏联的支援的胜利。领导人在战争初期的严重失误增加了苏联人民的牺牲和损失。然而，令人意想不到的是，战争的胜利反而为加强斯大林模式提供了“依据”，也成为今天不少人为斯大林模式辩解的依据。

胜利的人民有权得到回报，至少应当得到休养生息的机会。应当像列宁在国内战争胜利后那样，适应时代的要求，抓住大好时机，进行改革，改变僵化的模式，让工人、农民和知识分子过上好日子。然而，斯大林不仅放过战后改革的大好机遇，反而加强已不适应时代需要的政治、经济模式。对内加强恐怖统治和思想控制，在反对“世界主义”的旗号下实行文化专制主义即臭名远扬的日丹诺夫主义，在哲学、文学、戏剧、电影、报刊等各个领域继续战前的大批判运动，制造一个接一个的冤假错案。斯大林处死自己曾经宣布的接班人库兹涅佐夫和沃兹涅先斯基，怀疑莫洛托夫、伏罗希洛夫、贝利亚等身边的战友为外国间谍，在临死之前还制造了一个“医生案件”，造成一个人人自危的社会氛围。他加强对农民的剥夺，再次酿成国内的大饥荒。他以战时叛国为名继续迫迁少数民族。对外，他为维护从雅尔塔体系所获得的既得利益，同西方搞冷战，搞军备竞赛。他一手制造了外蒙古独立，肢解中国。他控制东欧国家，改变它们实行的人民民主制度，把这些国家变成自己的“卫星国”，组成“社会主义阵营”。这些做法严重影响了国内的经济发展和人民生活水平的提高，也严重阻碍了东欧国家的政治经济发展。赫鲁晓夫把斯大林的种种行为解释为性格“多疑”，实际上是斯大林害怕大权旁落，权力是斯大林紧紧抓住不放的“命根子”!

1953年斯大林逝世，苏联出现改革的契机。靠生理学的自然规律来改变国家的命运，是苏联社会主义制度的悲哀!

斯大林的统治如从列宁逝世算起，将近30年，如从1929年算起，共24年，期间积累了大量的问题，在他去世的时候苏联已经处于难以为继的局面，变革的呼声早在斯大林执政的时候已经暗流涌动，斯大林去世后，改革已经成为不可抵挡的潮流。这时候，不管谁上台执政，贝利亚也好，马林科夫也好，赫鲁晓夫也好，都势必把改革提到第一位，人们已经感到高度集权的管理模式已不适合当时的苏联社会，阻碍了社会的发展，区别只会在于改革的深度如何，进程如何，无论如何改革是不可避免的。

在党内斗争中赫鲁晓夫胜出，他以反对“个人崇拜”、平反冤假错案为突破口，实行“解冻”，开始改变斯大林的某些政策，如强调集体领导、抓农业(改变生产资料同生产者的脱离，减轻农民的负担，开垦荒地等等)，提升轻工业的地位。对外则设法缓和国际紧张环境，试图以此减少军备竞赛。

赫鲁晓夫的最大功绩是反对斯大林的个人崇拜，从而揭开了斯大林问题的盖子。至今仍有人指责赫鲁晓夫大反斯大林，说他在苏共二十大上所作的秘密报告“全盘否定斯大林”。实际上，如果不是从印象出发，而是从事实出发，只要读一读“秘密报告”本身就可以看到，那里对斯大林的否定并没有否定到点子上，即没有触及斯大林的体制问题。正如当时外国的共产党人铁托和陶里亚蒂所说的，斯大林的问题不是什么个人崇拜问题，而是“制度”问题（那时还没有“体制”的说法，所以用了“制度”一词，所以被指责为否定社会主义制度，不过他们的意思是清楚的)。在苏联历史问题上，赫鲁晓夫全盘肯定了斯大林反对托洛茨基、季诺维也夫、加米涅夫、布哈林、李可夫、托姆斯基等反对派的斗争，肯定了对他们的镇压。他平反了不少冤假错案，但是没有为苏联历史上这些最大的冤假错案平反！他多次赞扬斯大林是“杰出的马克思主义者”。

由于缺乏对斯大林体制的整体认识，改革仅局限于某些局部问题，没有触动斯大林体制本身。赫鲁晓夫继续斯大林的赶超模式，在斯大林的“建成”社会主义论断的基础上，宣布社会主义在苏联取得了“最终的、完全的胜利”，许诺在20年内进入共产主义。他注意了农业和轻工业的发展，人民的日常生活得到了某种程度的改善，然而重工业和军事工业依然是苏联优先发展的重点。由于主客观的原因，赫鲁晓夫继续同美国进行军备竞赛。20世纪60年代利别尔曼提出的改革试验，没有得到实施，便告夭折。当然，赫鲁晓夫的某些改革措施是有意义的，如实行“解冻”，把人们的思想从斯大林主义的桎梏中解放出来，取消干部任期的终身制，使拖拉机等农业生产工具成为集体农庄的财产，等等。他的另一些措施如常受到批评的“三和两全”，从理论上、逻辑上讲并没有什么错误。全民国家、全民党从理论上说是走向共产主义的必经阶段，而就赫鲁晓夫的本意而言，他无非是借此昭示人民，这个国家、这个党是全体人民的，不会再搞无产阶级专政，不会再用专政去镇压人民，因为人民的国家是不能对人民自己专政的。和平共处、和平过渡、和平竞赛，则是要向世界昭示，这个国家不会再去搞世界革命、颠覆其他国家，而要在竞赛中战胜资本主义。这些都仅仅是公示性质、宣言性质的东西，至于苏联在竞赛中是否能够胜出，想来赫鲁晓夫本人也未必相信。就在他接手这个国家的时候，战争的创伤尚未完全修复，人民的生活还相当艰苦，供应还很困难，吃得并不好，他的“土豆烧牛肉”的美餐，只是说给自己的人民听听而已！对西方国家的访问使他开了眼界，知道苏联还落后于西方很多，还必须执行赶超战略。由于抓了农业，开垦了大片荒地，到20世纪50年代后期人民的餐桌才开始丰盛起来，才有较多的牛奶、面包、白糖、香肠供应。

赫鲁晓夫执政十年，当然有很多错误，他文化水平不高，行事鲁莽，常欠考虑，在后期也欣赏起对自己的崇拜。但是应当说，他进行的改革从总体上说是必要的，人们可以指责他改得不够，或者其某些措施不在点子上，但不能否定改革的必要性。然而，在保守的官僚集团面前，就是这样没有实质触动斯大林体制的改革也不能见容，尤其是他的干部制度改革直接损害了当政官僚们的根本利益，于是一场“宫廷政变”轻轻松松地结束了赫鲁晓夫的改革，斯大林主义死灰复活。

勃列日涅夫统治苏联长达18年。不少人至今仍然怀念勃列日涅夫时期，因为这一时期不搞运动，不搞大规模的镇压，社会比较安定。同斯大林、赫鲁晓夫相比，勃列日涅夫的特点是“不折腾”，不过这只是相对而言，其中也包括不搞改革。勃列日涅夫执政初期，柯西金继续改革，但不久就被勃列日涅夫的“新斯大林主义”所取代。不过，由于消除了斯大林模式中频频动用暴力的一面，斯大林模式的潜力在这一时期得到最大程度的发挥。在整个苏联历史发展中，勃列日涅夫时期是以安定，然而保守、停滞著称的。

要维持统治，意识形态的严格控制是必不可少的，这就在国内逼出了“异议人士”（通常译作“持不同政见者”，实际上有的并不一定是“政见”的歧异问题）运动。这些异议人士有的并不反对社会主义，只是反对苏共的错误，反对斯大林主义而已，例如著名的梅德韦杰夫兄弟。但是即使这样，也不见容于当局。在勃列日涅夫统治时期，关集中营的少了，进“精神病院”的多了，反革命罪少了，“流氓罪”多了，驱逐出境的少了，吊销护照的多了……总之，还是变着花样压制“异端”。干部任职的终身制恢复了，正是从勃列日涅夫开始，苏联出现了连续三代病夫治国、老人治国的世界罕见景象。

在勃列日涅夫的统治时期，苏联的官僚特权阶层最终形成，在俄国通常把这个阶层叫做“在册权贵”（номенклатура），即由上级任命的登记在册的高级官员。正是这些“在册权贵”把平庸的勃列日涅夫推上台，并且不让又老又病的勃列日涅夫退下来，正是他们把病人安德罗波夫和老人契尔年科扶上台，也正是他们最后搞垮了苏共和苏联。

勃列日涅夫的对外政策，还是相当折腾的。其一，苏联自己不改革，也反对和压制东欧各国的改革，悍然出兵镇压了捷克的“布拉格之春”，致使“社会主义大家庭”里的矛盾越积越多，错过了拯救社会主义的时机。其二，追求世界霸权，继续同美国进行军备竞赛，消耗了大量国力。其三，实行“勃列日涅夫主义”，干涉他国内政，兵陷阿富汗。正是在这一时期，苏联错过了世界科技革命的大好时机。这一时期是斯大林模式的潜力得到最充分发挥的时期，也是其最后挣扎的时期。

安德罗波夫上台被人们寄予厚望，他的某些措施被看作是改革的先声。作为克格勃的首脑，他对国内的真实情况，国家存在的问题是清楚的，但是他没有一个经过深思熟虑的改革方案，他感觉到这个国家维持现状已经没有前途，但是他所能够实施的仅仅是使用强制手段，加强劳动纪律，并且他已是病入膏肓的人了，没有足够的精力去处理国事，即使他有改革的雄心大志，也已经心有余而力不足了，他执政一年就撒手人寰。人们记得，列宁卧病之中虽想改革，但力不从心的悲剧。接替安德罗波夫的位置的契尔年科不但是一个病魔缠身的老人，并且是一个胸无大志的庸人，他要的只是总书记这个头衔。这样，由勃列日涅夫恢复的职务终身制创造了一个泱泱大国由老人、病人治国，连续三年每年安葬一位党国首脑的世界纪录。

这种情况再也不能继续下去了，全国人心思变，迫使苏共推出"年轻力壮的"54岁的戈尔巴乔夫出任党和国家的领导人（不过，请记住，列宁是在54岁逝世的!）。戈尔巴乔夫的改革是时代的要求，是苏联继续发展的历史要求。但是，戈尔巴乔夫最初并没有看到根本改革体制的必要性，而是认为以往的问题是发展速度不够，因而第一个措施是推行"加速发展战略"，指望在旧体制下通过人为的办法加速经济的发展。不久即证明此路不通。老牛拉破车，靠鞭打怎能加速！那时的苏联真有点儿病急乱投医，开展了一个反酗酒运动，禁售各种酒精饮料。这种做法在20世纪20年代已经试过，并且以失败告终。一则俄国人历来嗜酒如命，积习难改，二则这是国库的重要来源，禁酒等于断了国家的财路。这就注定禁酒运动必然泡汤。有了前面的教训，这才走上体制改革的道路。实践显示，单纯的经济体制改革困难重重，阻力太大，于是想到进行政治体制的改革。一方面，戈尔巴乔夫的改革部分是赫鲁晓夫改革的继续，完成赫鲁晓夫未竟之事业，如平反冤假错案，戈尔巴乔夫的力度和深度都大大加大了。另一方面，他把自己的改革同列宁的新经济政策挂钩，新经济政策成为他的蓝本之一。戈尔巴乔夫提出民主化、公开性，都从列宁的著作中找到根据，是列宁的主张。这一切既是为了打破改革的阻力，也是想使社会主义回归本来的面貌，使社会主义成为民主的自由的社会，即建设一个"人道的民主的社会主义"。本来"人道"、"民主"是社会主义应有之义，无须画蛇添足。戈尔巴乔夫之所以在社会主义之前加上"人道、民主"几个字，是因为公开揭露了斯大林的大量黑暗的暴行之后，需要向人民交代，社会主义到底应当是什么样的，没有民主就没有社会主义，建设一个人道的民主的社会主义社会，是改革的方向和目标，是对人民的许诺。这个目标没有错，可惜的是，当苏共通过这一纲领的时候，苏联已余日无多了，纲领始终是纲领，没有能够变成现实。

戈尔巴乔夫的改革存在严重的缺陷，略举数例。其一是完全忽略了严重的民族问题。列宁曾经说过，沙皇俄国是各族人民的监狱，大俄罗斯民族歧视、迫害少数民族。斯大林执政后推行大俄罗斯沙文主义，继续迫害少数民族，其整体迫迁一系列少数民族的做法是历史罕见的。结果苏联国内民族之间积怨甚深，尤其是第二次世界大战前被并吞的波罗的海三国独立情绪强烈，民族问题呈一触即发之势。其二是国内的贪腐问题严重，老百姓对各级官员的特权深恶痛绝，因此当叶利钦打出“反特权”大旗，一呼百应，大得人心，终于成为他推翻苏共、解体苏联的有力武器。其三是党内“在册权贵”的强大的保守势力，一有机会就兴风作浪。戈尔巴乔夫休假期间爆发的“8・19 事件”，是对改革的反动，使广大群众对苏共失去信心。其四，历史的旧账并未从人民的记忆中消失。清算斯大林大镇压的旧账，是迟到的正义。其五，还有一点是不能忽视的，这就是在戈尔巴乔夫改革的整个时期，国内的经济每况愈下，改革在经济上没有给百姓带来看得见、摸得着的好处，这样其支持率越来越低。我亲耳听到一位列宁格勒大学教授说：生活得苦了，但过得愉快了。“苦”是物质的贫乏，“愉快”是说有了思想自由、言论自由了。

戈尔巴乔夫忽视严重的民族问题，在市场经济问题上举棋不定，在一些关键时刻犹豫不决。由于苏联几十年来一直墨守成规，不善于根据世界和国内形势的变化及时调整自己的理论和方针政策，苏共从整体上来说成为不思变革的保守的党，戈尔巴乔夫的改革首先遇到的阻力就是来自党的各级组织及其领导人，改革到处受到内部力量的抵制。戈尔巴乔夫终于得出结论，不可能把共产党作为改革的依靠力量，试图摆脱僵化的苏共，因此他宁要总统的头衔，而不想要总书记的职位。但是在一个党国一体化的国家里，一旦失去党的支持，就失去了依靠，尤其是在国内和党内尚未形成强大的改革力量的时候。在某些问题上戈尔巴乔夫急于求成（如多元化、多党制、改组苏维埃等等），必须看到苏联几十年形成的体制已到了积重难返的程度，改革既刻不容缓，也不能急于求成，改革的必要性必须同改革的适当措施结合起来。戈尔巴乔夫的悲剧在于看到改革的必然性和必要性，但此时此地他已回天乏术，找不到适当的措施来挽狂澜于既倒。

纵观苏联 74 年的历史，有过两次模式更换（由军事共产主义转换成新经济政策，再由新经济政策转换成斯大林模式）和三次改革。最成功的一次改革是列宁主持的由军事共产主义向新经济政策的转变，它在理论上打破了传统的废除市场关系的社会主义理论，决定在不施加暴力的情况下引导农民走向社会主义，从恢复农业着手，以恢复和发展农业带动工业的恢复和发展，取得了重大成就。但是它也存在致命的缺陷，即没有能够触动政治体制。列宁在经过短时间的犹豫之后，取缔了其他社会主义政党（孟什维克党和社会革命党），在党内又禁止各种派别，这就使列宁所说的“一党专政”变成不受任何监督的“一党独裁”，最后变成一种不受法律约束的无法无天的“个人独裁”。其结果就是经济体制的改革得不到政治体制的保护，一个人就可以用一句话予以废除，新经济政策被打发去“见鬼”。而中断新经济政策，也就埋下了葬送苏共和苏联的历史伏笔！

列宁生前已经看到斯大林掌握的无限权力有可能被滥用，专门写信给党的代表大会，建议一方面加强党内监督，一方面解除斯大林的总书记职务。这时候的总书记职务虽然还不是后来的党政第一把手，但掌握中央组织人事和处理日常事务的大权，一旦被滥用，后果严重。但是列宁的建议没有被接受，最高层的某些人士出于私利的考虑，一心一意支持斯大林继续担任总书记，这便留下了极大的隐患。

苏维埃制度曾被说成世界上最民主、最好的制度。然而，历史表明事实并非如此。在“一党专政”的国家，国家事务的决定权在共产党，而不在苏维埃，十月革命后代表民意的苏维埃逐渐变成无足轻重的机构，最后沦为“橡皮图章”。戈尔巴乔夫后来提出复兴苏维埃，“全部政权归苏维埃”，在“一党专政”的情况下，只是一种幻想，而放弃“一党专政”，全部政权真的归苏维埃，就意味着共产党失去政权。这是一个无法克服的矛盾。

赫鲁晓夫改革的重大缺陷是未能触及体制问题，不能也不敢把斯大林个人专制体制与社会主义制度区分开来。改革是局部性的，对斯大林个人崇拜的揭露虽然震撼世界，但问题往往归结为斯大林个人，这显然是很不够的，不足以解决问题。赫鲁晓夫在开始的时候也强调加强集体领导，但没有形成一种机制，在他站稳脚跟之后，就逐渐退回到个人说了算。这样就为自己的下台埋下了伏笔，给“宫廷政变”开了方便之门。

戈尔巴乔夫的改革比前两次改革都要深入，它触及了积重难返的政治体制，但缺乏充分的准备，如何正确处理党和苏维埃的关系，如何解决一触即发的民族问题，如何推进国内的民主化，又能保持苏共的领导地位，如此等等，戈尔巴乔夫都缺乏预见和考虑，陷入头痛医头、脚痛医脚的状态，徒具愿望而无有力措施，非常被动。

政治体制改革是一大难题，到了20世纪末，不改，则苏共迟早可能步罗马尼亚的后尘，改，如处置不当则反而会加速垮台。这里的问题不出在民主化、公开性，民主自由是当今世界之潮流，世界上众多的民主制国家并没有因民主而垮台，倒是那些强权专制的国家政变频仍，当权者交替出现。苏联由于错过几次改革的良机，问题已经到了积重难返的程度，在这样的国家如何实行改革，做到改而不死，动（变动）而不乱，是一个世界性的难题，是一个值得探讨的问题。

向马克思、恩格斯和列宁求教

苏联兴亡的原因是一个世纪性的问题，即使到本世纪末也未必会有一个公认的答案。本书作者并不企望解答这个难题，只是希望我们提供的事实有助于读者对答案的探寻。我们再提供一些往往被读者忽略的马克思、恩格斯和列宁的论述，也许会给我们以某种启发。

一个由列宁首创的社会主义苏联，一个口口声声要建立社会主义，甚至据说已经开始共产主义建设的苏联，一个千百万群众曾经为之献身奋斗的国家，为什么最终垮台、解体，而达不到自己的目标？

恩格斯在《费尔巴哈和德国古典哲学的终结》中关于历史有一段精辟的论述：

“历史进程是受内在的一般规律支配的。”[1] 人们所预期的东西很少如愿以偿，许多预期的目的在大多数场合都互相干扰，彼此冲突，或者是这些目的本身一开始就是实行不了的，或者是缺乏实行的手段的。“行动的目的是预期的，但是行动实际产生的结果并不是预期的，或者这种结果起初似乎还和预期的目的相符合，而到了最后却完全不是预期的结果。这样，历史事件似乎总的说来同样是由偶然性支配着的。但是，在表面上是偶然性在起作用的地方，这种偶

---

[1] 《马克思恩格斯选集》第4卷，人民出版社1995年版，第247页。

然性始终是受内部的隐蔽着的规律支配的，而问题只是在于发现这些规律。”[1]

“无论历史的结局如何，人们总是通过每一个人的追求他自己的、自觉预期的目的来创造他们的历史，而这许多按不同方向活动的愿望及其对外部世界的各种各样作用的合力，就是历史。”[2]“我们已经看到，在历史上活动的许多单个愿望在大多数场合下所得到的完全不是预期的结果，往往是恰好相反的结果，因而它们的动机对全部结果来说同样地只有从属的意义。”[3]

恩格斯就此进一步提问：“在这些动机背后隐藏着的又是什么样的动力？在行动者的头脑中以这些动机的形式出现的历史原因又是什么？”[4] 他回答说：

“如果要去探究那些隐藏在——自觉地或不自觉地，而且往往是不自觉地——历史人物的动机背后并且构成历史的真正的最后动力的动力，那么问题涉及的，与其说是个别人物、即使是非常杰出的人物的动机，不如说是使广大群众、使整个整个的民族，并且在每一民族中间又是使整个阶级行动起来的动机；而且也不是短暂的爆发和转瞬即逝的火光，而是持久的、引起重大历史变迁的行动。”[5]

探讨促使群众行动起来的动因，这是能够引导我们去探索那些在整个历史中以及个别时期和个别国家的历史中起支配作用的规律的唯一途径。

在这里我们之所以大段援引恩格斯的话，是因为在74年的苏联历史中我们可以多次看到这种预期和结果、动机和效果相背离的状况。尽管领袖们一再宣布他们发现并掌握了“规律”，所发现的“规律”如何正确，他们对规律的运用如何英明，他们的预期如何百分之百得到实现，然而历史毕竟是按照自己的规律发展的，一切违背历史规律的东西都不免遭到失败和破产。“军事共产主义”、“全盘集体化”、“阶级斗争尖锐化”和“大清洗”、“建成社会主义”、“进入共产主义”、“发达社会主义”等无不如此。一部苏联兴亡史如实地证实了恩格斯的论断。实际上，某些领导掌握的并不是什么规律，而是权力，他们依靠

[1] 《马克思恩格斯选集》第4卷，人民出版社1995年版，第247页。

[2] 同上书，第248页。

[3] 同上。

[4] 同上。

[5] 同上书，第249页。

手中的权力恣意妄为，无视历史发展的客观规律，无视人民群众的诉求与呼声，无视历史的潮流，凭自己的意志与权力行事。这就难免一朝崩溃，难逃历史的审判。

有人把苏共丧权、苏联解体归罪于赫鲁晓夫、戈尔巴乔夫，认为是党内出了"叛徒"。很难想象，一个大国、一个大党能够被某一个人、某一个叛徒出卖。可以说，历史上没有任何一个个人拥有这样的力量。苏联共产党、中国共产党党内都出现过货真价实的叛徒，但都没有能够搞垮党。因为决定党的命运的不是个别领袖，而是广大党员、广大群众。列宁就此写道：

"历史上有过各种各样的变化；依靠信念、忠诚和其他优秀的精神品质，这在政治上是完全不严肃的。具有优秀精神品质的是少数人，而决定历史结局的却是广大群众，如果这些少数人不中群众的意，群众有时就会对他们不太客气。"[1]

列宁这里说的是，对历史上任何一个重大转变起决定性作用的是广大群众，而不是少数领袖人物。群众对苏共"不太客气"，是因为它已经"不中群众的意"，换言之，不得人心！当苏共中央总部被查封，其中的工作人员走出总部大楼的时候，围观的群众没有一个人表示声援，而是旁观，甚至嘲笑。这是一幅什么样的情景！

不言而喻，这不是否定领袖的作用，领袖对促进或者推迟历史的发展能够发挥巨大的作用。1871 年 4 月 17 日，恩格斯给库格曼的信中谈到偶然性的作用，他说世界历史"发展的加速和延缓在很大程度上是取决于这些'偶然性'的，其中也包括一开始就站在运动最前面的那些人物的性格这样一种'偶然情况'。"[2]

恩格斯在《德国的革命和反革命》中指出，需要研究革命必然爆发又必然失败的原因，"这些原因不应该从一些领袖的偶然的动机、优点、缺点、错误或变节中寻找，而应该从每个经历了动荡的国家的总的社会状况和生活条件中寻找。"恩格斯特意批驳了领袖"出卖"论，他说："当你问到反革命成功的原因时，你却听到一种现成的回答：因为这个先生或那个公民'出卖了'人民。

[1] 《列宁选集》第 4 卷，人民出版社 1995 年版，第 679 页。

[2] 《马克思恩格斯全集》第 33 卷，人民出版社 1973 年版，第 210 页。

从具体情况来看，这种回答也许正确，也许错误，但在任何情况下，它都不能说明任何问题。甚至不能说明，‘人民’怎么会让别人出卖自己，而且，如果一个政党的全部本钱只是知道某某公民不可靠这一件事，那么它的前途就太可悲了。”[1]

同样，用“叛徒论”来解释苏联这样一个大国的解体，虽似简单明了，但不能说明任何问题，也是直接违背恩格斯的教导的。

马克思写于1857年的《印度起义》一文中有一段话非常值得注意：

“人类历史上存在着某种类似报应的东西。历史报应的规律就是，锻造报应的工具的，并不是被压迫者，而是压迫者自己。”[2]

马克思说的是印度的起义。此前，英国殖民者在印度本地人中间招募一支名叫“西帕依”的雇佣军，用来征服印度并维持其统治。然而，正是这支部队在1857年震撼殖民者的印度民族起义中发挥了重要的作用。所以马克思接着写道：“第一次打击法兰西君主制的是贵族而不是农民。发动印度起义的不是饱受英国人折磨、侮辱和洗劫的莱特，而是由英国人供给吃穿、受英国人豢养和宠爱的西帕依。”[3]

马克思提到的这个“历史报应的规律”或者“类似报应的东西”，值得我们注意。在苏联共产党垮台上，我们同样看到了它的威力。

历史报应规律包含两个方面：报应什么，由谁执行报应。

历史上的坏事恶事不能不受到历史的报应，中国有俗语说，物极必反，善恶到头终有报，就体现了历史的报应规律。承认报应规律，可以使人们对历史存敬畏之心。

这种报应有的很快来到，有的需假以时日，待矛盾积累到一定时候爆发。十月革命前列宁在《论大俄罗斯人的民族自豪感》中写道：

“我们满怀民族自豪感，因为大俄罗斯民族也造就了革命阶级，也证明了它能给人类提供为自由和为社会主义而斗争的伟大榜样，而不只是大暴行，大批的绞架和刑讯室，普遍的饥荒，以及对神父、沙皇、地主和资本家十足的奴

---

[1] 《马克思恩格斯全集》第11卷，人民出版社1995年版，第6页。

[2] 《马克思恩格斯全集》第16卷，人民出版社2007年版，第334页。

[3] 同上书，第335页。

颜婢膝。”[1]

按照历史报应规律，这样充满大暴行的制度是迟早要被推翻的。令人遗憾的是革命胜利之后人们在苏联还是看见了大暴行、刑讯室、集中营、大饥荒，以及对领袖的顶礼膜拜……

即使在阶级社会，国家的职能之一也是维持社会的稳定，防止社会分裂，防止“经济利益互相冲突的阶级，不致在无谓的斗争中把自己和社会消灭”，“缓和冲突，把冲突保持在‘秩序’的范围以内”[2]。这是恩格斯在《家庭、私有制和国家的起源》中说的。然而斯大林的国家却人为地掀起“阶级斗争”，制造社会的对抗和分裂。这样的国家出路有两个，一个是痛改前非，进行改革，一个是一意孤行，政权垮台。欠债总是要还的。世界历史的进程是一个不断进步的进程，总是光明战胜黑暗，正义战胜邪恶，民主战胜独裁，自由战胜专制的过程，如果不是这样，人类岂不是永远生活在奴隶社会，或者中世纪的黑暗统治之下！世界历史是世界法庭！布哈林在“自己的”法庭上说得很清楚：“世界历史就是进行审判的一个世界法庭。”[3] 所有处于无奈绝望之中的人们都曾寄希望于世界法庭。历史学家罗·亚·梅德维杰夫把他论斯大林主义的起源及其后果的专著取名为《让历史来审判》，绝非偶然。

报应规律的另一方面是实施报应的往往是作恶者自己打造的工具。苏共的垮台，其原因可以列举很多，但归根结底在于苏共本身。列宁曾经提议解除斯大林的总书记的职务，列宁的理由是斯大林“太粗暴”，他认为，这个缺点在一般共产党人之间的相互交往中是可以容忍的，“但是在总书记的职位上就成为不可容忍的了”，他特别警告说，“这一点看来可能是微不足道的小事”，但“这是一种可能具有决定意义的小事”。[4] 但是列宁身后的领导班子或者出于一己私利的考虑，或者由于眼光短浅，硬是把斯大林保了下来，并且赋予更大更多的权力。这样到 20 世纪 20 年代末，大权在握的斯大林就急不可待地中

---

[1] 《列宁选集》第 2 卷，人民出版社 1995 年版，第 450 页。

[2] 《马克思恩格斯选集》第 4 卷，人民出版社 1995 年版，第 170 页。

[3] 《布哈林在法庭上的最后陈述》（1938 年 3 月 12 日），《国际共运史研究》（布哈林专辑），人民出版社 1981 年版，第 139 页。

[4] 《列宁全集》第 43 卷，人民出版社 1987 年版，第 340 页。

断了新经济政策，使社会主义失去走向市场的可能性，而斯大林性格上“粗暴”的缺点，在20世纪30年代的大镇压中毕露无遗。

斯大林实行了由上级任命的等级官员制度，把自己的工资提高到1万卢布，给党政官员以高薪，同时实行暗箱操作的红包制度，在社会主义国家内部培养出一个享有特权的高薪阶层，即“在册权贵”。20世纪50年代赫鲁晓夫进行了还没有触动体制本身的改革，但是他提出的干部任期制已触及一大批干部的利益，于是他们发动“宫廷政变”推翻了赫鲁晓夫政权，使苏联失去一次通过改革以挽救共产党政权的机会。戈尔巴乔夫上台重启改革，这次的改革冲击面更大，深深触及党内利益集团根本利益，这就不可避免地遭到党内“左”右派的反对和抵制，既有保守派的“8·19政变”，又有分裂派的别洛韦日密林会议，叶利钦高举反特权的大旗，赢得大量群众的支持，而结集在他周围的党政官员绝大部分又是在册权贵。在册权贵的各路大军汇集起来推翻了苏共的领导，解散了苏维埃联盟。

促使苏联解体的还有另一支由苏联自己打造的力量。在苏联存在的74年里，在地缘政治上继承的是沙皇俄国的衣钵，它在1921年动用武力并吞了自己刚刚承认的独立的格鲁吉亚民主共和国，1940年，又出兵波罗的海三国，并吞了独立的立陶宛、爱沙尼亚、拉脱维亚。这样，苏联恢复了沙俄帝国的版图。然而，正是这四个被红军占领，强行并入苏维埃联盟的国家，争取民族独立的运动始终不断，成为苏联国内最不安定的因素，它们在20世纪80年代末率先举起民族独立的大旗，宣布本国主权高于一切，动摇了苏维埃联盟的基础，并最后脱离苏联，恢复为独立国家，为苏联国内其他谋求独立的共和国作出了榜样。这支民族分离队伍是苏联自己打造培养出来的，它们曾经“壮大”了苏联，但最后又成为解体苏联的急先锋，这就是一种历史的报应。

多次打断改革、最终使苏共丧权的不是平民百姓，而是苏共自己培植起来的领导上层——“在册权贵”！最后促使苏联解体的急先锋，在联盟内部打开缺口的则是几个被兼并的国家！这大概就是马克思所说的历史报应规律！

苏联史研究在俄国的进步

半个世纪前，赫鲁晓夫“解冻”之后，开始公布一些有关苏共的档案资料，纠正斯大林时期对苏联历史的歪曲，但是这个过程随着赫鲁晓夫被党内政变推翻而中止。戈尔巴乔夫上台之后，继续“解冻”的进程，开始填补“历史空白”，公布许多绝密档案，打开了苏联历史研究中的许多禁区。苏联解体之后，许多重要档案馆对学者开放，历史学家得以深入接触到尘封多年的档案，为真正的史学研究提供了大量可靠的依据。

对苏联历史重新审视始于戈尔巴乔夫时期的剧作家、政论家等，他们不是专业的历史研究者，是“外行”，但恰恰是他们凭自己的敏感、经历和历史见闻，对一些重大的历史事件提出新的看法，尽管多少存在不准确的地方，但非常富有启发性。

我们且以著名的剧作家米·沙特罗夫为例。他发表在1987年第4期《新世界》上的《布列斯特和约》（中译名为《1918年的苏俄领袖们》，世界知识出版社出版），《前进，前进，前进……》（1988年）等剧作在恢复革命的真实历史方面就发挥了积极作用。在这些剧本里，过去一直被从历史上抹去的列宁的战友们如托洛茨基、布哈林、季诺维也夫、加米涅夫等登上了舞台，斯大林也不再是一贯正确的了，也会受到列宁的批评，这样剧作者就在舞台上展示了一幅比较接近历史真实的生动画面，虽然其中还存在如此这般的不足之处。沙特罗夫是中国观众熟悉的《以革命的名义》（1957年）的剧作者，他的《我们一定胜利》（1982年）上演后，勃列日涅夫曾率苏共中央政治局全体委员去观看，因为这些党的领袖们所知道的党史知识不会超过《联共（布）党史简明教程》所教给他们的。沙特罗夫写过很多关于列宁的剧作，显然仔细研究过列宁的生平以及他所处的历史时期，知道许多官方历史教科书所不提供的资料。《布列斯特和约》一剧写于1962年，当时无法发表或者上演，只能发表一些片段，直到25年之后，才得以全文发表。这自然推动了当时提出的“填补历史空白点”、恢复历史真相的运动，同时也给苏联的历史学家们背后击一猛掌。

接着，历史学家们也开始投入重新研究。他们从事两方面的工作：

过去苏联历史学家能看到的机密档案非常有限，只有少数学者能够进入绝密档案库。[1]西方学者主要依据的是托洛茨基被驱逐出境时携带出去的档案，

[1] 1988年我参加在联邦德国举行的布哈林问题国际学术研讨会，与会的有一批苏联学者，其中来自苏联科学院历史研究所的学者就当面指责苏共中央马列研究院的学者垄断档案。

德国人在占领期间从斯摩棱斯克掠走的档案（称“斯摩棱斯克档案”）。从20世纪80年代末起，苏联开始公布一些解密档案，苏联解体后各级档案馆对外开放。历史学家们发掘整理档案资料，报纸杂志上不断披露从档案库中发掘出来的专题资料，在长期工作之后开始出版大量的专题档案集。尤其值得注意的是由A.H.雅可夫列夫院士主编，众多著名史家参加整理编辑的系列档案丛刊《20世纪俄国文献》[1]，一个专题一个专题地公布解密档案，如《1921年喀琅施塔得文献》、五卷本《新经济政策是怎样被打断的。1928—1929年联共（布）中央全会速记记录》、《斯大林与世界主义。苏共中央宣传部文件》，等等。

另一方面，历史学家们开始在此基础上撰写苏联史的论文和专著，如俄国史、苏联史、苏联国家史、政治史、经济史、文化史，等等。尽管由于史家们掌握的材料多寡有异，观点立场不同，对同一历史事实看法和评价不尽相同，甚至截然相反，但俄国的苏联史研究开始进入一个新阶段，总体上逐步走向写真实的历史，纠正以往对历史的伪造和歪曲。十月革命和国内战争只讲列宁和斯大林，不讲托洛茨基，能说清楚吗？除了列宁和斯大林两人以外，把十月革命后的所有党政领导人、列宁的亲密战友都打成“人民敌人”、“叛徒”、“内奸”，这样的历史能让人信服吗？一边宣布社会主义已经“建成”，一边实施大镇压，把千百万无辜人士投入监狱、集中营，予以枪毙，这是社会主义吗？这样的党史，这样的苏联史，是不是应当改写呢？写真实的历史必然要否定伪造的历史、歪曲的历史，说是填补历史的空白也好，说是恢复历史的正义也好，归根结底，需要还历史以本来面目！

与此同时，长期以来被雪藏于“特藏库”（спецхран）的禁书禁报禁刊，如托洛茨基、布哈林、季诺维也夫等反对派成员的著作，刊载反对派文章的报刊也解禁开放，有的公开重印。这使读者得以看到反对派的真正观点和主张，而不是靠斯大林著作和党的决议中多半是被歪曲或断章取义的转述和引文来了解他们的主张。苏联当时曾有禁令，禁止在论文和著作中直接引用反对派的言论，而只准转述，否则就是宣扬反对派的言论。过去一些被查禁的图书，如“异议人士”罗伊·梅德韦杰夫的《让历史来审判》等，也得以公开出版。戈

[1] Россия. XX век. Документы. Под общей ред. Академика *А.Н.Яковлева*. Международный фонд «Демократия». Изд. «Материк».

尔巴乔夫在苏联历史上第一次正式承认苏联存在书报检查制度，并予以废除。

自20世纪90年代以来，互联网得到飞速发展，许多俄国的学术著作、历史资料以至档案文件等可以在网上看到和下载，给史学研究提供了极大的方便。这一切为苏联史的研究提供了扎实的第一手资料，为纠正历史的伪造提供有力的证据。

俄国的史学家，不仅可以看到和使用各种新的解密档案材料，而且在写作史学论著时不再有过去那些官方的意识形态的束缚，没有了各种条条框框，可以按照自己研究的结果来写作了。历史研究成为历史学家的工作，而不再是政治家的工具。政治家们不再能够对历史的学术研究发号施令了，即使有人想发号施令，也再无法定于一尊。对苏联历史的各种问题仍然存在不同看法，争论在继续，但争论不再能够由官方来统一。莫斯科大学历史系副系主任Л.С.列昂诺娃教授指出：当前，俄国史学家们已达成了一定的共识，认为学术研究不能再回归从前那种思想一统的老路，方法和观点的多元化是任何一门学科顺利发展的首要条件之一。在这种生态条件下，苏联史的研究出了不少可喜的成果，包括论文和专著。这里既有为斯大林辩护的菲利波夫等人著作的教学参考书《俄国现代史（1945—2006）》，也有"颠覆性"的由安·祖波夫主编、多国学者参加编写的两卷本《20世纪俄国史》。可以同意或者不同意他们的观点，但仅就这两种观点截然对立的图书能在俄国出版而论，不能不承认这是历史的巨大进步。

从这一切可以看到，俄国的苏联史研究在最近1/4世纪的时间里有了长足发展，这是史学的进步，而不是历史虚无主义。

我们的工作

苏联的解体为苏联的社会主义画上了一个句号，苏联作为国家，作为制度，已经成为历史，整个苏联时期已经摆在世界历史的舞台上任人评说。苏联史成了整个俄国历史中的一个阶段、一个时期。诚然，这是一个非常独特的、影响过整个世界的时期。写前朝史是史家的一种惯例，一个朝代结束了，就有可能看到被深深掩盖的各种历史真相，有可能较为客观地评说其功过得失，为客观的科学的历史研究提供有利的条件。

苏联解体后，我国出了几本苏联史的专著，发表了不少叙述和论述苏联某一段历史、某一个问题的著作，这些著作分析问题的角度不同，详略不一，观点看法也不一致，对苏联历史和问题的研究出现了争鸣的良好态势。对存在74年的世界上第一个社会主义国家的兴衰存亡过程及其原因的探讨，不是短时间内能够达成共识的。罗马帝国灭亡以来世界上罗马兴亡史就出了好多种。法国大革命离今天已有两百多年，研究的著作依然源源不断地问世。曾有记者问周恩来怎样评价法国大革命？周恩来回答说：现在作结论为时尚早。已经过去两个世纪的法国革命尚且如此，一个曾经影响整个人类社会的社会主义革命的得失和经验教训，绝对不可能在短时间内取得各方的共识。仅仅就斯大林一人的评价而论，从他逝世算起，事过半个多世纪仍然众说纷纭，无法盖棺论定。对这么一段影响世界历史的发展进程的苏联历史决不是某几人或某几本书能作出定论的！

本书的作者群体关注苏联历史已久，有些学者从20世纪50年代起就学习和研究苏联史。有过痛苦的“文化大革命”经历的作者们深感苏联对中国影响之大、之深，开始从中国的教训反思苏联的历史。从20世纪70年代末开始，中国的苏联史研究者写出了一批有独立见解的论述苏联历史的论文和专著。

苏联解体之后我们有意写作一部比较完整、较为详尽的能够反映苏联历史真实过程的苏联史，这既是我国广大关心苏联历史的读者的需要，也是我们自己厘清苏联历史本身发展过程的需要。为此，本书的作者和其他一批苏联史研究者一起从1995年以来投入以下两项工作。

为使中国的学者能够看到并利用从苏联末期起开始公布的大量解密档案，由沈志华教授牵头在中国社会科学院立项，编译出版了34卷《苏联历史档案选编》[1]。我国有数十名苏联史研究者、翻译者投身于《苏联历史档案选编》的编译出版工作，历时七年，于2002年正式出版发行。这部书为我国苏联史的研究提供了一份非常有价值的资料。

编译出版档案资料不是我们的最终目标，利用这些档案资料撰写一部反映苏联历史真实面貌的苏联史，这才是我们追求的目标。1996年由沈志华等教授倡议，“中国史学会东方历史研究出版基金”提供资助，由郑异凡研究员

[1] 参见沈志华执行总主编：《苏联历史档案选编》，社会科学文献出版社2002年版。

牵头在中央编译局为九卷本《苏联史》正式立项。2002 年《档案选编》完成之后，作者们开始集中精力撰写这部《苏联史》。

我们长期从事于历史研究，多年的工作使我们深深感到，一个历史工作者需要具备史魂、史识、史胆。“史魂”说的是史家的道德良知，要显善揭恶，独立思考而不媚时，不随风倒，尤其不为恶辩护。“史识”说的是对历史的认知，是建立在历史事实基础上的对历史的清醒认识，以史实为依据，运用历史唯物主义、历史主义，把握基本的历史联系，认识和揭示历史的本来面貌，力求揭示历史发展的规律。“史胆”，面对历史要敢于秉笔直书，敢于讲真话，敢于写真实的历史，这是对历史负责的态度。史魂、史识、史胆，这是中国史学的优良传统，也是我们追求的方向。

本书作者们努力给读者提供一部真实的苏联史。任何一个史家对自己所记叙、描绘的历史，不可完全处于超然的、纯客观的地位，必然会有自己的看法，并且会以各种形式表现出来，这是不言而喻的。本书同样如此，我们力求做到的是，所提供的历史事实，是真实可信的，我们的看法是有据可依的。苏联历史中伪造的东西太多了，纠正这些东西困难重重，尤其是对我们这些外国的史学家来说更是如此。迄今为止俄国的史学家们在这方面做了大量的工作，但是应该说，仍然处于起步阶段。写出一部完整、全面、真实的苏联史，有待俄国和各国历史学家的共同努力，我们所做的工作只是抛砖引玉而已。

当然，我们也不妄自菲薄，中国的历史学家在研究苏联史上具有自己的优势。我们是社会主义国家，正在建设中国特色的社会主义。此前我们在相当长的一个时期曾经照搬照抄过苏联斯大林的那一套做法，我们的社会主义曾经深深留下斯大林模式的烙印。中国人对斯大林模式的弊端有切身体会，摒弃和改革斯大林模式是中国改革开放的起点。这样，我们在考察苏联的成败得失时，会有自己的感性认识，可以通过自己的教训去认识苏联历史中的问题。从 20 世纪 70 年代末起，中国学者已经开始对苏联史中的某些问题进行认真的反思，得出新的认识，如列宁晚期思想、对斯大林的评价、对布哈林的评价、对赫鲁晓夫的评价、对《联共（布）党史简明教程》的评价、苏联农业集体化和工业化等等问题，都提出了自己的新见解，可以说，在 20 世纪 80 年代中国学者在苏联史的若干问题的研究上走在了苏联史家的前面。

马克思在《〈政治经济学批判〉导言》中说过:“人体解剖对于猴体解剖是一把钥匙。反过来说，低等动物身上表露的高等动物的征兆，只有在高等动物本身已经被认识之后才能理解。”[1]这是马克思就资本主义社会对以往的各种社会的关系而言的。资本主义是借以往的社会形式的残片和因素建立起来的，其中一部分是还未克服的遗物，继续在这里存留着，一部分原来只是征兆的东西，得到了充分发展。中国的社会主义，是在苏联模式的基础上建立起来的，而中国特色的社会主义则是在克服和摒弃苏联模式中的斯大林模式的基础上建立起来的，在这里如马克思所说，一部分原来只是征兆的东西，如列宁的运用市场机制的新经济政策，得到了充分发展。在我国斯大林模式虽然已被摒弃，但不可否认，一部分尚未克服的“遗物”仍继续存在。通过中国特色的社会主义实践，我们能够更清楚地认识苏联社会主义的得失，这是不言而喻的。

本书是一部多卷本的苏联史，以相对独立的历史阶段分卷，依次为:俄国革命、国内战争、新经济政策时期、斯大林模式的确立、卫国战争、战后斯大林时期、赫鲁晓夫的十年、勃列日涅夫的十八年、戈尔巴乔夫改革和苏联解体。历史的延续存在有机的内在联系，分卷只是为了写作方便，并不是对苏联史的科学分期。九卷书是一个整体，讲述一个连续不断、有机联系的历史过程。与此同时，各卷的内容又是相对独立的。为发挥每一位作者的特长和创造性，在总体设计下，每卷的作者独立设计本卷的结构和内容，写作风格也不强求一致。为叙事方便，卷与卷之间部分内容或有重叠交叉。由于作者的视角不同，运用的资料不同，这种重叠不会是简单的重复。这样，每一卷都可以作为有头有尾的独立的一段史书来读。由于长期磨合，作者们对苏联历史的总体看法是一致或近似的，相信全书在基本观点上也会是一致的。尤其值得指出的是，本书的多数作者同时也是《苏联历史档案选编》相应卷次的主编，档案的编辑工作为他们提供了扎实的史料。

本书自 1996 年立项，到 2013 年开始出书，历时十多年，是名副其实的“十年磨一剑”。一部历史著作的撰写确实需要有较为充裕的时间，急就章是不行的。我们不敢说本书是精品，但是应当说，要出精品就必须舍得下“十年磨一剑”的功夫。

[1] 《马克思恩格斯选集》第 2 卷，人民出版社 1995 年版，第 23 页。

司马光言："鉴前世之兴衰，考当今之得失。"写"前世之兴衰"是历史学家的责任，"考当今之得失"则未必是史学家所能完成的任务，倒不如说是每一位读者自己的任务。历史学家的首要责任就是写出信史，使所写的历史书尽可能接近历史本身。这是考当今之得失的前提。如果历史事实被歪曲了，那由此得出的结论必然陷入谬误。2009 年 5 月 13 日，习近平在中央党校说：领导干部要通过研读历史经典，看成败、鉴是非、知兴替，起到"温故而知新"、"彰往而察来"的作用。我们希望这套《苏联史》能在这方面提供一些有用的东西。

在成书之际我们深深怀念中国社会科学院世界史所已故朱庭光所长，他一直关怀我们的苏联史研究和写作；怀念我们的挚友中央党校战略研究所的姜长斌教授，他不是课题组成员，但几乎参加了我们的所有学术讨论，贡献了许多宝贵的意见，长斌不幸于 2009 年年初去世，未能看到本书的出版，实为憾事。中国社会科学院世界历史研究所闻一、马龙闪研究员、华东师范大学历史系余伟民教授、中国政法大学金雁教授等也参加了我们的部分讨论会，人民出版社张伟珍编审为本书的出版做了大量工作，东方历史研究基金会和人民出版社提供了资助，前驻俄大使李凤林先生百忙中为本书作序，对此我们深表谢意！

2009 年 7 月 18 日二稿

2011 年 5 月 1 日三稿

目 录

导　言

一

20世纪30年代是苏联历史中最重要的时期之一。它是苏联人民创建社会主义国家的时期，是苏联社会主义政治经济体制——斯大林模式形成的时期。它使十月革命有了一个成果，也为以后整个苏联时期规定了治理模式。这是一个承上启下的阶段，展示了苏联历史中最本质最基本的东西。

这一段历史既是列宁开创的苏维埃社会的继承，又具有浓厚的斯大林个人的特色。不能把它同前段历史隔离甚至对立起来，但它确有许多重大的不同点。总的来看，这段历史有以下几个基本特点：

首先，苏联这一时期的历史具有浓厚的意识形态色彩，各项活动都是以马列主义为指导，以建成社会主义为其奋斗目标。但什么是社会主义，如何建成社会主义？马克思、恩格斯和列宁都没有说清楚。斯大林作了自己的诠释，并把它定为唯一正确的诠释，定为对马列主义的发展。

斯大林提出一国建成社会主义的理论。他指出，“建成社会主义是什么意思呢？在苏联建成社会主义就是在斗争进程中用本身的力量战胜苏联本国的资产阶级”。[1] 强调社会主义就是消灭剥削压迫，铲除上层，实现人人平等。具体讲，就是通过工商业国有化和农业全盘集体化，消灭资产阶级、富农和各种富人，将生产资料私有制改造成为国家所有制或集体所有制。就是要不断加强国家对社会和个人的全面控制，限制商品市场经济，反对个性发展，以消除产生分化的根源，创建“平等王国”。

斯大林对世界革命也作了新的诠释。他严厉批判那种认为西方比俄国先进，苏联社会主义建设要靠世界革命来完成的观点，把苏联党和国家置于工人运动中不容置疑的至高无上的地位。他强调苏联是世界革命的中心，是推动他国革命的基地；要求不惜代价地高速发展重工业，增强国力；要求各国共产党把苏联的利益放在第一位，无条件地支持苏联，保卫苏联。认定苏联必须迅速发展成为军事强国，以推动世界革命。

---

[1] 《共产国际执行委员会第七次扩大全会：再论我们党内的社会民主主义倾向》，《斯大林全集》，人民出版社1954年版，第20页。

正是斯大林这一思想指导着20世纪30年代的苏联社会主义建设。对“平等王国”和“军事强国”的追求成为这一时期的中心内容。而生产力的全面提高，人民生活条件的改善和社会主义民主制度的建立则较少顾及。应当说，创建“平等王国”和“军事强国”的努力取得一定成果，某些方面还是引人注目的巨大成果。它维护了国家的利益和尊严，满足了人民的某种要求，受到群众的欢迎。但是它是靠巨大代价获得的，是靠畸形发展重工业和军事经济，牺牲人民的物质利益，压抑群众精神生活取得的。结果平等导致低水平的取齐，引出特权阶层的确立。强国成为沉重负担，并日益演变为大国霸权。

其次，苏联这一时期的各项活动都是在布尔什维克党的领导下进行并取得巨大成果的。马列主义认为，社会主义思想体系不是从自发运动中产生出来的，必须由先进分子组成的共产党将社会主义思想灌输到工人阶级中去。社会主义只能在共产党的领导下创建。斯大林进一步发挥说，“党是无产阶级专政的工具”。[1] 这种把党从无产阶级专政的政治领导或核心简单归结为工具，一是混淆了政党和国家机关的区别，二是贬低了党的作用。这一时期，党的领导经常表现为党政不分，以党代政，党包办一切。党被当做工具后，逐渐远离了民主集中制，而变成为少数人直至总书记一个人推行自己意志的工具。个人崇拜、个人集权现象日趋严重。斯大林个人对苏联历史发展产生前所未有的巨大的和深远的影响。

第三，苏联这一段历史充满了激烈的“阶级斗争”和清洗镇压。斯大林把阶级斗争学说和无产阶级专政理论扩展为阶级斗争决定一切，阶级斗争尖锐化的理论。社会上的各种问题如党内出现不同意见，农民不愿按低价出售粮食，生产发生事故，不合心意的学术文艺流派等都被说成是阶级斗争。即使在剥削阶级被消灭后，仍认定到处都有敌人。斯大林到1937年还说，“在我们所有的或几乎所有的组织中，无论在经济组织或在行政组织和党的组织中，都在某种程度上碰到了外国代理人的暗害、破坏和间谍活动”。[2] 并宣称社会主义建设取得的成就越大，阶级斗争就越尖锐。社会主义只有通过残酷的阶级斗争

[1] 《论列宁主义基础》，《斯大林选集》，上卷，人民出版社1979年版，第267页。

[2] 《论党的工作缺点和消灭托洛茨基两面派和其他两面派的办法》，《斯大林文集》，人民出版社1985年版，第136页。

才能建成。20 世纪 30 年代，许多矛盾和斗争被人为地制造出来或激化起来，大批无辜干部群众遭到迫害镇压。在轰轰烈烈的经济建设中，始终伴随着真真假假的阶级斗争，但确是实实在在的残酷斗争。

总之，苏联人民在联共（布）和斯大林领导下，创建了自己的社会主义建设模式，把国家建设成世界一流的社会主义强国，达到俄国历史上从未有过的强盛。苏联经济特别是重工业的迅速发展，国家崛起之快震惊全球。人们对苏联人民为追求平等和强国而迸发出来的劳动热情和献身精神赞叹不已，对联共（布）的强有力的领导和斯大林的意志力量也感到惊叹和折服。

同时，人们也看到俄国传统力量的巨大。苏联党和人民努力创建一个崭新的社会，但却重走了沙俄的军事强国之路，追求着村社式的平等，沿袭了君主专制的传统，扩展了血亲复仇的习俗。人们依旧热衷拥戴领袖、跟随领袖前进，为实现伟大理想而献身。

邓小平指出，“看来（斯大林）这个模式在苏联也不是很成功的”。[1] 尽管苏联宣布社会主义取得全面胜利，但群众的处境并没有多大改善，人们对建成的社会主义感到不理想甚至产生怀疑，对领导失望。面对这一危机形势，斯大林采用大清洗大镇压的办法暂时控制了局势。随着法西斯德国威胁的不断加大，人们逐渐把注意力转向应对战争方面。苏联历史转向一个新阶段。

二

苏联这一段历史内容丰富复杂，影响巨大深远，非常受人关注。由于立场观点的不同，由于政治斗争需要的差异变化，由于第一手档案资料的缺失，人们对它的阐述和评价迥然不同，甚至完全对立。如果确认社会主义代替资本主义是历史的必然、社会的进步，就会说 20 世纪 30 年代的苏联是一次前所未有的创新、探索和实践。而如果把现代化进程归结为市场经济、民主自由和文化多元化的发展，就会说它是倒退。如果有强烈的爱国思想和强国要求，就会赞赏斯大林将苏联建设成为一个强国，而不在乎它付出的代价，甚至认为这种

[1] 《关于政治体制改革问题（1986 年 9 月 —11 月）》，《邓小平文选》，第 3 卷，人民出版社 1993 年版，第 178 页。

代价是必须付出的。反之，就会认为，付出这么大的代价，就是建成天堂也不值得。全面歌颂和彻底否定的意见过去一直存在，今后也将会长期争论下去。更多的人不赞成完全肯定或否定的极端看法。但他们会因视角不同、重视的问题不同、对得到和付出之间的衡量不同，而作出不同程度和不同侧面的褒贬。当前，人们争论最激烈的问题是：苏联建成的是否是真正的社会主义，对斯大林应如何评价？

本书是一本历史著作，不对理论问题进行专门探讨。对于上面谈到的重大争论问题，本书的态度是，苏联在建设社会主义，或者说在建设斯大林模式的社会主义。至于它是发展了还是完全或部分背离了马克思列宁主义原理，是符合还是歪曲了社会主义基本原则，则不是本书专门研究的课题，作者只就事论事地做一些评述。

关于对斯大林个人的评价问题，本书没有采取三七开或是倒三七开的说法，也没有作基本肯定或基本否定的评论。因为这种分析从历史学角度看，没有多大意义。著名的历史人物大多都有各种各样相互矛盾的侧面，斯大林尤其如此。对他们的评价绝非一两句话能够说清楚的。用肯定或否定来评述一个人的历史地位，往往会把问题简单化，并可能用业绩减轻甚至抹杀罪行，或用问题否定成果。本书将尽力客观全面地展现斯大林的方方面面，展现他对苏联经济发展、平等社会、国家兴衰、民主法制、社会主义事业的巨大影响。

本书力图用已掌握的史料，实事求是地阐述这一段错综复杂的历史进程，剖析当时的经济状况、政治形势、党内的斗争、历史传统、民众素质、国际环境等客观条件；评析斯大林等领导人又是怎样发挥主观能动性的。很显然，单讲一方面是片面的。夸大俄国的落后，把20世纪30年代的历史进程说成是必然的、唯一正确或唯一可能的选择，我认为是值得商榷的。因为历史的发展不是宿命的，它有多种选择。但不讲俄国条件，用西方的模式甚至用理想来评述苏联历史，或过分夸大个人作用，把历史简单说成是斯大林个人权欲、个人权术的结果，也是不妥的。本书力图阐明斯大林在具体历史背景下是如何决策的，他一方面受客观条件限制，不能随心所欲地行动；另一方面又利用客观形势，依靠集中体制，有计划有谋略地推行自己的政策。

本书力图从发展演变的角度来阐述历史。布尔什维克党和斯大林最初并没有完整的社会主义建设方案，而是在实践过程中，不断进行调整和更改。譬如，最初计划先搞工业化，然后在此基础上推进农业集体化。一般的书也是这样写的，先写工业化，再写集体化。而实际情况是，工业化问题提出后不久就爆发粮食收购危机，工业化问题被置于次要地位。只是在采取了非常措施并开展了全盘集体化运动，在粮食供应和建设资金得到一定保证之后，工业化计划才真正铺开实施。可以说，斯大林的工业化是在农业集体化基础上完成的。因此本书把农业集体化的章节安排在工业化章节的前面。关于工业发展速度问题，先是批判托洛茨基的超工业化计划，然后是斯大林提出的超过托洛茨基的高指标，随后又是多次的调整修改。其他经济、政治、文化和外交政策也多有重大调整变化。本书努力如实地展示历史发展的曲折复杂。本书不是政论，也不采取以论带史的写法，避免把历史简单归结为对某一论点的证实，归结为某位领导指示的贯彻。

本书着重阐述史实，当然也有作者自己的观点。它是作者从史实中归纳出来的结论和看法，在书中占次要地位。其次，作者的评述有很大的局限性。由于史料不足和研究不够，有些事件包括重大事件至今无法完全说清楚，更难以下结论。作者尽力把已知的史料和学者的不同意见展示出来，供读者自己评判。

三

20 世纪 30 年代苏联历史的研究，首先涉及原始档案资料问题。在斯大林执政时期，受政治和意识形态因素的影响，档案基本不公开。1956 年 2 月 7 日，苏联部长会议通过决议，调整改进档案文件管理制度，开始放宽档案的使用。1986 年 12 月 3 日，苏共中央书记处决定建立专门委员会研究开放档案的问题。根据这一委员会的建议，14 个部委和中央统计局解密了 80 多万份的档案卷宗。但受到某种限制使用的档案卷宗仍多达 700 万份左右。[1] 这以后特别是 1991 年苏联解体后，大批档案开放。1998 年 4 月 11 日，叶利钦总统委托相关部门进一步审阅总统档案馆中有关斯大林的文件，使 1445 件卷宗得以解密。

20 世纪 30 年代的档案文件分别收藏在以下的档案馆中：俄罗斯联邦总统

---

[1] 参见 Советская историография. Под ред. *Афанасьева Ю. Н.* Москва. 1996. С. 524.

档案馆[1]主要保存着联共(布)中央的文件以及斯大林的个人档案。未发表的斯大林讲话保存在俄罗斯国家社会政治历史档案馆。[2]俄罗斯现代史文献保管和研究中心[3]主要保存着党的最高机构、中央机关报和科研机关的文件。俄罗斯联邦国家档案馆[4]主要保存着苏联最高权力机构和管理机构的文件。俄罗斯国家经济档案馆[5]主要保存着苏联国民经济主要管理机关和计划机关的文件。俄罗斯联邦对外政策档案馆[6]主要保存着苏联外交人民委员部的文件以及一些外交官的信件。俄罗斯国家军事档案馆[7]主要保存着苏联武装力量全部活动的文件。此外，俄罗斯联邦国防部中央档案馆[8]、俄罗斯联邦内务部中央档案馆[9]、俄罗斯联邦最高法院军事审判庭档案馆[10]等保存着各相关部门的档案资料。

许多档案文件经过学者的专门搜集整理，按专题公布在《历史档案》、《文献资料》、《苏共中央通报》、《历史问题》、《苏联历史》、《祖国历史》等杂志中。还出版了各种文件集。[11]

对于这些档案文件需要慎重对待，认真分析。由于它同政治密切关联，有许多重要文件被有意销毁了。在档案资料不全的情况下，许多问题无法说清，当然不应主观地对其下结论，如斯大林同基洛夫被刺案件有无关系的问题

[1] Архив Президента Российской Федерации（АПРФ）.

[2] Российский Государственный Архив Социально–Политической Истории（РГАСПИ）, Ф. 558, оп. 11.

[3] Российской Центр Хранения и Изучения Документов Новейшей Истории（РЦХИДНИ）.

[4] Государственный Архив Российской Федерации（ГАРФ）.

[5] Российский Государственный Архив Экономики.（РГАЭ）.

[6] Архив Внешней Политики Российской Федерации（АВПРФ）.

[7] Российский Государственный Военный Архив（РГВА）.

[8] Центральный Архив Министерства Обороны Российской Федерации（ЦАМОРФ）.

[9] Центральный Архив Министерства Внутренных Дел Российской Федерации（ЦАМВДРФ）.

[10] Архив Военной Коллегии Верховного Суда Российской Федерации（АВКВСРФ）.

[11] *Хлевнюк О. В.* Сталинское политбюро в 30–е годы. Москва, АИРО– X X , 1995; *Покровский Н. Н. Петров С. Г.* Архивы Кремля, Политбюро и церковь. Москва, РОССПЭН. 1997.

就不能确定。其次，有些档案资料本身是伪造的，如格蒂引用的在德国档案馆中发现的联共（布）政治局20世纪30年代的会议记录就是伪造的。[1] 有些档案文件是真实的，但其内容也需辨别分析，并非完全属实。在档案资料大量解密和涌现的情况下，需要特别注意和防止片面甚至歪曲地引用档案文件。当事人的回忆记述值得重视，它可以补充档案的不足或印证档案的可信度。但当事人的回忆经常带有个人的得失考虑和好恶倾向，需细心使用。

苏联传统史学都是以《联共（布）党史简明教程》为蓝本，从无产阶级战胜资产阶级，社会主义代替资本主义角度来歌颂斯大林的伟大业绩。

斯大林逝世后，苏联学者开始重新审查这段历史，研究长期被掩饰的历史空白点，着重揭露农业集体化和大清洗中的严重问题，进而对斯大林领导建成的社会主义进行全面评估。官方也在不断修订历史课本。[2] 苏联解体后，出版了各种版本、观点各异的俄国史。[3]

萨哈罗夫采用文明史观，将苏联历史置于人类历史发展总进程中研究。他认为，苏联“发生了革命大震荡，确立了下层在社会生活各个层面的专政，最终导致了集权制度和斯大林的个人独裁”。斯大林建立的社会主义国家是“极权主义国家”，具有“兵营”的面貌。[4]

阿列克谢耶夫等一些俄国史学家反对用极权主义解释苏联历史。他们认为，苏联在短短的几十年内走完了西方资本主义国家二百年的工业化历程。工业化、农业集体化和文化革命推动了苏联的现代化。索科洛夫说，这些改造

---

[1] 参见：Davies R. W. *Economic Aspects of Stalinism* //Alec Nove（ed.）*The Stalin Phenomenon.* London, 1993, p. 69.

[2] История Коммунистической партии Советского Союза. В 6–ти Т. М., 1964–1980; История СССР с древнейших времен до наших дней. В 12–ти Т. М., 1967–1980; История СССР. Эпоха социализма. Под ред. *Кукушкина Ю. С.* М., 1985.

[3] История России ⅩⅩвек. Под ред. *Дмитренко В. П.* М., АСТ. 1997; Новейшая История Отечества. ⅩⅩвек. Под ред. *Киселёва А. Ф.* М., 1998；*Кузнецов И. Н.* Отечественная история. изд 3. испр. доп. М., Дашков и Ко. 2006; Новейшая история России. Под ред. *Ходякова М. В.* Изд 2. испр. доп. М., Высшее образование. 2007.

[4] История России. Под ред. *Сахарова А. Н.* М., 2003. С. ⅩⅤ.

"在总体和全局上符合民族—国家利益，同时也是它们得到社会支持的重要因素，构成祖国历史苏维埃时期的特别自豪的事情"。[1]

萨哈罗夫认为，工业化只吸收了西方技术成就和一些组织形式，并未实现真正的现代化。新西伯利亚科学院社会史所的帕夫洛娃和新西伯利亚大学的多罗申科更进一步说，"20 世纪 30 年代实际发生的是反现代化进程，它造成的后果是，破坏俄国 1917 年前已形成的各种现代化形态，并在全国范围内建立党政监督的自然经济体系。结果俄国倒退，农业退到改革（指 1861 年农奴制改革——引者）前的时代，工业的组织方面——彼得时期，而政治体制以及它的国家迫害行动退到伊万雷帝年代"。[2] 帕夫洛娃还发表专著，批判斯大林主义。[3]

西方学者对苏联 20 世纪 30 年代的历史有很多研究。在 1940 年至 1950 年代，在美苏冷战不断加剧的大背景下，他们大多从极权主义角度阐述这段历史，认为 1930 年代最基本的内容是建立了斯大林极权制度。[4]

1960 年至 1970 年代西方出现修正学派。他们力图突破极权主义框架，认为极权主义的概念太宽泛，不能说清苏联的历史。1975 年 6 月，"美国比较共产主义研究会计划小组"在意大利贝拉焦举办学术讨论会。会上，学者们普遍认为应该用斯大林主义代替极权主义来诠释苏联历史。会后，发表了相关著作。[5] 他们把斯大林的极权同以前的列宁执政和沙俄统治联系在一起进行考察，反对把它们截然分开。

修正学派内部存在着不同派系。菲茨帕特里克的论文《关于斯大林主义

[1] *Соколов А. К.* Курс советской истории. 1917–1940. М., 1999, С. 177、181–182.

[2] *Павлова И. Дорошенко В.* На власть набрасывается вуаль. //Отечественная История. 2000. No. 4. C. 112.

[3] *Павлова И. В.* Сталинизм: становление механизма власти. Новосибирск, 1993.

[4] Deutscher I. *Stalin: A Political Biography.* London. 1949; Schapiro L. *The Communist Party of the Soviet Union.* N. Y. 1959.（［英］伦・夏皮罗著：《一个英国学者笔下的苏共党史》，徐葵等译，东方出版社 1991 年版。）

[5] Tucker R. C., ed. *Stalinism: Essays in Historical Interpretation.* N. Y. 1977; Cohen St. *Bolshevism and stalinism.*

的新观点》引发了争论。他强调要重视社会历史，认为极权主义学派只注意研究党和政府的工作，诠释“来自上面的革命”，把社会视为消极对象和政权行为的产物。他们忽视了苏联社会结构的复杂性、流动性，应研究“来自下面的革命”。反对者也赞成加强社会史的研究，但认为苏联社会并非公民社会，它受政权控制和利用，对国家政策走向的影响极其有限。苏联 20 世纪 30 年代的历史走向是由领袖决定的。[1] 西方学者的争论在俄国学术界也有反映。[2]

中国学者出版了苏联通史，[3] 还出版了有关斯大林的评传以及有关苏联社会主义道路和斯大林模式的研究专著。[4] 学者们对农业集体化、工业化、大清洗等有着不同的评述，对苏联 20 世纪 30 年代的历程以及斯大林模式更是存在相互对立的意见分歧。中国学者们的评论发人深思，但对档案史料方面的整理考证，对史实方面的探讨研究则有待加强。

本书涉及的领域比较宽广，问题错综复杂，而作者的水平有限，书中定有不少疏漏不当之处，敬请同行专家和读者批评指正。

[1] Tucker R. C. *Stalin in Power. The Revolution from above 1928–1941.* New York. London. 1992.

[2] *Жуков Ю. Н.* Репрессия и Конституция СССР 1936 года. // Вопросы истории. 2002. No. 1; *Павлова И. В.* Современные западные историки о сталинской России 30–х годов. // Отечественная история. 1998. No. 5.

[3] 陈之骅主编:《苏联史纲 1917—1937》，人民出版社 1991 年版。

[4] 叶书宗:《苏联的革命与建设》，上海市哲学社会科学学会联合会 1986 年版；柳植:《苏联社会主义道路研究》，陕西师范大学出版社 1989 年版。李宗禹等:《斯大林模式研究》，中央编译出版社 1999 年版；陆南泉等主编:《苏联兴亡史论》，人民出版社 2004 年修订版；姜长斌等:《斯大林政治评传》，中共中央党校出版社 1997 年版；戴隆斌:《斯大林传》，中共中央党校出版社 1998 年版。

第一章　斯大林最高领导地位的确立与农业全盘集体化

苏联农业集体化运动是一项震惊世界的历史事件，是斯大林建设社会主义的关键部分，是非常受人关注、褒贬不一的焦点问题。

苏联史学界在20世纪30年代和40年代出版了众多相关著作，[1]都是按照官方口径、按《联共（布）党史简明教程》的口径全面歌颂农业集体化，歌颂斯大林的英明领导，说农业集体化“在国内消灭了资本主义复辟的最后根源”，“消灭了农村中的贫困、困苦现象”，“与1917年10月的革命变革具有同等的意义”。[2]但学者大多没有使用或没有机会使用第一手档案资料进行实事求是的研究。

1956年苏共第二十次代表大会后，苏联史学界活跃起来。1961年4月召开了全苏第一届史学家—农学家代表会议，推动了集体化运动的研究。学者们注意挖掘第一手资料，力求如实地具体地阐述集体化进程，开始揭露其中的某些问题。同时，扩大了研究范围，专门探讨了民族地区和地方的集体化运动，探讨了党的领导作用、集体化的物质技术前提条件、农村的阶级斗争、农庄的建设、农业的生产情况等各种专题。[3]

---

[1] *Анисимов Н. И.* Победа социалистического сельского хозяйства. М., 1937; *Альфиш С. Д.* Победа колхозного строя. Саратов, 1939; *Тугаринов И. И.* Коллективизация сельского хозяйства—— глубочайший революционный переворот. М., 1941; *Ярославский Е.* Партия большевиков в борьбе за коллективизацию сельского хозяйства, 1930–1934. М., 1945; *Трапезников С. П.* Борьба партии большевиков за коллективизацию сельского хозяйства в годы первой сталинской пятилетки. М., 1951; *Абрамов Б. А.* Партия большевиков—организатор борьбы за ликвидацию кулачества как класса. М., 1952; *Краев М., А.* Победа колхозного строя в СССР. М., 1954; и др.

[2] 《联共（布）党史简明教程》，人民出版社1975年版，第337、352、336页。

[3] *Данилов В. П.* Создание материально–технических предпосылок коллективизации сельского хозяйства в СССР. М., 1957; *Бондаренко В. В.* Развитие общественного хозяйства колхозов Украины в годы довоенных пятилеток. Киев. 1957; *Джамалов О. Б.* Развитие материально–производственной базы колхозов Узбекистана. Ташкент. 1959; *Борисов Ю. С.* Подготовка производственных кадров сельского хозяйства СССР в реконструктивный период. М., 1960; *Булатов И. Г.* Кооперация и её роль в подготовке сплошной коллективизации. М., 1960; *Кукушкин Ю. С.* Роль сельских Советов в социалистическом

20 世纪 80 年代后，一些学者开始对农业集体化运动的正确性和合理性提出质疑，认为它违背了列宁的合作化思想，剥夺农民，破坏生产，给苏联带来了巨大灾难。同时还出版了相关的文件集。[1]

有的学者依旧坚持原有的观点。弗拉基米尔·卡尔波夫认为，集体化运动是“斯大林的战略远见，因为有计划地、集中搞农业，将建立起战略储备”，集体化时期出现的各种偏差，是“反对派分子在集体化时期采取了积极的反革命行动。是托洛茨基分子、布哈林分子等利用富农和部分中农的不满，力图通过组织暴动来挑起国内战争”造成的。“几乎每一个农村家庭的人至今提起集体化仍极为气愤。而这应该由反对派分子负责”。[2] 作者回避了一项基本事实：集体化运动的问题是全国性的，且长期存在，怎么能把它归罪于已遭批判和处理的反对派分子，而不是掌权者。同时作者没有提供任何可信史料，只用审讯布哈林等人的资料来做结论。但它已被众多史料证实是用非法手段制造出来的，根本不足为据。

欧美学者也发表了许多著作，大多对集体化运动持否定态度，特别批评

переустройстве деревни. М., 1962; *Данилов В П* Очереки истории коллективизации сельского хозяйства в союзных республиках. М., 1963 ; *Трапезников С. П.* Ленинизм и аграрно–крестьянский вопрос. М., 1967; 2–е изд. доп. М., 1974; *Тулепбаев Б. А.* Социалистические аграрные преобразования в Средней Азии и Казахстане. М., 1984; *Ивницкий Н. А.* Классовая борьба в деревне и ликвидация кулачества как класса, 1929–1932. М., 1972; *Зеленин И. Е.* Совхозы СССР в годы довоенных пятилеток, 1928–1941. М., 1982; История советского крестьянства. Под ред. *Зеленина И. Е.* Т. 2. М., Наука. 1986. и др.

[1] Документы свидетельствуют. Под ред *Данилова В. П. и Ивницкого Н. А.* М., 1989; *Соколов А. К.* Голос народа—— письма и отклики рядовых советских граждан о событиях 1918—1932гг. М., 1998; Трагедия советской деревни. Документы и материалы. Под ред. *Данилова В. П. Ивницкого Н. А. и др.* Т. 1–5. М., 1999–2002. ; Советская деревня глазами ВЧК–ОГПУ–НКВД. 1918–1939. Документы и материалы. Т. 1–3. М., 1998–2003.

[2] ［俄］弗拉基米尔·卡尔波夫著：《大元帅斯大林》，何宏江等译，社会科学文献出版社 2005 年版，第 86—91 页。

它导致众多农民挨饿和死亡的后果。[1] 戴维斯·塔克认为，“集体农庄实际上是农奴制的复活”，因为“农民每年都要向集体农庄付出苏联法律规定的最低限度的义务‘劳动日’，这等于是又回到了劳役制度”。其次，农民没有身份证，“被牢牢束缚在集体农庄或国营农场的土地上，正如他们的农奴祖先被牢牢束缚在地主的土地上一样”。[2]

第一节 1929 年——大转变的一年

1929 年是大转变的一年。这一年，斯大林在战胜托洛茨基、布哈林反对派之后确立了自己的至高无上、唯一正确的领导人地位，同时全面推行自己的、不同于新经济政策的方针路线。

粮食收购危机和斯大林的非常措施

1929 年的大转变早在 1928 年初已开始酝酿。当时，斯大林战胜最厉害的对手——托洛茨基—季诺维也夫联盟，初步确立了自己的最高领导地位。但经济建设仍沿用新经济政策，并且经济大权基本掌握在经济学权威布哈林、人民委员会主席李可夫等人手中，作为总书记的斯大林尚不能为所欲为。

1928 年初发生粮食收购危机。它同新经济政策有直接的关系。20 世纪 20 年代中，苏联全面推行新经济政策，经济发展，市场繁荣，但也出现了严重问题。一是社会分化。农村中富裕农户日益增多，到 1927 年大约有 100 万户，其中一半富裕户是在实施新经济政策后出现的。如何看待这一现象，联共(布)

---

[1] Davis, R. W. *The Socialist Offensive: Collectivization of Soviet Agriculture, 1920–1930,* 2 vols. Harvard, 1980; Lewin M. *Russian Peasants and Soviet Power. A Study of Collectivization.* Norton., 1975; Nove, Alec, *An Economic History of the USSR*. London. 1969; Conquest, Robert, *The Harvest of Sorrow:Soviet Collectivization and the Terror–Famine.* New York and Oxford. 1986.

[2] ［美］塔克著：《斯大林主义：来自上面的革命》，引自李宗禹等编著：《国外学者论斯大林模式》，上册，中央编译出版社 1995 年版，第 140 页。

领导人意见不一。托洛茨基等人把富裕农户基本都视为富农，认为农村资本主义势力猖獗，已经威胁到苏维埃政权的巩固。布哈林等人则认为中农仍是农村中的中心人物，应扶植小农经济，鼓励劳动农民发财致富。多数人害怕分化，反对分化，认为应控制分化，缩小贫富差距。二是价格调整不好。实施新经济政策后，市场贸易开放。农民作为小商品生产者，希望国家少干预市场，价格能按价值规律和供需关系调整。但苏维埃担心市场发展会导致资本主义因素增长。同时，它还要利用工农产品价格上的"剪刀差"来加速建设资金的积累。这就产生了矛盾。政府受各方面的影响，拿不出始终如一的政策。时而向农民让步，放松对价格的控制；时而打击私人买卖活动，压低农产品的价格。政策的左右摇摆造成城乡供销关系和工农关系多次出现紧张情况。1925 年底，第十四次党代表大会认为计划经济的力量可逐步包揽城乡一切经济活动。1926 年起，政府加强对价格的控制，用它来排挤私人工商业和限制市场贸易活动。政府将农产品的收购价格降低 6%，其中粮食的收购价格降低 20%—25%。这引起工农产品价格不协调，城乡关系紧张。托洛茨基认为解决这一问题的根本办法是大力发展工业和无产阶级力量。他要求提高工业品价格，为工业化积累更多的资金。斯大林、布哈林反对托洛茨基的意见，未经慎重考虑就于 1927 年 2 月决定降低工业品价格。但在优先发展重工业方针指导下，轻工业品本已不足，降低价格后更是供应不足，最后导致商品荒。1927 年居民手中有 4 亿卢布，但有钱买不到所需商品，不满情绪与日俱增。

农业政策的左右摇摆和失误导致农民生产积极性下降、农业生产特别是粮食生产衰退，导致农民不愿向国家交售粮食，农民同苏维埃关系日趋紧张。严重的农业问题最终导致危机的爆发。

1928 年初，苏联出现严重的粮食收购危机。两年前的 1926 年 1 月，国家还收购了 6.3 亿普特[1] 粮食，但到 1927 年 1 月，国家只收购到 4.28 亿普特。1927 年粮食减产，总产量比上一年减少 5.9%，国家的粮食收购量减少 5.2%，而城市居民却增加了 4.8%，[2] 食品供应不断恶化。到 1928 年 1 月，国家收购到的粮食只有 3 亿普特，离国家维持城市居民和军队官兵生活所需要的 5 亿普

---

[1] 1 普特等于 16.38 公斤。

[2] История России. ХＸ век. Под ред. *Дмитренко, В. П.* М., АСТ. 1997. С. 319.

特粮食相差甚远。[1] 粮食收购危机实质上是一场农业危机，它严重威胁着苏维埃政权。形势要求布尔什维克党对新经济政策作出重大调整：或进一步发展市场经济，或全力限制打击私人个体经济。

斯大林不愧是一名干练的政治家，他充分利用了这一危机形势，一方面修改新经济政策，以各种名义塞进自己的东西，另一方面打击自己的对手，为1929年的转折铺平道路。

1927年12月2日至19日，联共（布）召开了第十五次代表大会。斯大林有意掩饰粮食收购中的严重问题。在击败托洛茨基—季诺维也夫集团后，他才在1928年1月召开政治局会议讨论收购问题。经过争论，最后决定采取临时性的非常措施来收购粮食。所谓“非常措施”就是在谷物收购中使用著名的刑法第一百零七条。这项条文规定，“通过收购、藏匿商品或不投放市场等手段蓄意抬高商品价格者，处以1年以下剥夺自由并没收全部或部分财产，或不没收财产。上述行为如查明有同商人勾结者，处以剥夺自由3年以下并没收全部财产。”[2] 因此实施非常措施，按斯大林的说法，最关键的就是要用“革命的法制”把投机倒把分子送交法庭判刑。

为了保证收购谷物任务的完成，1928年1月5日，联共（布）中央政治局专门组建了特别工作委员会，督促粮食收购工作。斯大林亲自领导这项工作。1月6日，中央发布了特别工作委员会起草、斯大林签署的《中央就粮食收购问题给各地方党组织的指令》。指令指出，中央曾于12月14日、24日发出指令要求在粮食收购工作上有一个坚决转变，但时过3周，仍无任何变化。地方组织的工作速度不能容忍的缓慢、毫无作为的状态在继续，基层机关尚无动作，合作社未履行起码职责，政权机关和党的杠杆尚未启动。农民共产党员、苏维埃和合作社积极分子没有出售自己的余粮，国营农场和集体农庄也没有提供全部商品粮，并且还出现把粮食卖给私商的事情。“这一切证明党、苏维埃和合作社机关工作松懈以及对农业影响薄弱”。为此，中央提出一系列措施，责成各地方组织贯彻实施。要求“必须对破坏农业价格的富农和投机机构

---

[1] История советского крестьянства. Под ред. *И. Е. Зеленина,* Т. 2. М., Наука. 1986. С. 32.

[2] Документы свидетельствуют. Под ред. *В. П. Данилова и Н. А. Ивнического* М., 1989. С. 497.

采取特殊的镇压措施”，并警告各级领导人如果在一周内“不能根本扭转粮食收购的局面，中央不得不撤换党组织责任领导人”。[1] 同时，党的一些高级领导人被派往各主要产粮区巡视。

由于联共（布）1 月 6 日的命令下发后没有收到显著的效果，1 月 9 日，联共（布）决定派奥尔忠尼启则去西伯利亚直接督促粮食收购工作，但奥尔忠尼启则因生病未能成行。1 月 15 日，斯大林从莫斯科动身，“秘密”前往西伯利亚。他先后巡视了新西伯利亚、巴尔瑙尔、鲁布佐夫斯克、鄂木斯克、克拉斯诺亚尔斯克，然后再回到鄂木斯克。据说，这是斯大林最后一次下基层视察。斯大林这半个多月的巡察清晰地表明，他已没有了对富农与农民的打击界线。在 1 月 18 日联共（布）西伯利亚边疆区区委常务局及粮食收购组织、其他组织代表会议上，斯大林第一次提出，第一百零七条也适用于所有拒绝按国家价格出售余粮的人，不管他是富农还是中农。斯大林强调了行政手段的重要性，在 1 月 20 日西伯利亚边疆区的秘密会议上，他指出：“集体农庄已成为当务之急”，“强制的办法可起到同经济的办法一样的作用，有时甚至作用更大。”总之，斯大林在西伯利亚的巡视时时处处表现出了“狠狠施压”、“十万火急”、“迫不及待”的暴躁情绪。

> 斯大林在一次当时没有向全国公开的讲话中说：“我被派到你们西伯利亚来一个短时期。我的任务是帮助你们完成粮食收购计划，同时和你们讨论关于农业发展前途，讨论在你们边疆区展开集体农庄和国营农场建设的计划问题。”
>
> “你们说，粮食收购计划太紧，完成不了。为什么完成不了？这是从哪里说起呢？……请看看富农吧：他们的谷仓和木棚里堆满了粮食。由于保存的地方不够，连草棚下也堆了粮食……我看到了你们检查机关和审判机关的好几十个干部，他们几乎都住在富农家里，在富农家里做食客，所以他们自然要竭力同富农和睦相处。我问过他们，他们回答说，富农的住宅干净些，吃的好些。很明显，决不能指望这样的检查机关和审判机关的干部会给苏维埃国家作出什么好的和有益的事情来。令人不解的是：为什么直到现在这些先生们还

[1] Известия ЦК КПСС. 1991. No. 5. C. 193–195.

没有清洗掉，还没有由另外一些诚实的工作人员来代替。

我建议：(1) 要富农立即按照国家价格交出全部余粮；(2) 如果富农不服从法律，就依照俄罗斯联邦法典第一百零七条把他们交送法庭判罪，余粮由国家没收，从没收的粮食中抽出百分之二十五……分配给贫农和力量单薄的中农。”[1]

为了顺利开展工作，斯大林建议把那些同富农和耐普曼“结成一伙”的共产党员解除职务并开除出党。他把所有住在富农家里的、娶富农女儿做老婆的、同“异己分子”有其他亲属关系的或是出身于“社会异己阶层”的共产党员都归入这一类。

此后，那些“与异己分子有来往”、“丧失革命警惕性”和抵制粮食收购的人，不管过去有多少革命功绩，都被解除职务和开除出党。当时流行的公式是：“对过去，向你表示感谢；对现在，要你承担责任！”接替被开除者职位的人都按斯大林的要求，毫不怜惜农民，不择任何手段地弄到粮食。

乡村在接到粮食征购任务时，一般先召开贫农会议，将本村农民按阶级和类别特征分为6类：(1) 雇农；(2) 贫农；(3) 小中农；(4) 中农；(5) 殷实农民；(6) 富农。然后选出“促进委员会”，其任务是分摊粮食征购任务。头两类人免交粮食；第三类做“象征性交纳”；第四类交“法定数额”，约为现有粮食的四分之一；第五类和第六类则要交出全部粮食。“促进委员会”还负责到农民家中搜寻藏匿的粮食。为了鼓励贫农反富农的斗争，苏维埃决定将没收来的粮食的25%分给贫农。

与此同时，莫洛托夫去了伏尔加河流域，柯秀尔被派到乌克兰，米高扬和安德列也夫被派往北高加索。收购粮食的工作基本上成为1928年上半年党和政府的中心工作。

在强大压力下，粮食收购进度大大加快。斯大林在1月27日给中央的电报说，决定每昼夜给中央运送360车皮的粮食，每月约1100万普特。[2] 从1月到3月，全苏共收购了2.75亿普特粮食。这个数量超过了几个月前托洛茨基提出的向富农征借粮食的数量（1.5亿普特）。

---

[1] 《论粮食收购和农业发展的前途》，《斯大林全集》，第11卷，第3—5页。

[2] Известия ЦК КПСС. 1991. No. 6. С. 214.

1928年4月6日至11日，党中央和中央监委召开联席全会，讨论粮食收购问题。全会的决议宣称，非常措施"在加强粮食收购工作方面保证了极大的胜利"，"在今年三个月内（从1月1日到4月1日）就比去年同一时期多收购了1.1亿普特，即几乎完全弥补了过去的亏空"。同时指出，"有过歪曲和过火的行为"，"党应当同它们进行最坚决的斗争"，表示"随着粮食收购中的困难的消除，应该取消党的措施中带有非常性质的部分"。[1]

4月全会的决议充满了乐观情绪。斯大林宣称："这次全会纯粹是解决实际问题的会议，是没有党内争吵的会议，是没有党内紧张局面的会议。"[2]

实际情况远非如此。非常措施不仅遭到富农的反抗，而且引起广大中农的不满和抵制。地方政府为了完成上级的任务，经常不分富农和中农而把矛头指向一

1930—1931年农民抵抗集体化。他们反抗来没收粮食的军队，然后躲进森林，国家政治保卫局的部队纵火燃烧森林，以迫使农民出来投降

[1] 《关于本年度的粮食收购和组织1928—1929年度的粮食收购运动》，《苏联共产党代表大会、代表会议和中央全会决议汇编》，第3分册，人民出版社1956年版，第426、427、429页。

[2] 秦永立编著：《斯大林年谱》，中央编译出版社1999年版，第227页。

切有存粮的农户。它禁止农村内部粮食买卖，封闭“自由”粮食市场，建立巡察队，挨户搜查粮食；在清付粮款和出售奇缺的商品给农民时强行摊派公债；付款由邮局转汇，其中一部分以公债券或其他证券支付。采用这些强制手段，初期取得效果，收上许多粮食，但4月以后，情况再次变坏，收上的粮食还不够发放种子粮之用。中央4月全会之后，非常措施非但没有像决议所期望的那样减弱消除，反而更加严厉，范围也更加广泛。农村形势动荡，出现上百起骚动。

非常措施也引起党内意见分歧。西伯利亚农业银行理事会主席 С. И. 扎古缅内于1月19日写信给斯大林对实行非常措施提出异议。他写道：“仅仅因‘不投放’粮食而惩处富农会使中农相信，迟早会轮到他们身上，他们也存有一定数量的余粮”，“我深信，中农和贫农基本群众会把只因富农不出售粮食而把他送交法庭看作是在某种形式下回到军事共产主义时期，回到粮食征收制[1]时期。”

全俄中央执行委员会秘书阿·谢·基谢廖夫在全俄中央执行委员会主席团俄共党团1928年3月26日会议上作报告时说，“由于拿走了农民的粮食，最近农村中反苏情绪剧增。如果仅仅拿走富农的粮食，那还没有什么，然而，还拿走了中农和贫农的……”“在北高加索成立了若干三人小组以加强粮食收购……由于三人小组被授予逮捕权，所以他们就逮捕了没有完成指令的农民……在巴泰斯克专区有这样的事例：那里强迫运出用来养活全家和播种用的剩余粮食。在叶卡捷琳娜站，没收了一个农民自己买来的家庭用品。在沃罗涅日省，博古恰尔斯克劳改营的一批关押犯写道，它们中间许多人已没留下可用来播种的粮食了，有些人被没收的粮食多于他们所拥有的，因此只好付钱，‘春天来临，已到播种季节，我们却被关押受苦’。他们要求释放”。基谢廖夫谈了众多类似情况后总结说，“对待播种运动的情绪很糟糕，农村出现减少播种面积的情绪（‘为自己播种’）”。“农民议论说，难道我们回到了军事共产主义……缺乏进一步发展自己的经济的稳定基础的信心……他们要求政府说明今后怎么办。我们认为做的过火了，在这种情况下农民经济不可能运行”。[2]

中央4月全会之后，最高领导层中的分歧也突现出来。1928年5月至6月，布哈林两次上书中央，申述自己的观点，不同意中央的做法。布哈林认为，党

---

[1] 又译“余粮收集制”，本书按原意改译为“粮食征收制”。

[2] Документы свидетельствуют. Под ред. *В. П. Данилова и Н. А. Ивницкого*. С. 22–23.

和国家的政策和工作的失误是造成粮食收购危机的主要原因，富农的破坏行为是造成粮食收购危机的因素之一，但不是主要的。富农窝藏粮食，这是事实，但他们手中的粮食是有限的，不足以影响国家粮食收购任务是否完成。斯大林却对收购危机的原因持完全不同的观点，认为首先是富农的捣乱和破坏造成的。

粮食收购问题上的分歧再次引发了农业社会主义改造中的一系列根本方针政策问题的争论和斗争。布哈林仍然强调发展个体经济，斯大林则不同，越来越表现出了对农村个体经济以及这种经济形态的代表者——农民的不信任。斯大林提出，“粮食战线上的困难的根源”在于“农业的商品率提高得很慢”，造成这种局面的主要原因是“十月革命后苏联已经成为了小农经济的国家”，这是与苏联正在兴起的工业化运动、与日益增长的商品粮食需求不相适应的。要改变这种状况，斯大林认为，出路在于“由个体农民经济过渡到集体的公共经济”，他主张用组织大工业的方法去组织农业，而农业组织的最理想的形式就是集体农庄。同时，在发展集体农庄的速度上不能与工业化的速度脱节，要在最短的时间内实现农业的全盘集体化。通过粮食战线上的斗争，斯大林提出:“个体农民是一个本身会分泌、产生和滋养资本家、富农以及其他各种剥削分子的阶级”，他们具有动摇的一面，“这就使他们和富农接近”，[1] 只有“同农民中的资本主义分子作斗争”，“才能引导基本农民群众走上社会主义建设的轨道”。[2] 与布哈林运用经济手段向富农进攻的做法不同，斯大林越来越主张用更加严厉的手段来打击富农。他认为富农是实现农业社会主义变革的主要障碍，是阶级敌人。对富农采取的非常措施，“这和贫农委员会政策比较起来，甚至算不得沧海一粟”，“乌拉尔和西伯利亚的方法的好处其实就在于它能够帮助我们发动贫农和中农阶层去反对富农，它能够帮助我们击破富农的反抗，强迫他们把余粮交给苏维埃政权机关”。[3]

这样，围绕着粮食收购问题，联共（布）党内展开了又一次激烈的争论。6月15日，党中央政治局候补委员、副财政人民委员弗鲁姆金写信给政治局。他对农村形势的估计比布哈林更悲观，认为“第十五次代表大会以后对农村采取

[1] 《论联共（布）党内的右倾》，《斯大林选集》，下卷，人民出版社1979年版，第143页。

[2] 《在粮食战线上》，《斯大林选集》，下卷，人民出版社1979年版，第53页。

[3] 《论联共(布) 党内的右倾》，《斯大林选集》，下卷，人民出版社1979年版，第178—179页。

的新的政治方针加剧了我国经济状况的恶化”，“宣布富农为非法引起了对全体农民的不法行为”，[1]“中农基本群众感到没有希望，没有前途”。[2]他建议提高粮价，开放集市，开放粮食市场，要求“回到党的第十四次和第十五次代表大会去”。[3]

6月20日，斯大林写信给政治局委员，说弗鲁姆金的信“是一封要求宽容富农、取消对富农的限制的申请书”。[4]27日，政治局在布哈林等人退出会场的情况下通过决议，对弗鲁姆金的“右倾机会主义的反党言行进行坚决谴责”。会后，又解除了他的政府职务。

7月，中央召开全会。斯大林发表《论工业化和粮食问题》的演说，提出了农民应向苏维埃国家缴纳“贡款”[5]的理论，还系统地论证了“阶级斗争尖锐化”的理论。这表明斯大林已决心终止新经济政策对农民的让步，开始对农民发起全面进攻——经济的和政治的进攻。斯大林的这一理论符合布尔什维克党关于消灭私有制和商品经济的传统思想，在党内高层领导人中拥有不少的支持者。

斯大林为了加紧督促粮食收购运动，决定加强对农业的统一的行政领导。根据1924年的苏联宪法，国家对农业的领导是通过各加盟共和国来实现的。各加盟共和国和自治共和国内部设有农业人民委员部，也就是说，各加盟共和国和自治共和国对农业的生产和发展拥有自主权。1928年12月15日，苏联中央执行委员会通过了《土地利用和土地规划通则》，明确提出苏联境内的所有土地都归国家所有，以此奠定了国家管理农业的法律基础，并对建立全苏范围内国家管理农业的集中体制创造了前提条件。1929年夏秋，在斯大林的催促下苏联政府建立了苏联农业人民委员部，以此履行国家对集体化运动和农业

---

[1] 转引自《致中央政治局各委员》，《斯大林全集》，第11卷，人民出版社1955年版，第103、108页。

[2] 转引自《论国家工业化和联共（布）党内的右倾》，《斯大林全集》，第11卷，第232页。

[3] 转引自《致中央政治局各委员》，《斯大林全集》，第11卷，第105页。

[4] 《致中央政治局各委员》，《斯大林全集》，第11卷，第110页。

[5] 一译做“贡税”论。

生产的管理职能，其中包括制定统一的农业生产计划、实施专门的贷款和财政拨款、领导机器拖拉机站、管理林业生产以及领导农业科研工作等。1928 年建立的专门管理集体农庄事务的苏联集体农庄中心[1]也在这时并入苏联农业人民委员部。这样就形成了从地方的农业管理局（处）到自治共和国、加盟共和国农业人民委员部再到中央农业人民委员部的高度集中的农业管理体制。

在进行农业机构调整的同时，全国开始了国家行政区域的重新划分。18 世纪确立的旧的行政区划，即省—县—乡的行政区划被新行政区域标准，即边疆区和州所取代。这次区域划分的调整主要是按照农业生产、自然资源、经济和劳动力配置的分布特点来进行的，同时也考虑了行政机构对居民的监督问题。全国范围内行政区域的划分与正在进行的农业机构的调整遥相呼应，促进了全国行政权力的集中化，确立了中央—加盟共和国—边疆区—州—区—村苏维埃的等级服从制。

为了加强党对农村苏维埃的领导，在 1927 年至 1928 年苏维埃选举运动的基础上，1928 年 11 月 17 日，苏联中央执行委员会发布了《关于进行 1928 年至 1929 年选举苏维埃》通令。此后，上至中央执行委员会的委员，下至普通党员、共青团员和工人，纷纷开赴地方和农村。通过有组织的选举，农村苏维埃的组织结构发生了根本性的变化。党在村苏维埃中的地位明显加强。在 1926 年至 1927 年的选举运动中，共产党员在村苏维埃代表中的比率为 7.7%，到 1928 年至 1929 年这一比率提高到 9.3%。而最大的变化则在于共产党员在村苏维埃主席中所占的比例从 1926 年至 1927 年的 18.7% 增长到 1928 年至 1929 年的 30.6%。在个别地区，如在北高加索边疆区村苏维埃代表中共产党员占了 17%，73% 的村苏维埃主席是共产党员。[2] 与此同时，共青团员在村苏维埃代表和村苏维埃主席中的比重也在增加。列宁格勒、莫斯科等地工厂的工人，在经过短期政策培训之后，被派往农村。他们当中有的当上村苏维埃的委员，有的甚至被选为村苏维埃主席。农村党员在这时也有了较快的发展。

[1] 其前身为全俄农业集体联盟，组建于 1926 年 12 月 30 日。1932 年 12 月被取消，其职能由苏联农业人民委员部取代。

[2] *Кушкин Ю. С.* Роль сельских Советов в социалистическом переустройстве деревни. М., 1962. С. 36.

1929 年 10 月共有党员 293 642 名，到 1930 年 1 月 1 日，党员的人数增加为 339 201 名。[1] 党在农村的影响日益扩大。

在加强国家权力机构的基础上，斯大林建议采用各种强制方法和镇压手段来推进粮食收购运动。1929 年 8 月 10 日，斯大林给莫洛托夫写信，指出联共（布）中央委员会关于粮食收购的决议是“完全不够的”，认为粮食收购中“主要的漏洞”在于：1. 在粮食市场上存在有大量城市投机商，他们囤积居奇等待着粮食涨价。2. 粮食收购组织间的竞争为窝藏粮食提供了可能性。3. 许多集体农庄藏匿粮食，并私卖粮食。而中央委员会的决议对此却视而不见，即使看到了一些问题但在决议中却轻描淡写，“照此下去，我担心，我们不能征得足够的粮食”。[2] 为此，斯大林提出了三点“建议”：1. 立即向格伯乌 [3] 的各机关发布指令，立即对城市粮食投机商（包括与城市有关的）进行镇压（也就是逮捕并从产粮区驱逐出去），目的在于使握有粮食的人（在粮食收购运动之初）就感到进行投机活动是没有好下场的，只能把粮食毫无保留地（完好无损地）交给国家和合作社组织。2. 立即向合作社、粮食联合会、格伯乌以及司法机关的领导颁布指令，查清所有粮食收购运动中的玩忽职守者（立即撤职），特别是那些像贼一样钻入我们的组织并恶毒地危害工人国家事业的异己分子、耐普曼分子，并将其送上法庭（我并不排除“共产党员”）。3.（通过集体农庄中心、党组织、格伯乌）监督集体农庄，目的在于把那些窝藏粮食以及倒卖粮食的集体农庄领导立即以欺骗和危害国家的名义撤职法办。斯大林认为，在粮食收购问题上不能仅仅停留在宣传上，“没有这些详细的措施，我们将一事无成。”[4] 根据斯大林的建议，1929 年 8 月 15 日，政治局通过了《关于粮食收购》的决议，决议的内容几乎原封不动地照搬了斯大林的建议。8 月 21 日，斯大林在给莫洛托夫的信中写道：“获悉政治局采纳了建议，这就好。但我认为还不够。现在的问题是要执行政治局的决议。没有情况表明，所有的粮食收购组织（特别是乌克兰的）将贯彻这一决议。我担心，格伯乌的全权代表机关还不知道政

[1] История советского крестьянства. Под ред. *Зеленина*. Т. 2. С. 145.

[2] Письма И. В. Сталина В. М. Молотову（1925–1936 гг.）. Сборник документов. М., 1995. С. 142.

[3] 即国家政治保卫局。

[4] Письма И. В. Сталина В. М. Молотову. С. 142–143.

治局的决议，决议的文件还紧锁在格伯乌的‘铁皮箱’里。所以必须向粮食收购组织、格伯乌、集体农庄中心等提出要求。”这些要求具体包括：为了完成政治局的决议，将各自的指令复制并分发给下属机构；每两周（最好是一周一次）就决议的执行情况做一次正式的汇报。

斯大林在给莫洛托夫的信中谈道：“我认为，我们的粮食收购工作非常不顺。我自己算了一笔账，在 8 月上旬我们总共只完成了计划的 15%。假如在中下旬我们不是按 15%，而是按 20%的进度，这无论如何也不是我们需要的进度。我担心，这种缓慢的进度将影响以后的粮食收购。而粮食收购是今年我们政策的主要内容，一招走错满盘皆输。如果我们不使用残酷和强硬的手段执行中央委员会的决议，失败的危险将越来越大。”[1] 斯大林的建议被写进 1929 年 8 月 29 日政治局《关于粮食收购的进度与执行政治局指令》的决议当中。斯大林主张在农村取消消费合作社和粮食中心组织，把粮食中心组织改造为专门收购粮食的部门。斯大林这样做的目的是为了尽量减少粮食收购中的中间环节，提高收购工作的效力。

1929 年 9 月 1 日，看到粮食收购走上了自己设定的轨道，斯大林的担心才有所化解。但他仍提出“不要高枕无忧，要继续前进”。[2] 在 9 月 6 日的信中，斯大林提出“在西伯利亚、哈萨克斯坦、巴什基尔要坚持强硬的政策，不能给希望逃避重大责任的埃赫[3] 以及其他同志以任何的让步”。在这段话的最后，斯大林道出了他的肺腑之言：“如果我们在粮食问题上赢得了胜利，那么我们就赢得了全面的胜利，即在内政外交方面的胜利。”[4]

斯大林最高领导地位的确立

在推行非常措施的过程中，斯大林一直寻求用政治斗争的途径来压制和排挤布哈林反对派。1928 年 10 月 19 日，斯大林在联共（布）莫斯科委员会

[1] Письма И. В. Сталина В. М. Молотову. С. 147.

[2] Письма И. В. Сталина В. М. Молотову. С. 159.

[3] 1929—1937 年任联共（布）西西伯利亚边疆区委员会书记。

[4] Письма И. В. Сталина В. М. Молотову. С. 156.

和莫斯科监察委员会联席全会上发表演说，第一次公开指出党内存在“右”倾危险，说它“是我们党内的严重危险”。[1] 由此，争论逐渐转变为一场反“右”斗争。到 1929 年 1 月，斯大林运用组织手段首先改组了莫斯科党委会，解除了布哈林的支持者——乌格拉诺夫的市委书记职务，进而对布哈林、李可夫和托姆斯基实行了“政治委员制”，派萨维利也夫（后改为麦赫利斯）去《真理报》编辑部、曼努伊尔斯基去共产国际执委会、奥尔忠尼启则去人民委员会、卡冈诺维奇去工会中央理事会，监督限制他们的工作。

斯大林，1929 年

1929 年 4 月 16 日至 23 日，中央委员会和中央监察委员会举行联席会议。斯大林在会上发表《论联共（布）党内的右倾》的长篇讲话，全面批判布哈林的观点，指责他推行了一条“机会主义的路线”。4 月全会通过决议，谴责布哈林等人为右倾机会主义集团，并决定撤销布哈林在《真理报》和共产国际的领导职务，撤销托姆斯基的工会领导职务。

在粮食收购取得新进展和地方组织不断加强的情况下，斯大林决定进一步打击反对派的中心人物。1929 年 9 月 30 日，斯大林写信给莫洛托夫、伏罗希洛夫和奥尔忠尼启则，提出要指责李可夫并剥夺他参加政治局会议的权利，他说：“得知李可夫还在参加我们周一和周四的会议。这是真的吗？真是这样，您为何能容许这类可笑的事情的发生？这有必要吗？能否结束这种可笑的事情？不是结束的时候吗？”[2]10 月 7 日，斯大林再次写信给莫洛托夫，提出：“要考虑把布

[1] 《论联共（布）党内的右倾危险》，《斯大林选集》，下卷，第 73 页。

[2] Письма И. В. Сталина В. М. Молотову. С. 166.

哈林排挤出政治局。”[1] 11 月 10 日至 17 日，斯大林出席并主持联共（布）中央全会，在 13 日的会议上，斯大林发表了演说，指责布哈林等人进行派别活动。全会决定撤销布哈林的政治局委员职务，并向李可夫、托姆斯基等人提出警告。

通过前一段时期的斗争，斯大林看到，党内力量对比的天平已经倒向了自己一方，依靠强制手段进行的粮食收购运动在深入开展，听命自己的国家专政机关和地方党政组织也已确立。他认为，公开宣布自己的胜利，全面推行自己的方针路线的时机已经到来。于是，便发生两件具有象征意义的事情：一是斯大林在 1929 年 11 月 7 日发表文章《大转变的一年》，他未经党中央讨论就个人作出决断，并公开加以宣告，说要变更党的基本政策，要由“退却”转变为“向资本主义分子实行胜利的进攻”。同时大肆宣扬农民已“整村、整乡、整区”加入集体农庄，农村已发生“根本转变”[2]，暗示要把进攻的矛头指向那些不能或不愿加入集体农庄的个体私有农民。二是《真理报》在 12 月 21 日斯大林五十诞辰的日子，用 8 个版面发表党和国家领导人对他歌功颂德、无限忠诚的文章。用祝寿的方式确认斯大林在一个多月前的个人决定，展示他的绝对权威。

就这样，斯大林的最高领导地位被正式宣告确立。从此，苏联历史进入斯大林社会主义建设模式的创建和形成时期，开始实施斯大林的社会主义建设计划中最关键的部分——改造私有农民和个体农业。

第二节 全盘集体化运动的开展和对农民的全面打击

斯大林关于农民问题的论述

关于农民问题，斯大林并不熟悉。在 1928 年以前，他只是根据马列著作做过一般性论述。斯大林指出，苏联农民在无产阶级的领导下经历了三次革命的锻炼，已成为无产阶级的同盟军，他们不是也不会是资产阶级的后备力量；

---

[1] Письма И. В. Сталина В. М. Молотову. С. 168.

[2] 《大转变的一年》，《斯大林选集》，下卷，第 196、205、206 页。

在社会主义建设时期，农民“是无产阶级实行经济合作的最好对象”，[1]“我们能够而且必须和农民一起并且依靠工农联盟来建成完全的社会主义社会”。[2]在实际工作中，斯大林基本遵循列宁时期的做法，依靠布哈林、李可夫等人推行新经济政策。粮食收购危机发生后，斯大林认定危机是农民资本主义自发势力造成的，对私有农民的评价也发生了根本性变化。口头上，他没有否定过去对农民的某种肯定，但不再说农民不愿走资本主义道路，不再提农民同资产阶级的根本区别；而是强调小农经济是和资本主义经济“同一类型的经济”，[3]说基本农民群众在新经济政策时期一直在走“旧的资本主义发展道路”，[4]“个体农民是最后一个资本主义阶级”。[5]《联共（布）党史简明教程》更把私有农民说成是苏联国内“资本主义复辟的最后根源”。[6]与此同时，斯大林还宣布小农所从事的个体经济已毫无生命力，说“大部分不仅不能实现逐年扩大的再生产，相反地，连简单再生产也是很少有可能实现”，[7]“我们在个体小农经济的基础上是不能进一步发展的”。[8]总之，斯大林此时已全面否定农民在社会主义建设中的积极作用，把农民特别是那些仍想保留小生产者地位、不愿无条件服从苏维埃决定的农民和他们的经济，都划到社会主义对立面——资本主义一边，把它们定性为资本主义或准资本主义的阶级和经济，把它们视为社会主义前进的主要障碍，最大的潜在敌人、最危险的复辟根源，应该立即予以消灭的阶级和经济。

在错误否定私有农民和个体经济的基础上，斯大林提出通过农业全盘集体化来改造个体农民、防止分化、实现平等的计划。斯大林自己说他的计划是建设社会主义农村的计划，是列宁合作社计划的继承和发展。实际上，它是消灭小私有农民的计划，同列宁晚年的思想有着重大原则区别。列宁主张“在

[1] 《论列宁主义基础》，《斯大林选集》，上卷，第 233 页。

[2] 《联共（布）第十四次代表会议的工作总结》，《斯大林选集》，上卷，第 337 页。

[3] 《论苏联土地政策的几个问题》，《斯大林选集》，下卷，第 215 页。

[4] 《大转变的一年》，《斯大林选集》，下卷，第 201 页。

[5] 《论联共（布）党内的右倾》，《斯大林选集》，下卷，第 141 页。

[6] 《联共（布）党史简明教程》，人民出版社 1976 年版，第 337 页。

[7] 《论苏联土地政策的几个问题》，《斯大林选集》，下卷，第 213 页。

[8] 《论粮食收购和农业发展的前途》，《斯大林全集》，第 11 卷，第 8 页。

农民中进行文化工作”,[1] 使他们认识到合作社的好处，人人能在自愿的基础上加入合作社。列宁认为，完成这项任务需要几代人的努力，不是短期能够完成的。而斯大林却要用行政命令甚至惩罚镇压的方法强迫农民在规定的时间内将私有的生产资料全部交公，同时进入集体农庄。斯大林这种单纯用阶级斗争改造农民的做法违背了列宁关于开展文化工作的教导，它同托洛茨基的不断革命论思想是一致的，不过在许多方面都超过了托洛茨基。应当说，斯大林创建了暴力剥夺农民的理论，并进行了第一次实践。

全盘集体化政策的出台

1928 年的非常措施表面上似乎获得积极成果，国家收购到更多的粮食，实际上它使本已存在的农业问题迅速扩大和加深。个体农民经济受到打击排斥，许多富裕农民缩减耕地，屠杀牲畜，甚至弃地出逃，自我消灭经济，农业生产日趋衰退。另一方面，行政命令和惩罚镇压盛行，使国家难以通过正常的城乡贸易往来解决粮食收购问题，更无法靠它调整好工农关系。面对农业危机的加深，斯大林决定进一步向资本主义进攻，向小私有农民进攻，开展农业集体化运动。

1929 年 11 月，斯大林宣布，农业已发生“根本转变”，“中农加入集体农庄了”，因此不能再像以前那样，让农民“一批一批地加入集体农庄”，而是要“整村、整乡、整区甚至整个专区地加入”，[2] 即要求立即开展全盘集体化运动。

几天后，党中央召开全会讨论农业集体化问题。会上，政治局委员柯秀尔报告了乌克兰发生的“几十起过火行为”。他说，“我们那里发生过好几起这样的事情，即整批的农庄都转入集体农庄，可是后来都垮掉了，村民们敲着鼓把我们赶了出来。有数十个村子实现了全盘集体化，可后来发现，这些都是虚假的”。会上还宣读了全苏集体农庄管理委员会霍皮奥尔专区分委员会主席巴拉诺夫的信。信中说，“地方机关都在以突击搞运动的方式进行工作。整个组建集体农庄的工作都是在‘看谁最多！’这样的口号下进行的。在各地，专区

---

[1] 《论合作制》,《列宁选集》, 第 4 卷，人民出版社 1972 年版，第 687 页。

[2] 《大转变的一年》,《斯大林选集》, 下卷，第 206 页。

的指示有时一下子变成了下面的口号：'谁不加入集体农庄，谁就是苏维埃政权的敌人！'由于这些原因，结果就出现了形式上有60%的农户加入集体农庄的现象，在我写信的时候可能有70%的农户集体化了……如果现在再不采取措施巩固这些集体农庄，就会破坏集体农庄的名声。集体农庄就会垮掉。必须注意的是，在专区里正在竞相抛售牲畜"。[1]

尽管会上提出了集体化运动高潮中存在过火和虚假的问题，但莫洛托夫仍根据斯大林的意见，要求在最短时期内完成集体化，他说，1930年夏末，"北高加索将实现集体化，并且不仅是这个州"。在集体化期限问题上，五年计划"现在谁也不需要它，至少对我们主要地区，由此对整体来说都是这样"。[2] 中央全会于11月17日通过决议，宣布"农业社会主义改造的新的历史阶段已经开始了"，强调"集体农庄运动是在农村阶级斗争尖锐化……的情形下开展起来的"，要"继续加紧反对农村资本主义分子，坚决向富农进攻"，要加快集体化速度，"现在，集体农庄运动已向某些省提出全盘集体化的任务"。[3]

斯大林的文章和中央全会的决议在农村引起极大的震动。因为实际情况并不像斯大林说的那样，并没有出现集体化运动高潮。到1929年10月初，全国只建立了6.74万个集体经济组织，参加的农户大约有194万，占全国农户的7.5%，其中参加集体经济组织的中农户仅占全国中农户的3.3%。绝大多数农民特别是中农对参加集体农庄仍持观望态度。而且，几个月前召开的第十六次党代表会议（1929年4月）通过的决议还在说，"在最近几年内主要还是要依靠贫中农个体经济，而且小农经济还没有用尽并且不会很快用尽它们所有的潜力"。[4] 现在突然发生这么大的变化，基层干

[1] Правда. 1988. 26 августа.

[2] Трагедия советской деревни. документы и материалы. Под ред. *Виолой.* Т. 1.（1927. 5–1929. 11），М., 1999. С. 759.

[3] 《关于集体农庄建设的总结和今后的任务》，《苏联共产党代表大会、代表会议和中央全会决议汇编》，第4分册，第90、88—89、88页。

[4] 《关于发展农业的途径和减轻中农的赋税》，《苏联共产党代表大会、代表会议和中央全会决议汇编》，第4分册，第14页。

欢送下乡组织集体农庄和反富农斗争的工人。顿河畔罗斯托夫，1929 年

部感到茫然，不知所措。广大农民对此更是不理解，深为惊恐。他们不明白，新经济政策允许私人占有农具牲畜，为什么现在必须立即全部交出，而且几乎是无偿地交出；新经济政策鼓励自主安排生产，自由支配产品，为什么突然取消。他们认为，这是把打击的目标从农民的余粮扩大到全部私有生产资料，从富农扩大到一切想保留小生产者地位的农民；是把过去称之为临时性的非常措施变为党的基本政策。他们普遍有一种遭打击和被剥夺的感觉。

尽管多数农民和地方干部对集体化运动不理解、不接受，但在斯大林和党中央推动下，集体化运动在 1929 年底又有了新的巨大进展。不过，情况十分混乱，冒进发展与等待观望并存，有形无形的阻力普遍存在，问题成堆。为了尽快实现全盘集体化，党中央政治局于 1929 年 12 月 5 日成立“全盘集体化地区委员会”（通称特设委员会）。主席是农业人民委员雅·阿·雅科夫列夫，成员是各共和国、边疆区、州党委领导人：安德列也夫（北高加索）、鲍曼（莫斯科州）、瓦雷基斯（中央黑土州）、戈洛谢金（哈萨克斯坦）、柯秀尔（乌克兰）、哈塔耶维奇（中伏尔加边疆区）、舍博尔达耶夫（下伏尔加边疆区）等。中央党政机关的代表也参加了委员会的工作。特设委员会下设八个小组：(1) 关于集体化速度；(2) 关于在全盘集体化地区对待富农的态度；(3) 关于实现集体化地区的经济类型；(4) 关于全盘集体化地区经济和社会组织的管理体系和组织结构；(5) 关于物资的分配；(6) 关于动员农民建立集体农庄的方式；(7) 关于为集体农庄建设培养干部；(8) 关于集体农庄的文化和政治生活。各组分别讨论相关问题，并提出决议草案。

关于集体化的期限和速度是委员会主要讨论的问题。雅科夫列夫认为，已出现人为加快集体化速度、片面追求集体化比例、施加行政压力等现象。他指出，“任何盲目乐观、跳跃和急躁等等表现，都包含有极大的危险性。这些现象如果扩展开来，就会使集体化运动行政命令化、吓跑中农甚至贫农。这样，就会使集体化流于形式，成为装潢门面的假集体化”。[1] 舍博尔达耶夫等人不同意雅科夫列夫的意见，认为不存在人为加快集体化速度问题，缩短实现全盘集体化时间是可能的。经过讨论，委员会认为在五年内可以基本实现全盘集体化。委员会通过《关于全盘集体化的州的决议》（草案），指出“目前，在106个行政区里，加入集体农庄的农户已超过农户总数的70%。各种最初的计划都超额完成了。到1930年春，1/3以上的耕地将成为集体化的耕地。集体化农户的数字如此迅速地增长，说明在五年内完全有可能解决绝大多数农民集体化的任务，并且主要产粮地区的集体化可以在2至3年的时间内完成（而一些区甚至一些州还能更快些），而粮食不能自给地区的集体化——在3至4年的时间内”。[2] 在经济落后的少数民族共和国，集体化要推迟到第二个五年计划实现。草案提醒各地注意，既不要醉心于用行政命令手段和缺乏根据地宣布那些准备不够的州和区为全盘集体化的州和区，也不要人为地阻止集体农庄运动的发展。

1929年12月22日，委员会将决议草案提交党中央政治局审查。12月25

---

[1] *Ивницкий Н. А.* Классовая борьба в деревни и ликвидация кулачества как класса. М., 1972. С. 169.

[2] Трагедия советской деревни. Документы и материалы. Под ред. *В. П. Данилова.* Т. 2.（1929. 11–1930. 12），М., 2000. С. 61.

日，斯大林写信给莫洛托夫，认为“这份草案不太合适”。[1] 他对有关集体化期限的规定以及要求谨慎从事的提法都不满意，亲笔把委员会建议的期限缩短了一半。[2]

1930 年 1 月 2 日，委员会将修改稿送交政治局讨论，获得通过。1 月 5 日，党中央通过了《关于集体化的速度和国家帮助集体农庄建设的办法》的决议。规定“在五年计划期间，我们不仅能按照五年计划的规定完成 20%的播种面积的集体化，而且能完成绝大多数农户集体化的任务。像伏尔加河下游、伏尔加河中游和北高加索这些主要产粮区的集体化，可能在 1930 年秋季或至迟在 1931 年春季基本上完成；其他产粮区的集体化，可能在 1931 年秋季或至迟在 1932 年春季基本上完成”。决议提出，“必须反对任何用从上面发号施令的办法来领导集体农庄运动的做法”，但又规定了非常短的完成集体化的期限，还号召“在集体农庄建设方面进行真正的社会主义竞赛”。决议认为劳动组合应是“最普遍的形式”，但又说它是“向农业公社过渡”的形式。[3] 这些相互矛盾甚至抵触的说法使下面思想更加混乱，普遍认为只有集体化指标是明确的，因而也是最重要的。

全盘农业集体化运动的迅猛开展

1 月 5 日的党中央决议是一项脱离实际、无法正常完成的决定。但各共和国、边疆区和州党委却从其中领会到中央的急迫心情，纷纷不顾实际情况提高任务指标。不仅集体化开展较好的产粮地区，而且中部黑土地区及莫斯科州，甚至在东部各共和国也决定“在 1930 年春季播种运动期间”完成集体化。伏尔加下游的恰巴耶夫区在 1929 年底集体化完成 50%，但领导不满足，派特派

[1] 《斯大林致莫洛托夫（1929 年 12 月 25 日）》，《苏联历史档案选编》，第 6 卷，社会科学文献出版社 2002 年版，第 356 页。

[2] ［俄］德·安·沃尔科戈诺夫著：《斯大林：胜利与悲剧》，上册，张慕良等译，世界知识出版社 2003 年版，第 304 页。

[3] 《关于集体化的速度和国家帮助集体农庄建设的办法》，《苏联共产党代表大会、代表会议和中央全会决议汇编》，第 4 分册，第 113—115 页。

员下乡，告诉他们“不完成100%不得回区”。[1] 格拉佐夫区领导在1930年初提出口号：“无论如何要使全体居民集体化！至少对7%的农户实行非富农化！一定要在2月15日以前完成这些任务，一分钟也不能拖延！”[2]

在上级的强大压力下，基层干部大多采取行政命令和威胁惩罚的办法，强迫农民立即加入集体农庄。对拒绝者，或要求他们提交声明，说明不愿加入农庄的理由；或威胁剥夺其选举权、不提供工业品；或干脆宣布其为“准富农分子”、“苏维埃政权的敌人”，没收其土地和财产。莫斯科州的一位农村干部说，“一天，我接到克林县党委的一道命令：必须使一百多农户全部加入集体农庄。我努力争取到12户先加入集体农庄。我到克林，向党委汇报情况，要求允许农民有先后入社的自由，并保证全村在下一年实现集体化。但是党委不愿听我讲下去。党委接到莫斯科的命令，长长的单子上规定好各地区完成集体化的日期和数字。党委批评我对集体化消极怠工，并警告我如果不按指示办，将被开除出党。我回到村里召开全村大会，宣布必须全体加入集体农庄，凡不愿加入的将被流放、财产没收。当天晚上，全村都签名参加集体农庄，然后回家宰杀牲畜。我拿了新名单到克林县党委，党委很满意。当我把村民宰杀牲畜的情况向党委汇报时，党委对此不感兴趣。我明白，这不能责怪党委，因为他们也是奉命办事，正像我也奉命办事一样”。[3] 卡卢加州松科夫区执委会2月15日下达“战斗命令”，要求在2月20日完成集体化，说“完不成任务——没有任何辩护理由。将未完成任务者在24小时内交付法庭”。[4] 国家政治保卫总局情报处报告说，中央黑土地带乌斯曼专区安年斯克区从1929年12月24日到1930年1月5日，共逮捕了144人，其中80%是贫农和中农。用这种恐怖手段，该区的集体化比例在几天内就由26%猛升为82.4%。[5] 西伯利亚专

[1] *Трапезников С. П.* Исторический опыт КПСС в социалистическом преобразовании сельского хозяйства. М., 1959. С. 267.

[2] История СССР с древнейших времен до наших дней. Т. 8. М., 1967. С. 553.

[3] 参见 Volin, Lazar: *A Century of Russian Agriculture*. Harvarde，1970，ch. 10。

[4] ГА Калужской области, Ф. 202, оп. 3, д. 39, л. 13. 转引自：*Кирьянова Е. А.* Коллективизация Центра России（1929–1937гг.）// Отечественная история. 2006. No. 5. С. 77.

[5] Трагедия советской деревни. Т. 2. С. 100.

区法院的秘密报告历数该区在集体化过程中对中农的各种过火行为：从强迫命令到威胁利诱，从没收财产到逮捕流放。报告说，新西伯利亚专区派温村苏维埃主席用剥夺个体户选举权和课重税的办法迫使农民参加农庄。列别杰夫村苏维埃主席则用庄员可免除债务的许诺来吸引群众，但农民加入农庄后又迫使他们还债。在达坎斯克专区的博卡图伊村，全权代表塔拉卡诺夫于 2 月 15 日到达后，召集全村开会。由于男人多外出伐木，30 家只有 18 人出席会议并且大部分是妇女。塔拉卡诺夫既不做任何解释，也不进行表决，就命令秘书起草了全体加入集体农庄的决议。第二天，外出伐木的村民回来后发现他们已被登记为庄员，便全体宣布退出农庄。塔拉卡诺夫知道后立即逮捕了 6 名贫农和中农，查抄了他们的财产，并宣布必须在当天晚上 12 点以前建成集体农庄。村民听说不建立农庄就要把逮捕的 6 人流放，便决定顺从全权代表的意志，但 3 人拒绝服从。而塔拉卡诺夫又用威胁手段迫使这 3 人进入农庄，实现了全盘集体化。[1]

就这样，一场轰轰烈烈的集体化运动兴起了。1930 年 1 月，有 300 万农户加入，2 月又有 700 万农户加入。据集体农庄中心的统计资料，1929 年 10 月 1 日，全苏加入集体经济组织的共有 194.3 万户，占全体农户的 7.5%；1930 年 1 月 20 日，共有 439.3 万户，占 21.6%；1930 年 2 月 20 日，共有 1367.5 万户，占 52.7%；1930 年 3 月 20 日，共有 1393.7 万户，占 53.5%。[2]

在组建集体经济组织时，各地纷纷越过被中央决议称为“过渡形式”的劳动组合，建立起农业公社。在西伯利亚，1930 年 3 月的集体经济组织中，公社占 43%，劳动组合占 39%，共耕社占 18%。[3] 与此同时，集体经济组织的规模也越来越大。1929 年 10 月 1 日，一个集体经济组织平均有 23.3 农户，139.8 公顷土地；1930 年 1 月 20 日就达到 73.9 农户，525.9 公顷土地；3 月 1 日，更达到 129.2 农户，797.4 公顷土地。[4]

[1] Трагедия советской деревни. Т. 2. С. 357.

[2] Трагедия советской деревни. Т. 2. С. 365.

[3] История советского крестьянства. Под ред. *И. ЕЗеленина.* Т. 2. С. 158.

[4] ［美］沃·拉德钦斯基等著：《苏联农业的社会化》，赵林叙译，商务印书馆 1964 年版，第 32 页。

关于牲畜家禽公有化问题，雅科夫列夫委员会提出的草案说，“在全盘集体化地区，集体农庄的主要成分将由农村的中农组成，他们经过集体经济的长期磨合，将被根除个体农民的特征以及他们固有的摇摆性，在目前时期，农业劳动组合是基本的组织形式，在那里对主要生产资料实行集体化，同时在一定条件下保留农民的私人财产，如小工具、小牲畜、乳牛等等”。草案于1月2日提交政治局后，斯大林同意把劳动组合作为集体化的基本组织形式，但是删去了对公有化程度的解释。[1]1930年2月6日，公布了经斯大林同意的农业劳动组合示范章程，并没有对牲畜家禽等是否应该公有化的问题作出决定。但《真理报》于当天呼吁将母牛集体化作为反对富农的手段。次日又强调劳动组合章程应向农业公社过渡，并赞扬公社的思想。2月20日，报刊指责对农民的牲畜工具给以偿付是阻碍贫农加入集体农庄。所有这些都使地方干部和群众觉得公有化程度越高越好，越高越革命。在这种情况下，不仅公社将农民的住宅、大小牲畜、家禽，统统收归公有，许多劳动组合也仿效实行。有的地方甚至将家用的炉子、茶壶、水桶也收归集体所有。1930年1月20日，耕畜公有化的程度为17%，2月1日达到52%，2月10日达77%，3月1日更达81%。[2]农民对这种在公有名义下的剥夺无法接受，遂采取消极对抗策略，在加入集体农庄之前大量屠杀牲畜。仅1930年2至3月间，全苏就有1400万头大牲口被杀，猪的存栏头数减少了1/3，羊减少了1/4。

全盘集体化的强制推行，引起农民的普遍不满和愤慨。仅在秋冬两个季节就有九万封信写给斯大林和苏维埃中央执委会主席加里宁，控诉农村发生的种种荒唐事情。在苏联人民委员会秘书处整理的有关群众来信情况的通报中摘录了一些信件的内容，如说“现在的集体化速度导致农民的灭亡”，“集体农庄运动所以具有群众性规模是‘地方政权高压’的结果，是‘通过粮食收购实施经济影响’的结果，也是威胁‘剥夺选举权和土地，逮捕并流放到索洛韦茨基群岛’的结果”；“集体化是‘农奴制’，‘新的劳役制’”。[3]有的农

[1] 参见 Очерки истории коллективизации в союзных республиках. Под ред. *В. П. Данилова.* М., 1963. С. 36.

[2] Известия. 1930. 9 марта.

[3] Трагедия советской деревни. Т. 2. С. 185.

民公开抗议，甚至举行武装暴动。国家政治保卫总局的绝密报告说，1930 年 2 月和 3 月共发生群众性骚动 7576 起，暗杀恐怖活动 3263 起，散发传单事件 2009 起。[1]

农村的动荡情况不断反映到中央。从 1929 年底起，农业人民委员部每隔 7 至 10 天就向斯大林、莫洛托夫、卡冈诺维奇等领导人送交一份汇报材料，具体陈述集体化中的成绩和问题。如 1930 年 1 月 24 日的汇报中说，在最近的 8 至 10 天里，萨马拉州恰巴耶夫区发生大规模要求退出集体农庄的现象。国家政治保卫总局于 1929 年 12 月 22 日汇报说，"一系列地区（中部黑土州，中伏尔加边疆区，下伏尔加边疆区，北高加索边疆区，远东边疆区，西部边疆区，白俄罗斯苏维埃社会主义共和国和鞑靼）的现有材料表明，最近出售和屠宰役用和食用牲畜（马、牛、猪和羊）的现象不断增加，在一些地方具有群众性规模"。[2] 汇报还列出各地被屠宰牲畜的具体数字。

斯大林看到这些材料，并不认为是政策出了问题，仍然继续大力推进集体化运动。他指示《真理报》于 1930 年 2 月 3 日发表一篇社论，指出最近作出的关于 1930 年至 1931 年度集体化水平达到 75%的规划，并不是最高指标。全苏集体农庄中央在当月听取了乌克兰集体农庄管理委员会关于集体农庄建设进程的报告后，也指示它要进一步加快集体化的速度。苏维埃中央执行委员会和人民委员会根据斯大林的指示于 1930 年 2 月 16 日联合发布了《关于同屠杀家畜的罪行进行斗争的措施》的法令。农村局势进一步动荡。

2 月下半月，党中央开始注意这一问题，指示各地组建集体农庄时要避免仓促行事，在那些还没有开始全盘集体化的地区停止没收富农的财产，在各少数民族共和国必须考虑到当地的条件。3 月 2 日，《真理报》发表了重新修订的农业劳动组合示范章程，规定给每个庄员户划出一小块宅旁园地，并允许他们拥有住宅和一些家禽家畜。这一天，还刊登了斯大林的《胜利冲昏头脑》一文。文章完全肯定全盘集体化运动和党的相关政策，指出"农村向社会主义的根本转变可以认为已经有保障了"，"党的任务是：巩固既得的胜利，有计划地利用这些胜利以求进一步的前进"。文章谴责了运动中的过火行为，强调集体

[1] Трагедия советской деревни. Т. 2. С. 788.

[2] Трагедия советской деревни. Т. 2. С. 87.

化必须遵循自愿的原则和采取劳动组合的组织形式，同时把出现“偏差”的责任推到地方干部身上，说“一些党员产生了鲁莽情绪”，“某些同志被胜利冲昏了头脑”。[1] 3 月 14 日，党中央通过了《关于反对歪曲党在集体农庄运动中的路线》的决议。责成各级党组织制止用强迫命令的方法实行集体化；禁止强制实行住宅、小牲畜、家禽、自用产乳牲畜的公有化；审查被清算者和被剥夺选举权者的名单；恢复集市，不限制农民在市场上出售自己的产品；坚决制止用行政手段封闭教堂；撤换那些不善于或不愿意坚决反对歪曲党的路线的行为的工作人员。

斯大林的文章和中央的决议完全回避了自己的责任，不检讨自己对农村形势的错误估计和对集体化速度的过高要求所造成的严重后果，反而把错误全推给下面，许多地方干部还为此受到惩治。梁赞州有 17 个区，其中 34 名区乡领导成员被开除出党，86 人被交付法庭审判，92 人被调换工作。全国从 1929 年春起搞清党，20%的农民党员因“右倾”或“左倾”被开除出党。后来又把被开除党员的 30%—40%恢复了党籍。[2]1930 年夏，克鲁普斯卡娅在莫斯科鲍曼区党代表会议上指责集体化的做法和列宁的合作社计划没有任何共同之处，并说没有必要把中央自己所犯的错误推到地方机构身上去，但遭到卡冈诺维奇的严厉斥责。[3]6 月 9 日，《真理报》刊登了工人马马耶夫《给党的第十六次代表大会的信》。他在信中勇敢地提出，“究竟是谁的头脑被冲昏了？”“决议和实际是南辕北辙，应该讲出自己的毛病，而不要以此来教训基层党员群众”。但领导听不进下面的批评。马马耶夫被指责为“反对党内制度和中央的领导”，并被当做右倾分子开除出党。

更严重的是，中央领导不仅没有从错误中反思农业集体化的方针政策问题，反而宣称运动取得胜利。这样，全盘集体化运动的错误根本没有指明，更谈不上彻底纠正。当然，一些赤裸裸的暴力剥夺行为和极端的行政命令措施被否定，并得到某些纠正。那些纸面上的和强行建立的集体农庄瓦解了。到 9 月 1 日，有 1000 多万户农民退出了农庄，留下的只有 400 多万户，占农户总数

[1] 《胜利冲昏头脑》，《斯大林选集》，下卷，第 238、239、243 页。

[2] История СССР с древнейших времён до наших дней. Т. 8. М., 1967. С. 559.

[3] [苏]罗·亚·麦德维杰夫著：《让历史来审判》，上卷，人民出版社 1981 年版，第 150 页。

的 21%，回落到年初的水平，或者说，两个多月的全盘集体化运动高潮的成果实际是空中楼阁，但农民为此被折腾得人仰马翻。

第三节　从消灭富农到消灭个体私有农民

消灭富农阶级政策的制定

十月革命后，富农被划定为剥削者、苏维埃政权的敌人，是同社会主义不相容的、必须消灭的阶级。他们在苏联的处境一直十分困难。

早在 1918 年开展农村社会主义革命时，富农就遭到致命的打击。这一时期，苏维埃政权依靠贫农委员会剥夺了富农 5000 万俄亩[1]的土地，没收了价值 200 万卢布的农具和役畜。同时，贫农委员会还协助政府向富农摊派和征收

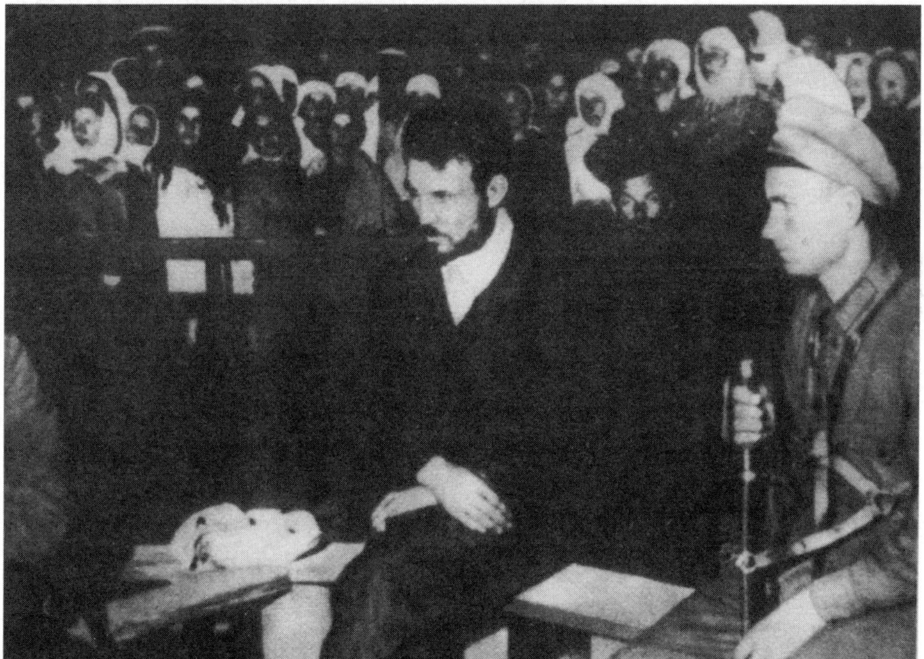

审判富农。敖德萨，1932 年

[1]　1 俄亩等于 1.09 公顷。

了 100 亿卢布的赋税，征缴了 6300 万卢布的罚款。富农的势力遭到沉重的打击。有的学者认为，富农作为一个阶级从此在苏俄不复存在。[1]

实行新经济政策后，富农的处境有所改善，但仍时时处处受到限制，甚至遭受打击。富农虽然被允许租赁土地，但不能买卖和兼并土地，即不能扩大土地；虽然能够雇佣劳动力，但自己必须参加劳动，并且所有的租赁和雇佣合同都须经苏维埃批准，都在苏维埃监督下实行。其次，在税收政策上，富农要缴重税。1928 年，年收入在 700 卢布以上的农户占总农户的 2.5%，他们缴的税却占了全部农业税的 22.8%。富农缴纳的各种赋税超过他们的总收入的 10%。在信贷政策上，1928 年的贷款利息对集体农庄是 7%，对贫农和中农是 8%，而对富农是12%。1929年则停止对富农贷款。在商业政策上，从1926年起，不卖拖拉机给富农。在政治上，富农被剥夺了选举权，不得担任合作社的领导。而富农经济在这种困难条件下逐渐有所恢复发展，一方面有赖于新经济政策的“宽容”，更重要的是，富农经济对落后的苏联农业乃至整个国民经济有积极作用。富农经济是农村中生产率较高的部分，它每年向国家提供可观的商品粮和税收；它可以运用自己的财力消化一部分国家无法解决的农村剩余劳动力；它的生产技术、经营管理办法比较先进，有助于农业生产水平的提高。

富农的数量在新经济政策时期逐年增多，但具体数字很难确定，因为苏联政府的不同机关在不同时期提出过各不相同的标准。1927 年 11 月 6 日至 7 日，《真理报》第一次公布了人民委员会和中央统计局召集的专门委员会所确定的标准。规定具有下列特征之一的农户即可定为富农：(1) 雇佣两个农业工人，其中一人受雇时间在半年以上；(2) 有三头或更多的耕畜（某些地区为四头以上），有 10 或 12、14、16 俄亩耕地（根据不同地区）；(3) 拥有雇佣工人的小加工厂（或在这方面没有雇佣工人，而在其他方面有雇佣工人）；(4) 即使不靠雇佣工人的帮助，但拥有商铺；(5) 占有现代化农业机械或拥有其所有权的大部分。1929 年 5 月 21 日，人民委员会在《关于适用于劳动法典的富农户的标准》又提出新的划分标准，规定具有下列特征之一的农户可以定为富农：(1) 在农业中一贯使用雇佣劳动；(2) 占有磨坊、油坊或其他使用简单机械动

[1] 弗·亚·吉洪诺夫教授就持这种观点。参见 Коллективизация : истоки, сущность, последствия. //История СССР. 1989. No. 3. С. 28–30.

力、风力或水力的"工厂企业";(3)经常出租动力机械;(4)出租建筑物;(5)参与商业、放债、收取佣金的中间人等活动,或取得非劳动收入。[1] 同一年,中央统计局又采用了另一标准,规定以农业经营为其货币收入来源者具有下列特征之一的为企业主(富农)经济:(1)占有1600卢布以上的生产资料并一年雇工在50天以上;(2)占有800至1600卢布的生产资料并雇工在75天以上;(3)占有400至800卢布的生产资料并雇工在150天以上。[2] 上面的几种划分方法并不十分科学。它只重视体力劳动,没有把生产组织工作视为劳动内容,有的甚至把划分阶级的社会标准简单归为财产多少。这样就无法把勤劳致富的中农同富农严格区分开来。"富裕农民"、"殷实农民"往往变成富农的同义词。

由于划分富农的标准不确切,又是多种方案,苏联公布了互不相同的统计数字。《农业战线》1925年第5—6期宣布,1925年富农约有100万户,占农户总数的4%。人民委员会下属的由财政人民委员会弗鲁姆金领导的税收问题特别委员会在1927年提出,富农在1925年约占农户总数的6%。人民委员会关于苏联居民赋税研究小组1929年报告则认为,1924年至1925年度富农占3.3%。关于1926年至1927年富农的户数,拉林在1927年提出,农村中"严格意义上的资本家阶层"即长期使用雇佣劳动力的农户为45万,占农户总数的2%。而弗鲁姆金特别委员会的估计是7.9%。"托季联盟"在党的十六大上提出,富农人数已占到农村居民的15%—20%。莫洛托夫进行反驳,认为富农仅占农户总数的3.7%。至于1928年至1929年即消灭富农前夕的富农户数,斯大林断言富农占农户总数的5%,李可夫认为是4.2%,国家计划委员会的统计数字是3.9%,中央统计局的数字是5.1%。当时的苏联党政领导认为富农占到了4%—5%,1929年4月召开的第十六次党代表会议的决议也使用了这个比例。[3] 苏联学者丹尼洛夫经过研究后认为,1927年的全苏人口调查数

[1] Levin M. *Russian Peasants and Soviet Power: A Study of Collectivization.* London. 1968. p. 490.

[2] *Данилов В. П.* Советская доколхозная деревня: социальная структура, социальные отношения. М., 1979. С. 314.

[3] 《关于发展农业的途径和减轻中农赋税》,《苏联共产党代表大会、代表会议和中央全会决议汇编》,第4分册,第20页。

字比较可靠。它宣布，全国有富农 89.6 万户，占农户总数的 3.9%。这是苏维埃政权下富农数量最多的时期。1928 年实行非常措施后，富农户数减少。到 1929 年秋只剩下 60 万—70 万户，占农户总数的 2.5%—3%。[1] 富农平均每户有 7.3 人，4—5 个劳动力，11 公顷份地，9.4 公顷播种地，1.7 公顷刈草地，2.3 匹马，2.5 头母牛及一定数量的小牲畜。63.8%的富农户拥有农业机器。

1929 年，随着全盘集体化运动高潮的兴起，如何对待富农问题被提上议事日程。首先争论的问题是，是否允许富农参加集体农庄。

基层干部对此意见不一。从他们向集体农庄中心的报告人提出的问题看，许多人认为，可以在一定条件下让富农参加农庄。集体农庄中心情报处曾整理了这方面的材料，说交给报告人的纸条中“有这样一些问题：‘您说，我们不让也不能让富农参加集体农庄，但如果富农将自己的所有财产都交给集体农庄使用，是否可以接纳他呢？’‘您还说，我们不让富农得以发展，是不是说富农变成中农以后，他就可以加入集体农庄了？’‘为什么不让富农加入集体农庄，有些富农忘我地劳动并且把自己的所有东西都上交了，而有些贫农还做不到。’由此可见，我们根本不知道，哪些人应该划为富农：‘请问，现在农民中的哪些人能称为富农或准富农（富农的帮手）？’‘如果农民做生意的同时不采用雇工劳动，能认为他是富农吗？’‘有些农民富裕但不是富农，而农村地方政权却把他们看作富农并在大会上不给予发言权。如果是富裕农民，不说也知道，而他们又不会带来什么危害。对不？’可能对很多人而言，有一个问题并不完全清楚，即用什么方式消灭富农阶级。问题在于：‘将用什么方式消灭富农？’‘可以剥夺富农的工具吗？’‘能否没收没有进行过蛊惑宣传的富农的财产？’‘富农被剥夺后将获得什么样的份地并将其安置到哪里？’还有一个问题：‘对于改过自新的被剥夺者是否有权组织自己的集体农庄？’而令人最关心的问题则是：‘将富农弄到哪里去？’‘能将富农弄到哪里去？由于其危害，将来怎样让其继续存在？’‘如果农民不给土地，大富农将被弄到哪里去？’……‘能不能将那些不参加集体农庄的中农划归为富农或者富农的帮凶？’……”[2]

中央领导人对此也存在意见分歧。农业人民委员雅科夫列夫、中央执行

---

[1] *Данилов В. П.* Советская доколхозная деревня. С. 316.

[2] Документы свидетельствуют. Под ред. *В. П. Данилова и Н. А. Ивнического*. С. 327–328.

委员会主席加里宁等人主张有条件地吸收富农参加集体农庄；另一派则坚决反对，要求把富农迁徙到远离农庄的地方。

1929 年 4 月，在第十六次党代表会议上，这两种意见展开激烈交锋。多数代表认为，在条件具备的地方可以吸收富农参加集体农庄。斯摩棱斯克省代表卡列金娜说："在那些机器拖拉机队能够耕种几千公顷土地、兼顾周围好几个村庄的地方，在那些按照合同协议土地已经最终联合起来的一切经济组织中，毫无疑问，应当把富农留在集体农庄里面。通过这种途径，事实上没收了富农的生产资料。因为这样一来，富农既没有什么人、也没有什么东西可供剥削了。拖拉机队就卓有成效地成为我们的组织者和监督者。我们就能组织贫农，使贫农发挥积极性，完全消灭富农的影响和反抗"。[1] 卡列金娜认为，只有那些小的、新成立的、经济基础薄弱的农庄，才不应吸收富农参加，以免农庄的领导权落入富农手中。而另一些代表则坚决反对富农参加农庄。他们说，富农是阶级敌人，集体农庄不能联合两个敌对的阶级。由于看法不一，第十六次党代表会议没有对富农能否参加集体农庄问题作出决定。

11 月 10 日至 17 日，党中央全会继续讨论富农问题。北高加索边疆区党委书记安德列也夫在回答"富农怎么办?"的问题时说："我认为当前应当把富农清除出去，免得在最初阶段就使我们的工作复杂化。"有人接着又问："为什么只是当前呢?"安德列也夫回答说："之所以是当前，我认为如果我们巩固起来，如果我们在集体农庄中保证取得决定性的胜利，如果我们没收富农财产的工作做得相当不错（须知我们还没有准备在肉体上消灭富农），那么我们将不再害怕吸收富农参加集体农庄，把这部分居民吸收进集体经济。首先应当保证我们的决定性胜利、巩固我们的领导、没收最强的富农分子的财产"。[2]11 月全会也没有对富农能否参加集体农庄问题作出决定。

12 月，雅科夫列夫特别委员会下属的一个小组委员会制定了关于《集体农庄和全盘集体化地区的富农》的决议草案，提出三项措施。第一，逮捕或驱逐积极反抗社会主义秩序和从事反革命破坏活动的富农；第二，迁徙拒绝服从

---

[1] *Ивницкий Н. А.* Классовая борьба в деревни и ликвидация кулачества как класса. С. 153.

[2] *Там же*. С. 162–163.

全盘集体化秩序的富农；第三，对其余大部分富农，作为社会劳动力，剥夺他们的选举权，规定3—5年的考察期，以后方可成为拥有充分权利的集体农庄庄员。[1]这个方案在原则上提出剥夺富农的全部生产资料，把它作为集体农庄基金的不可分割部分，但也考虑到要给富农留有生活余地。这个方案在全体会议上没有得到一致支持。22日，雅科夫列夫向政治局提出一个折中方案：全盘集体化的州可以提出消灭富农的任务；无情地镇压富农的政治反抗；停止把富农吸收进集体农庄的尝试；全盘集体化的州可以根据地方苏维埃的决定把远的、差的土地分给富农。25日，斯大林提出，"草案尚不成熟"，决定推迟讨论。

12月20日至27日，苏联中央执行委员会所属共产主义学院在莫斯科召开马克思主义者土地问题专家代表会议。参加会议的有科学研究机关、农业高等学校和经济高等学校、杂志和报纸编辑部的代表共302名。斯大林看了会议代表的发言记录后说："农业专家们在农业政策上真是鼠目寸光，所有这些都是资产阶级的残余。谁战胜谁。要么富农将中农拉过去，要么我们把中农拉过来，要强制农民加入集体农庄。应当立即、坚决地以布尔什维克的方式克服这一障碍。雅科夫列夫同志的委员会应该以这样的方针进行工作，不要在富农问题上动摇不定。"[2]斯大林这番话既是对专家们的批评，也是对雅科夫列夫工作的不满意，他决定利用这次会议来推动消灭富农运动。

1929年12月27日，斯大林在马克思主义者土地问题专家代表会议上发表著名的《关于苏联土地政策的几个问题》的演说，宣布"我们已经从限制富农剥削倾向的政策过渡到消灭富农阶级的政策"。关于是否要剥夺富农的财产、能否让富农加入集体农庄的问题，斯大林认为"是可笑而不严肃的"。他说："剥夺富农财产是建立和发展集体农庄的一个组成部分……头都掉了，何必怜惜头发呢。""当然不能让他们（指富农——引者）加入集体农庄。之所以不能，是因为他们是集体农庄运动的死敌。"[3]斯大林未经党中央和政治局讨论就在学术性的专家会议上宣布根本改变对富农的政策。这表明，他完全无视党组织和集体领

---

[1] *Сидоров В. А.* О работе Комиссии Политбюро ЦК（б）по вопросам сплошной коллективизации. // Вопросы истории КПСС. 1964. No. 1.

[2] *Козлов В. А.* Неизвестная Россия 20века. М., 1992. С. 126.

[3] 《论苏联土地政策的几个问题》，《斯大林选集》，下卷，第228、231页。

导原则，把个人意志强加给党和政府，推行消灭富农运动。

几天后，即1930年1月5日，党中央通过《关于集体化速度和国家帮助集体农庄的措施》的决议，才以党的名义提出了消灭富农阶级的口号。据说，斯大林亲自草拟了这一决议，并征求了一些党中央和特别委员会成员的意见，但由于在消灭富农的具体措施上存在意见分歧，这一决议没有涉及消灭富农的具体政策问题，只是提出"不许富农加入集体农庄"。[1]

1930年1月11日，《真理报》发表社论，题为《消灭富农阶级提上了议事日程》。它对1月5日决议中提到的消灭富农问题作出进一步解释，明确指出，"没有以没收土地和生产资料为形式的对富农的进攻，全盘集体化是不可能顺利发展的。在全盘集体化地区没收富农的土地和生产资料，是今天'集体农庄组织和发展的组成部分'"。

斯大林认为雅科夫列夫委员会在富农问题上温和有余，魄力不足。早在1929年12月25日就写信给党中央书记莫洛托夫，提出"或许你有一套方案，拍个电报过来谈谈自己的意见"。[2]

1930年1月15日，在斯大林的授意下，党中央政治局决定成立以莫洛托夫为首的新的特别委员会，重新制定消灭富农的政策。特别委员会的成员包括雅·阿·雅科夫列夫（苏联农业人民委员）、亨·格·亚戈达（国家政治保卫总局副局长）、格·叶·叶夫多基莫夫（国家政治保卫总局秘密行动部主任）、谢·阿·别尔加维诺夫（北方边疆区委员会书记）、菲·伊·戈洛谢金（哈萨克边疆区委员会书记）、罗·因·埃赫（西西伯利亚边疆区委员会书记）、约·米·瓦雷基斯（中央黑土州委员会书记）、亚·伊·穆拉洛夫（俄罗斯联邦农业人民委员）、卡·马·卡尔松（乌克兰政治保卫局负责干部）、尼·涅·杰姆钦科（乌克兰负责干部，1932年任基辅州委员会第一书记）、鲍·彼·舍博尔达耶夫（下伏尔加边疆区委员会书记）、安·安·安德列也夫（北高加索边疆区委员会书记）、伊·德·卡巴科夫（乌拉尔州委员会书记）、莫·约·卡尔马诺维奇（先后任糖业、谷物托拉斯主席）、门·马·哈塔耶维

[1] 《关于集体化的速度和国家帮助集体农庄建设的办法》，《苏联共产党代表大会、代表会议和中央全会决议汇编》，第4分册，第115页。

[2] Письма И. В. Сталина В. М. Молотову. С. 173.

奇（中伏尔加边疆区委员会书记）、尼·米·扬松（俄罗斯联邦人民委员会副主席）、费·格·列昂诺夫（莫斯科州委员会书记）、吉·亚·尤尔金（集体农庄中心理事会主席）、斯·维·柯秀尔（乌克兰中央第一书记）、谢·伊·瑟尔佐夫（俄罗斯联邦人民委员会主席），总共21人。另外，1930年1月16日至23日中央政治局会议又决定向该委员会增补卡·雅·鲍曼（莫斯科州委第一书记）、格·纳·卡明斯基（卫生人民委员）等人。委员会的成员都是中央和地方党政组织的负责人，是斯大林路线的忠实执行者，可是几年后他们又都成为替罪羊在大清洗中被镇压，只有莫洛托夫、安德列也夫和尤尔金例外。

1月26日，特别委员会起草了《关于在全盘集体化地区消灭富农经济的措施》的决议草案。1月30日，联共（布）中央政治局通过了《关于迁移被剥夺的富农》的决议。

决议分为四个部分：

第一部分规定了在全盘集体化地区消灭富农的措施。

"1.在全盘集体化地区，废除个体农户租赁土地和在农业中使用雇佣劳动的有关法律（土地使用和土地规划总则第7和第8部分）。这条规定对中农户的例外情况应该由地区执行委员会在州执行委员会领导和监督下来解决。

2.没收这些地区富农的生产资料、牲口、生产和生活用的建筑物、加工企业、饲料及种子的储备。

3.同时为了彻底粉碎富农对贫农及中农部分阶层的影响和绝对地镇压来自富农方面对苏维埃政权和集体农庄实行的措施的反革命抵抗，对富农采取以下措施：

（1）第一类即反革命的富农活跃分子，对他们要立刻用关进集中营的办法予以消灭，对恐怖行为、反革命暴动及暴乱组织的策划者不惜使用镇压手段；

（2）富农活跃分子的其余部分，尤其是大富农和半地主属于第二类，应把他们驱逐到苏联边远的地方和该边疆区范围内的遥远的地区；

（3）在各区范围内留下的富农属于第三类，应该把他们移民到集体农庄范围以外的新拨给他们的地段上去。"

在实施上述打击富农的具体措施的同时，决议要求在三类富农中每类被消灭的富农户数应根据一个区内实有的富农户数，严格做到各区有所不同；要使各主要区被消灭的总户数平均大致为3%—5%，"红军战士和工农红军指

流放富农。列宁格勒，1928 年

挥人员的家属不应被迁移，财产不应该被没收。对长期在工厂工作的富农的家属要持特别慎重的态度。”

第二部分确定了强制迁移首批富农户的具体步骤。

“1. 建议国家政治保卫总局在最近 4 个月内（2— 5 月）对第一类和第二类富农采取镇压措施。按照大概计算：遣送 6 万人去集中营并迁移 15 万富农去遥远的地区；要预先设法采取一切办法，以便在 4 月 15 日前使这些措施能够实行，无论如何不能少于上述数量的一半。采取这些办法一定要依据苏联各州集体化的速度并与联共（布）各边疆区委员会协调一致。

2. 被驱逐及关进集中营的富农家属在本人自愿并得到各地方执行委员会的同意时可以临时留下或永远留在原来的区（专区）。

3. 初步计划，根据地方的资料，规定各州分配去集中营和应驱逐的人数如下：

	去集中营	应驱逐
中伏尔加河流域	3000—4000 人	8000—10000 人
北高加索及达吉斯坦	6000—8000 人	20000 人
乌克兰	15000 人	30000—35000 人
中央黑土地区	3000—5000 人	10000—15000 人
下伏尔加河流域	4000—6000 人	10000—12000 人
白俄罗斯	4000—5000 人	6000—7000 人
乌拉尔	4000—5000 人	10000—15000 人
西伯利亚	5000—6000 人	25000 人

哈萨克斯坦	5000—6000 人	10000—15000 人

对余下的各州和各共和国，委托国家政治保卫总局与有关的边疆区委员会及联共（布）中央委员会协同一致制定出类似的初步计划。

4.驱逐 7 万户去北方边疆区各专区，驱逐 5 万户去西伯利亚，驱逐 2 万－2.5 万户去乌拉尔，驱逐 2 万—2.5 万户去哈萨克斯坦。驱逐去的地区应该是没有人烟的和很不适合居住的地方，使用被驱逐的人从事农业劳动，或从事手工业（林业、捕鱼等等）。

被驱逐的富农应该移居在这些地区，组成居民区，由指定的管理员对这些居民区进行管理。

5.在没收被驱逐和被分迁的富农的财产时，应只给他们留下最必要的家庭日用品、某些最基本的生产工具和在最初一段时间里必需的粮食储备。被驱逐的富农的钱款也要没收，但是要给每个富农手中留有用于路费和当地安家的必需的最低数额的钱款（每户为 500 卢布）。”

第三部分制定了没收富农户财产的原则以及对被没收财产的处理办法。

“1.由区执行委员会特派全权代表负责没收富农的财产，并要有苏维埃、集体农庄主席、贫雇农小组主席和雇农委员会主席参加。

2.在没收时要对被没收财产进行准确的登记和估价，责成苏维埃对被没收的财物进行保存。

3. 对没收的富农手中的生产资料和财产由区执行委员会转交给集体农庄，作为贫农及雇农的经费，列入集体农庄的不可分割的基金，从被没收的财产中全面偿还被消灭的富农经济应向国家及合作社机构缴纳的债务。

4.集体农庄得到被没收的财产及土地后，应保证全部播种被转交的土地并向国家交纳全部产品。

5.被没收的富农的生活用建筑物用于苏维埃和集体农庄的公共需要或者用于加入集体农庄而没有住房的雇农的集体宿舍。

6. 所有三类富农的存折及公债券都要收回并进行登记，将其送交给财政人民委员部有关机构保存时应开出收据。在全面集体化地区，绝对禁止从存入银行的款项中给被迁移的富农户支付任何费用，绝对禁止用公债抵押贷款。

7.所有三类富农在合作社联合体中的股金和存款都转入贫雇农集体化基

金，从一切形式的合作社中开除存款和股金的所有人。”

在贯彻消灭富农户的措施的同时，决议也指出消灭富农阶级“应该与贫农和中农真正的大规模的集体农庄运动有机地联系起来并成为全盘集体化过程的不可分割的组成部分。”中央委员会警告，反对“某些地区用赤裸裸地没收富农财产的做法偷换大规模集体化工作。”决议还特别提出，要防止对实施消灭富农工作的困难估计不足。

第四部分对各级党的组织和政府部门发布指令，要求扩大国家政治保卫总局的人员编制，增加其开支预算，并“授权国家政治保卫总局在这次运动进行期间在法庭外审理国家政治保卫总局在各州边防站的案件”。“采取刻不容缓的措施肃清城市工业企业中的个别富农分子”，“在高等院校和高等技术院校采取坚决措施肃清同农村富农分子有联系的青年反革命集团。”“委托中央组织部颁布关于关闭教堂、宗教祈祷所以及关于与宗教及教派运动作斗争的法令。”“立刻（在 3 天的期限内）颁布无须发表的有关法令（不仅在全面集体化地区），即：(1) 以立刻没收全部财产为威胁，普遍禁止富农未经区执行委员会的允许从自己的住地自由迁移；(2) 以没收及其他惩罚手段为威胁，普遍禁止富农卖光其财产和器具。”[1]

2 月 1 日，苏联中央执行委员会和人民委员会通过了《关于加强全盘集体化地区农业社会主义改造和与富农作斗争》的决议，并由中央执委会主席加里宁和人民委员会主席李可夫签署发表。决议指出：

“为了最有利地保障农业社会主义改造的顺利进行，苏联中央执行委员会和人民委员会决定：

1.全盘集体化地区对个体农户停止行使有关农业中租赁土地和使用雇佣劳动的各项法规（即土地使用和土地规划总则的第七和第八部分）。

中农户如何免除这一规定，由区执行委员会在专区执行委员会的领导和监督下解决。

2.授权边疆区（州）执委会和各自治共和国政府在本地区采取一切必要措

[1] 《联共（布）中央政治局关于迁移被没收了财产的富农的决议（1930 年 1 月 30 日）》，《苏联历史档案选编》，第 15 卷，第 600—607 页。作者将决议名称中的“被没收了财产”改译为“被剥夺”。

施与富农进行斗争直至完全剥夺富农的财产并将其驱逐出某些地区和边疆区(州)。

对于没收来的富农户财产，除扣除其应向国家和合作社交纳的税赋外，都应作为贫雇农参加集体农庄的费用转交给集体农庄作为不可分割的基金。

3.建议各加盟共和国政府在发送本决议时，给予边疆区（州）执委会和自治共和国政府以必要的指示。”[1]

2月4日，苏联农业人民委员部和全苏集体农庄中心草拟了《给加盟共和国和自治共和国中央执行委员会及边疆区和州执行委员会的秘密指令》，并在当日以苏联中央执行委员会和苏联人民委员会的名义，用电报迅速发给加盟共和国各自治共和国中央执行委员会及边疆区和州执行委员会。

《秘密指令》更加明确了各加盟共和国和自治共和国、边疆区、州、区在消灭第二类、第三类富农阶级问题上的具体做法和程序。

第一，进一步划定了实施主体的职权范围。指令中规定：“将富农遣送到苏联遥远地区的全部组织工作以及运送工作均由国家政治保卫总局负责。将富农迁移到本边疆区的遥远地区的工作由边疆区（州）执行委员会负责。将富农分迁到本地区范围内新地段的工作由州和区的执行委员会负责。”

第二，特别强调了在划定富农户、没收富农户财产问题上要遵循必要的程序。如规定第二类富农户名单“由区执行委员会在集体农庄庄员大会及贫雇农大会决议的基础上制定，并由与上述机构有关的相应州执行委员会批准。”

第三，指令没有刻意强调剥夺、迁移富农的进度，并提出了消灭富农的地区差异性问题，指出“迁移和分迁的户数必须根据各地区富农户的实际数字而有严格差别”。再次重申不能将富农户的划定范围扩大到中农、红军家属和工人家属。

第四，对接纳第三类富农迁移的各州、区的工作提出了更为具体的要求，并提出要利用富农劳动力的问题。[2]

联共（布）中央关于消灭富农阶级的决议出台之后，国家政治保卫总局成了具体实施中央决议的重要机关。

---

[1] Документы свидетельствуют. Под ред. *В. П. Данилова и Н. А. Ивнического*. С. 329–330.

[2] *КозловВ. А.* Неизвестная Россия 20 века. С. 245–249.

1930 年 2 月 2 日，国家政治保卫总局副局长亚戈达下发了《第 44/21 号命令》（秘密文件），对国家政治保卫总局所属部门在消灭富农过程中的任务作了具体部署。

命令要求严厉打击第一类富农，并且应在大规模强制迁移富农户之前基本结束这一工作。

命令提出，“首先应对积极活动的第一类富农分子进行打击：

①富农分子——最极端和最活跃的、抗拒和破坏党和政府农业社会主义改造措施的、从永久居住地区逃跑和转入地下状态的、特别是与白卫军和匪帮联合起来的分子。

②富农分子——活跃的白卫分子、暴动分子，过去的匪徒和白卫军官、被遣送回国者、过去活跃的讨伐队员以及当前积极从事反革命活动、特别是有组织的分子。

③富农分子——教会理事会、各种宗教、教派协会和团体中表现积极的活动分子。

④富农分子——最有钱的、放高利贷的、毁坏自己产业的投机商，过去的地主和大量土地拥有者。”

命令规定了各地区上述第一类富农反革命积极分子的数字：

“乌克兰	15000
北高加索和达吉斯坦	6000—8000
中伏尔加边疆区	3000—4000
中央黑土州	3000—5000
下伏尔加边疆区	4000—6000
白俄罗斯	4000—5000
乌拉尔	4000—5000
西伯利亚	5000—6000
哈萨克斯坦	5000—6000”

命令规定，这些被捕者由国家政治保卫总局全权代表处组建的三人小组快速审判。大部分关进集中营，对最凶恶的富农分子则判刑直至处死。被捕者

的家属应迁徙到北部地区。

命令规定，“首先在苏联下列地区进行迁徙富农及其家庭的行动：

①乌克兰苏维埃社会主义共和国	迁出 3000—3500 户
②北高加索和达吉斯坦	迁出 20000 户
③中伏尔加边疆区	迁出 8000—10000 户
④中央黑土州	迁出 10000—15000 户
⑤下伏尔加边疆区	迁出 10000—12000 户
⑥白俄罗斯	迁出 6000—7000 户
⑦西伯利亚	迁出 25000 户
⑧乌拉尔	迁出 10000—15000 户
⑨哈萨克斯坦	迁出 10000—15000 户

其他州和共和国的相应惩治行动，将同国家政治保卫总局全权代表处协调于最近进行。

迁移的地点和数量可根据条件加以变动。”

命令确定了接纳富农移民的地区及接纳人数。乌拉尔和哈萨克斯坦接纳从北高加索地区的迁移富农户分别为 2.3 万户和 5000 户；北方边疆区接纳从乌克兰的迁移富农户为 5 万户，接纳从中央黑土州的迁移富农户为 2 万户，接纳从下伏尔加边疆区的迁移富农户 1.8 万户；西伯利亚地区接纳从中伏尔加边疆区的迁移富农户为 1.4 万户，接纳从白俄罗斯的迁移富农户为 1.2 万户。命令还规定了开始迁移行动的预定日期。即北高加索地区、中伏尔加边疆区、下伏尔加边疆区的迁移富农行动从 1930 年 2 月 10 日开始，乌克兰、中央黑土州从 2 月 15 日开始，白俄罗斯的迁移富农行动则被定在 3 月 1 日。

为了完成上述行动任务，亚戈达发布了 16 条命令，主要有以下 6 条：第一，从中央到地方成立自成系统的国家政治保卫总局各级代表处，并建立由国家政治保卫总局、联共（布）委员会和检察机关代表组成的三人小组。三人小组应快速审理第一类富农案件，不必按司法程序进行。三人小组直接领导迁移第二类富农的行动。第二，要求乌克兰共和国、北高加索边疆区、下伏尔加边疆区、中伏尔加边疆区、中央黑土州、白俄罗斯的全权代表处最迟在 2 月 7 日前制定详细的行动计划。国家政治保卫总局的其他全权代表处最迟在今年 2 月 20 日提交计划。第三，组建“军事后备力量”“以应付有可能发生麻烦的情况”。“军事后备力量”从国家政治保卫总局的一些部门抽调，并组成行动小组，由国家政治保卫总局全权代表处负责指挥。第四，一般情况下，不得动用红军参加迁徙富农的行动。“只有在非常情况下，在发生暴动时，才准许动用军队。国家政治保卫总局全权代表处按照边疆区机关和革命军事委员会达成的协议——在国家政治保卫总局军队不足的地方，经国家政治保卫总局特别机关仔细挑选后，在可靠的红军部队中以隐蔽形式组建军队小组”。第五，责令国家政治保卫总局运输处组织军用列车运送移民并立即编制监督程序和保卫移民列车的细则。在运送富农移民时可允许他们携带限额之内的财产和粮食，包括斧子、锯、木工工具，甚至可以带上马具、皮马套和两个月的粮食。规定每户携带物品的总数量不得超过 25—30 普特，将携带的斧子、锯、锹（和其他生产资料）放入同一列车的单独车厢。要求向移民提供必要的开水、食品和医疗服务。第六，要求加强情报和侦察工作，保持特别警惕，在行动时要加紧暗中检查通信，其中寄往红军的信件要保证 100%的检查，寄往国外和国外寄来的信件也须进行检查。加强边界和国家重要部门（最重要的国家工程和企业、大型粮仓、武器存放地）的保卫工作。注意城市各阶层的种种情绪以及他们与农村的关系，加强同触犯刑法的抢劫事件和刑事犯罪分子作斗争等。

命令最后强调，为了加强信息联系以应付突发性事件，“国家政治保卫总局所有的全权代表处应与总局建立准确的不间断联系。这一联系应全面并经常地反映行动的进程”，同时，“地方全权代表处由于大规模迁移而颁布的全部命令和原则性指示的副本应呈送国家政治保卫总局。”[1]

至此，党和政府完成了消灭富农阶级的总体部署。时间如果从斯大林 1929 年 12 月 27 日提出消灭富农阶级的口号算起，不过一个多月。部署的基本特点是，在思想和物质准备都十分不足的情况下，要求全国立即开展消灭富农运动，并且要在国家政治保卫总局的指导监督下以残酷无情的行政暴力手段迅速完成。

[1] Трагедия советской деревни. Т. 2. С. 163–167.

富农阶级的被消灭和特殊移民的安置

各地接到中央关于消灭富农的指令后，立即行动起来。地方政权和农民群众受物质利益驱使，极力扩大剥夺对象，突破上面规定的控制数字。而富农的界定不清和干部水平的低下，更使情况恶化。虽然有剥夺富农的规章，但大都形同虚设，不仅剥夺的范围远远超过规定，而且手段粗暴野蛮，有些地方的行动完全变成了对农民的抢劫。一些明令列在剥夺范围之外的红军战士、工人家属、红色游击队员也遭到了剥夺。没收的财物大到房屋、磨房，小到刚刚腌制的黄瓜几乎无所不包。一些农村干部和农村工作人员将没收的物品或据为己有或共同瓜分，他们提出了“拿吧，这些都是我们的”口号。一些地方任意增加剥夺指标，使被剥夺的富农户远远超过了3%—5%的比率，有的地方的比率甚至达到了农户总数的37%。还有一些政府工作人员和农村干部品行不端，把剥夺行动作为威胁农民参加集体农庄、打击报复结怨者的手段，他们甚至进行秘密活动，追捕、杀害拒不从命的农民，被人称为“红色匪徒”。

据当时的《社会主义农业》报道，“为了剥夺富农，卡德尼科沃（在沃罗哥达州）招来了100人，组成准军事化的武装部队。在街上设置了岗哨并将所有的道路都进行了封堵。剥夺行动在晚上进行，就像强盗袭掠一样：被剥夺来的财产没有进行任何登记，一抢而空。幼小的牲畜当场被杀掉并送到合作社卖掉。

被列入富农名单的有中学教师、中农、拥有25年工龄的苏宏斯克工厂工人。被剥夺的还有红军家属甚至执行刑事侦查的代理人。在拉邦格斯克村，苏维埃和区执委会全权代表纳波尔内逮捕贫农和中农，并开枪进行威胁。宣传员罗曼申抢夺了鸡蛋、蜂蜜和其他产品并在几个‘头儿们’中间进行了瓜分。”[1]

1930年2月21日《国家政治保卫总局全权代表就西伯利亚边疆区消灭富农的进程情况向中央汇报的记录》（秘密文件）指出：“一些地方自作主张，任意增加上级确定的富农控制数字，并同时竭力歪曲党的方针，将大量的中农、贫农划入富农的行列。第一种情况是，在一些村庄不考虑村庄、区向全盘集体化过渡的实际情况，对被剥夺者进行彻底的财产剥夺，直至衣服、小刀，还

[1] Кентавр. 1990. No. 3–4. С. 48.

拿走唯一的皮靴、皮帽；并要求被剥夺者立即迁移，深更半夜将他们从家里赶出，也不给落户的地方。中农甚至贫农都遭到了剥夺和逮捕，在一些村庄他们占了全部被剥夺者的30%—50%，同时被剥夺者的财物经常被完全掠走。运动中的其他表现还有：粗暴、嘲弄、撬锁、偷盗、占有，个别党员和共青团员在一些情况下也趁火打劫，使周围居民情绪不稳。在对集体化拔苗助长、提高（富农）控制数字的同时，出现了一些过火行为：强迫、威胁不愿参加集体农庄的人，变卖他们的财产，逮捕他们直至将其遣送至北部地区。”[1]

在一份给斯大林的关于西伯利亚消灭富农工作情况通报中说，“我们……从富农那里拿走的不仅有牲畜、肉类、农具，而且有种子、粮食和其他财物。留给他们的只是母亲生他们时他们所拥有的”。[2] 据农业人民委员雅科夫列夫宣称，到1931年中，集体农庄从富农那里剥夺到的财产达4亿卢布，占农庄固定资金的15%。[3]

富农被剥夺后，立即被集中到指定地点，然后由国家政治保卫总局的武装人员押送他们到远离交通干线、经济落后、荒凉闭塞的边远地区。整个迁移工作是在没有充分准备的情况下启动的：迁移资金严重不足或根本没有；运输部门相互推诿、相互扯皮的事情时有发生；地方政权组织与一些企业就安置特殊移民的谈判屡屡失败；车站里拥挤不堪，大量迁移富农被滞留在各中转站等候发落；马匹、马车、饲草更是缺乏，根本无力完成远程运输的任务；由于运力有限，一些地方的安置计划一再推迟或更改，有的地方则出于无奈，自作主张，把本应远距离迁移的第二类富农，临时改变为第三类富农，就地安置；国家政治保卫总局与各地政权机构缺乏协调、分工不明，迁徙工作经常被搁置、耽误。

特殊移民被押解到目的地后，安置在极为恶劣的条件下：食品供应严重不足，多数移民处于半饥饿状态；居住条件和居住环境恶劣；衣物不够，难以御

---

[1] *Красильников С. А.* Спецпереселенцы в Западной Сибири 1930–весна 1931 г. Новосибирск. 1992. С. 47–48.

[2] Коллективизация: истоки, сущность, последствия. // История СССР. 1989. No. 3. С. 43.

[3] История советского крестьянства и колхозного строительства в СССР. Под ред. Института истории АН СССР. М., 1963. С. 276.

寒；医疗保健工作严重滞后，各种传染病开始蔓延，儿童死亡率不断增高。出现逃跑现象，骚乱暴动也时有发生。

沃洛格达市的一些工人和职工在写给苏维埃中央执行委员会主席加里宁的信中描绘了这些特殊移民的凄惨画面：“我们从头讲。在可怕的严寒中打发他们上路——吃奶的婴儿和孕妇，他们一个挨一个地挤在货车车厢里，有时孕妇生下自己的孩子（这不是侮辱人吗），然后像扔狗一样把孩子扔出车厢，后来把他们安置在肮脏的教堂和寒冷的板棚里，人们随便躺下去就行。半饥半饱的人们身上长满虱子，受冻挨饿，并且还有几千名像狗一样被抛弃的儿童听天由命，谁都不管他们。毫不奇怪，每天都有 50 口人，可能比这更多的人死去（这只是在沃洛格达一个地方），并且这些无辜孩子的人数使人们害怕——他们现在已超过了 3000 人……

目前在沃洛格达有 3.5 万人。他们的生活条件骇人听闻，因此孩子们被各种疾病毫不留情地折磨着——天花、猩红热、麻疹，并面临死亡。任何人也不关心他们，谁也不给他们治疗并继续把健康的孩子同生病的孩子放在一起。因此如果不久的将来您听说死亡的不仅仅是流放来的孩子，而且连同沃洛格达市的所有孩子，就没有什么可惊奇的了。现在对传染病不采取任何预防措施，传染病迅速蔓延开来。等到要抓这件事时，恐怕就太迟了，医务人员会应付不了。我们关心的就是我们后代的事。

米哈伊尔·伊万诺维奇！要知道大家都是人，为什么对待他们比对狼崽子还坏？是什么使他们注定要遭受这种苦难，如果他们有罪的话，最好枪毙他们。

要是您看一看，要是您放下自己的工作，哪怕牺牲三天的时间来看看，您就会相信我们说的都是实话。要知道这是真正的恐怖。今后将会怎样？所有这一切都是在自由的苏维埃国家里发生的。

沃洛格达市的居民——工人和周围的农民们被政府的这种错误激怒了，他们很快将会要求：‘给人们正常的生活条件，特别是给孩子们’。

我们对您有个请求——是不是立即讨论一下这个问题并对该问题作出相应的决定，或者，如果您不了解发生的情况——那么就请到沃洛格达来一趟吧，为检查事实，请不要事先通知地方当局。

信就写到这里，请求您务必调查并对一切给予关注。

我们不署个人名，这没有必要。”[1]

一名特殊移民在给加里宁的信中称：“瞧，这就是移民营的现状。用干草和泥搭成的200所棚子坐落在离铁路不远的疏稀的松树林中。在这个移民营中已经住着几万名各种不同年龄的人，而现在每天仍有一列列载着移民的军车到达。在每一座棚子里都栖息着200多口人。拥挤得可怕：白天人们挤在板床之间的狭窄过道上，夜晚一个挨一个地睡在板床上，就像桶里的鲱鱼又多又挤。许多人因为板床挤不下，只能坐在地上。三个铁炉子无法使这样的棚子暖和起来，更何况现在木柴严重匮缺。因为沙子经常从房顶上落到他们头上，人们都裹在衣服里头。缺少衬衣和暖和的衣服。没有可换洗的衣服；寄生虫都快把人咬死了。食物糟糕得很，面包干快吃完了。很多人已缺粮了。人们冒着严寒和大风在院子里煮东西。白天，太阳晒暖的时候，移民营周围开始化冻了，这时到处弥漫着垃圾堆散发出来的臭味。这里唯一的一口水井并不能供应整个移民营用水，因此人们就用小溪的水。小溪的水经常被污染，以至用这种水煮的茶都有股肥皂和脏衬衫味。公墓里每天都要埋葬几个人。人们不习惯当地的气候，很多人衣衫破烂，经常感冒生病。伤寒、白喉等传染病已经开始流行，已经有些人因患白喉而死亡。春天来临时，所有这一切会导致传染病流行。但是目前暂时还不要紧。人们还有些食物储备，还不至于挨饿，人们期待着尽快能回家。但是大家的心情是这样的：每一个人想的、说的都是：如果一两个星期不把他们遣送回乡，也不给活干和粮食的话，那么吃完从家里带来的食物，

消灭富农

[1] *Козлов В. А.* Неизвестная Россия 20 века. С. 206–207.

他们只能饿死。看着这些人真可怜。他们带着绝望的目光懒散地躺在板床上，或者无谓地在棚子中间遛达，唯一的愿望是给自己和别人找些能吃的东西。一些人在挂着锅子的三角架旁走来走去，没有木柴，锅子里也没有煮的食物。孩子们在炉子边挤来挤去，总想靠近一些，你推我撞地要挨着炉子的铁皮暖和暖和。整个棚子淹没在孩子们的叫喊和哭泣声中……”[1]

斯大林《胜利冲昏头脑》一文发表以后，各地政权组织普遍开展了“纠偏”工作，开始放慢迁徙速度并注意移民的安置工作。但到1931年春，又开始新一轮的消灭富农的运动。3月20日，党中央通过了以人民委员会副主席安德列也夫为首的特别委员会起草的《关于富农》的决议，决定继续强制迁徙富农21.5万户。党中央还决定，特殊移民安置地尽量集中于西伯利亚和哈萨克，管理工作由国家政治保卫总局全权负责，特殊移民被当做廉价劳动力广泛用于林木采伐、矿产开发和农业种植等工作。

据不完全统计，到1930年年底，在全苏范围内共有约40万户富农被剥夺。另有20万—25万户富农“自我消灭”。他们变卖家产，逃往城市或各工业中心。[2]1931年在全国范围内共剥夺20万户富农，这样在1930年至1931年被剥夺的富农户约60万左右（更为精确的数字为56.93万富农户[3]），共计1158986人[4]，加上“自我消灭”的富农户就达到了80万户。在这期间被执行强制迁移的富农有381086户。具体情况见下表：

1930—1931年特殊移民人数及迁移情况一览表[5]

迁出地	特殊移民迁出户数	迁入地	特殊移民迁入户数
乌克兰	63720	北高加索边疆区	19685
		乌拉尔	32127
		西西伯利亚	6556

[1] *Козлов В. А.* Неизвестная Россия 20 века. С. 209–211.

[2] *Ивницкий Н. А.* Классовая борьба в деревни и ликвидация кулачества как класса. С. 245.

[3] *Славко Т. И.* Кулацая ссылка на Урале 1930—1936. Мосгорархив. 1995. С. 251.

[4] Коллективизация: истоки, сущность, последствия. //История СССР. 1989. No. 3. С. 44.

[5] *Земсков В. Н.* Спецпоселенцы // Социологические исследования 1990. No. 11.

续表

迁出地	特殊移民迁出户数	迁入地	特殊移民迁入户数
		东西伯利亚	5056
		雅库特	97
		远东边疆区	323
北高加索	38404	乌拉尔	25995
		北高加索边疆区	12409
下伏尔加河流域	30993	北方边疆区	10963
		乌拉尔	1878
		哈萨克斯坦	18092
中伏尔加河流域	23006	北方边疆区	5566
		乌拉尔	663
		东西伯利亚	620
		哈萨克斯坦	11477
		远东边疆区	2180
		中伏尔加河流域	2500
中央黑土州	26006	北方边疆区	10236
		乌拉尔	1408
		东西伯利亚	2367
		哈萨克斯坦	10544
		远东边疆区	1097
		雅库特	354
白俄罗斯	15724	北方边疆区	4763
		乌拉尔	9113
		远东边疆区	1561
		雅库特	287
克里木半岛	4325	北方边疆区	1553
		乌拉尔	2772
鞑靼州	9424	乌拉尔	7810
		远东边疆区	1614
乌拉尔	28394	乌拉尔	26854
		列宁格勒州	1540

续表

迁出地	特殊移民迁出户数	迁入地	特殊移民迁入户数
下哥罗德边疆区	9169	北方边疆区	2471
		乌拉尔	5201
		哈萨克斯坦	50
		下哥罗德边疆区	1497
西部州	7308	乌拉尔	7308
巴什基尔	12820	西西伯利亚	5305
		东西伯利亚	1515
		巴什基尔	6000
北方边疆区	3061	北方边疆区	3061
伊万诺夫工业区	3655	乌拉尔	3655
莫斯科州	10813	乌拉尔	3112
		西西伯利亚	4729
		哈萨克斯坦	2972
列宁格勒州	8604	乌拉尔	337
		西西伯利亚	1269
		东西伯利亚	929
		雅库特	725
		列宁格勒州	5344
远东边疆区	2922	远东边疆区	2922
西西伯利亚	52091	西西伯利亚	52091
东西伯利亚	16068	东西伯利亚	16068
中亚地区	6944	哈萨克斯坦	159
		北高加索边疆区	2213
		乌克兰	3444
		中亚地区	1128
哈萨克斯坦	6765	哈萨克斯坦	6765
外高加索	870	哈萨克斯坦	870
	迁移总数 381086		各地接受总数 381200

从上表可以看出，迁出地区主要是产粮区和工业区，其中乌克兰约占

1930年至1931年特殊移民总数的17%，西西伯利亚——14%，北高加索——10%，下伏尔加边疆区——8%，中央黑土州——7%，中伏尔加边疆区——6%。在1930年、1931年两年时间内共向西伯利亚迁徙了95885户富农，向北方边疆区——38613户，向哈萨克斯坦——50929户，向北高加索——34307户。

1931年后继续迁徙富农，但由于政府加强了新闻管制，不再公布特殊移民情况，具体数字很难确定。有的学者认为，1931年下半年—1933年约迁徙了80万户富农。[1]除去前期未能按计划迁徙的20万滞留户，大概又迁徙了60万户。这样，在全盘农业集体化时期，总共大约迁徙了100万户富农。

1933年1月召开的联共(布)中央委员会和中央监察委员会联席会议宣布："富农阶级已被粉碎，农业中的资本主义已被根除"，"'谁战胜谁'这一基本问题已经获得解决，社会主义战胜了城乡资本主义成分"。[2]

在农业全盘集体化期间，到底消灭了多少富农，由于立场、观点的不同，再加上统计方法上的差异，使这一问题很难有一个最终的结论。一些西方学者认为，在消灭富农阶级的过程中仅仅被流放的人数就达到了500万，其中有1/4的流放者死于途中。[3]而苏联官方公布的数字则要低得多。1931年国家政治保卫总局副局长亚戈达向斯大林汇报时说，1930年从全盘集体化地区共迁徙出特殊移民77795户，371645人；1931年3月20日至9月18日共迁徙162962户，787341人；两者相加共240757户，1158986人。[4]1933年联共(布)中央一月全会宣布的就是这个数字，说1930年初至1932年底被迁到边远地区的富农有240757户，连同家庭成员一起约100万—150万人。稍后公

[1] Кентавр. 1990. No. 3–4. С. 60.

[2] 《第一个五年计划的总结和第二个五年计划的第一年——1933年的国民经济计划》，《苏联共产党代表大会、代表会议和中央全会决议汇编》，第4分册，第331页。

[3] Jasny, *Socialized agriculture of the USSR: plans and performance end.* Stanford University Press, 1949, p. 311–312.

[4] История Коммунистической партии Советского Союза. Т. 4. кн2. М., 1970. С. 56、164.

布了另一个据称是经过调查的数字，外迁家庭总共为 38.1 万户。[1] 据伊夫尼茨基的统计，1929 年至 1930 年全国被划为富农的有 70.81 万户，另有约 20 万—25 万户富农"自我消灭了"。1931 年间全国被剥夺的富农户又有 20 万。总的说来，到 1932 年年底被消灭的富农有 110 万—120 万户，约 550 万—600 万人，另外，这时在民族地区和产粮区大约还有 6 万户左右的富农户。[2] 丹尼洛夫认为，1929 年秋全苏有 60 万—70 万户富农，而实际被消灭的有 100 万—110 万户，400 万—500 万人。[3]

根据新解密的档案资料和学者的研究成果，在 1929 年至 1933 年间，被逮捕关进集中营的第一类富农共有 519600 人。[4] 被迁徙的第二类富农约 100 万户。至于第三类富农，大都被纳入第二类富农的安置管理轨道。据估计，到 1930 年夏，分布在各州和各区的第三类富农只有 26 万户。[5] 另外，还有 20 万—25 万户富农"自我消灭"，[6] 他们变卖家产，逃往城市和工业中心。总之，在 1929 年年底到 1933 年的农业全盘集体化时期，大约有 140 万—150 万户富农被消灭，如果按每一农户 5—6 人计算，共有 700 万—900 万人。

消灭富农的斗争是农业全盘集体化运动的重要组成部分。因为不消灭农村"剥削阶级"就谈不上农村的社会主义改造。更值得提出的是，它是促使农民参加集体农庄、推进集体化运动的最有力的杠杆。没收富农财产并流放其全家的政策，一方面可以吸引农民参加因占有富农的农具财产而比一般农户富裕的集体农庄，并满足他们的平均主义愿望和提供向富人报复的机会；另一方面又可以威胁那些不愿参加农庄的农民，警告他们不要因抵制运动而落入同富农一样的悲惨命运。这种一打一拉政策对完成全盘集体化运动起到了某种关键性作用。

斯大林正是看到了这一点，才在全盘集体化运动开始后一个月就不顾客

[1] [苏] 罗·亚·麦德维杰夫著：《斯大林和斯大林主义》，中国社会科学出版社 1989 年版，第 111 页。

[2] *Ивницкий Н. А.* Классовая борьба в деревни и ликвидация кулачества как класса. С. 245.

[3] *Шмелёв Н. Попов В.* На переломе: перестройка экономики в СССР. М. АПН 1989. С. 67.

[4] Кентавр. 1990. No. 3–4. С. 59.

[5] Кентавр. 1990. No. 3–4. С. 60.

[6] Коллективизация: истоки, сущность, последствия. //История СССР. 1989. No. 3. С. 44.

观条件不成熟和各级干部思想准备不足，毅然决定立即消灭富农，并且采取最严厉的行政暴力手段实施。进而，借助消灭富农的声势全面消灭独立经营的个体农民，消灭私有农民。

全盘集体化的实现和个体私有农民的被改造被消灭

1930 年秋，党中央决定再次推进集体化运动。9 月 24 日，给各区委、州委和共和国中央发出一封《论集体化》的信件，谴责众多党组织对集体化事业的消极态度，号召共产党员到农民中积极开展工作，“以使集体农庄运动达到新的强有力的高涨”。[1]

在中央的督促下，各级党政机关要求那些退出农庄的农民重返集体组织。“到 1930 年 12 月 1 日为止，如果把苏联各地区和各农业部门（耕作、畜牧、捕鱼、打猎）都算在内，参加集体农庄的农户达 615 万以上，即占 24.1%。而在主要的产粮区，集体化的百分比已达到 49.3%”。12 月 17 日至 21 日，党中央全会根据古比雪夫的报告重新审定了各地实行全盘集体化的日期，规定“在 1931 年使乌克兰（草原区）、北高加索、伏尔加河下游、伏尔加河中游（伏尔加河东岸）等地区加入集体农庄的农户不少于 80%”，这就是说将年初规定的第一类地区完成全盘集体化的日期推迟一年。中央全会的决议还规定，在 1931 年“在其他产粮区——中央黑土区、西伯利亚、乌拉尔、乌克兰（森林草原地带）、哈萨克斯坦（产粮区）——保证使 50% 以上的农户集体化。在产粮消费区，保证使 20%—25% 的农户集体化。在产棉区和甜菜区，保证使 50% 以上的农户加入集体农庄。保证 1931 年在全苏各农业部门平均有一半以上的农户实行集体化”。[2]

这三类地区的划分在 1931 年被进一步具体化。第一类地区包括北高加索（一些民族区除外）、下伏尔加边疆区（民族区除外）、中伏尔加东岸、克里木半岛、乌克兰草原区；第二类地区包括西伯利亚西部和东部（布里亚特、蒙古和雅库特除外）、乌拉尔、哈萨克斯坦、巴什基尔、远东边疆区、中央黑土州、

[1] История Коммунистической партии Советского Союза. Т. 4. Кн. 2. С. 158.

[2] 《关于 1931 年的国民经济计划》,《苏联共产党代表大会、代表会议和中央全会决议汇编》，第 4 分册，第 202—203 页。

中伏尔加西岸、乌克兰、中亚和外高加索的基本产棉区；第三类地区包括北方边疆区、卡累利阿、列宁格勒州、西部州、莫斯科州、伊万诺沃州、下哥罗德边疆区、鞑靼自治共和国、下伏尔加和北高加索的民族区、达吉斯坦、雅库特、布里雅特蒙古、白俄罗斯、乌克兰多林低地、中亚和外高加索（产棉区除外）、极北地区。

1931 年 1 月，苏联第 5 届中央执行委员会第 3 次会议根据党中央 12 月全会的决议提出，在 1931 年可以对一半以上的农户实现集体化，而在基本产粮区可以对 90%以上的农户实现集体化。[1]

集体化的实际进程比党和政府预计的还要快。在 3、4、5 月份，每月都有 150 多万农户加入农庄。到 6 月初，共组建了 21.1 万个集体农庄，包含有 1303 万农户。全苏集体化程度达到 52.7%，[2] 超过了规定。

1931 年 10 月至 1932 年 2 月，集体化运动再次陷入低潮，有 16 万户农民退出集体农庄。但在上级督促下，夏天又重新掀起高潮，到 1932 年年底，全苏共建立 21.11 万个集体农庄，有 1490 万农户参加，占农户总数的 61.5%；其播种面积为 9150 万公顷，占播种总面积的 77.7%，如果加上国营农场则播种面积占全苏的 80%。[3] 每个集体农庄平均有 71 家农户，434 公顷耕地。

1933 年 1 月，联共（布）中央全会通过决议，宣布“把分散的个体小农经济纳入社会主义大农业的轨道的历史任务已经完成”。[4] 这以后，政府又用几年的时间把剩下的个体农户吸收进集体农庄。1933 年 7 月 1 日，集体化的比率为 65.6%，1934 年 7 月 1 日为 71.4%，1935 年 7 月 1 日为 83.2%，1936 年 7 月 1 日为 90.5%。到 1937 年，全苏共建立集体农庄 24.37 万个，有 1850 万农户加入，占农户总数的 93%，其播种面积占全苏的 99.1%。[5] 尚未加入农

---

[1] Коллективизация сельского хозяйства. Важнейшие постановления Коммунистической партии и Советского правительства. 1927–1935. М., 1957. С. 351.

[2] История Советского Крестьянства. Под ред. *И.Е.Зеленина*. Т. 2. С. 188.

[3] 李仁峰主编：《苏联农业统计资料汇编》，农业出版社 1981 年版，第 17 页。

[4] 《第一个五年计划的总结和第二个五年计划的第一年——1933 年的国民经济计划》，《苏联共产党代表大会、代表会议和中央全会决议汇编》，第 4 分册，第 325 页。

[5] 李仁峰主编：《苏联农业统计资料汇编》，第 17 页。

庄的只是山区或边远地区的一些零散农户。独立生产的个体农民作为阶级，在富农之后也被消灭了。

第四节 集体农庄制度——控制农民的再版村社

全盘集体化之前，苏联农村的生产组织形式基本有三种。第一种是国家大力提倡的农业公社、劳动组合等集体经济组织，但不为农民所理解和接受，所占比重甚小。第二种是退出村社的独立田庄和独家农场。政府认为这是资本主义性质的或是通向资本主义的形式，因而受到压制，比重亦不大。最基本的形式是村社，其正式名称叫做土地协会。据统计，1927 年年初，俄罗斯联邦 23300 万公顷土地中，各种形式的集体经济组织占 200 万公顷以上，独立田庄和独家农场占 460 万公顷，村社占 22200 万公顷。[1]

村社在俄国延续了数百年。应当说，它已是一种过时的组织形式，但它在俄国的落后条件下却仍能继续存在，并受到贫苦农民欢迎。它是最基层的农民组织。它通过定期重分份地、互助救济等措施来保障农民的基本生活水平，通过村社大会以及民选的村长来管理农村的日常生活。但村社也使农民的保守依赖思想长期存在，农业生产停滞落后。一家一户进行生产的农民，因定期重分份地而使土地使用权不稳定，农民不愿对土地进行长期投资。另外，村社的土地按远近、肥瘠、水利、交通等不同条件被划分为许多小块，每户农民根据平等原则获得各种各样的小块土地多达几十块甚至上百块。这种田块狭小、地段分散、犬牙交错的情况，不利于使用机器、采用新的耕作方法和提高经济效益。它还造成农民间的复杂关系，因为一家的田间耕作、牲畜放牧甚至来往运输都要通过他人土地。为了避免争吵、减少损失，村社通常都对农户的耕作方式、作物品种、茬口农活日程等作出硬性规定，从而削弱了农户经营自主权，降低了适应市场的能力，阻碍了社会的正常分工。村社同时也是农村的权力机构。它负责分配国税、招募新兵以及某些司法行政职务。总之，村社具有两重性：它既是农民的自治组织，又是国家的基层单位；既体现集体主义精神，又滋生平均主义；既保护农民少受外界侵害，又使农民严重依赖于村社和国家。

[1] Carr, E. H. *Socialism in One Country, 1924–1926*. vol. 1. London. 1958. p. 214.

十月革命前后，布尔什维克党积极支持村社运动以打击地主富农，因而村社在遭受斯托雷平改革打击后，在苏维埃政权下重又得到复兴，成为农村的主要生产组织形式。在新经济政策时期，党和政府认为，村社比个体生产更多集体主义，更少资本主义，是更易向社会主义过渡的组织形式，因此不仅允许村社存在，而且支持它进一步发展。与此同时，党和政府也大力发展合作社以打破村社的宗法关系。合作社是一种联合经营的集体组织。通行的原则是集资合股，利润分红。20 世纪 20 年代的合作社，绝大多数从事信贷和供销活动，少部分具有生产合作性质，在使用机器、种子培育、土地改良、棉花亚麻专业生产等某些方面进行互助合作。到 1927 年全苏有 7.9 万个合作社，1010 万社员，占农户总数的 32%。[1] 参加合作社的农民仍以个体生产为基础，但在流通领域以及生产领域的某些方面开始实行独立自主的集体经营。

20 世纪 30 年代实现全盘集体化后，村社消失，合作社的发展被打断。除少数农民变成国营农场工人外，绝大部分农户被组织在 24 万个集体农庄之中。农庄是一个新的生产组织形式。由于缺乏经验，在初期管理相当混乱。1930 年 3 月 1 日，苏联中央执行委员会和人民委员会批准了《农业劳动组合标准章程》。[2] 章程规定，农业劳动组合是劳动人民自愿联合起来、使用共有的生产资料和有组织的共同劳动的集体经济。但是，章程根本没有考虑农民退出集体农庄的问题。社员脱离农庄的唯一可能性便是被开除出去。

关于土地问题，章程规定：劳动组合所使用的土地是全民的国有财产，归劳动组合永久使用，但不得买卖和出租。农民加入农庄时带来的土地，在退出时不得带走，只能从国家的未分配土地中另行取得土地。章程还规定，从公共土地中划给每个农户一小块宅旁园地，供他们个人使用。

关于生产资料问题，章程规定：全部役畜、农具（犁、播种机、耙、打谷机、刈割机）、种子、饲养公有牲畜的饲料、劳动组合经营上所必需的建筑物和全部农产品加工企业实行公有化。不实行公有化的有农户的住宅和家畜家

---

[1] 苏联科学院经济研究所编著：《苏联社会主义经济史》，第 3 册，王逸琳等译，三联书店 1982 年版，第 43 页。

[2] 见《苏联农业劳动组合标准章程》，财政经济出版社 1954 年版。

禽，但这条规定得不具体，初期几乎都未执行。1930 年 6 月至 7 月举行的第十六次党代表大会提出，必须让集体农庄庄员经营一定的家庭副业。1935 年 2 月，全苏集体农庄突击队员第二次代表大会通过了新的《农业劳动组合标准章程》，规定在每户庄员住宅附近，分给他们一小块和集体化耕地分开的土地，作为蔬菜和果品的园圃。宅旁园地的面积为 1/4—1/2 公顷，个别民族地区可达一公顷。章程对私养畜做了非常具体的规定：在农业地区，每户可私养 1 头奶牛，2 头小牛，1 头带仔猪的母猪，10 只绵羊或山羊；在畜牧业发达的种植区，每户可拥有 2—3 头奶牛，外加小牛，2—3 头带仔猪的母猪，20—25 只绵羊或山羊；在种植业意义不大的畜牧区，每户可拥有 4—5 头奶牛，外加小牛，30—40 只绵羊和山羊，2—3 头带仔猪的母猪，1 匹马，或 2 头骆驼，或 2 头驴，或 2 头骡；在游牧区，每户可拥有 8—10 头奶牛，外加小牛，100—150 只绵羊和山羊，10 匹马，5—8 头骆驼。此外，各个地区的农户都可以私养不限数量的家禽、家兔和 20 箱蜜蜂。1936 年苏联宪法进一步明确规定：除宅旁园地外，在宅旁园地上所经营的副业，以及住宅、食用牲畜、家禽和小农具，都是庄员的个人财产。据苏联国家计划委员会统计，1937 年集体农庄的农产品总产值，按 1926—1927 年不变价格计算为 119.717 亿卢布，而庄员私人经济的农产品总产值为 20.598 亿卢布。宅旁园地上生产的谷物产值占农庄谷物总产值的 0.7%；土豆和蔬菜的产值占 52.1%；果类的产值占 56.6%。[1]

关于集体农庄的劳动组织，最初十分混乱。庄员往往每天都要到管理委员会门前集合，听候农庄主席分配劳动任务。而农庄主席大都根据平均主义原则安排劳动，每人轮流干活，今天翻地，明天喂猪，后天守夜。这造成生产管理松懈，劳动质量低下。一些农庄开始按生产部门建立比较固定的劳动组织，一些庄员专门从事大田作业，另一些庄员则负责饲养工作。1930 年的农业劳动组合章程承认，生产队是组织劳动的形式。1935 年的章程进一步规定，必须建立生产队。作为基本劳动单位的生产队，它承担某一地段土地的田间劳动，时间不短于一茬生产；或负责一定数量牲畜的饲养，时间不少于 3 年。生产队长全面负责队内的一切劳动组织事项。据 1937 年统计，每个生产队平均有男劳动力 24 个，女劳动力 30 个，少年 8 个，共 62 人。每个农民都组织在

[1] История советского крестьянства. Под ред. *И. Е. Зеленина*. Т. 2. С. 377.

生产队里，他们不得拒绝分配给他们的农活。1937 年 5 月 27 日又进一步规定，所有庄员不分男女每年必须完成最低限度的劳动量，从 60—100 个劳动日不等，没有完成劳动量的庄员要受到处罚，或扣除劳动报酬的 1/4，或没收其宅旁园地，或赶出农庄。

庄员的义务规定得很明确，但庄员的权利得不到切实保障。按集体农庄章程的规定，开除农庄庄员需要有不少于 2/3 庄员参加的大会作出决定。实际上，许多集体农庄的管理委员会甚至是农庄主席一个人就作出开除的决定。许多农庄庄员无辜受害，被开除后失去生活来源，成为社会问题。人民委员会和联共（布）中央不得不于 1938 年 4 月作出《关于禁止开除集体农庄庄员》的决议，“禁止以任何借口在农庄中进行清洗”。[1] 此外，庄员不能随意离开农庄。即使获得批准外出打短工，也须将其所挣到的工钱的大部分交给集体农庄。后来，全苏集体农庄管理委员会规定，农庄的扣除额不得超过 10%。在这种管理体制下，庄员对农庄事务几无发言权，并在很大程度上依附于农庄。各种活动包括农民的生产活动，基本上是靠超经济的强制进行。

关于农庄的分配制度，最初普遍实行按人口或按劳动力平均分配，结果使劳动生产率直线下降。1931 年 3 月 17 日，第六次苏维埃代表大会通过《关于集体农庄的建设》的决议，正式确定以劳动日作为所有集体农庄共同的和统一的劳动计量尺度和分配计量尺度。决议指出，“集体农庄收入的分配原则是：多劳多得，不劳不得——这应当成为所有集体农民和集体农庄的一条准则。因此，在一些主要的农田作业（耕地、播种、除草、收割、脱粒）中，按劳动日计件工作制应当得到广泛的推广”。[2] 劳动日的含义不是一人劳动一天，而是一种劳动价值计算单位。它代表一定劳动数量和一定劳动质量。庄员劳动一天根据不同劳动的繁简难易程度规定不同的计酬标准，最低级是 0.5 个劳动日，每加一级递增 0.25 个劳动日，最高级是 2.5 个劳动日。1935 年又规定，对产量超过农庄

---

[1] 《苏联人民委员会和联共（布）中央决议（1938 年 4 月 19 日）：关于禁止开除集体农庄庄员》，《苏联共产党和苏联政府经济问题决议汇编》，第 2 卷，中国人民大学出版社 1987 年版，第 722 页。

[2] 《关于集体农庄建设(1931 年 3 月 17 日)》，《苏联共产党和苏联政府经济问题决议汇编》，第 2 卷，第 308 页。

平均水平的工作队队长和队员给予奖励，增加10%—20%的劳动日；对产量低于农庄平均水平的工作队可扣发10%的劳动日。这种以劳动日计算报酬的做法是一个创举，对贯彻按劳分配原则，促进农业发展起了积极作用。但它很不完善，不仅计算起来复杂繁琐，而且极易受行政干扰，违背按劳分配原则。

斯大林在建设社会主义大农业时，特别注意集体农庄同无产阶级国家之间的关系。他对组织进集体农庄的农民并不放心，不肯把土地农机等生产资料的所有权、生产经营的自主权交给农庄。政府向集体农庄下达上百项计划指标，对生产的品种、播种的面积和时间、每项农活的技术指标、收割的时间、上交国家的农产品品种和数量等都做了具体的规定。这些指标和规定都是指令性的，是必须执行的，违者要受法律制裁。为了确保国家指令的执行，除了通过党政机关进行直接领导指挥外，还采取了两项重要措施：一是建立国营的机器拖拉机站；二是实行义务交售制。

最初，政府允许集体经济组织和个人拥有农业机器。1928年3月，一家国营农场的拖拉机队改建为村际机器拖拉机站，为周围村庄服务。这以后各地逐渐建立起机器拖拉机站，不过数量不多，到1930年6月，全苏才有158个。全盘集体化运动开展后，联共中央于1930年年初曾决定将机器拖拉机站的农业机器卖给集体农庄。但到年底又改变了主意，决定把现代农业机器全部掌握在国家手里。1932年，全苏共有2446个机器拖拉机站，1937年增为5818个。[1]有些苏联学者认为，建立国营机器拖拉机站是因为集体农庄“没有足够的资金去购置和使用新的技术装备”。[2]这一说法很难令人信服。因为农庄如果缺乏条件，国家应帮助它充实资金和技术力量，逐步拥有和掌握各种农业机器。实际上，斯大林并不想帮助农庄拥有生产资料，他要通过机器拖拉机站控制农庄。1933年1月，联共中央和政府决定在机器拖拉机站中设立政治部。它的任务是用开展农村阶级斗争的方法监督农庄的活动。党中央的决议指出：“机器拖拉机站政治部的首要任务，是保证集体农庄和庄员无条件地履行自己对国家的义务，特别是要同盗窃集体农庄财产的行为作坚决的斗争，同集体农庄

---

[1] История советского крестьянства. Под ред. *И. Е. Зеленина.* Т. 2. С. 297、336.

[2] 苏联科学院经济研究所编著：《苏联社会主义经济史》，第3卷，第498页。

中对抗执行党和政府的粮食收购和肉类收购措施的现象作斗争”。[1] 简单地说，政治部的首要任务就是在任何情况下都要确保国家能按计划收购到粮食和肉类。随着地方党政机关的巩固，政治部于 1934 年 11 月并入党的区委员会。这以后，对集体农庄的政治领导和监督工作主要由地方党政机关负责。但机器拖拉机站仍在很大程度上控制着集体农庄。因为随着生产的发展，农庄越来越离不开机器拖拉机站，它的各项生产活动要依赖于拖拉机站的机械服务。而拖拉机站则要求事前审查这些生产活动是否符合国家计划安排，如果不符合就不派机械为农庄服务，以此使农庄不能自行其是，不能搞计划外的大型生产活动。另外，机器拖拉机站要求农庄为其服务提供实物报酬，以此保证国家可以通过这一渠道收取一定数量的农畜产品。设置机器拖拉机站的结果是，通过使集体农庄同最重要的生产手段脱离的办法加强对集体农庄的控制，把农庄的全部活动纳入国家的行政命令体制之中。

国家对集体农庄的另一项控制措施是，实行农庄义务交售农畜产品制度。原来，政府对农产品实行预购合同制，答应向签订合同的农户事先提供种子肥料等项援助，力图用这种办法保证粮食的收购，但效果不佳。1928 年爆发粮食收购危机后，斯大林认为从集体农庄收取粮食比从 2500 多万个体农户更容易，决定加快集体化步伐。由于工业化运动的开展，政府不断扩大粮食收购量。1928 年至 1929 年度，国家收购商品粮 1080 万吨，占当年粮食总产量 7332 万吨的 14.7%。1929 年至 1930 年度，收购量增加为 1600 万吨，1930 年至 1931 年度又增为 2220 万吨。[2]1932 年，斯大林又进一步提出，把征购商品粮的幅度提高到总收获量的 40%—50%。这种做法严重伤害了农民的利益。1931 年粮食减产，每公顷耕地的平均收获量比上一年减少 9.5%，而每公顷的交售额却增加了 4.2%。在乌克兰，许多农庄为完成国家收购计划要交出粮食收获量的 80%，甚至全部。[3] 农民的生产积极性不断下降。到 1932 年 6 月 25 日，农民只向国家交售了当月应交售的 23.6% ；到 10 月 25 日，也只完成交售

[1] 《建立机器拖拉机站和国营农场的政治部的目的及其任务》，《苏联共产党代表大会、代表会议和中央全会决议汇编》，第 4 分册，第 341—342 页。

[2] 李仁峰主编：《苏联农业统计资料汇编》，第 135、241 页。

[3] ［美］沃・拉德钦斯基等著：《苏联农业的社会化》，第 67、69 页。

计划的 25.8%。[1]

1932 年冬，党中央派人到地方督促粮食征购工作。对未完成任务的地区采取高压政策：从关闭地方商业贸易、停止信贷到清洗党政干部。1932 年 10 月底到 11 月初，卡冈诺维奇到莫斯科州视察。在叶夫列莫夫区，他下指示说，“把叶夫列莫夫市郊的两个作恶成性的村落（切尔尼亚季诺，新克拉西夫斯克耶）列入黑名单。今天就把商品从它们那里运出。关闭他们的农庄贸易，并禁止他们去叶夫列莫夫市场。晚上逮捕投机商人和带头人。在其他村落的大会上宣讲此事”。[2]

政府在高压的同时也被迫做了一些让步。苏联中央执行委员会和人民委员会于 1932 年 5 月 6 日、10 日和 20 日先后通过 3 个决议，降低农庄的粮食和畜产品的采购量：谷物由 1931 年的 13.67 亿普特降为 1932 年的 11.03 亿普特；肉类由原计划的 141.4 万吨降为 71.6 万吨。[3] 决议还宣布“从 1933 年 1 月 15 日起，准许集体农庄与集体农民按照自己的意愿，无论在市场上或在自己集体农庄的商店中自由出卖自己的剩余粮食”，[4] 不必再像以前那样按照国家规定的价格进行，而是由市场调节价格。政府希望通过这些措施刺激农民的生产和交售的积极性，但实际效果微乎甚微。因为交售任务虽然减少了，但对多数农庄仍是难以承受的负担，特别是北高加索、伏尔加流域、乌克兰、哈萨克斯坦等受灾地区的农庄根本无法完成国家的采购指标。其次，法令规定农庄在完成任务后可以把谷物拿到市场上出售。可是只有一个或若干个农庄完成任务而全部农庄尚未完成时，仍不允许前者出售剩余粮食。这些农庄要想享有自由出售剩余产品的权利，就必须首先补足其他农庄未完成的交售额。由于实行这种连环责任制，集体农庄实际仍不知道应向国家交纳多少。庄员认为国家任务仍是个无底洞。生产越多，应交纳的就越多；完成任务越早，追加的数字就会越大。集体农庄领导和庄员认为自身的基本利益尚无可靠保证，普遍实行“先集体农庄，后国家”的方针。一位集

[1] Правда. 1932.27 июля，29 октября.

[2] РГАСПИ，Ф. 81, Оп. 3, Д. 175, Л. 28. 转引自：*Кирьянова Е. А.* Коллективизация Центра России（1929–1937гг.）// Отечественная история. 2006. No. 5. С. 81.

[3] История России. ХＸ век. Под ред. *В. П. Дмитренко.* С. 325.

[4] 《苏联粮食法令汇编》，财政经济出版社 1954 年版，第 115 页。

体农庄主席公然宣称："我如果没有为自己的家庭准备好储粮，没有为在军队里的人（家族成员）准备好储粮，没有准备好保险粮、种子、饲料储粮等等，我是连一普特粮食也不会交售的"。[1] 这句话反映了当时许多农庄领导人的心态。他们想方设法拖延甚至抗拒向国家交售粮食，总把农庄的利益放在第一位。另一方面，1932 年的法令允许农村进行粮食买卖，承认市场价格的合法性。农民看到把粮食卖到市场会比交给国家得到更多的钱，因此极力少交售粮食。上述两种情况使得 1932 年的粮食收购工作遇到了比 1931 年"更大的困难"（斯大林语）。全年粮食收购量比上一年减少 430 万吨。

联共（布）中央开会讨论克服收购困难的办法。斯大林认为，当前的问题是一些人把集体农庄偶像化，看不到农庄也会反对国家的收购计划。其次是看不到阶级敌人改变了反苏维埃的斗争策略。这就是说，即使把农民组织进集体农庄，仍然会出现 1928 年那样的收购危机，阶级敌人也仍然会通过集体农庄破坏国家的计划。1933 年，斯大林宣称，这是"可敬的农民对苏维埃政权发动的'无声的'战争"。[2] 斯大林决定采取最有效最无情的手段来克服危机。除了在机器拖拉机站中设政治部，从外面监督农庄的交售工作外，还决定大力限制城乡市场贸易，实行集体农庄义务交售农产品的制度。

1933 年 1 月 19 日，联共（布）中央和人民委员会通过决议，"废除现有的谷物采购的合同（预购合同）制度，并为集体农庄及个体农户规定具有纳税效力的按国家规定的价格向国家交售谷物的固定义务"。这一义务"是每一集体农庄和个体农户首要的义务，故应以第一批打下的粮食完成之"。决议具体规定了各地每公顷播种地应义务交售的数量和从 7 月到 12 月每个月应交售的百分比。对于"未于本决定规定期限内履行向国家交售粮食义务的集体农庄"，要"处以罚金，并令该集体农庄提前履行全年交粮义务"；对未按规定期限履行交售义务的个体农户则按"苏俄刑法典第 61 条""使负刑事责任"。决议还规定："集体农庄的粮食买卖行为，只有在全共和国，全边疆区，全省整个完成本决议所定的采购粮食计划，以及完成种子储备以后，始得进行"。[3] 不久，

---

[1] ［美］沃·拉德钦斯基等著：《苏联农业的社会化》，第 65 页。

[2] Правда. 1963.10 марта.

[3] 《苏联粮食问题的理论和政策文献》，人民出版社 1955 年版，第 251、253、254 页。

又规定对畜产品实行义务交售制。

国家规定的义务交售额很高。农庄交售给国家的数量和支付给国营机器拖拉机站的实物报酬两项合计，在丰收的1937年占谷物收获量的26%，在歉收的1939年占34%。在畜产品中，农庄向国家义务交售的比重更大。1935年至1937年间，上缴的肉类和动物油占总产量的68%，牛奶占45%，羊毛占53%。[1]

国家得到如此多的义务交售的农畜产品，但付给农庄的却极少。到1953年斯大林逝世时，集体农庄义务交售的谷物价格只等于成本的13.2%，土豆价格等于7.5%，牛肉价格等于5%。义务交售的价格比市场价格更是相差悬殊。1933年至1934年粮食产区的小麦交售价格是每公斤3.2—9.4戈比，而每公斤的面粉（小麦的出粉率是85%）的零售价格，凭购粮卡的是35—60戈比，无须购粮卡的是4—5卢布，即价格相差100倍以上。土豆的义务交售价格每公斤是3—4戈比，零售价格凭购货卡的是20—30戈比，无须购货卡的是1.2—2卢布，相差30—50倍。[2]

集体农庄和庄员把义务交售制视为不堪忍受的重负，经常用缩小播种面积、怠工、拖欠等办法消极抵制。苏联党和政府对各种抗拒义务交售制行为进行了严厉打击，与此同时也对农民作出某些妥协。在关于义务交售制的决议中，允诺"绝对禁止地方政权机关及采购机关有相反计划或责令集体农庄及个体农户负担超过本法令所定每一公顷定额的交粮义务。履行向国家交售粮食义务以后的全部余粮，由集体农庄、集体农民及个体农民自由支配之"。[3]不过，这一让步太微小了，没有减轻义务交售制给集体农庄和农民带来的苦难，也没有能制止农民的消极抵制。

1939年7月8日，人民委员会和联共（布）中央决定改变肉类的义务交售的办法，从1940年1月1日起，交售量不再按农庄的公有牲畜的头数，而是按国家拨给农庄的土地（包括耕地、草地和放牧地）面积计算。1940年4月7日，又规定农产品的义务交售量从1940年收获期起，不再按农作物的播

[1] ［美］沃·拉德钦斯基等著：《苏联农业的社会化》，第112页。

[2] *Зеленин И. Е.* Колхозы и сельское хозяйство СССР в 1933 – 1935гг. // История СССР, 1964. No. 5. С. 19–20.

[3] 《苏联粮食问题的理论和政策文献》，第254页。

种计划，而是按耕地面积计算。

义务交售制使国家的征粮计划得到保证。在第二个五年计划期间（1933—1937），虽然粮食的年均产量比第一个五年计划期间的年均产量少70万吨，但是国家每年平均征到的粮食却比“一五”期间多930万吨。

此外，国家向集体农庄征收现金农业税，以当年计划播种的公顷税率为基础。最初，大部分税款征自谷类作物的收入，对技术作物和畜牧业的收入几乎都免于课税。自1936年起，改为按上一年集体农庄年终决算的全部货币收入和实物收入（按国家采购价格计算）征收农业所得税，税率为30%。

农民也要交纳农业税。1933年以前，庄员从非公有经济获得的各项收入要交货币税。1933年至1938年，国家按固定税率向每户庄员征收15—30卢布的农业税。国家对个体农户征收的赋税，1933年中等水平的是35.6卢布，1934年增为191卢布。1938年对所有庄员不问其收入多少，都按统一税率征收农业税，每户10—50卢布。[1]1939年起，税率改为累进制。年收入700卢布的农户要交税50卢布。收入在700—1000卢布的，除交50卢布外，超过700卢布的部分，每卢布交8戈比。收入超过4000卢布的要交税404卢布，另外超过4000卢布的部分，每卢布交税15戈比。[2]庄员的自留地和自留畜要交实物税（粮食、土豆、肉类、牛奶、鸡蛋、烟草、皮毛等）。1933年，从庄员征收的实物税额比个体农民的低5%，比农庄的高5%。1934年起，庄员副业的税额同个体农民的一样。1940年，每户庄员按不同地区要向国家交纳32—45公斤肉类（个体户为60—90公斤）；每只绵羊要交200—1100克羊毛，每只山羊要交130—200克（个体户为500—1400，150—220克）；按计划栽种土豆的面积，每公顷缴纳土豆200—2000公斤（个体户为300—2500公斤）；每户要交纳半张到2张羊皮，屠宰大牲口时则必须交出兽皮。[3]农民还要服劳役，主要是修路。到1930年代末，苏联87%的道路是土路，极易破损。1936年3月3日，联共（布）中央和苏联人民委

[1] *Попов В. П.* Крестьянские налоги в 40–е гг. // Социологические исследования, 1997. No. 2. С. 100.

[2] Важнейщие решения по сельскому хозяйству за 1938–1940гг. М., 1940. С. 121.

[3] Там же. С. 376–378, 390–391.

员会发布决定，18—45 岁的男性庄员和 18—40 岁的女性庄员每年无偿劳动 6 天，自带工具修建和维护居住地 15 公里以内的道路，个体农民——不少于 12 天。[1] 农民还必须参加伐木劳动，不过这项劳动是有报酬的。1933 年起，农民要为地方的文化和生活服务建设出钱。从 1930 年代末起，几乎每户农民都要“自愿”捐献。

从上述的集体农庄的内部组织情况特别是它与国家的关系，可以看出斯大林组织社会主义农业的基本蓝图。首先，他认为富农经济和个体经济都是同社会主义不相容的。其次，他承认农民的特殊性，主张建立不同于国营企业的集体农庄。在生产资料公有制和集体劳动的基础上，允许各农庄间和社员间存在分配收入上的差异，允许庄员经营一定限度内的家庭副业，认为这种集体所有制的农庄也是社会主义经济形式。第三，为确保农业能无条件服务于社会主义工业化，必须使土地和农业机器等主要生产资料完全掌握在国家手里；使生产计划、劳动组织、人事安排、产品分配等都处于国家的严密控制之下。只有小农具、役畜、种子等可归农庄所有。此外，还要不断打击资本主义倾向，严惩违背国家计划和不完成交售任务的行为，对庄员副业课以重税以限制其发展。斯大林把不断变革生产关系，扩大公有制因素，限制商品贸易活动和副业生产当做社会主义农业的发展动力，当做它的本质特点。

斯大林创建的集体农庄同传统的合作社迥然不同，既不是生产者的自愿联合体，也不是商品经济基础上的独立组织。它实际是沙俄村社的再版，仍然是国家牢牢监管控制的基层农民组织，是把农民束缚在自然经济和宗法依附关系狭小天地里的工具。不同的是，国家对集体农庄的控制比当年对村社的控制更直接、更严厉。国家通过统一规定农庄的组织形式和公有化程度，审定农庄的领导组成、下达上百项必须执行的生产和交售计划指标、制定惩治镇压条例等一系列行政命令措施，使集体农庄章程中规定的农庄和庄员的自主管理权利成为一纸空文。1932 年 12 月 27 日，苏联实行统一的身份证制度，但不给农民发证，庄员要到城市去工作或居住，需经领导批准，得到证明才能离去。庄员

[1] История колхозного права. Сборник законодательных материалов СССР и РСФСР. Т. 1. 1917–1936. М., 1959. С. 329–330.

的自由迁徙权实际被剥夺。另一方面，国家通过剥夺农庄拥有土地等生产资料的权利、限制市场贸易、发展农庄与国家间的实物交换关系的办法，使农庄失去经济独立性，只能听从国家安排。总之，集体农庄名义上是集体所有，实际在很大程度上已成为国家的一个基层单位，除了庄员可以经营规定的副业和得不到国家的最低收入保证（工资）外，几乎同国营企业没有什么区别。集体农庄和庄员既无权也无力自主决定生产、分配、人事等事务，一切重大问题都直接听命于政府。集体农庄同村社相比，自治权利更小，对国家的依附性则更强。集体农庄更像是1861年农奴制废除前的村社。20世纪30年代到过苏联农村的西方人士曾报道说，农民常用 В К П（“联共”的俄文缩写）来暗指“第二次农奴制”(其俄文缩写也是 В К П)。[1]

集体农庄制度不适应现代化要求。首先，集体农庄制度使农民脱离主要生产资料，失去独立自主性，无法维护自己的合法利益，因而极大地损伤了农

斯大林、加里宁在集体农庄突击队员代表大会代表中间。莫斯科，1933 年

[1] 塔克著：《斯大林主义：来自上面的革命》，转引自李宗禹主编：《国外学者论斯大林模式》，上册，第140页。

民的生产积极性。其次，集体农庄体制虽包含有物质刺激因素（如按劳动日进行分配，允许副业生产等），也注意到政治思想教育的作用，但是这些只占次要地位，所发挥的作用也很有限。农庄的各项工作基本是靠行政命令推动的。这对农业发展特别不适合。因为农业不同于工业，各处进行生产的气候地理等客观条件极不一致，不可能具有工业中的标准环境。因此统一指令哪怕是专家起草的指令，也往往不符合实际情况和要求，而那些随意违背经济规律和价值规律的瞎指挥更使生产遭受破坏。第三，集体农庄制度造成机构臃肿。据苏联农业部抽查 26 个州 132 个集体农庄的结果：1/3 的农庄中，做事务性工作的人员占全部劳动力的 20%—30%；1/8 的农庄中占 30%以上。这样庞大的行政队伍只会促使官僚主义泛滥，阻碍生产发展。第四，集体农庄制度使农民保守落后。由于生活不富裕，大多数庄员一心关注自己的副业生产，把它视为最可信赖的依靠和保障。对集体和国家大事不关心，也不了解。另外，在行政命令体制下，庄员只得服从听命，也安于服从听命。他们缺乏主动创新精神，习惯于一切都依赖集体、依赖国家。因此集体农庄成了维护狭隘自私、听命依赖、因循守旧传统的温床。集体农庄制度从总体上看，是缺乏生命力的。

斯大林推行的农业集体化运动和创建的集体农庄制度是他实施一国建成社会主义理论的关键部分。它消灭了农村中的生产资料私有制和个体农民，把个体农民变成集体农庄庄员，把小生产变成大生产，使集体农庄制度与城市的国有企业体制相配合，形成统一的社会主义经济体系。它把几千万难于监督的农户置于国家严格控制之下，为建立行政命令和惩罚体制奠定基础。它把农业变成绝对为工业化服务的部门，用牺牲农业和剥夺庄员的办法，使集体农庄为工业发展提供原始积累，提供资金、粮食、工业原料和劳动力，从而确保了工业化的实施。总之，集体农庄制度是斯大林社会主义建设的核心内容之一，没有它就没有单一的计划经济，就没有高度集中的政治体制，也就没有斯大林模式。

第五节　国营农场的发展

国营农场是建立在生产资料全民所有制基础上的生产农产品的国家工厂，

被认为是适应农业生产发展需要的组织形式，是“社会主义大农业”。[1] 因此苏维埃政权一直非常注意发展国营农场。早在1919年2月14日全俄中央执行委员会发布的《关于社会主义土地整理和过渡到社会主义农业的措施》的条例中，就决定在原地主庄园和资本主义农场的基础上建立苏维埃农场，“目的是：(1) 通过提高农业生产力和扩大播种面积的途径尽可能多地增加产量；(2) 为完全过渡到共产主义农业创造条件；(3) 建立和发展农艺文化中心”。[2] 苏维埃农场由农业人民委员部及其下属机关管理。

在党和国家的扶持下，国营农场得到发展。由于管理缺乏经验，许多农场经营不善，出现亏损。1926年12月联共（布）中央开会讨论国营农场问题，并通过决议，要求“进一步巩固和发展国营农场”，“把国营农场变成在经济核算制和赢利制基础上进行经营的工业化大农业企业”。为此，决定加强领导，“整顿国营农场管理系统”；“在1926年至1927年度预算中至少列入600万卢布作为国营农场的固定资本”，供农场“添置牲畜和农具”，并降低贷款的利息，支持农场发展。[3]

1928年7月，党中央开会，决定在四五年内在俄罗斯联邦和乌克兰“建立新的大型国营谷物农场，要使它们在这一时期结束时年产商品粮食1亿普特”，并要“保证在1929年得到500万到700万普特商品粮食”。[4]1929年4月，人民委员会通过决议，要求“采取紧急措施最大限度地加快国营农场的发展速度”。[5] 国家向国营农场大量投资。1927—1928年度为6570万卢布；

[1] 《俄国共产党（布尔什维克）纲领摘录（俄共（布）第八次代表大会1919年3月22日通过）》，《苏联共产党和苏联政府经济问题决议汇编》，第1卷，中国人民大学出版社1984年版，第144页。

[2] 《全俄中央执行委员会决议：关于社会主义土地整理和过渡到社会主义农业的措施（条例）》，《苏联共产党和苏联政府经济问题决议汇编》，第1卷，第119—120页。

[3] 《联共（布）中央决议（1926年12月30日）：关于国营农场和集体农庄的总结》，《苏联共产党和苏联政府经济问题决议汇编》，第1卷，第606—613页。

[4] 《关于建立新的国营农场（谷物农场），(1928年7月11日联共（布）中央全会根据加里宁同志的报告通过的决议)》，《苏联共产党代表大会、代表会议和中央全会决议汇编》，第3分册，第452—453页。

[5] 《苏联人民委员会决议（1929年4月25日）：关于加强原有的国营农场》，《苏联共产党和苏联政府经济问题决议汇编》，第2卷，第14页。

1928—1929年度增为18580万卢布；1929—1930年度进一步增为85620万卢布，是1927—1928年度投资的13倍。国家着力发展大型谷物农场，同时建立专业化的大型畜牧业国营农场以及技术作物和果蔬作物国营农场。1928年全苏有1407个国营农场，1932年为4337个，增加2.1倍。

国营农场的规模迅速扩大。1929年，国营农场的土地达到1123万公顷。每个国营农场平均拥有土地1020公顷。1931年谷物农场拥有的土地面积平均达到8.2万公顷。4个最大的国营农场每个都有20万公顷以上。[1]1931年8月25日，农业人民委员部规定，国营谷物农场的最大限度的收获面积为4—5万公顷。1932年3月31日又限定了国营畜牧农场的最大规模。国营农场的划小工作不断进行，但对大农业的迷恋使国营农场始终过于庞大臃肿。

国家期待国营农场能提供越来越多的农畜产品，不断扩大它的生产规模。1928年，国营农场的各类谷物作物的播种面积为100万公顷，1929年增为150万公顷。1930年更达到290万公顷。1931年3月，苏维埃第六次代表大会通过《关于国营农场建设》的决议，决定进一步发展国营农场。谷物农场在1931年的播种面积应达到500万公顷，1932年为720万公顷。国营畜牧农场也应迅速扩大。养牛股份公司拥有的牛应从1930年的120万头，增为1931年的280万头，1932年的500万头，1933年的700万头。养羊股份公司饲养的羊应从1930年的270万只，增为1931年的440万只，1932年的900万只，1933年的1500万只。[2]到第一个五年计划结束时，国营农场的播种面积超额完成计划。1931年的谷物播种面积达到810万公顷，1932年为930万公顷。畜牧业则远未达到计划指标。牛的头数，1932年为320万，1933年为400万。羊的只数，1932年为570万，1933年为620万。[3]

为了发展国营农场，政府特别注意向它提供拖拉机和收割机，似乎有了拖拉机就能解决问题，而对农艺学、对组织管理重视不够。结果国营农场的生

[1] 苏联科学院经济研究所编：《苏联社会主义经济史》，第3卷，第442—443、513页。

[2] 《苏联苏维埃第六次代表大会决议（1931年3月17日）：关于国营农场建设》，《苏联共产党和苏联政府经济问题决议汇编》，第2卷，第295—300页。

[3] ［美］沃·拉德钦斯基等著：《苏联农业的社会化》，第166页。

产效率低下，远达不到国家计划的要求。1931 年国营农场的播种面积比 1930 年增加了近两倍，拥有的拖拉机数量也增加了约一倍，从 9792 台增为 18775 台。但国营谷物农场 1931 年向政府交售的谷物不是计划的 279 万吨，而是 116 万吨，只完成计划的 42%。[1] 这以后，政府不断采取措施改善领导。1931 年 8 月，决定取消中央事务管理局，实行地方分散管理。根据这一精神，在地方设立各种托拉斯。1935 年，又撤消了托拉斯制度，把国营农场置于前不久成立的国营谷物畜牧农场人民委员部[2] 的直接监督之下。政府还注意缩小农场规模，改进农场内部的劳动组织，实行奖励工资制等。1933 年决定在国营农场内成立政治部，以加强领导，清除内部敌人。具体讲，“国营农场政治部的重要任务，是保证农场无条件地、毫不拖延地完成对国家的义务。同场长及其助手们想把国家的整体利益与农场的狭隘利益对立起来的企图进行坚决的斗争，并同拒绝把剩余农产品交给国家而将其隐藏起来的倾向进行斗争”。[3]1933 年，乌克兰、北高加索和白俄罗斯等许多地方，以在机器拖拉机站和国营农场中组织反革命怠工的罪名，枪决了 35 名干部和专家，40 人被判处 8—10 年的监禁。[4] 总的看，改革和镇压都没有取得明显效果。1934 年，斯大林在党的第十七次代表大会上批评国营农场，说如果把国营农场的实际工作效果同国家的大量投资相对比，“就可以看到一种对国营农场很不体面的极不相称的现象”，产生这种现象的主要原因是，“国营谷物农场的规模过于庞大”，“国营农场本身太专业化，没有轮作制和休闲地，自己没有畜牧业部分”。[5]

1935 年，国营农场的播种面积达到高峰，为 1620 万公顷，占当年全苏播种面积 13280 万公顷的 12.2%。但是国营农场的谷物每公顷平均产量始终低于革命前 1913 年的 8.2 公担和全盘集体化前 1928 年的 7.9 公担。国营农场的谷

[1] ［美］沃・拉德钦斯基等著：《苏联农业的社会化》，第 165、161 页。

[2] 1932 年 10 月 1 日成立。

[3] Правда. 1933. 13 января.

[4] Известия. 1933. 12 марта.

[5] 《在党的第十七次代表大会上关于联共（布）中央工作的总结报告》，《斯大林全集》，第 13 卷，第 293 页。

物每公顷平均产量，1933 年为 5.1 公担，1934 年为 5.9 公担，1935 年为 7.1 公担，1936 年降为 5.8 公担。国家放弃把国营农场建成苏联农业王牌的打算，开始控制和缩小国营农场的发展规模。1935 年末—1937 年 3 月，国营农场将相当于其用地面积 1/4 的 2000 多万公顷土地交给了集体农庄。1937 年国营农场的播种面积降为 1220 万公顷，占当年全苏播种面积 13530 万公顷的 9%。国营畜牧农场的生产情况同样不理想。国家计划到第二个五年计划结束的 1937 年，国营农场拥有牛的头数为 620 万，实际只有 370 万；羊计划为 1220 万，实际为 700 万；猪计划为 550 万，实际为 280 万。

1940 年，全苏共有 4200 个国营农场。其播种面积为 892.6 万公顷，占全苏播种面积 15040 万公顷的 6%。国营农场拥有牛 340 万头，羊 680 万只，均低于 1937 年的数量；猪为 280 万头，与 1937 年持平。

第六节　集体化后的农牧业生产和集体农庄的情况

农牧业的生产情况

农业集体化运动使苏联农牧业生产发生了巨大变化。首先，分散的小生产变成集中的大生产。1928 年全苏有 2500 多万个个体生产单位，一般每户只有 4—5 公顷耕地。1940 年，合并成为 23.7 万个集体农庄和 4159 个国营农场。平均每个农庄有 81 户，614 公顷耕地；每个国营农场有工作人员 137 人，1156 公顷耕地。[1] 概略地说，农业的经营规模扩大了一百倍。

其次，在大农业的基础上，农业走上了机械化道路。集体化前，大部分耕地要定期重分，土地零散，生产技术落后停滞，很少使用机器。劳动生产靠 3200 万匹马和简单的手工农具。1928 年，拖拉机总共才有 2.7 万台（折合为 15 马力的标准台数是 1.8 万台），收割机 2000 台，汽车 700 辆。到 1940 年，农村除拥有 1800 匹马和简单农具外，拖拉机增为 53.1 万台（折合为 15 马力的标准台数是 68.4 万台），联合收割机为 18.2 万台，载重汽车为 22.8 万台。

[1] 《苏联农业统计资料汇编》，第 289、295、319 页。

机械力量增加了几十倍到几百倍。春耕中的机耕面积比重由1928年的1%猛增为1940年的62%，机械收割谷物的面积比重相应地由0.2%增为46%。[1]详细情况见下表：

农业中主要工作的机械化程度（占总面积的%）

	1928	1932	1937	1938
春作物耕地				
用木犁	9.8			
用马拉犁	89.2	81.0	29.0	28.5
用机拖犁	1.0	19.0	71.0	71.5
春莳谷物播种				
手播	74.4	51.7	14.6	12.8
用马拉播种机	25.4	28.3	31.1	30.5
用机拖播种机	0.2	20.0	54.3	56.7
收获谷物				
用大小镰刀	44.4	35.4	10.3	8.5
用马拉农具	55.4	54.6	45.9	43.1
用机拖农具	0.2	10.0	43.8	48.4
其中用康拜因机	——	4.0	39.8	48.4
谷物脱粒				
用手工打谷工具和其他原始方法	40.7		0.6	
用马拉打谷机	58.0		5.4	
用机械动力打谷机	1.3	40.0	94.0	95.0

再次，农业机器和化肥的使用，提高了农业生产率，减少了农业劳动力。20世纪20年代末，大约有5000万—5500万个体农民从事农业生产，而到30年代末，只有3000万—3500万农庄庄员和国营农场工人。[2]就是说，

[1] 《苏联农业统计资料汇编》，第419、429、457页。

[2] *Гордон Л. А.* Что это было! М., 1989. С. 80.

10 年期间农村节约了近 2000 万劳动力。他们大多被输送到城市中去，支援工业建设。

苏联农业虽然取得一定进步，但总的讲仍十分落后，远未实现农业现代化。1940 年，农业人口占全苏人口的 67%，农业劳动力占全国劳动力总数的 54%。农业仍是粗放经营，在相当程度上是靠人力畜力劳动进行生产的。第二次世界大战前，苏联农业机械化仅是开始。机器主要用于翻地、播种和收割工作，但仍有一半的谷物播种收割工作没有使用机器。至于棉花、玉米、麻类的收割工作，牲畜的喂养工作则基本靠人工。人工灌溉面积更少得可怜，只有 810 万公顷，约占全国播种面积的 0. 5%。[1] 农业基本是靠天吃饭。

更为严重的是，农牧业生产力在全盘集体化运动中遭到巨大破坏。相当

女拖拉机手

[1] 《苏联农业统计资料汇编》，第 67、443 页。

一批有较高技能、有文化知识、善于经营生产和销售的农民被当做富农消灭掉。进入农庄的农民因失去自主权，生产积极性明显下降，依赖性占据了上风。他们出工不出力，出力不用心，效益低下。肖洛霍夫在1933年写信给斯大林，描述了农民的对抗情绪和行动。信中说，北高加索边疆区的丘卡林农庄“8月份一连3个星期雨水不断，毁掉了好几万公担的粮食”。天气放晴后，庄员却“躺在大车底下，有的睡觉，有的哼小曲，有的捉虱子”，没人去拆麦垛晾晒粮食。一位女庄员在回答肖洛霍夫的质问时解释说，“今年的计划很难完成。大家都看得见，我们的粮食都被弄到国外去了。因此我们懒得干活，也不急着晒麦垛。让小麦慢慢地发霉吧。发了霉的小麦国外就不要了，可我们还能吃！”[1]农庄庄员的消极怠工，再加上农庄建立初期组织工作的混乱，使20世纪30年代的苏联农村陷于衰退状况，生产下降，社会动荡。

第一个五年计划规定，1933年农业总产值要达到258亿卢布。实际上，1933年的农业总产值只有131亿卢布，仅达到原计划的51%，比第一个五年计划开始时的1927年至1928年度的总产值166亿卢布低21%以上。

1932年的谷物产量为6987万吨，只达到计划规定10580万吨的66%。第一个五年计划期间的谷物年均产量为7360万吨，到第二个五年计划期间又降为7290万吨，均低于1927年的7683万吨。1940年，农业大丰收，谷物产量达到9560万吨，是斯大林执政时期的最高收获量。但这里面有非经济因素起作用。这一年苏联领土扩大，人口增多，播种面积比前一年增加1700万公顷。至于畜牧业，它在集体化运动中损失更大。1933年，牛、马、羊、猪的存栏头数只及集体化前1929年的一半左右：牛的头数由5820万减为3350万；马的头数由3260万减为1730万；绵羊的头数由9740万减为3400万；山羊的头数由970万减为330万；猪的头数由1940万减为990万。到1953年斯大林逝世时，牛、马、绵羊的头数仍未达到集体化前的水平。具体情况见下表。

[1] 《肖洛霍夫致斯大林的信(1933年4月4日)》，《苏联历史档案选编》，第15卷，第670页。

1928—1938 年的苏联粮食产量和牲畜头数 [1]

年份	粮食产量	官方公布的粮食产量 *	牛	猪	绵羊	山羊	马
	万吨	万吨	万头	万头	万头	万头	万头
1928	7332		6010	2200	9730	970	3210
1929	7174	7174	5820	1940	9740	970	3260
1930	8354	8354	5060	1420	8550	780	3100
1931	6948	6948	4250	1170	6250	560	2700
1932	6987	6987	3830	1090	4380	380	2170
1933	6840	8980	3350	990	3400	330	1730
1934	6765	8940	3350	1150	3290	360	1540
1935	7502	9201	3890	1710	3640	440	1490
1936	5610	8273	4600	2590	4380	610	1550
1937	9743	12029	4750	2000	4660	720	1590
1938	6900	9499	5090	2570	5730	930	1620

* 斯大林在党的第十七、十八次代表大会上的报告中公布的数字。

经济作物的生产情况较好，特别是籽棉的产量有很大提高。具体见下表：

1928—1940 年的苏联经济作物产量（单位：万吨） [2]

	籽棉	制糖用甜菜	亚麻纤维	向日葵	土豆
1928 年	82	1014	32	213	4644
1929 年	86	625	36	176	4564
1930 年	119	1402	44	163	4945
1931 年	129	1205	55	251	4485

[1] 《苏联农业统计资料汇编》，第 135—137、90—91、189—190 页。*Вылцан М., А.* Укрепление материально–технической базы колхозного строя во второй пятилетки. М., 1959. С. 122.; *Зеленин И. Е.* Колхозы и сельское хозяйство СССР в 1933–1935гг. //История СССР. 1964. No. 5. С. 14.

[2] 《苏联农业统计资料汇编》，第 135—136 页。

续表

	籽棉	制糖用甜菜	亚麻纤维	向日葵	土豆
1932 年	127	656	50	227	4313
1933 年	132	899	——	235	4925
1934 年	118	1136	——	178	1501
1935 年	170	1621	——	185	6974
1936 年	239	1683	——	——	——
1937 年	258	2160	36. 2	175	5870
1940 年	224	1800	34. 9	264	7610

苏联农牧业的状况，如果按人均产量来看，非常糟糕。谷物的人均产量：1930 年至 1932 年为 460 公斤，1933 年至 1937 年为 440—450 公斤，1938 年至 1940 年为 420—430 公斤，都低于全盘集体化前 1928 年至 1929 年的 470 公斤，更低于沙皇时代 1913 年的 540 公斤。肉类的人均产量：1930 年至 1932 年为 20—25 公斤，1933 年至 1937 年为 15—20 公斤，1938 年至 1940 年为 25 公斤，都低于 1928 年至 1929 年的 35 公斤和 1913 年的 31. 4 公斤。[1] 农民的实际食用量更低。谷物的人年均食用量 1928 年为 250. 4 公斤，1932 年降为 214. 6 公斤；土豆的人年均食用量 1928 年为 141. 1 公斤，1932 年降为 125 公斤；肉类的人年均食用量 1928 年为 24. 8 公斤，1932 年降为 11. 2 公斤；动物油类的人年均食用量 1928 年为 1. 5 公斤，1932 年降为 0. 7 公斤。[2]

饥荒和农村的情况

集体化的强制推行，打击了农民的生产积极性，造成农牧业产量下降。许多地区在 1931 年就出现了饥荒现象。1932 年至 1933 年在乌克兰、北高加索、伏尔加河流域等广大地区发生旱灾，使问题更加严重。全苏粮食产量由 1928 年的 7332 万吨降为 1932 年的 6987 万吨。但中央领导无视这一事实，继续高

[1] *Гордон Л. А.* Что это было! С. 75.

[2] *Мошков Ю. А.* Зерновая проблема в годы сплошной коллективизации сельского хозяйства СССР. М., 1966. С. 136.

额征收粮食。1932 年 1 月 14 日，人民委员会通过《关于 1931—1932 年粮食收购》的决定，“责成各加盟共和国、自治共和国人民委员会，边疆区和州执行委员会完成规定给它们的粮食收购年度计划，继续超额收购”。[1] 各共和国、边疆区和州都执行这一决定，超额完成收购任务。普通农庄庄员和农庄主席则大量写信到中央，说国家收购任务超过了收获量。结果不仅庄员分不到粮食，农庄也没有种子储备。中央黑土地带丹科夫区“新力量”集体农庄主席写信给中央说，他那里荞麦每公顷的收获平均为 26 普特，而国家对荞麦的收购计划为每公顷 132 普特；豌豆平均每公顷收获 175 普特，而每公顷要向国家交纳 480 普特。完成国家收购计划后，农庄只剩下 740 普特粮食。[2]1932 年 6 月 17 日，乌克兰人民委员会主席丘巴尔致电卡冈诺维奇和莫洛托夫，要求对受灾严重的地区给予粮食援助。6 月 21 日，斯大林和莫洛托夫联名签署联共（布）中央和苏联人民委员会致乌克兰党中央和人民委员会的电报，指出“任何不想完成为你区集体农庄和个体农户所规定的谷物交售计划及国营农场送交谷物的计划的行为，无论在数量方面还是在交售期限方面，无论如何都不应当允许”。[3]6 月 23 日，政治局就柯秀儿求援电报通过决

1930 年代初乌克兰的饥荒

[1] ГА РФ，Ф. 5446, оп. 1, д. 463. л11. 引自：*Зима В. Ф.* Голод 1932–1933 годов в письмах трудящихся России. //Отечественная история，2006. No. 2. С. 48.

[2] ГА РФ，Ф. 1235, оп. 66, д. 80. л166. 转引自：*Зима В. Ф.* ：Голод 1932–1933 годов в письмах трудящихся России. //Отечественная история，2006. No. 2. С. 48–49.

[3] 引自《斯大林关于粮食收购等问题致莫洛托夫的信（1932 年 6 月 19 日）》，《苏联历史档案选编》，第 11 卷，第 183 页。

议，“仅以中央通过的决议为限，不向乌克兰额外运粮食”。7月，卡冈诺维奇和莫洛托夫到乌克兰督促无条件完成粮食收购计划。乌克兰党中央书记、哈尔科夫州委第一书记 Р. Я. 捷列霍夫向斯大林报告哈尔科夫地区的饥荒情况，请求减免征购量。斯大林却说捷列霍夫是个会讲故事的人，编出这种关于饥荒的神话，想要吓唬我们，但办不到！并挖苦地说他不如辞去书记之职去当作家。[1]1933 年 1 月 24 日，捷列霍夫被解除一切职务。

政府一方面无视饥荒的存在，另一方面在支援工业化的旗号下，加强对集体农庄的征购。留给农村的粮食不断减少。苏联和美国学者提出了不同数字，但基本走向是一致的。具体数字见下表：

1928—1934 年苏联的谷物征购量和留给农村谷物量情况 [2]

（单位：万吨）

年　代	谷物产量	国家征购量	留给农村的谷物量	美国学者计算出留给农村的谷物量
1928 年	7332	1079	6253	6050
1929 年	7174	1608	5566	5930
1930 年	8354	2214	6140	6270
1931 年	6948	2283	4665	4440
1932 年	6987	1852	5135	4330
1933 年	6840	2340	4500	5000
1934 年	6765	2680	4085	4360

1932 年夏，出现饥荒。许多庄员吃完储备粮陷于挨饿的困境。挨饿的农民或逃亡外地谋生，或留在村里充当庄稼地里的“理发师”。他们多是妇女小孩，在夜间偷偷剪下麦穗带回家充饥。政府不去积极援救这些灾民，反而无情镇压庄员的“越轨行为”。1932 年 8 月 7 日，中央执行委员会和人民委员会根据斯大林提出的草案，作出了“关于保护国有企业、集体农庄和合作社的财产及巩固公共（社会主义）所有制”的决定，决定“对盗窃集体农庄和合作社财

[1] Правда. 1964. 26 мая.

[2] *Данилов В. П.* Коллективизация сельского хозяйства в СССР// История СССР 1990. No. 5. С. 26、28. ；*Кара-Мурза С. Г.* Советская цивилизация. М., С. 237–238.

1933 年的饥荒，哈尔科夫

产的人处以最高刑罚——枪毙并将其全部财产充公；对情节不严重者，剥夺自由 10 年以上，财产充公”。还规定不得对这种案件进行赦免。这一法令不区分是大盗窃犯还是为活命而偷拿谷物者，一律处以严刑。农民把这项法令称为“五束麦穗”法令，即偷拿或偷剪五束麦穗就要受到惩罚。结果许多普通农民甚至妇孺受害。俄罗斯司法人民委员克雷连柯向党中央报告说，到 1933 年 1 月，即不到 5 个月的时间，根据此法令共对 54645 人进行了定罪判决，其中 2110 人被处以极刑，大约有 1000 件案子的判决得到了执行。[1]1933 年 1 月 22 日，政府又发出指令，禁止农民离开饥荒地区。农民对此十分不满。政府采取最严厉措施对付农庄和庄员。对未完成交售义务的地区和农庄则停止商品供应，关闭国营和合作社商店，撤换地方干部并交付法庭审判，甚至把整村居民迁至北方边远地区。根据斯大林的指示，党中央政治局于 1932 年 10 月 22 日决定组建多个非常委员会监督各产粮区的征粮工作。派卡冈诺维奇去北高加索，莫洛托夫去乌克兰，波斯蒂舍夫去下伏尔加河流域领导当地的非常委员会。

[1] Документы свидетельствуют. Под ред. *В. П. Данилова и Н. А. Ивнического.* М., 1989. С. 41.

11 月 1 日，政治局再次讨论征购问题，并决定大力加强卡冈诺维奇委员会的组成。其成员除劳动国防委员会征购委员会的 M. A. 切尔诺夫和苏联集体农庄中心理事会主席吉·亚·尤尔金外，又增加了商业人民委员阿·伊·米高扬、红军政治部主任扬·鲍·加马尔尼克、党中央监察委员会的 M. Ф. 什基里亚托夫、国家政治保卫总局副局长亨·格·亚戈达、共青团中央书记亚·瓦·科萨列夫。中央代表对未完成征购任务的地区采取严厉惩罚措施。各级领导从集体农庄主席到区党委书记，轻的撤职开除党籍，重的则逮捕枪毙，一般庄员则被驱逐出农庄。这种迫害活动越演越烈。在北高加索地区，43%的农村党员被清洗出党。在库班地区，甚至把波尔塔夫、梅德维多夫、乌鲁普、巴加也夫等 16 个未完成粮食征购任务的村镇的全体居民包括贫农和中农都迁徙到极北地区。[1] 在乌克兰的 1932 年至 1933 年粮食征购运动中，被解除职务的共有 922 名区委书记、组织部长、文化宣传部长、区监察委员会主席，716 名区执委会主席、区计划委员会主席、土地管理局局长和其他领导人员——大约占到这层领导人的 25%—30%。[2]

在实施农业集体化时期，大约有 10 万封农民来信向苏联中央执行委员会主席加里宁反映农庄的混乱、农民处境的艰辛，请求援助。但绝大多数都没有得到回复。

1933 年 4 月 4 日，肖洛霍夫写信给斯大林，讲述了北高加索边疆区韦申斯克区的农村情况。该区 1932 年的谷物总产量，“不管怎么算……都不应超过 5.6 万—5.7 万吨。可是，‘估算’的数字竟为 8.2 万吨”。区里提出的收购计划是 2.2 万吨，而边疆区又增为 5.17 万吨。“集体农庄庄员议论说：‘我们完成 1931 年的计划就挺吃力，春天用的种子都是借我们的。现在，不光是 5 月份答应减少的收购任务不能减，而且还要我们多交 1.5 倍的粮食。这是要把粮食收得一粒不剩啊。自己得储备点儿粮食！’”农民的消极对抗遭到政府的严厉惩罚。“截至 11 月 14 日，全区 13813 个农户中有近 1500 个农户被抄了家”。全区收购粮食近 3.1 万吨。但这以后，收购愈来愈困难。12 月，北高加索边疆区

[1] ［苏］罗·亚·麦德维杰夫著：《让历史来审判》，上卷，赵洵、林英译，人民出版社 1981 年版，第 165 页。

[2] *Данилов В. П.* Очерки истории коллективизации сельского хозяйства в союзных республиках. М., 1963 С. 199.

委派特派员奥夫钦尼科夫到韦申斯克区督促粮食收购工作。后者在区委常委扩大会上“狠狠地批评区委领导人，他还敲着纳甘左轮手枪的枪套作了如下指示：‘不惜一切代价收购粮食！要狠狠地镇压，不怕流血，宁肯干蠢事也要收粮食！’”为了加强这个指示的力度，他在这次会上“把没完成粮食收购计划的20名党员——支部书记、区委特派员和集体农庄主席开除出党”。接着，又命令“没收区内所有农户的全部粮食，其中包括按劳动日发放的15%的预付粮”；“将各农庄拖欠的粮食收购任务分摊到各生产队，生产队再把任务摊派给每个农户”。在“宁肯干蠢事也要收粮食！”的指令下，对全体农户进行“大规模搜查（通常在夜间进行）……没收一切能找得到的粮食”，并采用各种非法手段逼迫庄员交出粮食。肖洛霍夫在信中列举了十多起他从共产党员或从当事人那里听到的暴行：“让受审人赤脚站在热火炉上，然后对他进行殴打，再让他赤脚站在冰天雪地里”，“赤脚在雪地里跑三个钟头”，“在雪地上脱光她们的衣服”，“让受审人站在一个坑里，把半截身子埋进土里”，“对受审人搞假枪毙”，“逼迫一位个体农民开枪自杀”，“用军刀殴打受审人……揭他们的屋顶，拆他们的炉灶，强奸女人”，“在手指间放上铅笔，夹伤人的指骨，然后用绳子套住人的脖子，将人拉出去扔进顿河的冰窟窿里”，“把女庄员吊在天花板上，人被勒得半死了还继续审，然后用皮带捆住往河边拖，边拖边拳打脚踢，让人跪在冰上继续受审”，等等。至于“扫地出门和变卖财产是最平常的事”。被驱逐的人在零下20度的严寒里只能露宿街头，不许躲进板棚或杂物棚里。如果有人敢收留他们，他自己及家人就要被扫地出门。结果，许多人特别是孩子被冻死，活下来的也多是半残废。在1932年粮食收购运动中，韦申斯克区有3128人被国家政治保卫总局机关、民警局和村苏维埃逮捕，占该区总人口52069的6%。受到处罚（没收粮食和牲畜）的有3350农户，占全区13813农户的24%。被开除出集体农庄的有1947户，占总农户的14%。[1] 韦申斯克区农民的遭遇绝不仅仅是奥夫钦尼科夫个人过失造成的。后来，奥夫钦尼科夫因肖洛霍夫的控告而被撤职。但农民处境并无根本好转。同时，斯大林还告诫肖洛霍夫说，“我们的工作人员有时为制服敌人而在无意中伤害朋友，甚至干出了令

[1] 《肖洛霍夫致斯大林的信（1933年4月4日）》，《苏联历史档案选编》，第15卷，第663—685页。

人发指的暴行……这仅仅是问题的一个方面”。另一方面，“令人尊敬的庄稼人也并非真是不伤人的”，“令人尊敬的庄稼人实际上同苏维埃政权进行了一场‘无声的’战争。一场殊死的战争”。[1] 莫洛托夫在一次边疆区区委书记会议上则更明确宣布，“我们不会让那些现在被指责有过火行为的人受委屈。问题是明摆着：要么是收购粮食，宁肯同农民闹翻也要收购粮食；要么是让工人挨饿。我们选择的显然是前者”。[2] 可见，奥夫钦尼科夫推行的政策可能有些简单化，但基本是政府的政策。韦申斯克区农民的遭遇实际是全苏农民处境的缩影。

作为无产阶级忠实盟友的集体农庄庄员，实际是处于被国家全面控制、无情剥夺、随意宰割的无权境地。斯大林在 1940 年 9 月的一次讨论电影片的会议上承认过去有 2500 万—3000 万人挨饿，但此话未公开发表。[3] 赫鲁晓夫在回忆录中记述了基辅省委第一书记杰姆钦科在 1932 年的一次谈话：“新近有一列火车开进基辅，上面装满了饿死者的尸体。这列火车一直从波尔塔瓦到基辅沿路收集尸体。我想，最好有人能把这个情况告诉斯大林”。[4] 肖洛霍夫在 1933 年写信给斯大林，说北高加索的农民“在饥饿的死亡线上挣扎：大人和孩子都得了浮肿病，逮着什么吃什么，像动物尸体、柞树皮和沼泽植物的根等人不该吃的东西，他们都拿来吃了”。[5] 德聂伯彼得罗夫斯克州机器拖拉机站政治部更报告说，一些地区出现了人吃人的现象。国家政治保卫总局驻乌拉尔代表向亚戈达报告说，“瓦尔年区‘十月的道路’集体农庄有人吃尸体”。[6]

---

[1] 《斯大林致肖洛霍夫的信（1933 年 5 月 6 日）》，《苏联历史档案选编》，第 15 卷，第 695—696 页。

[2] 转引自《肖洛霍夫致斯大林的信（1933 年 4 月 4 日）》，《苏联历史档案选编》，第 15 卷，第 675 页。

[3] РГАСПИ. Ф. 71，Оп. 10，Д. 127，Л. 39. 引自：*Данилов В. П. Зеленин И. Е.* Организованный голод к 70–летию общекрестьянской трагедии. // Отечественная история. 2004 No. 5. С. 108.

[4] 《 赫鲁晓夫回忆录》，东方出版社 1988 年版，第 106 页。

[5] 《肖洛霍夫致斯大林的信(1933年4月4日)》，《苏联历史档案选编》，第15卷，第663页。

[6] 《图奇科夫关于农业工作的进展情况呈亚戈达的报告（1933 年 5 月 14 日）》，《苏联历史档案选编》，第 12 卷，第 67 页。

1932年至1933年大饥荒造成大量人口死亡。在乌克兰饿死350万—400万农民。[1] 在哈萨克斯坦，由于饥荒人口减少了179.8万人，其中包括20万逃亡国外（中国、蒙古、阿富汗、伊朗、土耳其）而未能回归者。[2] 俄罗斯著名人口学家乌尔拉尼斯认为，苏联居民从1932年秋的16570万降为1933年4月的15800万，减少的770万人主要是农民。[3] 另一个统计资料表明，1932年全苏人口增加105万人，而1933年不但没有增加，反而减少了590万人。死亡人数由1932年的478万人猛增为1145万人。[4] 苏联学者普利马克提出，在集体化运动中，一些人遭迫害，一些人迁往城镇，苏联农村总共减少了300万农户，1500万人。[5] 据人口统计，苏联农业居民在1926年有12070万，1937年为11040万，减少了1030万，占农业人口的9%。而饥荒地区的人口损失更多，如在哈萨克斯坦减少了30.9%，在伏尔加河流域——23%，在乌克兰——20.5%，在北高加索——20.4%。[6]

1942年，丘吉尔在同斯大林交谈时问：集体化是否牺牲了很多人？斯大林把张开五指的双手向上一举。他用这个手势说明集体化使人民付出了1000万生命的代价，[7] 或是说牺牲的人很多很多。

总之，农业全盘集体化运动的实施，在很大程度上决定了苏联的命运，既保证了斯大林社会主义模式的建成，促进了国家的强大，也造成经济政治的相对落后，埋下了失败的种子。

[1] Тезисы докладов и сообщений VII Всесоюзной конференции по исторической демографии. Ч. 1 М., 1991. С. 521.

[2] Историческая демография: новые подходы, методы, источники. М., 1992. С. 76–78.

[3] *Урланис Б. Ц.* Проблемы динамики сельского населения. М., 1974. С. 319.

[4] *Смирнов, В. С.* Экономические причины краха социализма в СССР. // Отечественная история, 2002, No. 6. С. 97.

[5] 普利马克在一次会议上的发言。《Круглый стол》: Советский Союз в 30-е годы. //Вопросы истории. 1988. No. 12. С. 5.

[6] Всесоюзная перепись населения 1937г. Краткие итоги. М., 1991. С. 43、51–59、61.

[7] Новый мир. 1988. No. 9. С. 30.

第二章　国家工业化的实施

关于苏联工业化的历史，一些书特别强调党内的路线斗争问题，甚至把工业化的实施简单视为路线斗争的结果。有些书更明确地讲，工业化是在反对党内外敌人的斗争中、在斯大林正确路线反对托洛茨基超工业化的“左”倾路线和反对布哈林保护富农、主张乌龟速度的右倾路线的斗争中实施的。联共（布）通过的关于“一五”和“二五”计划的制定和总结的决议中都强调必须开展反对右倾和“左”倾机会主义的斗争，认定五年计划的完成是在同机会主义进行斗争中获得的。[1]

苏联学者出版了有关工业化的文件资料和专著。[2] 他们过去强调工业化是从资本主义向社会主义过渡的历史必然性的表现，现在多数学者从苏联现代化进程的角度进行研究，认为工业化是苏联当时经济、社会和文化落后提出的客观要求。一些俄国史学家认为，苏联在短短的几十年走完西方资本主义国家二百年的工业化历程，值得肯定。维什涅夫斯基认为，“20 世纪 30 年代是工业跃进时期，它不能被否定，它奠定了把苏联变成强大的工业大国的基础”。但另一方面，苏联的现代化是保守的、未完成的。“建立现代工业经济或多或少的物质—技术部门，这是事情的一半。而另一半——使它积极行动起来，‘建立’自我发展的机制。在西方，这种机制是逐渐地、同工业本身一起形成的，而在苏联，工业化是‘人为的’、依靠继承下来的现成工艺和某些组织形式……纵向的等级制度、自然经济、人身依附等中世纪原则以一种变异形态复活了”。[3] 苏联高度集中的政治经济体制保证了苏联政局的稳定。斯大林的集体化和工业化政策引发社会矛盾斗争激化，1932 年的饥荒更使局势动荡不安。

---

[1] 参见《关于制定发展苏联国民经济第二个五年计划的指示》，《苏联共产党代表大会、代表会议和中央全会决议汇编》，第 4 分册，第 290 页；《第一个五年计划的总结和第二个五年计划的第一年——1933 年的国民计划》，《苏联共产党代表大会、代表会议和中央全会决议汇编》，第 4 分册，第 331 页。

[2] Индустриализация СССР. 1926–1941. Документы и материалы В 4–х т. М., 1969–1973.; *Лельчук В. С.* Индустриализация СССР: история, опыт, проблемы. М., 1984.（［苏］列利丘克著：《苏联的工业化：历史、经验、问题》，闻一译，商务印书馆 2004 年版。）

[3] *Вишневский А. Г.* Серп и рубль: Консервативная модернизация в СССР. М., 1998, С. 56–57.

另外，苏联地域辽阔，各地区发展不平衡，各民族有自己的独特文化传统，俄罗斯族同其他民族之间的矛盾长期存在。对外，苏联要面对帝国主义国家的孤立和包围。在这种复杂形势下，高度集中的体制无疑起到了稳定局势的作用，至少在短时间内起到了这一作用。

西方学者对苏联工业化也有很多研究。英国学者卡尔进行了系统研究，并给予了正面评价。[1] 近些年来，更注意探讨苏联工业化的特点和问题，[2] 英国学者戴维斯在这方面的贡献最为突出。[3]

中国学者主要是翻译和介绍苏联工业化的实施，专题研究不够。[4]

研究苏联工业化问题的一大困难是各种统计数字的混乱和相互矛盾。国民经济发展的年度计划中的项目不一，时而提全部工业，时而提大工业，时而提社会主义工业，时而又提计划工业。随后这些不同用语又被一些作者混用或错用，使统计数字乱上加乱。其次，不同的决议、讲话和著述或有意编造，或受客观条件限制，提出差别极大的数字。英国学者戴维斯和俄国学者赫列夫纽克对工业化进行了认真研究，本章尽量采用他们及其他近年考证核实的数据，

---

[1] Carr, E. H. Davies, R. W.: *Foundation of a planned economy, 1926 – 1929.* London: Macmillan. 1969（1978）.

[2] Black, C. E. and others, *The Modernization of Japan and Russia.* New York. 1975.（布莱克等著：《日本和俄国的现代化》，周师铭等译，商务印书馆 1984 年版）；Jasny, N., *Soviet Industrialization, 1928 – 1950.* Chicago. 1960. ；Andrle, V., *Workers in Stalin's Russia: Industrialization and Social change in a Planned Economy* , Brighton: Harvester, 1988. ；Sutton, A. C., *Western Technology and Soviet Economic Development, 1930 to 1945,* Stanford, 1971.（[美] 萨顿著：《西方技术与苏联经济的发展（1930—1945 年）》，安冈译，中国社会科学出版社 1980 年版）

[3] Davies, R. W., *The Industrialization of Soviet Russia,* 2 vols., London: Macmillan, 1980. Davies, R. W., *The Soviet Economy in Turmoil, 1929 – 1930,* London: Macmillan. 1988. Davies, R. W., *Crisis and Progress in the Soviet Economy, 1931 – 1933.* London: Macmillan. 1996.

[4] 《苏联国民经济建设计划文件汇编》，人民出版社 1955 年版；许征帆编写：《苏联第一个五年计划》，华东人民出版社 1954 年版；庞俊编写：《苏联第二个五年计划》，华东人民出版社 1954 年版；江沙编写：《苏联第三个五年计划》，华东人民出版社 1954 年版。

并注明出处。

第一节　有关工业化问题的争论

1925年，苏联经济大体恢复到战前的水平。尽管革命前俄国的工业品的产量已占世界第五位，其中石油开采量和木材输出量占世界第二位，棉织品产量占第三位，机器制造品、焦炭和砂糖（用本国原料）占第四位，钢的冶炼量、铁和水泥的产量占第五位。但是俄国的大工业远远落后于欧美。人均工业化水平，以英国1900年为100，1913年为115，美国为126，而俄国只有20，不及英美的1/5—1/6。[1] 从总体上讲，俄国以及经济恢复后的苏联只是一个农业—工业国家。农业在国民经济总产值中占到57. 46%，工业（包括建筑业、铁路运输业）占42. 54%。实施工业化已成为苏联巩固政权、建立社会主义强国的首要任务。

1925年4月，第十四次党代表会议确定，在城市搞工业化，在农村实行新经济政策。代表们一致认为，产业工人是建设社会主义的决定性力量。代表会议指出，当现有的400万工人队伍发展到1500万—2000万人时，建设新社会的事业就不会惧怕任何危险，胜利就会有保证。[2]

关于工业化的问题，苏联领导人无论是斯大林还是托洛茨基、布哈林，作为马克思主义信徒、共产党领导人，都要求大力发展经济，主张依靠国内积累快速发展工业，壮大无产阶级，建设社会主义。他们都主张通过工业化解决“谁战胜谁”的问题，消灭资本主义经济成分，消灭私有制，消灭市场经济；通过计划经济赶超西方资本主义国家。托洛茨基虽然强调不断革命、世界革命，但重视国内建设的程度并不比斯大林、布哈林差。斯大林和托洛茨基、布哈林等人只是在工业化中的某些重大问题上有分歧，对实行工业化政策的分寸和手段有不同意见和争论。他们都是在为建设社会主义建设出谋划策，谈不上反对和破坏社会主义的问题。

---

[1] ［美］保罗·肯尼迪著:《大国的兴衰》，梁于华等译，世界知识出版社1990年版，第233页。

[2] 引自［苏］列利丘克著:《苏联的工业化：历史、经验、问题》，第93页。

争论的各方最初都没有深思熟虑的、完整的工业化纲领，对计划和市场的关系，货币和国家预算的作用，积累的方式和程度，都没有长远的考虑。同时，他们各自的观点并非一成不变，而是在不断调整变化。因此很难说哪一方自始至终都是完全正确的。

在工业化速度问题上，托洛茨基在1925年最早提出高速发展问题。他说，苏联已经处于同世界资本主义竞赛的起跑线上。根据国家拥有的财力状况，工业发展可以比革命前的俄国快一到两倍甚至更多。他主张工业年增长率为18%—20%。党中央也决定在年底召开的第十四次党代表大会上讨论经济建设问题。报告人是加米涅夫。他拟定的报告提纲得到党中央全会批准，并在报刊上发表。可见，领导人对工业化问题并无重大分歧。但加米涅夫没有作此报告，理由是他在代表大会上投票反对关于中央委员会总结报告的决议。由于党内斗争激烈，代表大会没有专门讨论经济问题。斯大林在1925年12月召开的十四大上作中央工作总结报告，说工业已得到恢复，不能再按原来的速度发展；又说农业“在现有的技术基础上也能在一定时间内快速前进”。在会上，他说农业“可以一日千里地向前进”。这一判断和他宣称的国家已进入“直接工业化”时期相矛盾。布哈林这时对工业化也没有明确的看法。他批评季诺维也夫和加米涅夫，说他们不相信一国可以建成社会主义，说“我们甚至可以在现有的技术基础上建设社会主义”，“这一社会主义增长将数倍地缓慢”，“我们将以乌龟速度爬行，但我们终究是在建设社会主义，并且我们定将建成它”。[1]

1926年4月，党中央召开全会讨论经济问题。发言者都把实现工业化视为国家沿着社会主义胜利道路发展的条件和保证。争论的是工业化的速度和规模等问题。李可夫在会上作主题报告。他认为工业化资金现时主要来自农业，而从农民索取的不能超过革命前。因此工业快速发展所能达到的速度是：1926—1927年[2]为23%，1928—1929年为15. 5%，1929—1930年为14. 7%。

---

[1]　引自 *Лельчук В. С.* 1926–1940 годы：завершенная индустриализация или промышленный рывок？ // История СССР. 1990. No. 4. С. 5.

[2]　苏联经济年度的计算时间是10月1日到次年的9月30日。这样做是为了把农业生产周期包括在一个经济年度之内。从1931年起，经济年度改为1月1日到12月31日。

托洛茨基指责李可夫和国家计划委员会对加快工业化的可能性估计不足。加米涅夫、季诺维也夫发表了类似的看法。斯大林、米高扬等多数中央委员支持李可夫。斯大林说，“工业应建立在逐步提高农村福利的基础上”。他批评托洛茨基的方案，说它“是夸大的工业计划”，“是一个不按资金多少来制定的计划，是一个与我们的财政和其他可能性脱节的计划”。斯大林还反复谈到“社会主义建设取得胜利所必需的工业发展最起码的发展速度”。[1]

1926 年，工业生产的总产值第一次超过了 1913 年的水平。到 1926 年 10 月 1 日，苏联工业的主要储备为 61 亿切尔文卢布，[2] 其中社会主义成分约占 53 亿卢布，合作社约占 1. 86 亿卢布，私人资本占 6. 88 亿卢布。[3]10 月底召开的第十五次党代表会议，号召人民在最短的历史时期内赶上和超过资本主义世界。不再提“乌龟速度”、“最起码的发展速度”。但工业快速发展和资金短缺之间的矛盾依然很大。有关工业化速度、资金的积累办法等问题继续争论不休。这时，斯大林同布哈林、李可夫一起主张根据资金和现有资源的多少，并在不断改善各阶层福利的情况下实现工业化。

斯大林在打败托洛茨基之后，到 1928 年才提出高速发展经济的问题，这时他提出的要求甚至超过托洛茨基的设想。而布哈林则到 1929 年还认为苏联当时就高速发展工业是“冒险主义”，付出的代价会太大，但没过多久就承认斯大林的高速发展计划是正确的。1930 年 6 月，斯大林提出“五年计划四年完成”的要求，并说，“那些胡说必须减低我国工业发展速度的人，是社会主义的敌人，是我们阶级敌人的代理人”。[4]

在工业化资金的来源和分配使用方面，也存在着诸多分歧。据哈宁计算，

---

[1] 引自 *Лельчук В. С.* 1926–1940 годы：завершенная индустриализация или промышленный рывок？ // История СССР. 1990. No. 4. С. 6.

[2] 切尔文卢布是苏联 1922—1947 年间流通的纸币，面值等于 10 卢布。

[3] Народнохозяйственный план на 1929/1930 го д .（контрольные цифры）. М., 1930. С. 443.

[4] 《联共（布）中央委员会向第十六次代表大会的政治报告》，《斯大林全集》，第 12 卷，第 240 页。

1928 年工业提供的利润比革命前少 20%，运输业的利润只有革命前的 1/4。[1] 资金积累问题亟待解决。经济学家普列奥布拉任斯基认为，在苏联这样一个生产力落后、小生产占优势的国家里，实现工业化一定要经过一个“社会主义原始积累时期”，资金积累将“被迫依赖于社会主义以前的经济形式的部分剩余产品的转让”。因此“社会主义国家在这里的任务不是从小资产阶级生产者那里拿的比资本主义从他们那里拿得更少，而是……拿得更多”。对农民的“工业专政”将成为通向社会主义的捷径。[2] 托洛茨基赞成普列奥布拉任斯基的观点，主张用超经济的手段来积累资金，把挤出来的每一个戈比用于工业建设。托洛茨基在 1926 年 4 月的中央全会上，要求下一年的投资额超过 10 亿卢布。

布哈林发表文章，反对普列奥布拉任斯基的理论。他指出，把小生产者即农民视为“殖民地”，当做剥削对象，将会损害工农联盟；社会主义工业虽然需要小生产者提供资金积累，但不能剥夺小生产者。如果剥夺农民，必然导致农业衰败，农民收入减少，购买力降低；而农民市场直接关系到轻工业的发展，进而影响到整个工业的发展；普列奥布拉任斯基的主张，无异于“杀掉会生金蛋的母鸡”，是不可取的。

斯大林在 1926 年党中央 4 月全会上作《关于经济状况和经济政策》报告时，谈到工业化资金的来源问题。他说，苏联不能像英国那样靠掠夺殖民地来积累资金，也不能像德国那样通过在普法战争之后索取赔款来加速发展，更不能像沙俄那样靠外国的奴役性贷款走上工业化道路。斯大林认为苏联只有靠本国节约发展工业。苏联剥夺了地主和资本家，废除了沙皇的债务，国有的工业商业的利润等都是内部积累的来源。1926 年 11 月，斯大林在第十五次党代表会议上点名批评普列奥布拉任斯基，说他的主张“是破坏，企图破坏任何社会主义工业化的基础”。[3] 但是苏联初期并没能按斯大林的说法靠内部资源积累到必要的工业化资金。五年计划也因资金无保证而难以最终确定。1928 年，斯大林决定对富裕农民采取非常措施，并提出“贡款”理论，说国家应提高工业品的价格，降低

---

[1] История России ХХ век. Под ред. *В. П. Дмитренко.* М., 1997. С. 303.

[2] ［苏］普列奥布拉任斯基著：《新经济学》，纪涛、蔡恺民译，三联书店 1984 年版，第 46、87 页。

[3] 《论我们党内的社会民主主义的倾向》，《斯大林全集》，第 8 卷，第 257 页。

农产品的价格，通过价格剪刀差让农民付出一种类似“贡款”的东西以保证工业化的资金来源。说为了积累工业化资金，必须向农民征收“一种额外税”，“一种类似‘贡税’的东西”。[1] 布哈林反对斯大林的这一理论。说它是重复普列奥布拉任斯基的主张。但布哈林在遭到批判后，就没有再提这个问题了。

在如何对待新经济政策问题上，托洛茨基、季诺维也夫在 1925 年最早提出要结束新经济政策；斯大林在 1928 年开始废除这一政策；而布哈林当时要维护它，但认为最终也是要以社会主义政策代替新经济政策，要消灭富农经济和个体小农经济。

在其他有关工业化的问题上，党内也有不同的看法和争论。1925 年 12 月，联共（布）召开第十四次代表大会。斯大林在政治报告中把工业化的主要任务定为使苏联从一个进口机器设备的国家变成为独立生产机器设备的国家，缩小了工业化的内涵。他提到有两条工业化总路线。一条是最大限度地扩展本国工业，使苏联成为依靠国内市场的独立自主国家。这是党的建设路线。另一条是主张输出农产品而输入装备，实际上是要求收缩工业，使苏联长期保留为一个农业国。它客观上必然使苏联变成为资本主义总体系的附属品。索柯里尼科夫反对斯大林关于两条路线的提法。他说，“我们应当最大限度地、适应我国所有的资源来发展我们的工业，这是完全不容争辩的。我们需要工业最大限度地、尽可能迅速地增长”。值得争辩的问题是，哪一条道路能最迅速地发展工业？索柯里尼科夫认为，苏联发展工业“不能离开国外市场”。因此苏联在最近的年代里，“只有走农产品输出的道路”，才能“从国外取得支付手段，付款输入我国工业所需的装备和企业，并重新装备和发展我国工业”。强调苏联发展工业必须“同世界市场联系”，不应把发展工业的纲领同从国外输入设备的纲领相对立。[2] 斯大林反驳了索柯里尼科夫的意见，说“谁都知道，我们现在不得不输入装备，但是索柯里尼科夫却把这种需要变成原则，变成理论，变成发展前途”。[3]

1920 年代下半叶，布尔什维克党内一直就工业化问题进行争论。这本属

[1] 《论工业化和粮食问题》，《斯大林全集》，第 11 卷，第 139—140 页。贡税一译做贡款。

[2] Правда. 1925. 29 декабря.

[3] 《联共（布）第十四次代表大会：关于中央委员会的政治报告的结论》，《 斯大林全集》，第 7 卷，第 293 页。

正常现象，却日益被批判斗争所代替。一切不同于斯大林的意见都被视为反对社会主义工业化的“左”、右倾思潮，甚至是阶级敌人的阴谋。

1928 年初，出现粮食收购危机。党中央决定采取非常措施，向农民强行收购粮食。7 月，斯大林进一步提出“贡款”论。布哈林不同意斯大林的观点，指责这是对农民实行“军事封建剥削”。9 月 30 日，他在《真理报》上发表文章《一个经济学家的札记》，批评最大限度地把资金从农业抽调到工业去，以保证工业最快速度发展的主张。但党中央肯定了斯大林的主张。布哈林的意见不仅被否定，而且被当做右倾思想受到批判。

1928 年 3 月，国家政治保卫局宣布在沙赫特矿区破获一起资产阶级专家破坏生产的案件。这以后，政府在企业大力推行单一的命令管理体制（一长制），同时设立国家政治保卫局驻厂办事处，把企业置于安全部门和工农检查院的直接监督之下。斯大林更进一步宣布，“绝不能认为所谓沙赫特事件是偶然的。现在我们的一切工业部门都有‘沙赫特分子’……资产阶级知识分子的暗害活动是抵抗社会主义发展的最危险的形式之一”。[1]

上述两个事件对苏联工业化进程产生决定性影响。斯大林在这两个重大问题上获胜，进一步巩固了自己的地位。从此，斯大林的意见成为实施工业化的唯一指导方针。开展反对党内外敌对势力的“阶级斗争”，日益成为压制不同意见、推动工业化进程的有力工具。

第二节　第一个五年计划的制定和实施

第一个五年计划的制定

1925 年 12 月召开了第十四次党代表大会。斯大林在政治报告中提到了工业化方针问题，并把它称为党的总路线。但大会更关注的是党内斗争问题。大会既没有规定工业化近期的或长期的具体任务，也没有对资金来源、工业发展速度等问题作出任何具体指示。代表大会之后，政治局委员在演说中谈的都是关于粉碎季诺维也夫—加米涅夫集团斗争的话题，一句话也没提及工业化

[1] 《论联共（布）党内的右倾》，《斯大林全集》，第 12 卷，第 15 页。

问题。斯大林在《论列宁主义的几个问题》文章以下面的话结束:"联共(布)第十四次代表大会的历史意义就在于它彻底揭露了'新反对派'的错误,摒弃了'新反对派'的不相信的态度和悲泣,明确地指出了进一步为社会主义而斗争的道路,给党指出了胜利的前途,因而用对社会主义建设必获胜利的坚强信念武装了无产阶级",[1]这里完全没有提工业化的问题,更没有把十四大视为工业化的开端。《联共(布)党史简明教程》把1926年至1929年定为"布尔什维克党为实现国家社会主义工业化而斗争"的时期是站不住脚的。

苏联工业化的开端,一般认为是第一个五年计划开始的1928年10月。严格地讲,则应从1929年正式通过第一个五年计划方案算起,即在对农民采取非常措施之后。从此,苏联开始了与以往不同的工业发展时期。其目标从恢复经济转为创建独立完整的社会主义经济体系。在做法上,它废止了新经济政策,加紧排挤打击商品市场关系,用计划和行政手段快速发展工业,特别是重工业。

苏联工业化是通过制定和实施发展国民经济的五年计划来完成的。苏维埃政权一贯重视对各经济部门的计划领导。最初是制定长期的远景规划,如全俄电气化计划以及当前的年度计划。这些计划更多的是表达了领导的意愿。只是在国家计划委员会制定出1925—1926年经济发展控制数字后,国家计划才逐渐发挥现实指导作用。计划一般是国家计划委员会根据地方提出的计划加以协调平衡制定出来的。1920年代中期后,计划制定的程序变成另一个样子。国家计划委员会主要以过去几年经济发展趋势的外推法制定出有关计划的数量和质量框架,下达指令性指示,然后各级人民委员会和各经济区的计划委员会准备自己部门和地区的初步草案,最后中央在统一的国家计划的框架内平衡各地的方案。

在讨论制定国民经济发展计划时,出现巨大分歧和争论。列·波·克拉辛、格·雅·索柯里尼科夫主张计划工作应适应市场。格·马·克尔日札诺夫斯基、斯·古·斯特鲁米林强烈反对这一点。П. С. 奥萨特契委员会提出"曲线递减"的理论,认为工业投资和工业产量的增长会随着其基数增大而呈现"曲线递减"的趋势。奥萨特契委员会主张发展个体农民经济,发展轻工业;认为

---

[1] 《论列宁主义的几个问题》,《斯大林选集》,下卷,第458页。

计划的主要任务是实施和谐平稳的发展，保证在15年内人均收入增加一倍。Н. А. 科瓦列夫斯基委员会强调计划首先要保证社会主义的胜利，并预言国民经济经过10—15年的迅速发展将保证会出现共产主义社会的发达形式。Л. 萨勃索维奇出版《十五年后的苏联》一书，力图证明苏联的工业潜力到20世纪30年代初将扩大几十倍。俄罗斯联邦国家计划委员会主席安·马·列若瓦在1926年写道："我们的资源有限，这就促使我们要使我们的计划编制工作走上一条选择首要任务的道路。我们不得不加速发展我们经济中的一些部门，也许，还要稍微减慢其他部门的发展"。"这就是要系统地不成比例地来发展经济，我们将日复一日地引导我们的航船驶向各种各样的比例失调的领域：今天是一种比例失调，明天是另一种"。[1]

1926年，克尔日札诺夫斯基领导的国家计划委员会最初制定的第一个五年计划，规定时间为1926—1927年——1930—1931年，5年工业增长77%。1年后，将五年计划的时间改为1927—1928年——1931—1932年，规定增长108%。[2] 工业方面的第一个五年计划方案是由瓦·弗·古比雪夫领导的最高国民经济委员会起草的。

1927年10月，党中央全会规定国民经济在五年计划期间年均增长4%。1927年12月，第十五次党代表大会通过《关于制定国民经济五年计划的指示》。从此，计划制定工作进入一个新阶段。《指示》没有涉及五年计划的具体指标，只是规定了制定计划的原则，要求解决工业和农业、工业品和农产品价格、工业原料即农产品的需求和供应之间的不平衡，使生产和消费、工业和农业、重工业和轻工业"达到最完美的结合"。关于发展速度问题，《指示》强调，必须"注意这一任务的极端复杂性。这里必须考虑的不是最近一年或数年内积累的最高速度，而是能保证长期的最快发展速度的国民经济各个因素的对比关系"。[3] 代表大会将经济年均增长率由4%提高到9%。

[1] Плановое хозяйство. 1926. No. 12. С. 11. 转引自［苏］列利丘克著：《苏联的工业化：历史、经验、问题》，第133—134页。

[2] *Струмилин С. Г.* На плановом фронте. М., 1980. С. 286.

[3] 《关于制定国民经济五年计划的指示》，《苏联共产党代表大会、代表会议和中央全会决议汇编》，第3分册，第379页。

会后，国家计划委员会主席克尔日札诺夫斯基提出新的方案，规定五年经济增长130%。国家计委生产部副主席卡林尼科夫认为最高只能增长100%—110%。布哈林也主张降低这一指标。

高速发展工业特别是重工业，引发了很多问题。李可夫早在1927年7月党中央全会上提出，这“本身隐藏着一些危险，因为它将在市场关系的稳定性上反映出来”；建议“在不降低重工业发展速度的同时，增加轻工业商品的产量”。但这个建议没有受到重视，也没有被采纳。1928年9月，最高国民经济委员会主席瓦·弗·古比雪夫在说明修改五年计划的必要性时说：“国内外出现的危机和危险情况要求不顾一切代价的急剧加速和集中对重工业投资，出现经济不平衡、群众中的不满和抵制行为是不可避免的”。[1] 他提出新的五年计划方案，规定更高的发展指标。

1928年11月，党中央全会讨论1928—1929年国民经济发展控制数字。李可夫、克尔日扎诺夫斯基都主张加快发展工业，但要求以现实可能性为基础，努力保持供需平衡。一贯主张优先发展重工业的古比雪夫不同意这种看法，认为供需失衡会促进工业快速发展。但他对扩大生铁指标的合理性也表示了怀疑。斯大林在会上发表了《论国家工业化和联共（布）党内的右倾》的讲话，强调保持工业发展高速度的必要性，主张尽量增加工业的基本投资。柯秀尔、埃赫则把经济困难主要归结为富农和耐普曼的疯狂反抗。但全会基本按照十五大的精神规定了年度发展计划。规定1928—1929年度的基本建设投资为16.5亿卢布，比上一年增加3.3亿卢布。

1928年12月，政府在报纸上公布了五年计划的控制数字，组织人民进行讨论。五年计划有两个方案——初步方案（也称最低方案，或一般方案）和最佳方案（也称最高方案）。

克尔日札诺夫斯基解释说，两个方案就像是大炮的“交叉射击”，五年计划将在这两个方案的指标中实现。他认为，初步方案即使在出现灾荒或国际局势复杂化的情况下也能完成，当前最好按最佳方案进行建设。1929年3月26日至4月4日，人民委员会、劳动国防委员会联合举行会议讨论五年计划草案，

[1] 转引自[美]斯蒂芬·F.科恩著：《布哈林政治传记》，徐葵等译，东方出版社2005年版，第295页。

大多数代表支持五年计划的最佳方案。1929 年 4 月 23 日，人民委员会通过决议，接受最佳方案的五年计划草案。

1929 年 4 月 23 日—29 日，第十六次党代表会议通过了第一个五年计划。5 月 20 日—28 日，第五次苏维埃代表大会再次讨论审核这一计划。会上，国家计划委员会主席克尔日札诺夫斯基作报告。在主席台上，横挂着一幅巨大的苏联地图，上面布满着各种小圆点、小方块、小三角块、曲线，展示着五年后的国家情况。当克尔日札诺夫斯基讲到电气化的发展情况时，地图上亮起众多的红色和天蓝色的小圆点，从摩尔曼斯克到海参崴，从阿尔汉格尔斯克到第比利斯都闪烁起未来电站的火光。大厅里响起一片欢呼声。报告结束时，地图上所有的灯光都亮了起来，代表们为这一壮丽的前景所激动，全场起立高唱国际歌，一致通过第一个五年计划的最佳方案。

会后，国家计划委员会出版了三卷四册，刊载了这个计划的详细内容。“一五”计划要求每个企业都进行经济核算，要求各部门之间、工农业之间均衡发展，尽管要优先发展重工业，但规定 1932—1933 年度的轻工业产值超过重工业的。[1]

第一个五年计划规定，“国民经济总增长的方针，是坚决扩大城乡社会主义成分而排挤国民经济中的资本主义成分”。

计划规定，五年内整个国民经济的基本投资为 646 亿卢布，其中对工业建设的基本投资为 195 亿卢布。而此前五年对工业的基本投资仅为 52 亿卢布，且大部分用于对原有企业的恢复和扩建。工业基本投资较过去五年增加 275%。对运输业的基本投资从 27 亿卢布增加到 99 亿卢布，增加 267%。对农业的基本投资由过去的 150 亿卢布增加到 232 亿卢布，仅增加 56%。

由于进行这些投资，国家的固定基金总额将从 1927—1928 年度的 700 亿卢布增加到 1932—1933 年度的 1280 亿卢布，即增加 82%。其中工业的固定资金将从 92 亿卢布增加到 231 亿卢布，增加 151%；农业的固定资金将从 287 亿卢布增加到 389 亿卢布，增加 35%。

计划规定，在五年期间工业品产量增加 180%，生产资料生产增加 230%，

[1] *Лельчук В. С.* 1926–1940 годы：завершенная индустриализация или промышленный рывок？ // История СССР. 1990. No. 4. С. 14.

农产品增加 55%，国民产值增加 103%。计划对电力、钢铁、煤炭、石油等部门的产量都规定了具体指标。[1]

第一个五年计划的实施

“一五”计划刚通过几个星期就重新进行审定，决定提高钢铁、有色金属，继而机器制造、化学等部门的指标。1929 年 8 月 2 日，劳动国防委员会通过决议，将五年计划规定的有色金属生产指标提高了大约一倍：铜产量由 85450 吨改为 15 万吨；锌由 77445 吨改为 12. 7 万吨；铅由 38500 吨改为 10 万吨；铝由 5000 吨改为 2 万吨。[2]8 月 14 日，古比雪夫在最高国民经济委员会主席团会议上作报告，提出可以把五年计划第二年大工业产品的增长率由原来规定的 21. 5% 升为 28%。

五年计划的头两年，工业持续发展，成本降低，利润增加。1928—1929 年大工业产品增加 23. 7%（计划为 21. 4%），其中重工业增加 29. 8%（计划为 25. 6%）。[3] 国民经济委员会管辖下的企业利润，1925—1926 年为 6. 31 亿卢布，1927—1928 年升为 8. 25 亿卢布。五年计划前三年的企业利润和折旧提成共达 32. 75 亿卢布。[4] 国家计划委员会依据这一成果，提出在第一个五年计划期间国民经济增长 108%。[5]

不久，资本主义世界爆发经济危机。要求加快发展战胜资本主义的呼声不断高涨。国家计划委员会领导制定长远计划的 Н．А．科瓦列夫斯基设想苏联将在三个五年计划内超过美国，生产出更多的产品。经济学家 В．А．巴扎

---

[1] 《关于发展国民经济的五年计划》，《苏联共产党代表大会、代表会议和中央全会决议汇编》，第 4 分册，第 2—5 页。

[2] 《 关于有色金属工业的发展前景》，《苏联共产党和苏联政府经济问题决议汇编》，第 2 卷，第 97 页。

[3] История России ХХ век. Под ред. *В. П. Дмитренко.* М., АСТ. 1997. С. 312.

[4] Плановое хозяйство. 1929. No. 1. С. 106. 转引自：*Лельчук В. С.* 1926–1940 годы: завершенная индустриализация или промышленный рывок?// История СССР 1990. No. 4. С. 9.

[5] *Струмилин С. Г.* На плановом фронте. М., 1980. С. 286.

罗夫批评这一说法，但立即被制止。[1] 这时，斯大林的声音已是决定性的。他在《大转变的一年》文章中认定，“我们在过去一年中基本上顺利解决了重工业基本建设的**资金积累问题**”，提出“今年大工业的总产值应当增加 32%”，而不是 2 个多月前古比雪夫提的 28%，“重工业的总产值应当增加 46%”。[2] 1929 年 11 月，党中央全会按照斯大林的意愿通过 1929—1930 年度的经济控制数字，把五年计划第二年的主要任务明显增大，规定大工业总产值的增长率由五年计划规定的 21. 5% 增加为 32. 1%，其中重工业增加 45. 1%。国家对基本建设的投资由五年计划规定的 102 亿增加到 130 亿卢布，其中对工业的投资为 40 亿卢布，较原计划增加 43%。[3] 年初刚批准的五年计划就这样被全面更改。党中央的这一决议宣称，苏联经济建设的成就说明，“在无产阶级专政国家内建成社会主义的事业是可以在最短的历史时期内完成的”。“要在今后取得社会主义的胜利，就必须继续坚决彻底地揭露右倾和‘左’机会主义者”，并同他们“作无情的斗争”。[4]

1929—1930 年度的工业投资比 1926—1927 年度的高出一倍。导致 1929 年至 1930 年初出现了严重通货膨胀。重工业的投入更是增长迅速。1928 年 10 月 1 日至 1933 年 1 月 1 日期间，投入重工业的资金原计划为 147 亿卢布，实际达到 213 亿卢布，比计划规定的大约多出 45%。产量指标也不断被提高。“一五”计划最初方案规定的指标：生铁为 800 万吨，钢为 830 万吨；最佳方案的规定：生铁为 1000 万吨，钢为 1040 万吨。1930 年 5 月 30 日，党中央政治局决定将指标提高。生铁产量提升为 1500 万吨，钢产量则提升为 1350 万吨。[5]1930 年 6 月，斯大林在第十六次党代表大会上作政治报告，要求进一

[1] Экономическое обозрение. 1928. No. 6. C. 21. 转引自 *Лельчук В. С.* 1926–1940 годы: завершенная индустриализация или промышленный рывок?// История СССР 1990. No. 4. C. 15.

[2] 《大转变的一年》，《斯大林选集》，下卷，第 198、199 页。

[3] 《关于 1929—1930 年度的国民经济控制数字》，《苏联共产党代表大会、代表会议和中央全会决议汇编》，第 4 分册，第 67、66 页。

[4] 《关于 1929—1930 年度的国民经济控制数字》，《苏联共产党代表大会、代表会议和中央全会决议汇编》，第 4 分册，第 73、74 页。

[5] 《政治局委员会关于改造黑色冶金工业工厂问题的会议记录（1930 年 5 月 30 日）》，《苏联历史档案选编》，第 11 卷，第 14 页。

步加快工业发展速度，说“我们能在四年内完成五年计划”，“许多工业部门能在三年内甚至在两年半内完成五年计划”。他在政治局作出决定后不到 1 个月的时间又提出新的更高的指标，说五年计划最后一年的生铁产量不应是原来规定的 1000 万吨，而应提高为 1700 万吨；拖拉机产量不应是 5. 5 万台，而是 17 万台；汽车的产量应从 10 万辆提高到 20 万辆；联合收割机从未列入计划到规定 4 万台；有色金属工业和农机制造业的产量也要求提高一倍多。[1]

斯大林的这一要求是极不现实的。要增加 700 万吨生铁，就要建成并投产 7 个设计能力为 100 万吨铁的库兹涅茨克钢铁厂。而当年的库兹涅茨克钢铁厂建设已显示需要投入大量资源和很长的时间。苏联付出极大努力才使它在 1932 年炼出第一炉铁，而达到设计能力又花费了 2—3 年时间。斯大林完全无视现实条件，强行规定高指标，看来这不仅是缺少经验的问题，而且也是个人专断的结果。斯大林预感到会有人反对，于是便挥舞起政治大棒。他说，“托洛茨基分子确实曾经发挥过超工业化的幻想”，但现在“托洛茨基分子在建设速度方面却是最极端的最低速度派和最卑鄙无耻的投降派”。斯大林指控要求减低工业发展速度的人“是社会主义的敌人，是我们阶级敌人的代理人”。他认为当前经济建设遇到的困难“是阶级斗争引起的”。“要克服这些困难，首先必须打退资本主义分子的进攻，镇压他们的反抗，从而为迅速前进扫清道路”。[2]

斯大林提出高指标后不久，1930 年 7 月至 8 月出现小危机。重工业产量减少，劳动生产率下降。但斯大林等人仍坚持要高速生产。1930 年 8 月 30 日，俄罗斯联邦人民委员会主席瑟尔佐夫批评生产计划过于乐观，指责斯大林格勒拖拉机厂匆忙建成，称它是“波将金农村”，[3] 要求制定比较平衡的生产计划。瑟尔佐夫是加速工业化和集体化的支持者，也认为实现这一目标要采取非常措施。他只是反对计划的浮夸和虚假，但这也不被接受，甚至

---

[1] 《联共（布）中央委员会向第十六次代表大会的政治报告》，《斯大林全集》，第 12 卷，第 236、300 页。

[2] 同上书，第 303、240、266、267 页。

[3] 指 18 世纪俄国南方“新俄罗斯”总督波将金为迎接沙皇叶卡捷琳娜视察而人为制造出的繁荣农村。

不允许这样提问题。工作中出现问题都被认定是右倾分子反抗的结果。11月，更换经济领导人，用莫洛托夫代替李可夫担任人民委员会主席，任命古比雪夫为人民委员会副主席、国家计划委员会主席，奥尔忠尼启则代替古比雪夫担任最高国民经济委员会主席。同月，审判“工业党”，说资产阶级专家的破坏是造成经济困难的根本原因。1930年年底，斯大林支持莫洛托夫的建议，同意借助行政压力广泛组织突击生产运动，同时强化劳动立法，以推动工业化进程。

1930 年，重工业在强大压力下，不计后果地快速发展，增长了 38%，同时留下了众多问题。但这没能引起领导的重视。1930 年 12 月党中央全会通过 1931 年国民经济发展计划，继续要求加快发展速度。决议规定，1931 年的国民收入增长率应从 1929 年的 11% 和 1930 年的 19% 提高为 35%。规定增加投资 70%，国营工业的总产值增加 45%。[1] 1931 年 2 月 4 日斯大林在工业工作人员代表会议上发表讲话，全力支持这一目标。他提出，“我们比先进国家落后了五十年至一百年。我们应当在十年内跑完这一段距离。或者我们做到这一点，或者我们被人打倒”。他要求与会人员“保证完成 1931 年的控制数字……保证使工业总产值增长 45%”，“要在基本的有决定意义的工业部门三年完成五年计划”。[2]1931 年 3 月，苏维埃第六次代表大会通过决议，把速度问题说成“具有决定性的意义”，说“反对苏维埃政权提出的速度，是机会主义——我们的阶级敌人的代理人的最为突出的特点”。[3]

1931 年度计划是最不现实的计划，实施情况极不理想。这一年前 5 个月的工业生产只比 1930 年同一时期增加 7%—8%。[4] 正在建设中的重工业项目有 1659 个，6 月 1 日政府决定停止向其中的 613 个项目拨款，以保证其他项

[1] 《关于 1931 年的国民经济计划》，《苏联共产党代表大会、代表会议和中央全会决议汇编》，第 4 分册，第 202—203 页。

[2] 《论经济工作人员的任务》，《斯大林选集》，下卷，第 274、266 页。

[3] 《苏联苏维埃第六次代表大会决议(1931 年 3 月 12 日)：关于苏联政府工作报告(摘要)》，《苏联共产党和苏联政府经济问题决议汇编》，第 2 卷，第 293 页。

[4] ЦПА. Ф. 85. оп. 38. д. 7. т. 1. Ⅱ. 8–9. 转引自 *Девис Р. У.* Советская экономика в период кризиса 1930—1933 годы. // История СССР 1991. No. 4. С. 200.

目的需要。这一年前 5 个月，出现通货膨胀，产品成本增高，自由市场上的粮食价格上涨了 55%。但是斯大林在 6 月召开的经济工作人员会议上仍说计划“绝对是现实的!”“这一计划的完成现在完全取决于我们自己”。并把说计划不现实的人讽刺为“庸人”，说他们“总是在自己周围散布一种‘无意义的疑虑’”。[1]

1932 年 1 月，党召开了第十七次代表会议，讨论了五年计划执行的情况。会议通过的《1931 年度工业发展的总结和 1932 年度的任务》决议指出，“1931 年年度计划在质量指标和数量指标方面都没有完成”，“整个社会主义工业的产值，在 1931 年为 270 亿卢布，比 1930 年增加了 21%”。即完成的尚不及原计划要求（增加 45% ）的一半。钢铁生产情况更糟。生铁产量由 1930 年的 496. 4 万吨降为 1931 年的 487. 1 万吨；钢产量由 576. 1 万吨降为 562. 0 万吨；钢材产量由 456. 1 万吨降为 428. 7 万吨。[2] 尽管如此，会议仍规定，“1932 年全部工业的总产值为 375 亿卢布”，即增加 38. 8%。这里指的是全部即包括社会主义和非社会主义的工业产值，但后者的分量很小。杰维斯认为实际规定社会主义工业要增长 36%。[3] 另外，决议还要求“在 1932 年使生铁的产量达到 900 万吨，钢达到 950 万吨，钢材达到 670 万吨”。[4]

1932 年的生产情况继续恶化。无论是工业的增长率，还是重工业的产量都远未达到年初规定的指标。但领导对超高速发展工业的狂热追求，直到最后一刻也丝毫未减弱。它成为“一五”计划实施过程中的基本特色。

第一个五年计划期间，政府急剧扩大建设基金的积累，以保证经济发展的高速度。1925—1926 年度，积累在国民收入中的份额为 15.9%，1931 年的积累率达到国民收入的 1/3 左右。这比同期资本主义国家的积累率高出 50%—

---

[1] 《新的环境和新的经济任务》，《斯大林选集》，下卷，第 296 页。

[2] 苏联科学院经济研究所编：《苏联社会主义经济史》，第 3 卷，第 264 页。这里将轧钢改译为钢材。

[3] *Девис Р. У.* Советская экономика в период кризиса 1930 – 1933 годы. // История СССР 1991. No. 4 C. 200.

[4] 《1931 年度工业发展的总结和 1932 年度的任务》，《苏联共产党代表大会、代表会议和中央全会决议汇编》，第 4 分册，第 278、274、279 页。

100%。[1]

工业建设资金积累的一个主要来源是农业。“一五”期间，农业提供的资金在工业建设资金中所占的比重是逐年减少的。1928 年为 54%，1932 年降为 18. 1%，每年平均为 33. 4%。[2] 粮食出口的作用并不像一些书说的那样重要。1930 年是粮食出口进款最多的一年，达到 8. 83 亿卢布。但同年出口石油产品和木材的进款为 14. 3 亿卢布，皮毛和亚麻制品的出口额为 5 亿卢布。1932—1933 年度发生饥荒，但继续出口粮食，粮食出口额为 3. 69 亿卢布，而木材和石油产品的出口额各为 7 亿卢布。1933 年，仅皮毛一项的出口额就超过粮食的出口额。[3]

资金积累的另一个来源是工业的利润。由于重工业长期没有赢利，积累主要靠轻工业。1932 年，工业提供的资金积累约为 63 亿卢布。

为了筹措建设资金，国家向居民征收税捐，同时发行公债。从 1927—1928 年度到 1932 年，居民的税捐和公债的总额几乎增加了 3. 3 倍，其中 1931 年比上年增加 1 倍多。1932 年的居民税捐和公债占到了当年国家预算收入的 18. 1%。具体情况见下表：

1927—1932 年苏联居民的收入和捐税以及公债发行情况

（单位：亿卢布）[4]

	1927—1928 年	1928—1929 年	1929—1930 年	1931 年	1932 年
预算收入总额	73. 2	88. 3	138. 79	252. 46	380. 42
居民的税捐	8. 88	10. 29	11. 18	21. 1	29. 86
公债	7. 26	7. 25	12. 78	32. 69	39. 22
税捐和公债总计	16. 14	17. 54	23. 96	53. 79	69. 08

[1] 苏联科学院经济研究所编：《苏联社会主义经济史》，第 3 卷，第 36、122 页。

[2] 同上书，第 123 页。

[3] *Лельчук В. С.* 1926—1940 годы：завершенная индустриализация или промышленный рывок. //История СССР. 1990. No. 4. С. 17－18.

[4] 苏联科学院经济研究所编：《苏联社会主义经济史》，第 3 卷，第 615 页。

苏联还定期修改国家公债的发行办法。1930 年实行了公债的调换，将过去发行的全部公债卷（除了第三次工业化公债外）更换成为期 10 年的“五年计划四年完成”的公债卷，从而延长了国家所吸纳资金的长期有效性。

国家还靠出售伏特加酒增加财源。1930 年 9 月 1 日，斯大林写信给莫洛托夫，“我认为，需要增加（**尽可能地**）伏特加酒的生产。应当去除不该有的愧疚感，并直接、公开地去争取**最大限度地**增加伏特加酒的生产”。[1]9 月 15 日，政治局通过了 1930—1931 年度酿造 9000 万维德罗酒精的计划。[2] 第三种财源是发行纸币。1928 年年末至 1930 年 7 月，政府在一年多的时间里就发行了 15. 56 万亿卢布纸币，而五年计划规定 5 年内才发行 12. 5 万亿卢布纸币。1930 年，流通领域中的货币数量的增长比轻工业产品的增加快一倍多。结果造成纸币贬值，人们用纸币换含有少量银子的硬币。国家银行管理委员会主席皮达可夫写信给斯大林，建议重新考虑安排商品货币体系，扩大民用品生产，把一些进口资金转用到内部市场，整顿大项目的拨款。皮达可夫明确表示不同意布哈林派的意见，支持党的总路线，但斯大林仍认为他的建议同右派意见相近。斯大林反对政治局关于铸造镍币的决定，要求打击硬币投机者。在通货膨胀不断加剧的情况下，政府于 1930 年秋停止了前一时期的滥发纸币的做法，采取措施稳定卢布。财政人民委员布留哈诺夫和中央银行行长皮达可夫则被免职。不过，看来斯大林也没有接受一些人提出的迅速实行无货币经济的要求。

此外，政府还向国外出售博物馆中的历史遗物和艺术珍品以获得硬通货。

第一个五年计划期间，苏联兴建大批新型工厂企业，需要大量资金和先进的设备、技术。而这时西方资本主义国家正经历空前严重的经济危机，急需扩大出口以缓解危机。苏联利用这一有利时机引进西方的资金和设备。

为了保证对外贸易业务的资金供应，苏联严格执行外汇垄断制度。新经济政策时期曾允许有限的私人外汇业务，于 1930 年 2 月被取缔。苏联还积极寻求外国贷款。1929 年至 1931 年，先后从德国、奥地利、英国、意大利、美国、芬兰、日本、挪威、瑞典、丹麦、比利时、法国等国得到 14 亿卢布贷款，

[1] 《斯大林关于防备波兰进攻和生产面包房设备问题致莫洛托夫的信（1930 年 9 月 1 日）》，《苏联历史档案选编》，第 11 卷，第 148—149 页。

[2] 维德罗：俄液量单位，等于 12. 3 升。

促进五年计划的完成。

苏联利用有限资金从西方大量进口机器设备、拖拉机、金属和原料。生产资料的进口占苏联进口总量的90%以上，其中机器设备的进口所占比重最大：1929年为30.1%，1930年为46.%，1931年为53.9%，1932年为55.7%。1931年苏联向国外购买的机器设备约占世界设备出口总额的1/3，1932年上升到1/2左右。美国是苏联购买机器设备的最大卖主。1931年苏联购买的美国机器设备约占美国机器设备出口总量的50%。此外，苏联还进口了大量金属特别是优质钢，其费用占苏联外汇支出的1/5。[1]

1929年5月，苏联最高国民经济委员会下设中央外国咨询中央局，统一领导外国技术力量的引进和利用。1929年10月1日，苏联政府批准了70项有关外国的技术援助和技术咨询协议。其中55项合同是同美国和德国的企业签订的。到1931年春，外国技术援助达到顶峰，项目增为124个，总值达到8300万卢布（外汇支出）。此外，苏联还用高薪聘请大批外国专家和技术工人来帮助经济建设。1932年在苏联工作的外国专家有1910人，技术人员大约有10655人。此外，苏联还派出2000多名干部、技术人员出国考察学习。

第一个五年计划期间，新建的工厂电站大多是在西方国家提供资金、设计、技术、设备和工程技术人员帮助下建成的。如斯大林格勒拖拉机厂是在美国近80家工厂的帮助下建立的。第聂伯河水电站的建设得到美国通用电气公司的帮助，高尔基汽车厂得到美国福特公司的帮助。斯大林在和埃里克·约翰斯敦谈话时说，“在苏联，约有2/3的大型企业是在美国的帮助或技术援助下建成的”，其余也大都在德、英、法、意等国的技术援助下建立起来的。[2]

第一个五年计划的完成情况

第一个五年计划取得巨大成果。首先它是一个全面展开社会主义进攻的计划。在经济恢复时期，政府曾允许资本主义经济成分和个体手工业发展。到

[1] 苏联科学院经济研究所编：《苏联社会主义经济史》，第3卷，第399页。

[2] ［美］萨顿著：《西方技术与苏联经济的发展（1930—1945年）》，安冈译，中国社会科学出版社1980年版，第4页。

1925—1926年，它们在工业生产中占到了17.6%，主要是食品加工业。在大工业中，私人经济的产品只占4%；在小工业中，占到81.9%；在商业中，私人成分不到9%，其中在零售额中，不到1/4，但店铺数占一半以上。[1]"一五"计划规定，到1932—1933年基本消除经济中的资本主义成分和私人小生产。五年计划期间，政府采取各种措施限制私人经济发展。它不断限制企业出租，对未完成合同任务的租借企业和商业店铺则废除原协定，将其收回。其次，减少对私商的供应。1925—1926年，国家企业和合作社将其40%的商品卖给城市私商，1926—1927年降为25%，1927—1928年再降为17%。第三，最大限度地加重私人资本的赋税。1926年，政府规定，年收入在2.4万卢布以上者需将一半收入纳税。从1927年起，私人企业逐渐减少。租让给外国人的企业，1927—1928年有68个，产品占全苏的0.6%。1930年，政府宣布不再租让企业，并陆续将到期企业收回。1932年初，租让企业减为24个；1937年，不复存在。小作坊小店铺从1928年5月起就不再租借给本国人，到1930年完全消失。私人商店在1927年有41万家；1928年减为15万家；1929年再降为4.7万家。到1931年，基本消失。私人业主，在农村的多被当作富农消灭掉；在城镇的则其命运不清楚。到1932年年底，社会主义经济成分在各个经济领域都占据了绝对统治地位。具体比重见下表：

社会主义经济成分在总产值中所占的比重（%）[2]

	1928—1929年	五年计划规定的指标	1932年
工业中	79.5	92.4	99.5
农业中	1.8	14.7	76.1
零售商品流转额中	75	91	100
国民收入中	44	66.3	93

"一五"计划规定的发展社会主义经济成分、排挤资本主义经济成分的任务超额完成。党中央总结"一五"计划完成情况时指出，"城乡资本主义成分

[1] 苏联科学院经济研究所编：《苏联社会主义经济史》，第3卷，第339页。

[2] 同上书，第34页。

哈尔科夫拖拉机厂生产的第一批拖拉机，1935 年

已被打垮。社会主义经济的基础已经建成。社会主义在苏联的胜利已获得保证”。[1]

第一个五年计划的另一成果是工业得到巨大发展。1922 年至 1928 年的 7 年期间，整个国民经济部门的投资为 265 亿卢布；“一五”期间猛增为 600 多亿卢布。工业的年增长率达到两位数字。具体情况见下表：

“一五”期间的苏联工业的年增长率（%）[2]

	1928 年	1929 年	1930 年	1931 年	1932 年
全部工业	19	20	22	20	15
生产资料生产	22	29	38	19	19
消费品生产	17	14	10	10	10

[1] 《第一个五年计划的总结和第二个五年计划的第一年——1933 年的国民经济计划》，《苏联共产党代表大会、代表会议和中央全会决议汇编》，第 4 分册，第 331 页。

[2] 苏联科学院经济研究所编：《苏联社会主义经济史》，第 3 卷，第 132 页。

第一个五年计划期间，苏联人民以极高的劳动热情建成1500多个大工厂和电站。建设第聂伯水电站问题早在列宁在世的时候就提了出来，并且把它视为建设社会主义的标志性工程。1926年，И. Г. 亚历山德罗夫教授制定出建造方案。到1932年，拥有31万千瓦发电能力的第聂伯水电站顺利建成。"一五"期间建成的著名工厂有：莫斯科的斯大林汽车制造厂，高尔基城的莫洛托夫汽车制造厂和雅罗斯拉夫里载重汽车制造厂，哈尔科夫、斯大林格勒和车里雅宾斯克的拖拉机制造厂，乌拉尔重型机器制造厂，马格尼托哥尔斯克和库兹涅茨克钢铁厂，罗斯托夫农业机器制造厂，萨拉托夫康拜因机厂等。此外，对原有的企业进行了扩建和改建，著名的狄纳莫工厂、列宁格勒的红色普梯洛夫工厂、查波罗日的"公社社员"工厂、哈尔科夫的"镰刀和锤子"工厂等23家机器制造厂经改进后，产值由1928年的2. 84亿卢布增加到1932年的12. 95亿卢布。斯大林在总结第一个五年计划的成果时说，五年计划的实施建立了钢铁、汽车、航空等部门，"这一切就使我国由农业国变成了工业国"。他宣布，工农业比例关系已发生根本变化，工业在工农业产品总值中的比重已从1928年的48%提升到1932年的70%。[1] 尽管70%的比重实际到第二次世界大战前都未达到，但工业特别是重工业的增长是巨大的，为苏联今后的工业发展打下雄厚基础。

第一个五年计划期间，军事工业的发展受到特别重视。早在1926年12月5日，最高国民经济委员会决定成立4个有关国防工业的托拉斯：火炮军械托拉斯，下属14个军工企业；炮弹托拉斯，下属8个军工企业；军事化学托拉斯，下属12个企业；武器枪支托拉斯，下属5个企业。稍后又成立了航空托拉斯，下属11个企业。这5个托拉斯和50个军工企业构成了苏联军事工业综合体的最早雏形。根据国家计划委员会国防处的资料，"一五"期间用于发展军工生产的开销多达10亿多卢布。此外，还应加上用于发展航空工业的5. 6亿卢布。从1929—1930年到1933年，军工企业的职工由13. 7万增为32. 2万；其总产值（包括军用和民用产品的）由7. 02亿卢布增为20. 91亿卢布。此外，苏联很多民用工业也承担着军工生产的任务，如1931年建成的哈尔科夫拖拉机厂，在1932年年底就开始生产坦克，每天达8—10辆。到1938年，坦克的

[1] 《第一个五年计划的总结》，《斯大林全集》，第13卷，第164页。

产量占该厂总产量的 38. 3%。

由于苏联缺乏足够的工程技术人员和熟练工人，缺乏良好的管理制度和人员，真正掌握和利用这些新技术则用去了更多的时间。斯大林格勒拖拉机厂于 1929 年 6 月开工，仅用一年时间就安装好全部设备，速度惊人，工厂提前投产。但工厂长期不能用机器生产出拖拉机，而是要用锉刀榔头对零件进行加工后人工组装。有时几个礼拜都没有产品。1931 年 4 月，奥尔忠尼启则亲自到拖拉机厂视察工作。他在厂工程技术人员会议上说，“这是个巨大的工厂，一个庞然大物。但现在不是我们控制它，而是它在控制我们。我们在束手无策地手脚乱动。在我们现有的机器上，需要有这样的纪律：要像红军战士站立在哨位上，对交给他的事情负责。转过脸去——这就已经破坏了纪律。而在你们这里，人们不仅转过脸去，还要闲扯，接着又抽起烟来”。共青团派出工作队帮助工厂开展政治教育工作。列宁格勒和莫斯科派出老工人帮助拖拉机厂工人掌握技术。经过将近两年（1930 年 6 月—1932 年 4 月）的努力，工厂才能按设计要求进行生产，这比建厂的时间多出一倍。又如车里雅宾斯克拖拉机厂，是按美国人设计的斯大林格勒拖拉机厂翻版建造的。1930 年 11 月正式投产，但生产出来的第一批拖拉机都是废品。该厂工程师联名写信给报刊，说“该厂濒临全面崩溃的边缘”。有关部门只得邀请美国工程师去对该工厂进行改造和整顿。这以后，工厂才逐步走向正轨。

新工厂的建立使苏联的工业布局得到调整。革命前，3/4 的工业产值，2/3 的工人集中在莫斯科、彼得堡、乌克兰等西部地区。1930 年 5 月 15 日，联共（布）中央通过《关于乌拉尔采矿工业辛迪加的工作》的决议，提出“国家工业化不能只依靠一个南方煤炭冶金基地。国家迅速工业化的一个非常必要的条件，就是利用乌拉尔和西伯利亚最丰富的煤田和金属矿床在东部建立苏联第二大煤炭冶金中心”。[1]“一五”期间，乌拉尔地区新建 150 个企业，改建 100 个企业，工业产值增加一倍多。西西伯利亚地区也开始兴建起钢铁等大型工业。

苏联政府宣布第一个五年计划于 1932 年底提前完成，费时 4 年 3 个月。但实际情况并非如此。到 1932 年年底，基本没有完成联共（布）第十六次代

[1] 《关于乌拉尔采矿工业辛迪加的工作》，《苏联共产党和苏联政府经济问题决议汇编》，第 2 卷，第 208 页。

表会议和全苏第五次苏维埃代表大会通过的第一个五年计划所规定的指标，更不用说在执行过程中不断更改提高的指标。"一五"计划规定，国民收入增加 103%，工业产值增加 180%。斯大林在"一五"计划总结中宣布，国民收入和工业产值都增长了一倍多。工业总产值达到战前的 334%，1928 年的 219%。[1] 实际到 1932 年，国民收入只增加 60%, 工业产值也只增加 102%。工业生产的年均增长率，计划规定为 19%—20%，官方宣布为 22%，实际为 19. 2%。第一部类（生产资料）的生产总值按 1926—1927 年价格计算，1928—1929 年为 78 亿卢布，1932 年增为 216 亿卢布，增长了 1. 7 倍。第二部类（生活资料）的生产总值则由 90 亿卢布增为 172 亿卢布，增长了 0. 9 倍。与此同时，国家预算支出由 87. 83 亿卢布增为 379. 95 亿卢布，增长了 3. 3 倍。[2] 农业产值计划增长 55%，实际不增反降，减少了 14%。许多当时视为头等重要的工业产品都未完成任务。除石油外，连五年计划初步方案的指标也未达到。具体数字见下表：

第聂伯水电站落成大会，1932 年

[1] 《第一个五年计划的总结》，《斯大林全集》，第 13 卷，第 165、166 页。

[2] *Симонов Н. С.* Военно–промышленный комплекс СССР в 1920–1950–е годы. Москва, РОССПЭН. 1996. С. 81.

“一五”期间苏联主要工业品的计划产量和实际产量

	1928 年的产量	五年计划规定的产量	初步方案规定的产量	斯大林 1930 年提出的目标	1932 年的实际产量
生铁（万吨）	328	1000	800	1700	616
钢（万吨）	425	1040	830	——	592
石油（万吨）	1160	2170	1900	5500	2141
电力（亿度）	50	220	170	——	135
煤炭（万吨）	3550	7500	6800	10500	6436
汽车（万辆）	0. 0841	10	——	20	2. 4
拖拉机（万辆）	0. 13	5. 5	——	17	4. 9

五年计划规定投产 60 座高炉，实际只投产了 32 座；规定试车 57 台轧钢机，实际只运行 13 台；计划开工 70 座平炉，实际投产的只有 38 座。[1] 计划规定的新交通线路只有 1/3 实现了运营。

轻工业的生产情况更差。“一五”计划规定其产值增长 140%，实际只增长 56%。1932 年，棉纺织品只完成计划的 59%，丝织品 34%，砂糖 32%。这些部门的年产量远远没有完成计划，低于五年计划前的 1928 年水平。[2] 糖的产量还达不到革命前 1913 年的水平。纺织品的产量 1913 年（按 1939 年 9 月前的国界）为 21. 25 亿平方米，1928 年为 21. 98 亿平方米，1932 年降为 21. 64 亿平方米。砂糖和方块糖的产量 1913 年为 218 万吨，1928 年降为 193. 9 万吨，1932 年更降为 126. 6 万吨。[3]

总之，到 1932 年年底，“一五”计划的 37 项指标只完成初步方案的 7 项，最佳方案的 5 项。从整体看，完成初步方案的 69%，最佳方案的 58%。[4]

五年计划前夕的 1928 年 4 月 1 日，全苏登记的失业工人有 157. 6 万人，

[1] Новейшая история Отечества. Под ред. *А. Ф. Киселёва.* М., 1998. Т. 2. С. 16.

[2] Страницы и истории советского общества. М., 1989. С. 200.

[3] Народное х озяйство СССР за 60 лет. М., Статистика, 1977. С. 245、257.

[4] *Медведев П., Нит И.* Номинальные цели и реальная эффективность административного управления. // Вопросы экономики. 1988. No. 12. С. 50.

1929年4月1日增为174万，1930年4月1日仍有108万，10月突减为24万，年底失业现象消失。[1] 工人和职员的人数在1928年为1150万人。计划规定五年中最大限度增加340万人。实际增加了1140万人，大约增加一倍，接近于生产总值的增长速度。"一五"期间，工作日由8小时改为7小时。

工人经常开展各种突击运动和义务劳动。1929年6月9日，列宁格勒工人斯洛鲍特契科夫倡议举行全苏工业化日，用无偿劳动支援工业化。在全苏工会中央理事会的号召下，莫斯科、列宁格勒等大城市的工人于8月6日星期日进行劳动，将当天所得的工资捐给工业化事业。工人生产热情很高，但大量新工人的生产知识和技能长期处于低下水平，劳动生产率提高缓慢，远远没有达到计划指标规定的41%，实际只增长了28%。在厂矿铁路建设、煤炭开采中，手工劳动仍占重要比例。重工业部门的产品成本经常完不成预定的降低计划，在1931年和1932年成本非但没有降低，反而大大提高了。

工人的身体健康在有些地方被完全忽视。在离古比雪夫城（今萨马拉）不远的恰帕耶夫斯克，工人到生产矿物肥料的工厂去工作，必须立字据，保证不因健康问题向管理部门提出任何要求。工人在有毒车间工作，只得到防毒面具和粗帆布工作服，但这并不能防止中毒。3年后，工人会变成残废，不久就丧失性命。[2]

构成五年计划实施画面的还有强制劳动。1929年5月28日苏维埃代表大会通过第一个五年计划。第二天，俄罗斯联邦人民委员会就通过决议，不再判处低于一年剥夺自由的刑期，建议最大限度地发展强制劳动制度。党中央政治局于1929年6月27日，人民委员会于7月11日通过关于利用刑事犯劳动的决议。国家政治保卫总局于1930年4月25日成立了劳改营管理局，10月1日，改为总管理局。

政府推行一系列措施，使用被判刑三年以上的人在边远地区的专门劳改营中从事必需的义务性工作。1930年在木材采伐业等部门开始部分使用强制

---

[1] Народное хозяйство СССР за 60 лет. С. 462.

[2] 参见［俄］安・弗・安东诺夫–奥弗申柯著：《斯大林时代的谜案》，彭卓吾译，红旗出版社1992年版，第148页。

劳动。1931 年夏，最高国民经济委员会决定大量使用强制劳动。6 月，派几千名流放者去兴建库兹涅茨克钢铁厂。马格尼托哥尔斯克钢铁厂的兴建者有一半是特殊移民，即被流放的富农分子。在兴建第涅伯水电站、车里雅宾斯克拖拉机厂、别列兹尼基化学联合企业以及各种采矿业都大量使用了强迫劳动。1931 年 9 月有 24. 5 万户富农家庭被强制在企业劳动。[1] 奴役劳动取得惊人的成绩，最著名的是白海—波罗的海运河的开凿。1931 年 2 月，劳动国防委员会决定要在 20 个月内建成长度为 227 公里的白海—波罗的海运河。这项工程基本是由劳改犯完成的。它是由国家政治保卫总局负责完成的。在押的水利专家赫鲁斯塔廖夫等人组成“特别设计局”，在持枪警卫看管下按当局指示进行运河设计。10 多万名劳改犯组成“白海—波罗的海劳改营”，在劳改局副局长费林指挥下进行空前的繁重劳动，最后以惊人的高速度，在不到两年的时间内建成。其造价只是原来计划的 1/4。白海—波罗的海运河显赫一时，并以斯大林名字冠名。

建设白海—波罗的海运河的劳改犯，1930 年代初

[1] *Трифонов И. Я.* Ликвидация эксплуататорских классов в СССР. М., 1975. С. 376–377.

第三节　行政命令体制的形成

随着新经济政策的废止和指令性计划经济的实施，苏联日益采取行政命令手段来管理经济。第一个五年计划时期，经济管理中并存着两种趋势。一种是不断加强中央控制、加重惩罚的力度，巩固行政命令制度。这种趋势由来已久，根基很深。第二种趋势是寻求较灵活的形式，把中央计划体制同使用经济刺激手段结合起来。它比第一种趋势弱小得多，但受客观经济规律的作用一直存在。两种趋势相互影响，相互斗争，于 1933 年最终形成行政命令的经济体制。

1929 年 4 月，第十六次党代表会议通过决议，指出，“要完成苏维埃国家所面临的加速工业化和农业社会主义改造的任务，必须有系统地改造整个国家管理机关，使它能适应我国经济制度和社会主义建设的任务”。系统改造机关应遵循的方针是：“基本问题上的计划工作和领导集中于中央，实际工作交由地方负责；创造条件以保证制定出确切而及时的计划，并保证计划的彻底完成。”[1]1929 年 12 月 5 日，联共(布）中央颁布了《关于改组工业管理》的决议，决定取消总管理局和辛迪加。随后，成立了 33 个全苏部门性联合公司，如全苏煤炭联合公司，钢铁联合公司，全苏机器制造工业联合公司等。联合公司的建立加强了垂直管理，使经济管理进一步转向部门专业化。另一方面也扩大了企业的权利。《关于改组工业管理》的决议，要求给企业必要的独立性，说企业实行经济核算制是完全正确的，认为核算制可以反映企业的真实情况，是计划经济体制下推动企业发展的动力。总之，政府在坚持集中领导、计划领导的前提下，也试图发挥经济杠杆的某些作用。

第一个五年计划规定了空想的高指标，引发了经济困难和危机。许多领导人提出一些调整改革的意见和方案。1931 年 2 月 4 日，斯大林在工业工作人员代表会议上继续要求加快工业化速度。会上，奥尔忠尼启则和莫洛托夫也支持提高计划指标，但同时强调经济核算和财政监督的重要性，试图发挥经济杠杆的调整作用。奥尔忠尼启则要求产方和订购方之间的关系建立在物质责任

[1] 《关于反官僚主义斗争的总结和最近的任务》，《苏联共产党代表大会、代表会议和中央全会决议汇编》，第 4 分册，第 34 页。

基础上。如果产方不按计划交货，订购方就可以不交钱，银行也不拨款。可惜，这一方案未能贯彻执行。因为指标太高，企业很难完成计划，政府无法对多数企业进行制裁。

1931 年 4 月，苏维埃中央执行委员会主席什维尔尼克发表演说，支持计件工资。[1] 为刺激工人的劳动积极性，提高生产率，各地普遍纠正 1920 年代的平均主义工资的做法，使熟练工人的工资比非熟练工人的工资高出 3—7 倍。同时，大幅度提高钢铁、机器制造等部门工人的工资，改变过去低于纺织工人工资的情况，以促进重工业的发展。

1929 年至 1930 年，工厂实行每周 7 日工作制。1931 年 4 月底，奥尔忠尼启则视察斯大林格勒拖拉机厂，发现这种工作日制引出众多问题。最高国民经济委员会决定“暂时”实行 6 日一周制，5 天劳动，1 天休息。

1930 年实行信贷改革。政治局决定，给企业投资的数量应取决于该企业完成利润计划指标的情况。[2]

为了发挥货币工资的作用，政府重新使用商业这个词，提出发展商业的问题。1931 年 5 月 10 日，人民委员会、党中央和消费合作社中央联社发布公开信，再次强调“要全力发展苏维埃商业”，并宣布废除一些工业品的凭票售货。[3]

在 1931 年 3 月审判孟什维克案后，莫洛托夫要求改变对“资产阶级”知识分子的态度，要以同志式态度等待他们，鼓励他们的发明创新。[4]

1931 年 6 月 23 日，斯大林仍像 2 月演说那样强调必须完成计划指标，但提出要“用新方法来工作，用新方法来领导”，要求“消灭劳动力的流动现象，消灭平均主义，合理地规定工资，改善工人的生活条件”，“消灭无人负责现象，改善劳动组织，在企业中合理地配置力量”，“改变对旧的工程技术人员的

---

[1] За индустриализацию. 1931. 30 марта и 12 апреля.

[2] Ленинский план социалистической индустриализации и его осуществление. М., 1969. С. 175.

[3] 《苏联人民委员会、联共（布）中央和苏联消费合作社中央联社的公开信：关于消费合作社》，《苏联共产党和苏联政府经济问题决议汇编》，第 2 卷，第 321 页。

[4] Правда. 1931. 14 апреля.

态度，多多关心和照顾他们，要大胆地吸收他们参加工作”，“实行并巩固经济核算制，提高工业内部的积累”等。[1]

1931 年 7 月 10 日，党中央通过了《关于企业中技术人员的工作和关于改善其物质状况》的秘密决定，提出重新审查被判刑专家的案件，向专家提供以前不能得到的福利（到疗养院休息，医疗补助，分配住房），担任以前因政治原因不能担任的领导工作。最重要的是禁止检查机关刑事调查局和警察局干预企业的生产事务，取消国家政治保卫局驻工厂的办事处，不允许党组织限制企业领导人的业务安排。不久，又确定了生产中的“一长制”，加强了经济“在册权贵”的地位。

1931 年的小改革很快就终止了，因为国家全力追求的完成计划指标，并不在意产品成本，也不关心货币稳定和经济核算问题。奥尔忠尼启则在第十七次党代表会议上感叹地说，“最近几年里，经济核算在我们这里几乎完全消失了”。[2]

1932 年初，国家经济陷入更严重的危机。首先是经济衰败。为了完成计划指标，动员大批人员参加工地建设，导致劳动生产率下降，成本增高。1932 年前 3 个季度的重工业品产量，每个季度都比 1931 年最后一个季度的低。1932 年前 5 个月自由市场上的粮食价格上涨了 55%。[3] 这是 1924 年货币改革以来市场价格的最快涨势。其次，农业歉收，饥荒逼近。第三，对外贸易萎缩。资本主义世界陷入经济危机后，国际市场上粮价的降幅超过工业品的降幅。苏联虽扩大粮食出口，但仍不能满足进口资金的需要。1931 年的出口额仅及进口额的 2/3。这一年外债几乎增加了一倍。[4] 在这种情况下，苏联政府不得不大量减少 1932 年的进口，甚至像车里亚宾斯克拖拉机厂这样的重点项目也不得不减少进口设备。第四，战争威胁加大。1931 年 9 月，日本侵入中国东北，同时支持想在西伯利亚建独立国家的白俄分子。苏联政府决定扩大军工生产。

---

[1] 《新的环境和新的经济任务》，《斯大林选集》，下册，第 294、282、285、291、294 页。

[2] *Орджоникидже Г. К.* Статьи и речи. М., 1957. Т. 2. С. 352.

[3] Товарооброт за годы реконструктивного периода. М., 1932. С. 143.

[4] Slavic Review. 1976. Vol. 35. pp. 606–607.

1932年春，党中央政治局决定进行重大经济改革。一些人称它为“新新经济政策”或称1932年的经济改革春天。在党的第十七次代表会议上，古比雪夫等人提出要重视商业、货币和经济核算在共产主义第一阶段中的作用。党中央宣传鼓动部部长 А. И. 斯捷茨基说，“新经济政策的措施，甚至可以说成是新形式新内容的新经济政策，将在第二个五年计划期间，在其后的一段时间内存在。关于这一点，在党中央提纲中有说明。当前我们首先需要发展苏维埃商业，苏维埃市场”。[1] 代表会议通过的关于制订第二个五年计划的指示中也讲到，“扩大商品流转具有头等重要意义。扩大商品流转（首先是扩大零售商业）和在一切经济工作中实行经济核算制……能够加强整个社会主义建设的物质基础……只有在这个基础上，才能准备废除商品的定额配售制，以广泛的苏维埃商业代替集中分配的制度”。[2]5月，政府大量削减1932年的征购计划。5月20日，中央执行委员会和人民委员会公布法令，“集体农庄，农庄庄员和个体劳动农民的买卖……按市场形成的价格进行”。[3] 两个月后，也允许手工业合作社和手工业者按市场价格进行交易。政府还决定遏止通货膨胀，扩大定价配售的食品和生活日用品，限制工资的增加。1932年7月23日，政治局成立了一个以古比雪夫为主席的委员会，审查降低建设成本问题。古比雪夫在斯大林的同意下，提出在1932年第3季度减少投资10%，主要是减少重工业投资4.05亿和农业投资1.5亿，总共减少7亿卢布。8月1日，政治局通过相应的决定，3日，人民委员会作出正式决定。国家计划委员会改变过去的态度，转而支持财政人民委员部平衡预算的努力。重工业人民委员部的机关刊物《为了工业化报》开展了如何进一步推进改革的讨论。有人建议对所有生产资料和生活用品实行统一价格，工业品价格的确定应有利于供需平衡。国家对企业的投资应从无偿的财政拨款转为有偿的信贷。在奥尔忠尼启则的同意下，1932年

[1] XVII конференция ВКП（б）. Стеногр. отчет. М., 1932. С. 180, 93. 引自：*Девис Р. У.* Советская экономика в период кризиса 1930–1933 годы. // История СССР. 1991. No. 4. С. 205.

[2] 《关于制定发展苏联国民经济第二个五年计划的指示》，《苏联共产党代表大会、代表会议和中央全会决议汇编》，第4分册，第295页。

[3] Собрание законов и распоряжений Рабоче–Крестьянского Правительства. 1932. С. 233.

曾试图免去对机器制造业的部分补贴，但未能落实。[1]

1932 年春的改革既不全面，也力度不够。改革没能扭转经济的衰败状况。7 月是第一个收获月，但征购上来的农产品比年初削减的计划还要少 55%。食品供应恶化，一些工人离开建设工地。

1932 年，苏联经济陷于危机，但党中央政治局委员没有一个人提出计划能否完成的问题。流亡国外的托洛茨基发表文章《苏维埃经济在危险中》，提出把 1933 年作为两个五年计划中间的“缓冲年”，以纠正经济发展比例失调；由于食品短缺，应减少城市和工地的工人数目；大量减少投资额。[2] 托洛茨基在 1932 年秋冬强调说，国内局势处于危险之中，因此“左派”不应支持“打倒斯大林”的口号，“左派”甚至可以同斯大林结成统一战线共同反对米留可夫、反对孟什维克。[3]

被开除出党的、原莫斯科市红色普列斯尼亚区委书记柳亭组织“马克思列宁主义者联盟”，于 8 月发出《告联共（布）全体党员》呼吁书，说“党和无产阶级专政已被斯大林及其亲信引入空前的绝境，正面临着致命的危机”，“冒险主义的工业化速度导致职工实际工资收入大幅度降低、过于繁重的公开和隐蔽的捐税、通货膨胀、物价上涨、货币贬值”。[4]

1933 年 1 月，党中央召开全会，谴责柳亭集团“拒绝国家工业化政策”。与此同时，党也在调整政策，降低指标。莫洛托夫在会上承认 1932 年的工业生产只增加了 8. 5%，而不是计划的 36%；[5] 投资也比预计的少好多。全会规定 1933 年的工业产值比上一年增加 16. 5%，这是多年来最低的。计划变得较为现实了。

---

[1] Davies R. *The Socialist Market: A Debate in Soviet Industry. 1932–33* //The Slavic Review. Vol. 42. pp. 201–223.

[2] Бюллетень оппозиции. No. 31（ноябрь 1932）. С. 3–13.

[3] Writings of Leon Trotsky: Supplement /1929–1933/. N. Y. 1979. pp. 168–174、388–389.

[4] 《中央监察委员会等部门关于“马克思列宁主义者联盟”案的调查材料》，《苏联历史档案选编》，第 12 卷，第 662 页。

[5] *Девис Р. У.* Советская экономика в период кризиса 1930—1933 годы. // История СССР. 1991. No. 4. С. 202.

党中央政治局对国内局势十分担忧，认定只有用加大压力和镇压的办法才能走出危机。放弃改革路线的第一个措施是1932年8月7日的《关于保护社会主义财产》的法令。它对一切盗窃农庄财产者包括偷偷剪下麦穗以充饥的妇女儿童都规定要按刑事犯处以严刑。1932年年底，国家通过严酷的法令，巩固劳动纪律，加强对工人的监督。实行身份证制度，限制人口流动。

1933年春，《真理报》攻击《为了工业化报》，谴责后者对国家统计体系的批评，指控后者实际在建议提高钢铁的出厂价格。奥尔忠尼启则被迫解除了《为了工业化报》主编的职务。

在不断放弃前一阶段改革做法的过程中，政府从忽视逐渐转向否定个人对自身物质利益追求的合理性，转向否定商品市场的积极作用。最终把行政命令和惩罚镇压当做领导经济活动的基本手段和保证。到1933年年底，无论在农业中还是在工业中，行政命令体制最终形成。

行政命令体制在指令性计划中的表现是，无条件服从中央，行政压制直至惩罚镇压。具体讲，一，中央管理机关掌管本部门的几乎全部产品和纯收入的主要部分。它可以集中巨大物力财力资源用于关键项目。二，国家通过指令性的经济计划，通过发布命令、决议和行政手段，统一指挥大大小小的企业和农庄的生产、组织分配和流通，规划居民的消费。三，生产发展的主要动力是下达的指令性任务。完成任务的保证是党政纪律和领导人的个人责任。四，革命理想和精神鼓励成为强大的推动力量。五，惩治和迫害措施是保证任务完成的不可或缺手段。因此，有人将行政命令体制称为行政惩罚体制。

在这种体制下，税收、贷款、财政、利率、汇率等不被看做是调控国家宏观经济的重要手段；市场、价格、利润也很少用来改进管理，发展生产。企业实行的经济核算制变成是一种单纯的计算手段，是监督完成指令性计划的工具。

随着行政命令体制的确立，政府不断扩大经济管理部门。1931年年底至1932年年初，国民经济委员会改组为重工业人民委员部，另外又组建了轻工业和森林工业人民委员部。这以后，不断增添新的人民委员部来管理工业生产。到20世纪30年代末，共有21个这样的部。1934年3月，苏联中央执行委员会和人民委员会通过《关于苏维埃建设和经济建设方面的组织措施》的决议，进一步完善行政命令体制，重又决定“在人民委员部内成立生产管理总局或生产—地区管理总局”，以“扩大中央经济机关（从人民委员部开始）同它所管辖的大企业之间的直接联系”，[1] 加强中央对大企业的监督管理。

在行政命令的经济管理体制中还部分地保留了经济杠杆。1933 年允许农庄和庄员在一定条件下到市场进行买卖交易。同年，加强财政监督，稳定卢布币值，在国营企业中推行经济核算。政府在 1932—1934 年间特别在 1934 年末大规模提高农产品和工业品的价格，使票证制得以在 1935 年废除。市场供求关系出现自20世纪20年代中期以来最好状况。国营商业日益活跃起来。同时，允许某种市场和准市场的存在，但被置于严格监督控制之下。

一些学者认为，在当时的条件下，为了高速发展，为了应对战争威胁，采取行政命令体制是有道理的，是对的。但经济发展较好，超额完成计划的是“一五”的前两年，那时的经济体制基本上是新经济政策时期的。后来，盲目提高指标，破坏原有的管理体系。再加上集体化带来的危机与混乱，只好用行政命令来维持生产秩序。至于战争威胁，当时资本主义世界陷于经济危机中，并不构成现实威胁，至少比苏维埃成立初期要小。其次，“一五”期间的军事开支是唯一比计划规定要少的项目。因此不能夸大实行行政命令体制的被迫性，而应重视它的不良后果。

第四节 第二个五年计划的制定与实施

第二个五年计划的制定

1932 年 1 月 30 日至 2 月 4 日，召开了第十七次党代表会议，讨论通过了《关于制定发展国民经济第二个五年计划的指示》。“二五”计划的《指示》是在反对右倾思想、狂热追求高速度的情绪下制定的。它提出了显然超越现实可能的任务：“第二个五年计划的基本政治任务，就是彻底消灭资本主义成分和一般阶级，彻底消灭产生阶级差别和剥削的根源，肃清经济中和人们意识中的资本主义残余，使我国一切劳动人民变成没有阶级的社会主义社会的自觉

[1] 《关于苏维埃建设和经济建设方面的组织措施》，《苏联共产党和苏联政府经济问题决议汇编》，第 2 卷，第 515—516 页。

而积极的建设者”。《指示》还提出，“二五”要“完成整个国民经济的改造，为一切国民经济部门建立最新的技术基础”。规定工业产值的年增长率不低于20%，比官方宣布的“一五”增长率19%还要高。提出“到1937年，电力的生产必须从1932年的170亿千瓦小时增加到1000亿千瓦小时以上，采煤量必须从1932年的9000万吨增加到25000万吨以上”。[1] 实际上，1932年的产量比《指示》上说的要低，电力只生产了134亿千瓦小时；煤炭只生产了6440万吨。要求5年内把电力和煤炭的产量提高3—7倍，是根本无法做到的。关于生铁产量的规划也是高得出奇。尽管1932年只生产了616万吨，但国家计划委员会主席古比雪夫在1931年5月11日的报告中却提出，1937年应达到6000万吨。1931年8月，国家计划委员会将其降为4500万吨。同月，政治局会议又依据斯大林的意见将其降为2500万—3000万吨。[2] 第十七次党代表会议进一步降为2200万吨。但指标依旧高得难以实现。

1932年9月，И. 阿布拉莫夫在《为了工业化报》上发表文章，指出在1932年建成24座炼铁高炉肯定无望。他认为，1933年应集中力量完成1932年未完成的计划，在此之前，不应拨款建设新的高炉。[3] 这一观点遭到尖锐批评。

1933年春季到秋季，危机达到顶点。工业增长速度低于1932年，其中大工业产值的增长率只有5%，是整个工业化时期最低的。有色冶金工业、石油开采工业等部门的前半年产量都低于1932年同期产量。鉴于危机的严重和盲目追求高速度的不良后果，联共（布）中央委员会和中央监察委员会于1933年1月召开联席会议。建议把“二五”期间的工业年增长率降低为13%—14%。[4]

[1] 《关于制定发展苏联国民经济第二个五年计划的指示》，《苏联共产党代表大会、代表会议和中央全会决议汇编》，第4分册，第292页。

[2] *Кузьмин В И.* В борьбе за социалистическую реконструкцию 1926–1937 гг. М., 1976. С. 187–188.

[3] За индустриализацию. 1932. 1 сентября.

[4] 《第一个五年计划的总结和第二个五年计划的第一年——1933年的国民经济计划》，《苏联共产党代表大会、代表会议和中央全会决议汇编》，第4分册，第333页。

1934年1月26日至2月10日，联共（布）召开第十七次代表大会。大会听取了国家计划委员会主席古比雪夫所作的关于第二个五年计划的报告，讨论通过了《关于发展苏联国民经济的第二个五年计划（1933—1937)》的决议。

大会决定继续推行工业化政策，但重心不同，由“一五”期间的建立重工业的基础转为完成整个国民经济的技术改造。为此，代表大会要求在一切国民经济部门更换技术装备，在最短期间内采用最新技术成果，并保证新企业的产值到1937年达到工业总产值的80%左右。要求大力发展机器制造业，争取用本国力量来满足国民经济采用现代技术装备、进行技术改造的需要。

“二五”期间，国民经济基本建设总投资为1334亿卢布，比“一五”期间的505亿卢布增加1.6倍。工业得到总投资的一半以上，为695亿卢布，比“一五”增加1.8倍。对农业的投资不及工业投资的1/4，仅为152亿卢布，比“一五”增加0.5倍。对运输业的投资为263亿卢布，比“一五”增加2倍。

在审议计划草案时，有的人不顾前一阶段高速发展的恶果，仍然一味追求高指标，要求比第一个五年计划更快的速度发展工业。奥尔忠尼启则在会上批评了这种意见，认为他们的要求在一个五年计划内是完不成的。他说“如果我们现在采取这样的路线，即把我们的地区和共和国所要求的一切都列入第二个五年计划，那由此得出的就不是五年计划，而是别的什么东西”，“就会是十年计划。同志们，我们希望有这么一个五年计划：最大限度地集中我国的力量和自己能完成的五年计划”。[1] 大会接受奥尔忠尼启则的意见，决定对计划草案进行修正，将工业年均增长率由18.9%降为16.5%。对煤、生铁、石油、电力的控制数字大大低于第十七次党代表会议规定的目标，平均减少了25%—50%。规定1937年的煤产量为15250万吨，生铁1600万吨，钢1700万吨，电力380亿千瓦小时，含气原油4680万吨，汽车20万辆。新建铁路1.1万公里，使铁路总长达到9.4万公里。大规模修建运河，重要的有白海—波罗的海运河，莫斯科—伏尔加运河。工业总产值按1926—1927年价格计算，由1932年的430亿卢布增为927亿卢布，为1932年的214.1%。

代表大会注意到轻工业的严重落后，看到它不仅造成国民经济各部门发展比例失调，妨碍整个经济的发展，而且影响了人们生活水平的提高。第二个

[1] *Орджоникидзе Г. К.* Статьи и речи. Т. 2. С. 556–557.

五年计划决定加快发展轻工业，规定在1933年至1937年间，轻工业的年均增长率将由“一五”期间的13.2%提高到18.5%，重工业则由40.1%降为14.5%，低于轻工业的发展速度。“二五”计划规定，到1937年生产资料部门的产值增长到455亿卢布，为1932的197.2%；消费资料部门的产值将超过生产资料部门产值，达到472亿卢布，为1932年的233.6%。五年计划规定，1937年的棉织品产量将达到51亿公尺，砂糖250万吨。[1]

第二个五年计划是在1932年至1933年危机后最终确定的。它纠正了1932年初《“二五”计划指示》的某些冒进规定，总的讲比第一个五年计划要现实。它注意克服第一个五年计划的不足和缺陷，加快发展国民经济中的薄弱部门。同时，又保持了相当高的发展速度，力争把苏联建成一个技术上、经济上独立的国家。

第二个五年计划的完成情况

第二个五年计划执行得较好。投资和生产计划不断调整。同时，经济体制也有变化。一方面，行政命令体制在加强。党中央和政治局直接过问工厂企业的生产。1933年7月23日中央委员会通过有关莫斯科铁路修配厂的决议，要求它必须完成该年度的生产计划。但工厂领导认为无法完成，提出降低指标的计划，并得到国家计委铁路处的批准。1934年3月31日，政治局通过关于不执行中央委员会有关莫斯科铁路修配厂决议的决议，认定这种做法是完全不能容忍的，决定给予工厂厂长基尔严重警告，给予苏联国家计委铁路处处长叶姆沙诺夫警告处分。另一方面，这一体制也变得更复杂更灵活。1933年顿巴斯第一季度的采煤量比去年同期还低。4月，人民委员会和党中央通过决议，严厉批评顿巴斯煤矿的工作。同时，提出改组煤矿管理制度。当时，许多大一些的矿井仅地面上的管理机构就设有22个部门领导职务（从矿长到技术宣传主任、马房主任）。决议要求精简机构，克服官僚主义。还提出纠正工资制度中的平均主义，实行累进计件工资，增加奖金，增加技术人员的工资等。1935

[1] 《关于发展苏联国民经济的第二个五年计划》，《苏联共产党代表大会、代表会议和中央全会决议汇编》，第4分册，第358—368页。

年出现了多年来第一次的超额完成任务，工业增长不是计划规定的16%，而是22.3%。

第二个五年计划前期获得的成绩使领导人再次要求加快发展。国家计划委员会最初建议1936年的投资为177亿卢布，后增为190亿。1935年7月，斯大林在党中央会议上支持220亿投资的建议。12月，政治局通过1936年发展计划，规定投资316亿卢布，其中工业投资增长23%。1936年10月，又把投资增加为361亿卢布。实际上，只完成318亿卢布。这一冒进导致未完成项目增多，产品质量下降，部门发展比例失调，预算失衡。国家计划委员会不得不降低1937年的指标，基本投资定为286亿卢布，重工业增长率由上一年的34.4%降为28.6%。1936年7月19日，人民委员会通过了国家计委的方案。1937年2月至3月中央全会后，镇压活动加强，许多企业领导遭迫害，经济发展速度下降。"二五"期间，工业年均增长17%。[1]

第二个五年计划期间，基本建设投资没有达到计划的1334亿卢布，仅为1147亿卢布，其中工业投资也没有达到计划的695亿卢布，实际为586亿卢布。[2] 工业建设的基本战线依旧过长，经济效益差，财政赤字大。计划1932年的货币总量为10.7亿卢布，实际是40亿卢布，1933年则达到64亿卢布。

第二个五年计划期间，工业总产值增加1.2倍（"一五"期间仅增加1倍），年均增长17.1%。农业总产值增加0.5倍，国民收入增加1倍以上。5年中，共建成4500个大企业。著名的有：克拉马托尔斯克重型机器制造厂，新契尔克斯克机车制造厂，车里雅宾斯克拖拉机厂，乌拉尔车辆制造厂；改扩建了高尔基、莫斯科和雅罗斯拉夫汽车制造厂，克留科夫、加里宁和梅提施车辆厂。这些新建和改扩建的工厂生产出大量机器设备，降低了对国外技术设备的依赖。苏联从1937年起就不再从国外进口锅炉、发电机、化工设备、农业机械和拖拉机。进口黑色金属的支出由"一五"期间的14亿卢布减为"二五"期间的8800万卢布。1934年至1935年的机器进口仅为1931年的1/10。机器进口的比重占国家消费量的0.9%。减少进口使国际贸易由1931年至1932年的

[1] История России XX век. Под ред. *В. П. Дмитренко*. С. 316–317.

[2] *Симонов, Н. С.* Военно–промышленный комплекс СССР в 1920–1950–е годы. Москва, РОССПЭН. 1996. С. 90.

大量入超变为 1935 年的出超。外债则由 1931 年的 63 亿卢布降为 1936 年的 4 亿卢布。促成这一变化还有另一个重要因素——黄金业的发展。1936 年，苏联的黄金开采量居世界第一位。“二五”期间，苏联主要用现金采购外国产品。它在国际市场处于有利地位。

斯大林过分强调经济的独立自主，否定经济开放的必要性，忽视从国外引进资金技术的重要性。苏联对外贸易额由 1930 年的 45 亿卢布，降为 1936 年的 14 亿卢布。1936 年的进口产品不及苏联国内需求的 1%。苏联经济自我封闭，日益孤立于世界经济之外。这严重妨碍了苏联经济的发展。

第二个五年计划期间，重工业有巨大发展，基本上克服了冶金工业落后于整个国民经济增长速度的状况。重工业的产值增长了 1. 4 倍，达到 552 亿卢布，超过计划规定的 20% 以上。1937 年，生铁产量增长 1 倍，达到 1450 万吨，但未达到计划规定的数字。生铁的年均增长量由“一五”期间的 70 万吨增为 170 万吨。钢增长近 2 倍，达到 1770 万吨，超过计划规定的指标。钢的年均增长量由 40 万吨增为 240 万吨。煤炭增长 1 倍，达到 1. 28 亿吨，但低于计划的规定。煤的年均增长量由 720 万吨增为 1270 万吨。

国防工业有很大发展。“一五”期间，国防开支占国家预算的 7%—8%，“二五”期间增长为 12. 6%。[1]1936 年 8 月，根据苏联中央执行委员会决议建立了国防工业人民委员部。在该部属下，有 47 个航空工厂、15 个火炮厂、3 个枪械厂、9 个光学机械厂、7 个导火管厂、10 个坦克厂、10 个船舶制造厂、23 个军事化学企业、3 座生产地雷鱼雷和炸弹的工厂以及 8 座精密机器制造厂等。此外，在该部建制下还设有 57 个军工、科研和实验设计机构，65 所高等和中等学校。[2] 国家拨给国防工业部的建设款项，1936 年为 16 亿卢布，占当年基本建设投资总额(62. 7 亿卢布）的 25. 5%。1937 年，猛增为 30. 37 亿卢布，占投资总额的 52. 5%。[3]1930 年至 1931 年与 1935 年至 1937 年相比较，飞机的年均产量由 860 架增为 3578 架，坦克由 740 辆增为 3139 辆，火炮由 1911

[1] 刘克明：《苏联军事化经济的形成、发展及其主要历史教训》，《东欧中亚研究》1992 年第 5 期，第 2 页。

[2] Новейшая история Отечества. Под ред. *А. Ф. Киселёва.* Т. 2. С. 22.

[3] *Симонов, Н. С.* Военно–промышленный комплекс СССР в 1920–1950–е годы. С. 97–98.

门增为5020门，步枪由17.4万支增为39.7万支。军事工业的快速发展成为五年计划的重要内容和基本特色。

农业机器制造有很大发展。1933年至1937年，共生产出50多万辆拖拉机（按15马力计算），12.35万辆康拜因机，还为农村生产了14.2万辆载重汽车。但是国家除了扩大农业机器生产外，并没有对农业进行像样的投资。

轻工业也有较快发展，产值增加1倍，其中纺织品和砂糖的生产由“一五”期间的减产变为增产。纺织品由1932年的21.64亿平方米增为1937年的30.13亿平方米。砂糖由82.8万吨增为242.1万吨。但从“二五”计划看，轻工业只完成规定的85.4%，即403亿卢布。从增长速度看，轻工业的年增长率没有达到计划规定的18.5%，只有14.8%；而重工业的年增长率则突破原规定的14.5%，达到19%。重工业和轻工业产值的比例，1932年为53.4：46.6；“二五”计划规定到1937年时为49：51，使轻工业占据优势。但执行的结果与计划的指导方针相反，优先发展的不是轻工业，仍旧是重工业。重轻工业的比例变成57.8：42.2，重工业的比重比“一五”时还要大。这说明多数领导仍过分重视重工业，想单纯通过它把苏联建成独立自主的社会主义强国，而忽视人民大众生活水平的提高。“二五”的调整重轻工业比例的计划没能改变这一情况。

第二个五年计划规定要进一步调整工业布局，快速发展落后的东部地区。在上一个五年计划期间，已开始在乌拉尔和西西伯利亚地区兴建现代化企业，但工业的主要部分仍在中部和乌克兰的老工业区。在第二个五年计划期间，国家把将近一半的投资用于东部地区的开发，因为那里基础薄弱，生产项目、道路交通、城市和居民区的建设都需要花费很多的钱。兴建塔什干纺织联合企业的支出超过建哈尔科夫拖拉机厂的费用。在国家的大力支援下，东部地区完成第二个煤矿钢铁基地——乌拉尔—库兹涅茨克联合工厂的建设，并在卡拉干达地区兴建第三个煤炭基地。到“二五”计划结束时，东部地区的钢产量已占到全国钢产量的30.5%，煤炭产量占全国的17%。

第二个五年计划着重指出，“培养熟练工人、技师和工程师，即解决培养无产阶级自己的生产技术知识分子的问题”，[1]是实行社会主义改造、掌握技术

[1] 《关于发展苏联国民经济的第二个五年计划》，《苏联共产党代表大会、代表会议和中央全会决议汇编》，第4分册，第369页。

和提高劳动生产率的决定性条件。斯大林提出“技术决定一切”和“干部决定一切”的口号。在工厂企业中开展掌握新技术、突破生产定额、提高劳动生产率的群众竞赛运动。在这一背景下，出现斯达汉诺夫运动。

А. Г. 斯达汉诺夫是顿巴斯中伊尔明诺矿井的卡迪耶夫斯克的一名普通采煤工。当时，每个采煤工既管采煤也管加固工作面，工作效率很低。为创造新成绩，矿井决定让斯达汉诺夫一人只管朝前采煤，清理和加固工作面的工作则由其他两名有经验的矿工鲍里信科和西加廖夫负责。经过精心准备后，1935年8月30日到31日的夜间，斯达汉诺夫在6小时一班的工作时间里，用风镐开采了102吨煤，超过了一名采煤工普通定额的13倍。这个成绩实际是在特别安排的优越条件下由整个班组创造的。

清晨6点，党委开会，通过下述决议：

1. 把斯达汉诺夫同志的名字登上矿井优秀人物的光荣榜。

2. 给他颁发总额为一个月薪金的奖金。

3. 在9月3日前给斯达汉诺夫同志提供一套技术人员的住房，在里面安装电话。

4. 请求矿管理局长费尔信科同志准予矿长用矿上的钱为斯达汉诺夫同志的住宅配备一切必要的沙发用具。

5. 请求“五一”煤矿工人委员会主席伊格纳托夫同志和煤矿工人工会中央理事会主席施密特同志发给斯达汉诺夫同志家庭疗养证。

6. 从9月1日起在俱乐部中指定两个专座给斯达汉诺夫及其妻子看电影、看演出和参加各种各样晚会。

7. 9月10日在斯达汉诺夫的新居中举办晚会，邀请矿井的知

斯达汉诺夫与顿巴斯矿工

名人士、风镐能手格里申、斯维利多富、穆拉什柯和伊佐托夫同志来参加。

8. 宣布开展采煤工争当掌握技术的优秀风镐能手的竞赛。

9. 向所有的区段的领导、党小组长、工会小组长和矿委员会建议：

a）不迟于9月2日，所有的区段都要以班为单位研究斯达汉诺夫同志的经验和所创造的纪录；

b）9月3日召开采煤工人的专门会议，区段的“三人领导小组”务必参加，会上听取斯达汉诺夫同志讲解他是如何掌握风镐工作的高级技术和用它打破生产的世界纪录的；

c）开展按区段争当矿井段优秀采煤工人的竞赛。

10. 矿党委全体会议认为有必要预先指出并警告那些试图诬蔑斯达汉诺夫同志及其纪录是偶然现象，是杜撰的人们。党委认为这显然是反对我们矿井和我们国家最优秀人物的最凶恶的敌人，而这些优秀人物把一切都献给了执行党的充分利用技术的指示的工作。

党委相信，在斯达汉诺夫同志之后将出现新的英雄，党组织将会高兴地和骄傲地欢迎他们，他们是决心以自己的工作、自己诚实的劳动执行党的充分利用技术的指示的人。[1]

党委的决定十分具体，它通过具体的精神和物质的鼓励，通过对一切怀疑者的警告，组织和领导了学习斯达汉诺夫、开展生产竞赛运动。几天以后，该工段党小组长久卡诺夫于9月3日一班采煤115吨。9月5日，共青团员康采达洛夫一班采煤125吨。9月8日，斯达汉诺夫又突破纪录，一班采煤175吨。9月11日，矿工伊佐托夫一班采煤240吨。不久，阿尔秋霍夫又创造了一班采煤310吨的新纪录。进而，斯达汉诺夫运动很快扩展到其他工业部门、运输部门、国营农场和集体农庄。

1935年12月，联共（布）中央召开全会，对斯达汉诺夫运动给予高度评价，并建议各工业部门都要挖掘企业生产潜力，修订企业生产设备的技术标准和提高生产定额。根据中央指示，各工业部门在1936年提高了13%—47%的劳动定额。与此同时，大力推进累进计件工资制，使斯达汉诺夫工作者获得较

[1] 引自［苏］列利丘克著：《苏联的工业化：历史、经验、问题》，第270—271页。

高的报酬和奖励。中央全会还提出了广泛开展工人技术教育的任务，建议重工业人民委员部在最近的三四年内使所有工人都参加技术学习；食品工业中的所有固定工人都进行不脱产的生产技术培训。在第二个五年计划期间，有 140 万工人通过了工厂徒工学校的培训，比“一五”期间增加了一倍。斯达汉诺夫运动与过去的突击运动不同，它不是在原有的旧技术基础上进行的，它的开展促进了工人掌握新技术，企业优化生产管理，形成群众性突破生产定额、创造新的生产纪录的热潮。

工人的这种劳动热情不仅来源于对社会主义的憧憬和摆脱落后的愿望，也源于对大清洗的恐惧。马格尼托哥尔斯克工地的英雄马什科夫策夫说，“须知，斯大林不仅用鞭子，也用蜜糖饼干来推动工作。比如说，他下令枪毙 240 名工作不佳的人，而接着又奖赏 600 名工作优秀的人。就是说，喜悦也很多”。[1] 大规模的迫害镇压引发群众性的狂热。如果有正常的经济和法律人身保证，就不需要劳动狂热。

构成五年计划基本画面的除了工人的劳动竞赛热情外，还有劳改犯和特殊移民的强制劳动。1932 年至 1937 年，开凿了长度为 127 公里的莫斯科—伏尔加运河。1935 年 1 月 11 日，在运河的工地上有 192649 名劳改犯在劳动。1934 年开始铺设外贝加尔湖通往远东的铁路，在其工地和交通线上有 153547 名劳改犯在劳动。在顿巴斯煤矿，北部地区的伐木、开采锌、铅稀有矿石等部门大约有 40 万劳改犯在劳动。全苏共有 731843 名劳改犯在工地劳动，还有 9756 人在押往劳改营途中。[2] 在劳改犯中，有许多技术专家。他们先是在劳改营中干粗活，后来被指派进行科技工作和某些开发研究。他们完全按命令干活，不得有任何违抗。

北极圈地区如沃尔库塔煤田是由劳改犯开发的。最先来这里的是被判刑的地质学家、采矿学家、冻土学家、建筑学家和煤炭化学工业领域的专家。他们被组织在科学生产机关里工作。1931 年组建了国家政治保卫总局乌赫塔考察队地质勘探队，后来改组为沃尔库塔煤炭工业综合体地质勘探

[1] 引自 *Рогалина, Н.* Можно ли отделить советскую модернизацию от ГУЛАГа? // Отечественная история. 2000. No. 4. С. 104.

[2] *Земсков, В. И.* Заключённые в 1930–е годы: социально–демографические проблемы. // Отечественная история. 1997. No. 4. С. 55.

管理总局，再后来成为伯朝拉煤炭地质工业托拉斯。1935 年建立了中央化学实验室，后来改组为伯朝拉煤炭科学研究所。1936 年成立了全苏冻土科学研究站，后改为沃尔库塔煤炭工业综合体的冻土—地质技术研究机构。所有这些科学生产机关都处于双重的监督之下——内务人民委员部和相关的联盟人民委员部，当地的行政机关和科学院。这些科学生产机关的负责人基本上是内务人民委员部的官员。此外还有一大批“业务人员”负责监督劳改犯专家的工作。[1]

此外，政府大量使用特殊移民从事工业建设和生产。特殊移民是被强制迁徙的富农分子及其家属和后代，他们的生产劳动和日常生活都受劳动改造营管理总局（古拉格）监督管理。1935 年春，全苏有 64 万特殊移民在工业部门劳动。1939 年 4 月 1 日，有 531430 名特殊移民在工业和建筑业劳动，有 213407 名特殊移民在森林采伐部门劳动。[2]

劳改犯和特殊移民主要在自然条件恶劣的极北地区、远东西伯利亚和中亚地区进行采金、采煤和伐木等艰苦的生产活动。他们用自己的血汗开发了这些地区，为苏联工业化作出贡献。

政府宣布第二个五年计划于 1937 年 4 月 1 日完成，同“一五”一样历时 4 年 3 个月。但说提前完成不符合事实。经济学家分析“二五”计划的 46 项指标，只有 10 项完成。从总体看，大约完成 70%—77%。[3]

第五节　被战争打断的第三个五年计划

第三个五年计划的制定和实施

1936 年上半年国家计划委员会开始酝酿制定新的五年计划。1938 年 5 月

---

[1] *Маркова, Е. В., Волков, В. А., Родный, А. Н., Ясный, В. К.* Судьбы интеллигенции в Воркутинских лагерях. 1930–1950–е годы. // Новая и новейшая история. 1999. No. 5. С. 76.

[2] *Земсков, В. Н.* Спецпоселенцы. // Социологические исследования. 1991. No. 11.

[3] *Медведев П., Нит И.* Номинальные цели и реальная эффективность адмминистративного управления. // Вопросы экономики. 1988. No. 12. С. 51.

编制出第三个五年计划（1938—1942）草案。1939 年 3 月，联共（布）第十八次代表大会审议并批准了这一五年计划。斯大林在会上宣布苏联“彻底消灭了剥削阶级的残余”，并“在现代新技术的基础上完成了工农业的改造”。“可以毫不夸大地说，从生产的技术装备来看，从工农业的新技术准备程度来看，我国是比其他任何国家都先进的国家”。正是在这种盲目乐观情绪支配下，斯大林提出要在最近 10 年至 15 年内在按人口平均计算的产量方面超过主要资本主义国家，“向共产主义前进”。[1]

第三个五年计划规定要继续高速度发展国民经济。按 1926—1927 年价格计算，基本建设投资将从 1937 年的 1147 亿卢布增加到 1942 年的 1920 亿卢布，增长 67%；国民收入由 960 亿卢布增加到 1740 亿卢布，增长 80%；工业总产值由 955 亿卢布增加到 1840 亿卢布，5 年间增长 92%，年均增长 14%，其中生产资料 5 年间增长 107%，年均增长 15. 7%；消费资料 5 年间增长 72%，年均增长 11. 5%。

第三个五年计划规定了主要工业品 1942 年的生产指标：电力 750 亿千瓦小时，生铁 2200 万吨，钢 2800 万吨，煤炭 24300 万吨，石油（包括天然气）5400 万吨。[2]

第三个五年计划是在国际局势紧张、战争威胁日趋严重的情况下制定和执行的。国防开支显著增加，从第二个五年计划期间占国家预算的 12. 7%，增长到第三个五年计划的 25. 4%。加快对东部的伏尔加河流域、乌拉尔和西伯利亚地区的国防工厂的建设。1938 年至 1940 年，国防工业的年均增长速度达到 39%。

第三个五年计划期间，加强了对职工的监督管理。此前，工人为寻求更好的待遇，经常更换工作。1932 年一年离开顿巴斯煤矿的职工有 42. 3 万人。政府曾采取多种措施，但未能消除职工大量流动的现象。1938 年 12 月 20 日，人民委员会通过决议，自 1939 年 1 月 15 日起，一切国营、合作社企业和机

[1] 《在党的第十八次代表大会上关于联共（布）中央工作总结报告》，《斯大林文集》，第 247、265、282 页。

[2] 《发展苏联国民经济的第三个五年计划（1938—1942 年）》，《苏联共产党、代表会议和中央全会决议汇编》，第 5 分册，第 26、37、13—14 页。

关的工人和职员实行劳动手册制度。上面要记载持有者的姓名、性别、年龄、教育程度、职业；本人工作情况；工作调动和调动原因；受过何种奖励。工人职员参加工作必须交验劳动手册。企业行政只有在验明劳动手册后才能接纳工人职员参加工作。政府进而恢复了一些劳动军事化措施。职工未经领导许可，无权从一个企业转到另一个企业。擅自离职将面临坐牢2—4个月的危险。从1940年6月起，每个工作日从7小时延长至8小时，一周重新变为7天工作。工作人员迟到20分钟就被视为旷工，如果1个月内有7次迟到，就要遭受刑事处罚。生产次品或废品被视为反国家罪行。与此同时，政府也采取了精神和物质鼓励措施。1938年12月，设置了社会主义劳动英雄称号以及劳动荣誉奖章。

由于德国的入侵，第三个五年计划被中途打断。在三年半的期间内（1938—1941年上半年），苏联兴建了3000个企业。工业投资主要用于国防建设上。1938年至1940年间，工业年均增长13%。

第三个五年计划执行得不顺利。其年均增长量明显低于以前。见下表：

第一、第二和第三个五年计划期间苏联主要工业品的年均增长量 [1]

	电力（亿千瓦小时）	铁（万吨）	钢（万吨）	煤炭（万吨）	石油（万吨）	水泥（万吨）	矿物肥料（万吨）	汽车（万辆）	纺织品（亿立方米）
“一五”期间 1929—1932	21	70	40	720	240	40	19.6	11.7	-0.085
“二五”期间 1933—1937	45	170	240	1270	140	40	46.4	42.9	1.7
“三五”期间 1938—1940	41	10	20	1270	90	10	1.66	10.3	1.02

工业化的成绩与问题

苏联工业化显示了中央计划经济的巨大威力。它以超强的力量积累常态下难以得到的大量资金，投向重点工程，创造出众多奇迹（从莫斯科富丽堂皇

[1] Народное хозяйство СССР за 60 лет. С. 20–21.

的地铁到马格尼托哥尔斯克、库兹涅茨钢铁联合企业），缩小了同西方资本主义国家间的经济差距。工业化取得引人注目的成果。以 1913 年为 1，1940 年的工业生产为 7.7，其中第一部类(生产资料生产）的产量为 13，第二部类(消费资料生产）的产量为 4. 6，但农产品仅为 1. 6，畜产品为 1. 1；投资为 5. 7，工业劳动生产率为 3. 8，农业劳动生产率 1. 9。[1]

重工业产品的发展成果特别突出，轻工业也有一定发展。具体见下表：

第二次世界大战前苏联工业品产量的增长情况 [2]

	1913 年 *	1928 年	1932 年	1937 年	1940 年
电力（亿千瓦小时）	20. 4	50. 0	135. 0	362. 0	486. 0
铁（万吨）	421. 6	328. 2	616. 1	1448. 7	1490. 2
钢（万吨）	423. 1	425. 1	592. 7	1773. 0	1831. 7
煤炭（万吨）	2911. 7	3551. 0	6436. 0	12796. 8	16592. 3
石油（万吨）	923. 4	1162. 5	2141. 4	2850. 1	3112. 1
水泥（万吨）	152. 0	185. 0	347. 8	545. 4	577. 3
矿物肥料（万吨）	1. 3	2. 6	17. 5	70. 3	75. 6
汽车（万辆）	0. 01	0. 08	2. 39	19. 99	14. 54
拖拉机（万辆）	—	0. 13	4. 89	5. 1	3. 16
木材（万立方米）	6060	6170	16470	20900	24700
纺织品（亿立方米）	21. 25	21. 98	21. 64	30. 13	33. 2
砂糖（万吨）	135. 2	128. 3	82. 8	242. 1	216. 5
新闻纸（万吨）	19. 7	28. 5	47. 1	83. 2	83. 8
皮鞋（万双）	6000	5800	8690	18300	21200

* 表中的 1913 年产量是按 1939 年 9 月 17 日苏联疆界统计的。

1940 年苏联的工业产量由 1913 年占世界第五位升为第二位，由占欧洲第四位升为第一位。苏联同西方发达资本主义国家之间的差距也在缩小。

对外贸易方面，苏联过分强调独立自主，忽视经济全球化发展趋势，致使同国际经济的交往联系不断缩小。按每卢布等于 0. 987412 克黄金计算，

[1] Народное хозяйство СССР за 60 лет. С. 12.

[2] Народное хозяйство СССР за 60 лет. С. 194、208、206、205、239、213、227、229、232、245、257、237、249.

1913 年的出口额为 11. 92 亿卢布，进口额为 10. 78 亿卢布，共计 22. 7 亿卢布。1940 年的出口额为 2. 4 亿卢布，进口额为 2. 45 亿卢布，共计 4. 85 亿卢布。[1]1940 年的对外贸易额不及革命前的 1/4。

劳动力由第一产业部门大量流向第二和第三产业部门。它在各部门的分布情况，见下表：

第二次世界大战前苏联劳动力的流向情况（%）[2]

	工业	农林业	交通	商业	文教卫生	国家机关	其他
1913 年	9	75	2	9	1	—	与前项共 4
1940 年	23	54	5	5	6	3	4

苏联生产发展的确切数字至今仍然有争论。如 1928 年至 1941 年的苏联国民生产总值（В Н П），官方宣布增长 345%，而一些学者认为是 97%—150%。如果接受后一种看法，战前苏联国民收入的年增长率约为 5%。这当然是个跃进，比革命前的 1885 年至 1893 年的 3. 4% 高出很多，但它和同时期的日本经济发展速度差不多，并非创纪录的。又如苏联的工业生产，1928 年至 1937 年间的年增长率官方宣布为 18. 1%，而一些学者认为是 9%—16%；1928 年至 1940 年间的年增长率官方宣布为 14. 6%，学者认为是 8%—14%。[3] 施梅廖夫、波波夫说，“1922 年至 1928 年这段时期的增长速度要比第一个五年计划（1929—1932）时期高出 2 倍多，比第二个五年计划（1933—1937）也几乎高出 2 倍多”。[4]

美国国会联合经济委员会把苏联社会总产值换算成世界通用的国民生产总值（GNP），并与美国的相应指标进行对比，得出下表的结果。

[1] Народное хозяйство СССР за 60 лет. С. 28.

[2] Народное хозяйство СССР за 60 лет. С. 459.

[3] *Сахаров, А. Н.* История России. Т. 2. М., 2003. С. 584.

[4] *Шмелев Н. Попов В.* На переломе: перестройка экономики в СССР. М., АПН. 1989. С. 76.

苏美国民生产总值对比 [1]

	1913 年	1928 年	1940 年
苏联	950 亿美元	950 亿美元	1760 亿美元
美国	2430 亿美元	3530 亿美元	4200 亿美元
苏为美的 %	39	27	42

上表表明，苏联经济的发展在五年计划期间（1928—1940）确实比美国比资本主义国家快得多。但如果考虑到苏联继承的俄国经济基础而从革命前的年代算起，则苏联国民生产总值仅从 1913 年占美国的 39% 升为 1940 年的 42%，提高得并不多。可以说，五年计划的成绩在相当大的程度上是对前一时期停滞的弥补。不过，在许多重要工业产品方面，苏联的增长幅度同美国相比还是有明显优势，当然轻工产品除外。具体见下表：

苏联和美国工业品产量的比较（苏为美百分比：%）[2]

	电力	燃料	生铁	钢	水泥	棉织品
1913 年	9	8	15	15	13	40
1928 年	4	7	9	8	6	30
1940 年	26	27	35	29	25	37

苏联工业化的具体成果还有待进一步考证确定，不过工业化使苏联经济飞跃发展并形成巨大潜力，则是确定无疑的。

战前的苏联工业化也存在重大缺陷和问题。在经济建设方面，由于片面发展重工业，使农业和轻工业长期处于落后状态。重工业的增长速度大约是轻工业的 3 倍，是农业的 8 倍。这造成经济发展严重失调。苏联军事工业飞跃发展，经济日益军事化，具有“兵营”的面貌。其次，片面强调产值和产量，造成品牌单调，质量低劣，许多产品无人问津，大量积压。另一方面，优质对路

[1] ［美］国会联合经济委员会编：《苏联经济新剖视》，中册，韩克信等译，中国财政经济出版社 1979 年版，第 5 页。

[2] Народное хозяйство СССР в 1967 г. Статистический ежегодник. М., 1968. С. 158–161.

产品奇缺，供应紧张。第三，经济粗放发展。苏联的基本建设投资非常巨大，占到国民收入的25%—30%，但效益低下。国家资源大量消耗和浪费，自然生态环境被破坏。斯大林曾宣布苏联在第二个五年计划期间已“在现代新技术的基础上完成了工农业的改造。我国已经不再有，或者几乎不再有使用落后技术装备的旧工厂和使用古老农具的旧农户了”，[1]实际上，经济中一直大量使用手工劳动。手工劳动者在工业中占35%以上，在建筑工地和铁路运输中占一半以上，在农业中大约占2/3。[2]苏联的劳动生产率只有西方发达国家的1/3—1/10。1940年的基金产值率也维持在1928年的水平上。苏联经济一直没有走上集约化发展道路。

苏联为工业化所付出的代价过于巨大。人们不仅节衣缩食，繁重劳动，而且在社会动荡中付出大量宝贵的生命。数百万人在灾荒中死去，数百万富农分子被流放或处死。党内的斗争更使同斯大林有过不同意见的干部受到迫害和镇压。由于缺乏经验更缺乏深思熟虑的计划，人们对工业化提出了各种不同的看法和主张，这本属正常现象。并且不少人时而激进，时而保守；或在这个问题上激进，在那个问题上保守。应当说，斯大林对苏联工业化的安排处置有自己独到之处，注意利用社会主义的优势和俄国传统的条件。但斯大林的意见并非全对。随着斯大林在斗争中占了上风，斯大林的观点和决策成为唯一正确的，必须服从的。不同于斯大林的意见，尽管其本身或是正确的或是值得注意的，却都被忽视否定，甚至上纲上线定为反党反社会主义的。这使工业化过程中的问题错误长期得不到纠正。党内斗争使苏联工业化具有明显的政治色彩。斯大林借助它把工业化变成为贯彻其意志、排挤打击反对派分子的进程，变成为将政治集权扩大到经济领域的进程。

苏联的工业化是在行政命令和惩罚体制上实施的。它中断新经济政策，限制商品货币关系，否定价值规律和市场机制的作用，把一切经济活动置于指令性计划之下。一些俄国学者认为，“在新经济政策的轨道上工业的进一步高涨没有前景”，“经济的落后性和资本主义的包围不可避免地要提出跃进问

---

[1] 《在党的第十八次代表大会上关于联共（布）中央工作的总结报告》，《斯大林文集》，第247页。

[2] *Горбачев М. С.* Избранные речи и статьи. М., 1985. С. 130.

题，提出使用‘军事共产主义’的方式方法问题”。更多的学者认为，“假如新经济政策不被中止，我们就会在没有痛苦和过度紧张的情况下生产不是更少，而是更多的石油、水泥、钢铁和拖拉机，如果需要的话也可以生产更多的坦克”。[1] 斯大林的行政命令和惩罚机制在人为制造或夸大的所谓遭受内外敌人严重威胁的紧张气氛下得以推行，并取得某些成果。但它终究是一种落后的生产组织管理机制。它使苏联经济在短期内获得爆发性增长，但从本质看却缺乏活力，使新技术革命的开展遇到诸多障碍。“苏联领导人在脱离了社会文化和共同文明的情况下只是重复西方先进国家的技术成就和一些组织形式，这就奠定了后来国家落后的基础”。“斯大林的现代化在对历史的挑战作出回答的同时，也为后来经济的稳定发展，为国家向后工业化发展方面迈进带来了严重的问题”。[2]

关于工业化完成的时间，一种说法是 1932 年。斯大林说，由于胜利地完成第一个五年计划，苏联已经在工业、交通、农业建立新的现代技术基础。“这一切就使我国由农业国变成了工业国”。[3] 第二种说法是 1941 年。斯大林说，“历史性的转变是从 1928 年即第一个五年计划的头一年开始，在三个五年计划期间实现的……我们国家由农业国变为工业国一共只花了十三年左右的时间”。[4] 第三种说法是 20 世纪 30 年代。当前更有第四种说法，认为完成工业化的时间是在第二次世界大战后。列里丘克说，战前只解决了一项任务——建立了重工业，“其他任务是在以后解决的”。索科洛夫认为，战前的工业化只是“触动了同军工综合体相关的一些最重要的部门”，“笨重的、不灵活的经济不能适应新的潮流，将其纳入新的轨道异常艰难”。“苏联只是在 1941—1945 年的战争之后……才具有了更为稳定的‘工业社会’的一些显著特征”。[5]

---

[1] *Шмелев Н. Попов В.* На переломе: перестройка экономики в СССР. М., АПН. 1989. С. 76.

[2] История России с начала XIX века до начала XXI века. Под ред. *Сахарова.* М., 2005. С. 586.

[3] 《第一个五年计划的总结》，《斯大林全集》，第 13 卷，第 164 页。

[4] 《在莫斯科市斯大林选区选举前的选民大会上的演说》，《斯大林选集》，下卷，第 495 页。

[5] *Соколов А. К.* Курс советской истории. 1917–1940. М., Высшая школа. 1999. С. 176.

第三章　20 世纪 30 年代的社会文化生活

有关苏联20世纪30年代的社会文化生活的研究，苏联学者多侧重文化革命的问题，宣扬居民物质文化水平的提高，歌颂文学艺术的繁荣，批判各种反布尔什维主义思想。对流亡国外的作家和诗人所取得的成果则完全否定，也不提及。[1] 苏共二十大后，陆续出版一些文件汇编和专著，[2] 较全面地评述了20世纪30年代的社会情况，也揭露了其中的各种问题。[3]

西方学者大多从极权主义统治的角度描述和分析苏联社会的各种现象，对社会中的积极现象、群众的奋斗献身精神则很少提及。[4]

中国编译出版了相关资料，[5]学者发表了有关苏联文化体制、文化史的专著。[6]

20世纪30年代，许多外国人到苏联参观游览。他们的记述虽非历史著作，却具体描述了苏联当时的社会情况，不失为宝贵资料。中国的革命者和国民政府的代表都有这方面的记载。[7] 法国作家罗曼·罗兰于1935年访问苏联，其

[1] *Ким М., П.* 40 лет советской культуры. М., 1957.

[2] КПСС о культуре, просвещении и науке. М., 1963.; Народное образование в СССР. М., 1974.; Советская культура в реконструктивный период. М., 1988.; *Зезина М., Р. Кошман Л. В. Шульгин В. С.* История русской культуры. М., 1990.; *Георгиева Т. С.* История русской культуры. Юрайт 1999.

[3] *Осокина Е. А.* За фасадом "сталинского изобилия": Распределение и рынок в снабжении населения в годы индустриализации. 1927–1941. М., РОССПЭН. 1998.

[4] Fitzpatrick, Sheila（ed, ）, *Cultural Revolution in Russia, 1928–31,* Bloomington: Indiana University Press, 1978.; Fitzpatrick, Sheila, *Education and Social Mobility in the Soviet Union, 1921–1934,* Cambridge University Press, 1979; Graham, Loren R., *Science and Philosophe in the Soviet Union,* New York: Knopf, 1970; Vera Dunham, *In Stalin's Time: Middle Class Values in Soviet Fiction,* New York, 1976.

[5] 《反对波克罗夫斯基历史观点》，陈启能、李显荣译，三联书店1962年版；张念丰、郭燕顺编：《德波林学派资料选编》，吉林人民出版社1981年版；张秋华、彭克巽、雷广选编：《"拉普"资料选编》，中国社会科学出版社1981年版。

[6] 马龙闪著：《苏联文化体制沿革史》，中国社会科学出版社2007年版；赵秋长、孟爱国、王亚民编译：《俄罗斯文化史》，河北教育出版社2002年版。

[7] 曹谷冰著：《苏俄视察记》，天津大公报馆1931年版；《苏联研究》，申报月刊社编辑，上海，申报月刊社1933年版。

《莫斯科日记》封存50年后重见天日。德国作家福伊希特万格、法国作家纪德也写了令世人注目的书籍。[1]

第一节　教育文化事业的发展

社会主义经济建设的开展，要求劳动人民和各级干部的文化水平相应提高。早在20世纪20年代，苏维埃政权就进行了大规模的扫盲工作，但是克服文盲现象、普及义务教育的任务未能完成。1927年，苏联的识字水平在欧洲居第十九位。1928年，共青团倡议在全苏进行扫除文盲和向文化进军运动。参加这一运动的有100万人之多。他们之中有教师、工程技术人员、医生、大中学生、家庭主妇和工人。他们进行义务教学，但上课用的教室、识字课本、纸张、文具都很匮乏。1930年代初，在莫斯科州和列宁格勒州每10个学员才有一本识字课本，而乌拉尔的许多农村甚至没有课本。经过努力，1939年俄罗斯联邦的9—49岁的居民中识字者占到89.7%。其中城市居民的识字比例为94.9%，农村为86.7%。[2]

全民识字运动

1930年7月25

[1] ［法］罗曼·罗兰著：《莫斯科日记》，夏伯铭译，上海人民出版社1995年版。安·纪德著：《从苏联归来》，郑超麟译，辽宁教育出版社1999年版。Feuchtwanger, Lion. *Moscow 1937: My Visit Decribed for My Friends,* trans. Irene Josephy. New York, 1937; Gide, Andre. *Return from the U. S. S. R.,* trans. Dorothy Bussy. New York, 1937.

[2] ［俄］泽齐娜、科什曼、舒利金著：《俄罗斯文化史》，刘文飞、苏玲译，上海译文出版社2005年版，第271页。

日，联共（布）中央通过了《关于普及初等义务教育》的决议。8 月 14 日，苏维埃中央执行委员会和教育人民委员部下达通知，决定在农村实行四年制义务教育，在城镇实行七年制义务教育。从 1932—1933 学年起，七年制的中学改组为十年制的完全中学。1930 年代，中小学教育发展很快。1927—1928 年——1932—1933 年度，小学由 10. 87 万所增加为 13. 62 万所，学生由 843 万增为 1209 万；中学由 1775 所减为 1261 所，但学生人数由 85. 8 万增为 124. 3 万。[1]

这一时期的教学质量不高。教学条件差，许多班级学生人数超员。更大的问题是教师的水平低。低年级的教师往往只接受过初等教育，而高年级的教师也不过是中学毕业。为了适应普及义务教育的需要，全国统一设立了几种类型的师范学校——中等师范学校（1936 年改称师范学校）、两年制师范专科学校和四年制师范学院。政府更关注的是，制定统一的教学大纲和规范的教学方法，以保证一定的教学质量。但这样一来，教师的教学探索和实验受到限制，生动活泼的教学也被窒息。

一些少数民族没有自己的文字。1928 年，政府设立了拉丁字母推行委员会，为苏联东南部的 36 个少数民族制定文字。其字母共有 33 个。同英文字母相比较，没有 W，多了 ь，同时 C、E、G、N、O、S、Z 等 7 个字母还各有变音字母，以适应各种语音。1930 年代，将拉丁语化的突厥语和鞑靼语文字改为俄语字母。

在第一个和第二个五年计划期间，政府拨出大批款项，新建学校数万所。到 1940 年，全苏有初等和中等学校 19. 2 万所，在校学生达 3000 万人以上。8 岁到 11 岁儿童的入学率从 1928 年的 51. 4%，提升到 1932 年的 98%。到第二个五年计划期间，最终完成普及初级义务教育。1939 年第十八次党代表大会宣称，文化革命业已完结，意即文盲现象已经消灭，初等教育得到普及，一支知识分子骨干队伍已经建立起来。实际上，有些识字者只是刚刚学会读写，而 50 岁以上的居民还有许多文盲。因此扫盲工作在此后的年代仍在继续进行。真正意义上的文化革命更是远未完成。

“一五”初期，学校强调政治教育，忽视科学知识的系统学习；强调集体

[1] 苏联科学院经济研究所编著：《苏联社会主义经济史》，第 3 卷，第 660 页。

扫除文盲运动

精神，推行实验组学习方法，解散教学班，按课程组织学习组，把一批学生同不熟练的指导教师组织在一起共同学习，实行集体考试。1931 年 9 月 5 日，联共（布）中央通过《关于初等和中等学校》的决议，指出“目前学校的根本缺点在于，学校教育没有给学生提供充分的普通教育知识，对完成此项任务，即培养学生具有足够的文化知识，能够牢固地掌握各科（物理、化学、数学、语文、地理等）基础知识，以为升入中等技术学校和高等学校作准备的任务，执行得不能令人满意”。要求“各学科必须根据严格的、精心制定的明确大纲和教学计划，按照严格规定的课程表实施教学”。[1] 这以后，中小学教育秩序逐步走向稳定，制定了统一的教学大纲，编写出版了各类教科书。

大学教育在第一个五年计划时期得到飞速发展。1927—1928 年度，全苏有 148 所高校，1932—1933 年度猛增为 832 所。俄罗斯联邦的高校建设日益规范化。20 世纪 30 年代初，莫斯科大学设理工、生物、哲学、文学、法律经济 5 个系。理工、生物两个系的学习年限为 4 年，其他各系为 3 年。此外，

[1] КПСС о культуре，просвещении и науке. М., 1963. С. 353.

还有为工人入学设的工人预科以及高等师范班。工人出身的大学生明显增加。1928 年占到大学生总数的 25. 4%，1932 年达到高峰，为 58%。后来，比例有所减少，1938 年降为 33. 9%。[1]

1932 年起，进入高等学校都要经过数学、物理、化学、语文和社会学的考试。1933 年 8 月，联共（布）中央通过决定，禁止高校在上课期间进行非学习性集会活动；学生参加社会活动，每人以一种为限，活动时间每周不得超过 4 小时。1934 年，恢复学位和学衔制度。1935 年 12 月 29 日，政治局批准苏联中央执行委员会和人民委员会《关于高等学校和中等技术学校录取》的决定，取消过去一切有关限制非工农出身人员入学的规定。1936 年 6 月 23 日，人民委员会和联共（布）中央通过《关于高等学校的工作和高等学校的领导》的决议，对高校的招生、教学时间、教学工作的组织、高校的领导、高校的制

大学工人预科班学生

[1] ［西德］鲍里斯·迈斯纳主编：《苏联的社会变革》，上海《国际问题资料》编辑组译，三联书店 1977 年版，第 155 页。

度和纪律都作出具体明确的规定。要求贯彻校长一长制，“校长必须由受完高等教育并有本部门科研教学及生产工作经验的人员担任”，“由苏联人民委员会的全国高等学校委员会根据各人民委员部的申请任命和免职”。责成党政组织帮助“校长组织教学工作，建立高等学校的秩序，从而为培养完全合乎当前社会主义建设要求的高度熟练的专家创造必要的条件”。[1] 高等学校经过整顿调整，由 1932 年的 832 所减少为 683 所，但学生人数却由 50. 44 万人增加为 56. 72 万人。它远远超过革命前的 13 万在校大学生的数量。

为了加速专业技术人员的培养，政府决定改变革命前高校人文科学专业比例过大的情况，不断扩大工程技术专业的院系。1928 年 8 月，人民委员会根据党中央指示的精神，规定按狭窄的专业组织教学，以缩短工程技术人员的培养期限。这在一定程度上降低了工程技术人员的专业质量。直到第二个五年计划期间，情况才逐步改变。为了提高在职干部工人的业务水平，政府还广泛开展不脱产教育，设立各种专科夜校、函授学院、厂办培训班等。第二个五年计划期间，高校培养出工程技术人员将近 37 万人，中等技术学校培养出 62 万人，都比“一五”期间增加 1 倍多。

总的来看，居民的文化水平依然偏低。1939 年，俄罗斯联邦 10 岁以上的居民，每 1000 人中只有 109 人接受过中等（包括不完全的中等）以上的教育。

苏联十分重视利用各种媒体和文化机构对大众进行宣传教育。1930 年代苏联出版发行了 8000 多种报纸，1500 多种杂志。报纸、杂志的发行量成倍增加。电台功率强大，不分昼夜用 50 多种语言广播。此外，还设有众多的博物馆、影剧院、俱乐部等。

图书馆在革命后有很大发展。1913 年到 1940 年，图书馆由 139 万个增加为 954 万个；其中收藏的书籍和杂志由 940 万册增为 18480 万册。[2] 政府对这些图书的使用不放心。1930 年教育人民委员部发布指示，要求清洗藏书中思想不健康和有害书籍，并规定“应从大众图书馆剔除革命前出版的书籍并将其转入中央图书馆和教育图书馆”。由于缺少严格规定的清除办法，再加上强调

[1] 《苏联人民委员会和联共（布）中央决议（1936 年 6 月 23 日）：关于高等学校的工作和高等学校的领导》，《苏联共产党和苏联政府经济问题决议汇编》，第 2 卷，第 659、661 页。

[2] Народное хозяйство СССР за 60лет. Москва，Статистика. 1977. С. 599.

清除工作的政治重要性和紧迫性，图书馆工作人员往往把众多有用的图书当做废品一卖了之。1932 年 9 月，党中央监察委员会委员马尔采夫报告说，“在负责这一工作的领导人会议上查明，全部藏书中有 60% 以上遭到清除。有些图书馆被清除的书籍竟高达 80. 9%”。[1] 在列宁格勒，除“应在读者群中积极流通的”书籍之外，其他不应受到清除的书籍均放入“内部书库”，在莫斯科均放入“特别书库”，其目录卡片也从总卡片中抽出，读者不能自由借阅。1932 年 10 月，政治局开会讨论此事，成立以叶努基泽为主席的委员会，检查工作，制定改善图书馆事业的措施。这以后，大量销毁书籍和简单清除的做法被制止了，图书的借阅和使用得到了更有秩序的控制。

马列主义的教育受到特别重视。1931 年 11 月 3 日，苏联中央执行委员会决定将列宁研究院与马恩研究院合并，成立马克思恩格斯列宁研究院。它受联共（布）中央宣传鼓动部领导，负责出版《马克思恩格斯全集》和《列宁全集》。1919 年设立的斯维尔德洛夫共产主义大学于 1932 年关闭。共产主义学院是党的教学和科研机构，后来逐渐变为党的干部训练中心，1936 年被撤销，它的研究机构和主要工作人员转入苏联科学院。1938 年《联共（布）党史简明教程》出版后，党中央决定加强这部书的宣传教育工作。1939 年正式成立了联共(布)中央高级党校，专门培训各共和国、州、边疆区的党政领导干部。

第二节　思想文化领域的批判斗争

对文化工作管理的加强

随着经济领域的变化，思想文化领域也出现巨大变化和激烈斗争。经济发展为文化建设提供越来越多的资金，推动了文化事业的发展。另一方面，文学艺术如社会生活其他方面一样，必须服从社会主义建设任务，宣传党的方针政策。随着计划经济和行政命令体制的加强，党和国家进一步加强了对文化事业的领导，其方法也发生变化。

---

[1] 《马尔采夫关于毁坏藏书现象致鲁祖塔克和雅罗斯拉夫斯基的信（1932 年 9 月 21 日）》，《苏联历史档案选编》，第 11 卷，第 369、366 页。

在20世纪20年代，文化建设的诸多问题都在知识分子的代表大会和党中央的专门会议上讨论。进入20世纪30年代后，这种会议举行得越来越少，许多社会组织停止存在。1929年，全苏有22个社会科学团体，到1940年只保留1个——俄国巴勒斯坦协会。同期，42个文艺创作协会也只留下1个——全俄戏剧协会。另外，新建了苏联作家协会和苏联建筑师协会。13个普通文化教育团体中，被保留下来的有3个，即全苏战斗无神论者协会，全俄自然保护协会和全俄对外文化联络协会。还新成立了全苏革命博物馆之友协会。[1] 社会文化团体在走向统一化的过程中，失去了群众自我管理的独立性。它们不仅受行政部门的领导监督，而且其主要领导人实际上也是国家委派的，日益走向行政化和国家化。

党和国家对文化工作的管理日益严格。1929年，布勃诺夫接替多才多艺的卢那察尔斯基出任教育人民委员。教育人民委员部主要管理学校教育工作。其他文化工作则由陆续建立起来的国家机构管理。

1930年7月30日，联共中央通过《关于俄罗斯联邦出版社的工作和关于统一出版事务》的决议，决定取缔1920年代存在的私人出版社，建立垄断的国家出版社。对书刊出版的书报检查也在加强。一般要进行两次检查：在书刊付印前进行预检，由图书出版总管理局驻出版社的全权代表负责；书刊出版后，再进行复检，由图书出版总管理局中央机关负责。

1931年成立了全苏广播委员会；1933年成立电影摄影工业管理局，隶属于苏联人民委员会。它负责领导电影协会和电影院校，监督电影的思想内容，管理影片的生产和租赁事务。1936年成立了全苏艺术事务委员会，统一领导全苏的文艺工作。第一任主席是前党中央宣传鼓动部副部长 П. М. 凯尔仁采夫。

社会文化团体的改组和文化管理部门的建立，加强了中央的权威，为开展思想文化领域的全国性批判斗争准备了条件。

斯大林的演说和对经济学界诸流派的批判

1929年12月27日，斯大林在全国马克思主义者土地专家代表会议上发

[1] 马龙闪：《苏联文化体制沿革史》，第132—133页。

表讲演，说社会上关于经济问题“流行着各种资产阶级和小资产阶级的理论”；批评理论思想“赶不上”实际工作的需要，要求“理论工作必须赶上去”，必须给资产阶级和小资产阶级理论以“应有的反击”。[1] 斯大林的讲话揭开了思想文化领域批判斗争的帷幕，开始了对学术界的全面整肃。

许多正直的学者因没有为宣扬党的方针政策服务或不合领导心意而遭到无情的批判斗争，甚至被逮捕判刑。在这场斗争中，一些学者全力为自己辩解，请求公正对待自己，但得不到应有的回应；一些人在遭到错误批判的同时，又不公正地指责他人；一些人今天是批判他人的先锋，明天又成了被批评的对象；还有一些人则迎合上级意图，肆意颠倒黑白，陷害无辜。经过这场斗争，确立了高度集中的文化体制。

经济学界在斯大林发表演讲后，不仅对“平衡”论、“自流”论和小农经济“巩固”论进行肆意挞伐，而且对经济理论问题的争论进行政治干预。当时，围绕着政治经济学的对象、抽象劳动的形成、生产力和生产关系之间的相互关系等问题，各派意见分歧很大。以伊·鲁宾为代表的“唯心论”派认为，生产过程本身只创造使用价值，抽象劳动和价值是在交换过程中产生的。因此生产关系（抽象劳动和价值）是同生产过程没有联系的。它是通过商品生产者之间达成的协议“自愿”建立起来的，具有意志和观念的性质。以亚·波格丹诺夫为代表的“机械论”派则相反。他们把抽象劳动归结为生理能量的消耗，对生产关系和生产力作机械主义的、自然主义的解释，忽视甚至否定其社会内涵。这场争论有不少学究气，但对形成社会主义政治经济学还是有意义的。1930年，斯大林在回答斯维尔德洛夫大学学生问及应当如何评价这一争论时说，争论双方都“陷入了学究式的抽象议论”，并断言争论“当然是合乎我们的敌人的心意并对他们有利的”。[2] 斯大林的这一评论不仅简单地否定了正常的学术讨论，而且随意将学术问题提升为政治问题，借以压制不同意见，打击不合心意的人物，整肃学术界。“唯心论”派和“机械论”派双方都被当做敌对思想而受到严厉批判。伊·鲁宾、阿·恰亚诺夫、古·格罗曼等知名经济学家被诬为反革命分子而遭迫害。

---

[1] 《论苏联土地政策的几个问题》，《斯大林全集》，第 12 卷，第 126、127 页。

[2] 《答斯维尔德洛夫大学学生同志们》，《斯大林全集》，第 12 卷，第 166 页。

对哲学界德波林学派的批判

阿·莫·德波林（1881—1963），1903年加入布尔什维克派，1905年革命失败后脱离布尔什维克，并于1907年加入孟什维克。1908年毕业于伯尔尼大学。1917年脱离孟什维克，1928年加入联共（布）。德波林从1920年起，在斯维尔德洛夫大学、红色教授学院和马克思恩格斯研究院任教。1926年起主持《在马克思主义旗帜下》杂志。1929年，当选为苏联科学院院士。

20世纪20年代中后期，德波林学派同机械论者论战，占据优势。它作为辩证论者，影响大增。1930年年初，刚刚毕业留校的马·米丁、当时还在红色教授学院学习的弗·尤金等人按照斯大林批评经济学家的口径向学院院长德波林发难，指责德波林学派只顾埋头解释黑格尔辩证法，理论脱离实际、脱离现实政治经济领域中的斗争，应当对哲学理论"落后实际的状况"承担领导责任。德波林学派的尼·卡列夫、雅·斯滕对这种观点进行反驳，认为反机械论斗争取得重大成绩，哲学战线的形势是好的；认为哲学的基本任务是研究理论，不能以政治代替哲学。双方争论十分激烈。

米丁、尤金等人发表了《关于两条路线斗争的任务》的文章，一方面指出，"对马克思主义作机械主义的修正"是右倾机会主义的理论基础；另一方面又对德波林学派横加指责，说他们没有揭露托洛茨基主义的方法论，忘记了社会主义建设的迫切问题。6月7日，米丁、瓦·拉里采维奇和尤金三人在《真理报》上发表文章，进一步指责德波林学派对揭露托洛茨基表现消极，对辩证法做了形式主义、唯心主义的歪曲，强调哲学的"独特性"而忽视现实政治问题。文章提出要"把哲学问题'政治化'、'现实化'。"《真理报》编辑部对这篇文章加了附注，说它"同意本文的基本论点"。[1] 德波林等10人立即反击，在《在马克思主义旗帜下》发表文章，阐述加强用唯物主义研究黑格尔辩证法的意义，强调哲学的特性，认为应当从哲学观点而不是形式主义地提出当前应解决的问题，应当通过对唯物辩证法的研究并在这一基础上探讨解决过渡时期的政治经济问题。8月，米丁发表《为真正地研究列宁的哲学遗产而斗争》文章，提出

[1] 张念丰、郭燕顺编：《德波林学派资料选编》，吉林人民出版社1982年版，第194—206页。

了德波林学派贬低列宁的作用，忽视马克思主义哲学的列宁主义阶段的问题。哲学争论带上了越来越多的政治色彩，并日益变成学术批判。

10月17日至20日，共产主义科学院主席团就哲学问题举行会议。共产主义科学院副院长 В．П．米留京作报告，认为哲学界存在严重问题。德波林不断插话，与报告人展开激烈争论。这时，联共（布）中央监察委员、党史专家叶·米·雅罗斯拉夫斯基（1878—1943）出面公布了德波林在1908年身为孟什维克时写的一批带有反布尔什维克色彩的文章，力图从政治上一举压倒对方。

1930年12月9日，斯大林接见红色教授学院党支部委员会委员，对这场哲学论战作了政治结论。说“德波林是一个不可救药的人，但必须把他留在编辑部（指《在马克思主义旗帜下》杂志编辑部），以便有人供我们攻击，编辑部内部将有两条路线，但我们将是多数。”[1] 说德波林学派是“用孟什维主义思维的人”，是“孟什维主义的唯心主义者”，其特点是理论脱离社会主义建设实际，以普列汉诺夫哲学贬低列宁主义；认定他们“走上了反马克思主义的道路”，是“最有害的政治派别”。斯大林向米丁等人提出，必须彻底地“审查他们的全部著作，批判他们所写的、所做的、所说的一切。”要展开“全线进攻”。“你们现在的任务是全面展开批判。展开攻击是主要问题。向各个方面展开攻击，向没有攻击过的地方展开攻击”。“为了进行战斗，必须使用各种武器”。斯大林还提出，不仅要清除德波林学派，还“应当揭露普列汉诺夫，揭露他的哲学观点……还有尤什凯维奇、瓦连廷诺夫、巴札诺夫等等。现在应当把他们的全部著作都翻腾出来……”接着又说，“就是恩格斯也不是全部正确……如果这项工作在某个地方涉及恩格斯，那也不是坏事”。很明显，斯大林是要通过批判德波林学派进一步在整个思想意识形态领域开展全面大清查，批判一切与斯大林意见不一致的观点。斯大林认定，“任何背离了马克思主义的倾向，即使在最抽象的理论问题上的背离，在阶级斗争日益尖锐的情况下都具有政治意义”，[2] 力图用政治手段排除一切不利于树立斯大林理论权威的障碍。

斯大林这次谈话后，对德波林学派的批判进入新的政治批判阶段。10月

---

[1] 引自［俄］德·安·沃尔科戈诺夫著：《斯大林：胜利与悲剧》，中册，张慕良等译，世界知识出版社2003年版，第434页。

[2] 米丁笔记。转引自马龙闪：《苏联文化体制沿革史》，第75—76页。

29 日，红色教授学院党支部委员会通过了《关于争论的总结和马克思列宁主义哲学的当前任务》的决议，全盘否定德波林及其学派。1931 年 1 月 25 日，联共（布）中央通过《关于〈在马克思主义旗帜下〉杂志》的决议，解散杂志原编辑部，撤销德波林的主编职务，批准成立以米丁、尤金为主要成员的新编委会。

在强大的政治压力下，德波林及学派的大多数成员先后作出检讨，承认犯有“孟什维主义的唯心主义”错误。

基洛夫被刺后，兴起大清洗浪潮。对德波林学派的批判进一步升级。不仅指责“孟什维主义的唯心主义”是反革命活动的“直接思想掩护”，而且将许多德波林学派成员定为“反革命分子和叛徒”。地位仅次于德波林的哲学界领导人卡列夫则被指控为“死硬的反革命恐怖分子”，“谋杀基洛夫的直接组织者之一”，遭枪决。

有关德波林学派的争论本是一场学术争论，对马克思列宁主义哲学的发展是有利的，也是必要的。但是后来它变成单方面的批判，进而是政治批判、政治定罪，造成严重不良后果。它伤害摧残了一批有造诣的学者。它带来了一系列理论上的片面性，把学术和政治简单地混为一谈，严重阻碍了哲学的正常发展。它践踏了学术民主，借助权势随意给对方扣上政治反动的帽子，助长了学术理论界个人崇拜、个人专断的形成。

对俄罗斯无产阶级作家协会的批判和改组

20 世纪 30 年代初，全苏大约有各种文艺协会 40 个。俄罗斯无产阶级作家协会（拉普）是其中影响最大的文学团体。它在早期有强烈的“左”倾倾向。1925 年联共（布）中央通过《关于党在文学方面的政策》的决议后，拉普开始纠正“左”倾错误，克服专横粗暴的作风。1928 年 4 月至 5 月召开的全苏第一次无产阶级作家代表大会，明确表示赞同和支持拉普的路线，只允许遵循拉普路线的文化集团和流派展开竞赛。1929 年年初，斯大林在《给拉普共产党员作家》的信中肯定拉普路线“基本正确”。[1] 并且表示他对拉普的态度仍“像

---

[1] *Шешуков С.* Неистовые ревнители. Из истории литературной борьбы 20–х годов. М., 1984. С. 33.

以前那样亲密友好”，只要他们克服“派性作风”并放弃“微不足道的”意见分歧，拉普将会得到他本人的支持。斯大林还指出，文艺左翼应该“把它的各个不同部分团结在一个像拉普这样一个单一机构的周围，以便形成一个单一的而不是分裂的整体”。他对拉普的党员作家们表示，“至于领导文学，你们，只有你们和你们的拉普才有资格”。[1] 斯大林的这一表示，不仅把文学的领导权给了拉普，而且默许拉普打垮并吃掉文学界的各个流派和团体，形成大一统的单一机构。

反右倾斗争开展后，拉普重又走上“左”的错误道路。1930 年 9 月，“号召工人突击队投身文学”，主张作家队伍“工人化”。打击“同路人”作家，提出“同路人是没有的，不是盟友便是敌人”的口号。为“使文学生产跟上社会主义建设的步伐”，“符合日常阶级斗争的需要”，拉普强调文学的风格与方法应与不断变化的政治经济发展阶段相适应。号召“建立一种布尔什维主义的、真实的、现实文学，只有这种文学才能用千百万工人（和农民）通晓的方式来表达他们的思想和感情”。提出“为伟大的布尔什维主义的艺术而战”的口号，宣布“描写五年计划以及该时期阶级斗争是苏联文学唯一重要的问题”，苏联作家的基本任务是建设一个文学的“马格尼托哥尔斯克”。1931 年 5 月 4 日，拉普书记处通过决议，以军事命令的语调，要求“所有协会和各个无产阶级作家”，“立即着手对五年计划的英雄人物，即获得列宁勋章和劳动红旗勋章的工厂和工人突击手进行艺术表现”，并说“这一任务必须执行，在两星期内要汇报完成进度”。[2] 拉普已不再是一个社团组织，而俨然像是一个行政领导机构。

在组织方面，拉普以领导者自居，狂妄自大，宗派主义严重，经常把文坛上的个别事件夸大上纲，排挤打击他人。它先是对诗人马雅可夫斯基施加压力，造成“列夫派”[3] 分裂，进而解散。后来又利用沃隆斯基的错误，于 1930

[1] The Journal of Modern History. 1978. No. 7. p. 492.

[2] 《“拉普”资料汇编》，上册，第 393 页。

[3] 列夫是左翼艺术阵线的俄文简称的译音。“列夫派”是围绕着《列夫》杂志而形成的一个文学团体，为首的是马雅可夫斯基。它反对资产阶级文学，主张纪实文学，一直存在到 1929 年。

年4月把“山隘派”[1]打成“反党集团”，予以摧垮。1931年年初又把“文学阵线”派定为“反党集团”，宣布其为“非法”。甚至连“锻冶场”[2]这样的无产阶级作家团体也遭排挤打击，最终被合并进拉普中来。

拉普在向“左”的方向滑行的同时，自身也不断受到比它更“左”势力的抨击。早在1929年10月，《真理报》就刊载文章，说拉普“在党的一般路线问题上没有明确性”，并警告说，“这可能造成一种特别的危险”。[3]后来，拉普总书记阿维尔巴赫被人揭发，说他同“右倾调和主义者”沙茨金[4]划不清政治界限，而拉普理事会又对阿维尔巴赫采取姑息宽容态度。1930年，“文学阵线”派向它发起攻击。随后又陷入同它内部的极“左”翼“潘非洛夫派”的斗争。他们指责拉普主张描写“活人”，而不努力“表现工人”；倡导“心理描写”，表现内心矛盾，贬低了英雄的正面形象；强调题材多样化，冲淡了建设题材的重要意义；对异己的作家和作品批判不力，犯有“腐朽的自由主义”。这些指责得到《共青团真理报》和哲学界新领导米丁、尤金等人的支持，形成对拉普的强大政治压力。拉普领导一方面组织力量进行反击，另一方面不断采取极“左”的措施以表白自己的革命性。

拉普的行径显然不符合形势的要求。它引发无休止的宗派争论，使苏联作家队伍濒于分裂。1931年11月，《真理报》编辑部书记列夫·麦赫利斯出面发表文章，指责拉普“落后于新形势提出的要求”，在“党的一般路线”上，同全党的“步调”“不够一致”，没有表现出足够的“列宁主义的不调和性”。[5]这篇文章实际传达了党中央的声音。面对这一形势，拉普赶忙出来检讨错误。

[1] “山隘派”是以沃隆斯基为首的文学团体，主张创作自由，因定期出版文集《山隘》（1924—1928）而得名。1923年成立，1932年解散。

[2] “锻冶场”是以《锻冶场》杂志为中心而形成的文学团体，成立于1920年。成员是从莫斯科无产阶级文化协会中分裂出来的诗人，代表人物有亚历山大罗夫斯基。1931年并入拉普。

[3] Правда，1929. 20 октября.

[4] 曾任苏联共青团中央第一书记，1930年代初被牵连进瑟尔佐夫—洛米纳泽反对派案件，后遭镇压。

[5] Правда. 1931. 24 ноября.

1931 年 12 月，召开第五次理事会会议，承认并检讨自己的错误，但没能挽救覆灭的命运。斯大林改变了原来的设想，他对拉普总书记阿维尔巴赫同沙茨基有政治牵连感到不满和担心，决定不再以拉普为核心组建全苏作家协会，而是解散拉普另建单一机构。1932 年 4 月 23 日，联共（布）中央通过《关于改组文学艺术团体》的决议，宣布取消拉普，解散所有的文学团体和派别，成立苏联作家协会。拉普所作的文学专政美梦顷刻间烟消云散，阿维尔巴赫被发配到边远地区，苏联文学史上最愚昧的插曲也随之结束。各种各样的文学艺术团体并入统一的中央协会之后，在中央集中领导下，走上单一的规范化道路。

斯大林的信和对史学工作者的批判

1931 年 10 月，《无产阶级革命》杂志第 6 期发表了斯大林的《给〈无产阶级革命〉杂志编辑部的信》，标题是《论布尔什维主义历史中的几个问题》。在信中，斯大林把历史学家斯卢茨基的文章《布尔什维克论战前危机时期的德国社会民主党》定性为“反党的半托洛茨基主义的论文”，对《无产阶级革命》杂志把它作为供讨论的文章刊载在 1930 年第 6 期上提出“坚决抗议”。说编辑部刊登此文，把“列宁的布尔什维克主义立场问题”、“布尔什维主义的公理问题”拿来讨论，是“犯了腐朽的自由主义”。

斯卢茨基的文章探讨了列宁和布尔什维克党在第一次世界大战前对待德国社会民主党的态度问题。作者肯定了列宁的功绩，但两次提到，列宁在战前对考茨基中派主义的危险有某种程度的估计不足。这一提法是否正确是可以争论的，在此以前史学界已就相关问题进行着争论。斯大林把学术问题一下上纲为政治问题，把斯卢茨基说成是“反党”的“托洛茨基主义伪造者”。斯大林还进一步指责其他的“历史学家”和“著作家”，其中不仅包括他所谓的“托洛茨基主义的私贩”，而且也包括“不带引号的历史学家”，“我们的布尔什维克历史学家（包括雅罗斯拉夫斯基在内）”——他们也犯了替“私贩”历史学家“助长声势的错误”。[1]

斯大林的信发表后，掀起审查批判浪潮。斯卢茨基被开除出党，被开除

---

[1] 《论布尔什维主义历史中的几个问题》，《斯大林全集》，第 13 卷，第 76—77、89—90 页。

出共产主义研究院历史研究所和马克思主义者历史学家协会。《无产阶级革命》杂志被勒令停刊一年，编辑部被全面改组。所有已经出版和准备出版的历史著作都遭审查。和斯卢茨基有联系的学者和单位都受到牵连。斯维尔德洛夫大学世界史教研室主任 P. C. 弗里德兰因邀请斯卢茨基到校讲课而被解除职务。共产主义研究院历史研究所作出书面检讨，在 1931 年 11 月写给学院主席团的汇报中说："研究所在执行斯大林同志给《无产阶级革命》杂志的新的指示方面作了以下工作：(一）重新审查了历史研究所的研究人员，并把那些伪造布尔什维主义历史或者无法执行根据斯大林的信的指示精神向历史科学提出的那些任务的研究人员开除出研究所……（四）改变了研究所的组织结构：取消了研究室……建立了研究迫切任务的战斗队"。[1]

批判运动不断扩展。在哲学界，对德波林学派的批判，调子继续升高。在文学界，卢那察尔斯基因为曾给一本后来说是有错误的书写序言而被指责犯有"腐朽的自由主义"的错误。在经济学界，对格罗曼、鲁宾、康德拉季耶夫等人的批判更为猛烈。批判运动还超出了社会科学的范围，在音乐界、医学界开展。

1932 年，联共（布）中央再次关注历史学的情况。8 月，指示要改进社会科学各学科的教学状况，特别指出"以历史的方法对待各种社会科学的教学大纲还不够"。同时，联共（布）中央委托教育人民委员部重新编写历史教科书。1934 年当送审的新教科书被否定后，联共（布）中央和苏联人民委员会于 5 月 16 日作出《关于苏联各学校讲授本国历史》的决议，指出"苏联各学校中的历史教学情况不能令人满意。教科书和教学本身，都流于抽象化和公式化。在本国史的教学中，不是采取生动活泼的方式和依照年代次序叙述最重要的事件和事实以及历史人物的特点，而是向学生讲授一些社会经济形态的抽象定义；这样就以抽象的社会学公式代替了本国历史的系统叙述"。[2] 决议规定在 1936 年 6 月以前要写出《苏联历史》、《近代史》等五本新的历史教科书，并确定了编写小组的人员名单。此外还决定从 1934 年秋季开学时起恢复莫斯

[1] 《近现代的欧洲》，莫斯科 1966 年俄文版，第 508—509 页。转引自《苏联史纲（1917—1937)》，下卷，第 732 页。

[2] Правда. 1934. 16 мая.

科大学和列宁格勒大学的历史系。

1934 年的决议提出了历史学研究和教学中的简单化缺点的问题，实际上是开始把批评的矛头指向史学界权威波克罗夫斯基。

米·尼·波克罗夫斯基（1868—1932），1905 年参加布尔什维克党，十月革命的积极参加者。1918 年 5 月起直到逝世一直任副教育人民委员，同时是共产主义研究院、历史研究所、红色教授学院、马克思主义者历史学家协会、中央档案馆、国家学术委员会的主要领导人，是《红色档案》、《马克思主义者历史学家》、《阶级斗争》、《在马克思主义旗帜下》、《共产主义科学院通报》等杂志的主编或编委。波克罗夫斯基力图用马克思主义观点系统阐述俄国历史。在革命胜利前，出版了五卷本的《远古以来的俄国历史》。革命后，发表了《俄国历史概要》、《十九世纪沙皇俄国的外交与战争》、《十九至二十世纪俄国革命运动史纲》等。他强调阶级斗争和人民群众的作用，强调经济因素的发展，揭露沙皇政府的对外扩张。列宁看了《俄国历史概要》的前两部分，给予称赞。该书被定为中学教科书，一再重版。当然，波克罗夫斯基的历史书籍也存在着重大缺点和错误，对历史的阐述公式化抽象化，简单地否定历史上的当权人物，有某种历史虚无主义和社会庸俗学倾向，夸大了商业资本在俄国历史上的作用。波克罗夫斯基于 1932 年 4 月去世。4 个月后，他就成了中央的批评对象。

1934 年 8 月，分别以瓦纳格和卢金为首的《苏联历史》和《近代史》编写小组提交了各自的编写纲要。中央领导审查后都予以否定。8 月 8 日和 9 日，斯大林、日丹诺夫和基洛夫联名起草了《对〈苏联历史〉教科书纲要的意见》和《对〈近代史〉教科书纲要的意见》。8 月 14 日，联共（布）中央和苏联人民委员会批准了这两份意见书。意见书对近代史如何分期等众多具体历史问题提出明确意见。这表明，尽管是学术问题今后也不再是学者们讨论决定的问题，而是要听从国家领导人的指示。

采取这些措施后，教科书编写工作的进展仍不能令领导满意。1936 年 1 月 26 日，苏联人民委员会和联共（布）中央再次通过决定，批评提交审查的教科书特别是瓦纳格主持编写的《苏联历史》存在着重大缺点和错误。决定指出，“这证明在我们的某些历史学家中，特别是研究苏联历史的历史学家中，还存在着根深蒂固的反马克思主义的、反列宁主义的，而在实际上是对历史科学的取消主义和反科学的观点”，“这些取消历史即取消科学的有害倾向和企图，首先是跟我们的某些历史学家之间所流行的错误的历史观点即所谓‘波克罗夫斯基历史学派’的观点相联系着的”。[1]这是第一次公开点名批判波克罗夫斯基，但没有立即开展大规模的批判运动。

中央决定成立以日丹诺夫为主席的联合委员会，以加强对教科书编写工作的领导。苏联政府还悬赏征求优良的中学三、四年级苏联历史教科书。有46本教科书应征。1937年8月，政府为此而特设的评定委员会通过决议，只评出一个二等奖，并详细论述了应征教科书的众多缺点。8月22日，《真理报》发表社论，指出“应征的这些教科书表明，在历史科学中开始的捍卫马克思列宁主义的斗争还远未结束，被揭露的假历史学家散布的许多有害的‘理论’在我们的史学界中还有生命力”。[2]1938年11月14日，联共（布）中央作出了关于《联共（布）党史简明教程》出版后党的宣传工作的决议，再次严厉批判波克罗夫斯基，说“在历史科学中直到最近还存在的反马克思主义的歪曲和庸俗化现象，是同所谓波克罗夫斯基‘学派’有联系的。这一‘学派’歪曲地解释历史事实，并且违反历史唯物主义，用今天的观点而不是根据产生历史事件的条件来说明历史事实，因而歪曲了历史真相”。[3]

波克罗夫斯基的史学观点确实有可批评之处，纠正其错误对史学发展有利。但这以后的批评不仅是全面否定，而且升级为政治问题。1939年，科学院出版社出版了一本论文集，叫《反对波克罗夫斯基的历史观点》。第二年，又出版了《反对波克罗夫斯基的反马克思主义观点》的论文集。潘克拉托娃（1893—1957）在论文集中发表了《米·尼·波克罗夫斯基历史观点的发展》一文，说“所谓的‘波克罗夫斯基学派’，并非偶然地成了被内务人民委员部各机构所揭露的人民的敌人、法西斯主义的仆佣托洛茨基—布哈林分子、暗害分子、间谍和恐怖分子进行破坏活动的基地。他们在米·尼·波克罗夫斯基的有害的、反列宁主义的历史观点的帮助下巧妙地伪装起来”。“在各种历史会议上，在教研室里，在课堂讨论时，‘波克罗夫斯基学派’中的假历史学家们经

[1] Правда. 1936. 27 января.

[2] Правда. 1937. 22 августа.

[3] 《关于“联共（布）历史简明教程”出版后党的宣传工作》，《苏联共产党代表大会，代表会议和中央全会决议汇编》，第4分册，第503—504页。

常在理论性和历史性的‘争论’的幌子下直接偷运托洛茨基主义的私货，并对马克思列宁主义基础进行公然的修正”。[1] 这样，许多被认定为波克罗夫斯基学派的历史学家遭到迫害，死于非命。知名的有弗里德兰、格林、卢金、皮昂特科夫斯基、塔塔罗夫、瓦纳格、扎伊杰尔等。

第三节　文学艺术的发展变化

社会主义现实主义方针的确立及其对文艺发展的影响

苏联党和政府于1932年4月解散了俄罗斯无产阶级作家协会和其他一切作家团体之后，在5月成立了以高尔基为名誉主席、格隆斯基为主席的作家协会组织委员会，积极筹备组建统一的作家组织。

联共（布）中央非常重视作协的筹备工作，领导展开了对形式主义的批判和关于社会主义现实主义的讨论。形式主义者认为一件艺术作品主要是技巧和方法的总和，作品的结构、体裁、表达方式都有它自身的规律。他们强调美学的标准，追求艺术的目标。形式主义和现实主义相互矛盾，相互冲突，同时又相互充实，推动了文学艺术的发展。这时，形式主义则因否定思想内容是判断艺术价值的最高准则而遭严厉批判和彻底否定。文艺创作的首要任务被定为反映阶级斗争实际，进行社会主义教育。

1932年10月26日，斯大林在高尔基寓所会见作家们。他指出，“艺术家首先应该真实地反映生活。如果他真实地反映我们的生活，那么他在生活中就不可能不察觉到、不可能不反映使生活走向社会主义的东西，这就是社会主义艺术，这就是社会主义现实主义”。[2] 斯大林最终确定社会主义现实主义为苏联文学创作的基本方法。

1934年8月17日至9月1日，第一次全苏作家代表大会召开。日丹诺夫代表党中央向大会致贺词，高尔基作关于苏联文学的报告，布哈林对诗歌问题发表讲话。大会通过作协章程，成立苏联作家协会，选举高尔基为作协主席。

---

[1] 安·潘克拉托娃等：《反对波克罗夫斯基历史观点》，第2、4页。

[2] 转引自秦永立编著：《斯大林年谱》，中央编译出版社1999年版，第258页。

作协章程规定："社会主义现实主义作为苏联文学创作和文艺批评的基本方法，它要求艺术家从现实的革命发展中真实地、历史具体地去描写现实。同时，艺术描写的真实性和历史具体性必须用社会主义精神从思想上改造和教育劳动人民的人物结合起来。社会主义现实主义保证艺术创作有特殊的可能去表现创造的主动性，选择各种各样的形式、风格和体裁"。社会主义现实主义将文学艺术的形式与内容混淆在一起，将文艺教育群众的目的列为首位，把文艺作品的思想内容定为决定一切的因素、判断对错的唯一标准。

斯大林和高尔基

1935 年至 1937 年，苏联作家协会在党中央的领导下，再次开展了对形式主义和自然主义的批判。1936 年，《真理报》和《文学报》刊载了众多文章，如《不是音乐，而是乱弹琴》、《芭蕾舞的矫揉造作》、《论拙劣的画家》等，点名指责导演梅耶霍利德、作曲家肖斯塔科维奇、诗人帕斯捷尔纳克、作家爱伦堡等人为形式主义者，批判的腔调尖锐而又粗暴。

苏联 20 世纪 30 年代的文学艺术发展呈现出一种极为复杂矛盾的景象。大部分作家和艺术家都接受了苏维埃制度，创作出一大批赞美社会主义建设、颂扬斯大林和共产党领导的文艺作品。有些作品具有较高的文学价值。另一方面，统一的苏联作协成立之后，文坛中出现了大一统的局面，失去了活力。文学服务于现实，成为教育武器。社会主义现实主义是苏联文学创作的唯一方法，其他方法都被视为异端。文学艺术上的多种流派、风格、手法随之消失。一些流派和个人符合领导人的口味，被定为学习的样板。巡回派画家风格的绘画被视为造型艺术的范本。莫斯科艺术剧院是戏剧艺术的标本。格林卡和柴可夫斯基的作品是音乐遗产中的范例。对艺术家统统用阶级观点作简单诠释。普希金成了反对专制主义的斗士。列夫·托尔斯泰是“俄国革命的镜子”。高尔基被捧为苏联文艺界的光辉榜样。马雅可夫斯基的创作并不符合社会主义现实主义的标准，却被定为“最优秀、最有才华的时代诗人”。

文艺创作受到严格审查。一方面，单调乏味的颂扬作品充斥市场；另一方面，一些有才华的艺术家由于学术上和艺术上的问题而受到政治上的无情批判，他们的作品被打入冷宫，禁止出版。还有一些文艺家被逮捕，被流放，甚至冤死狱中。

小说的创作

在社会主义现实主义方针指导下，涌现了众多的反映社会主义建设的作品。1930 年出版了列昂诺夫的《索溪》，讲述在苏联北部索溪河畔原始森林中建设一座造纸厂的故事。1931 年出版了沙吉娘的《中央水电站》，1932 年出版了卡达耶夫的《时间呀，前进!》，描述了乌拉尔建设工地上一支混凝土突击队的紧张劳动场面。1938 年出版了克雷莫夫的《油船德宾特号》，马雷什金的《来自穷乡僻壤的人们》。前一部小说叙述油船乘务员提高觉悟，团结协作，战胜困难，完成运输任务的动人事迹。第二部小说展示了偏僻农村青年来到克拉斯诺亚尔斯克化工厂，如何从小生产者变为社会主义大企业主人的历程。革拉特科夫在 1925 年发表了《水泥》（一译士敏土）后，又在 1933 年出版了《动力》，描写第聂伯河上一座水电站的建设情况。塑造的主人公形象单调苍白。他驾驭一切，克服所有困难，取得胜利。反映农业集体化运动的小说有潘菲洛夫的《磨刀石农庄》（1928—1937），肖洛霍夫的《被开垦的处女地》第一部（1932）。

社会主义现实主义要求塑造无产阶级正面人物。绝大多数文艺作品中都推出了这样的光辉形象，其中最为突出的是《钢铁是怎样炼成的》一书的主人公——保尔·柯察金。这部书是尼古拉·奥斯特洛夫斯基（1904—1936）在双目失明、全身瘫痪的情况下以惊人的顽强毅力写成的。他用火热的语言讲述了一名普通工人经历内战烽火的考验、忘我劳动的锤炼、各种疾病的折磨，锻炼成为钢铁般无产阶级坚强战士的感人事迹。这部书在 1934 年出版后，引起巨大反响。青年人把保尔·柯察金这一英雄人物当做自己学习的榜样。但是，书中的某些章节由于不符合当时的精神，出版时被删去。

肖洛霍夫

这一时期最引人注目的史诗性巨著是《静静的顿河》，作者是米哈伊尔·亚历山德罗维奇·肖洛霍夫(1905—1984)。小说分为4部，共8卷，于1928年、1929年、1933年和1940年陆续出版。小说描述了顿河地区从第一次世界大战到十月革命胜利、国内战争结束这一时期的巨大变化，真实地展示了哥萨克社会的风土人情以及革命浪潮对哥萨克传统习俗的冲击。小说塑造了众多性格鲜明的人物形象，既有地主资本家，也有共产党员、村镇干部。对妇女形象的描写更是生动具体。小说的主人公葛利高里是一个复杂而又有个性的人物，是顿河哥萨克中农的一种独特的象征，在经历多次动摇和挫折后不得不归顺苏维埃政权。小说场面宏大，气势磅礴，语言丰富生动，描写细腻深入，人物形象饱满，全无粉饰和说教，深受读者喜爱，享誉国内外。

阿列克谢·尼古拉耶维奇·托尔斯泰（1883—1945）创作了描写俄国知识分子命运的巨著——《苦难的历程》三部曲。第一部《两姐妹》（1922）讲述知识分子面对沙俄末年腐败堕落的悲伤感受。第二部《一九一八年》（1928）展示了四名旧知识分子在国内战争中的曲折经历和内心的重重矛盾斗争。第三部《阴暗的早晨》（1941）讲述他们各自经历一段“苦难的历程”之后，最终走向革命才获得真正幸福。三部曲以细腻的笔锋描写了各种人物的不同性格，揭示了社会动荡时期知识分子的复杂内心世界。

蜚声世界的高尔基1928年回国后，像是囚在金丝笼中的一只金丝鸟，晚年的创作并不多。在1925年至1936年撰写了《克里姆·萨姆金的一生》，第四部未能完成。这部巨作描写了从沙皇尼古拉二世加冕到二月革命期间的一系列重大事件，并通过萨姆金的一生深刻揭露和鞭笞了市侩习气。高尔基的政论观点是自相矛盾的。他曾说，“我发现，在我国，到处都在滥用‘阶级敌人’和‘反革命分子’等词语，特别是那些平庸之辈、毫无社会价值的人、冒险家和‘贪图私利者’，更是频繁地使用这些词语”。[1] 但迫于政治需要或者政治压力，高尔基又不顾客观事实，在 1931 年 3 月发表文章《关于一个神话》，反驳西方报刊有关苏联大量使用强制劳动和囚犯劳动的报道，说这是“卑鄙下流的污蔑”。[2] 随后，组织文化界人士参观白海—波罗的海运河工地。发表众多文章书籍，不仅歌颂党的伟大，而且赞美国家政治保卫总局的英明和人道精神。

这一时期出版了许多历史题材的长篇小说。人物传记有：阿·托尔斯泰的《彼得大帝》第二部（1934）；鲍罗金的《德米特里·顿斯科依》记述了 14 世纪莫斯科大公的事迹；维·希什科夫的《叶梅利扬·普加乔夫》（1938—1945）歌颂了农民起义的领袖；福尔什的《拉吉舍夫》阐述了俄国启蒙主义学者的一生。关于日俄战争，有诺维科夫-普里波依的《对马》和斯捷潘诺夫的《旅顺口》[3]（1940—1941）；谢尔盖耶夫-倩斯基的《塞瓦斯托波尔激战》（1937—1939）描写了克里木战争时期的塞瓦斯托波尔防御战；法捷耶夫的《最后一个乌兑格人》（1936）叙述了内战和反对日本干涉的历史。

儿童文学方面，出版了马卡连柯的《教育诗》，讲述流浪儿童被教育成有用新人的故事。盖达尔连续发表了《革命军事委员会》（1926）、《学校》（1930）、《远方》（1932）、《少年鼓手的命运》、《铁木尔和他的伙伴》（1941）等中、短篇小说，描写少年儿童的美好心灵和勇敢行为。伊林发表了许多科学题材的文学作品，如《十万个为什么》（1924）、《五年计划的故事》（1930）、《山与人》（1935）、《人是怎样成为巨人的》（1935）、《物品的故事》（1936）。

---

[1] 引自［俄］格奥尔吉耶娃著：《俄罗斯文化史 —— 历史与现代》，焦东建、董茉莉译，商务印书馆 2006 年版，第 558 页。

[2] Известия. 1931. 5 март. 不过 1992 年 1 月曾被关押在索洛维茨集中营的利哈乔夫院士说，高尔基赞美劳改营是有条件的：“上面让高尔基明白，如果他能消除对劳改营的指责，将放松对劳改营的管治……高尔基遵守了诺言，而刽子手们没有遵守。”（见蓝英年、朱正：《从苏联到俄罗斯》，东方出版社 2007 年版，第 151—152 页）。

[3] 此书无视中国主权，美化沙俄。后获斯大林奖金。

斯大林和高尔基，1932 年

这一时期，讽刺文学受到质疑，但仍出版了一些讽刺小说。左琴科（1895—1958）善于用通俗语言嘲讽生活中的丑恶现象，先后发表了《青春复返》(1933)、《一本浅蓝色的书》(1935)、《生病的故事》(1936)、《快点睡吧》(1936)、《最后一次不愉快的事件》(1938) 等中短篇幽默讽刺小说。

普拉托诺夫在 1934 年写成了中篇讽刺哲理小说《初生海》，用怪诞夸张的手法讲述了一个国营肉类畜牧场领导所做的种种蠢事。读了作品使人既感可笑，又感可悲，也发人深思。《初生海》长期被禁止出版。布尔加柯夫的作品也遭到批判。他在 1930 年代呕心沥血、八易其稿写成的《大师玛格丽特》也只是在他死后 26 年（1966）才得以出版。这是一部具有独特形式的讽刺哲理小说。它把古代犹太国的历史传奇同 1930 年代莫斯科社会生活糅合在一起，评述善与恶、美与丑、真与假等问题。

20 世纪 30 年代的苏联文学创作出众多歌颂社会主义建设和英雄人物的作品，但也存在浮夸、简单化、唱高调的倾向。不少作品回避现实生活和民众内心世界中的错综复杂矛盾，除揭露敌人的罪行外，只会用单一色彩夸张地进行歌颂，堆砌豪言壮语，进行乏味的说教，用生硬的笔墨刻板地图解党的政策、领导的指示。

诗歌的创作

1930 年代是苏联经济建设蓬勃开展的时期。与此相应，诗歌也由对革命的浪漫歌颂转为注重生活，将叙事与抒情结合在一起。

最有名的乡村主题的诗歌是特瓦尔多夫斯基的《春草国》(1936)。这部长诗共有19章3000多行。它的结构是传统的，农民为寻找幸福而四处游历，是仿照涅克拉索夫的《谁在俄罗斯能过好日子》的模式写成的。长诗描述一个中农一心寻找世外桃源式的春草国，孤零零地走在变革中的大地上，与农村现实不断发生碰撞，最后走上集体化道路。帕·瓦西里耶夫的《盐堆》(1933)和《富农》直接描述了农村的阶级冲突。他的诗极富特色、大胆且真实。这在当时是惊人的，以致有人批评他是在“美化富农生活”。年轻的诗人为此在大清洗中遭到迫害。

吉洪诺夫发表了《尤尔加》(1930)和《卡里季河颂》(1935)两本诗集，歌颂劳动者的功勋，赞美中亚和格鲁吉亚的社会主义建设。列别杰夫-库马奇的《祖国之歌》(1936)欢快地唱着，“我们祖国多么辽阔广大，它有无数田野和森林”，尽显人民对祖国的热爱和自豪。

1920年代，爱情诗、山水诗等是文学的禁地，诗人大都徘徊在这类永恒主题之外。20世纪30年代，这类诗歌虽然不时被批评为“小资产阶级情调”，“不协调之音”，但已无法阻止其再度兴起。乌特金的《献诗》、《重逢》(1939)，施帕乔夫的《要学会珍惜爱情》(1939)，阿丽格尔的《致旅人》(1939)都大胆赞美爱情。伊萨科夫斯基更是写下了众多群众喜爱的抒情诗，后来大多收入到诗集《诗与歌》(1938)中。他的诗生活气息浓厚、情节生动、感情细腻、优美抒情；同时又节奏明快、朗朗上口、极富音乐性。他的诗如《有谁知道他》(1938)、《在井边》等被谱成歌曲广泛传唱。

鲍里斯·帕斯捷尔纳克(1890—1960)在20世纪20年代已成为同马雅可夫斯基、叶赛宁齐名的大师级的苏联诗人。20世纪30年代初，他又发表了《斯佩克托尔斯基》(1931)、《再生》(1932)等诗集。1933年至1943年间，他没能在苏联出版任何作品，只得靠翻译为生。战后才又重展其天才。

著名的诗人还有奥西普·曼德尔斯坦姆(1891—1938)。他出生于犹太商人家庭。他的诗作《石头集》和《追悼亡人的酒宴》把严谨的词语和轻松的韵律融为一体，不时透露出悲伤和忧郁的情绪。他的作品不合时代潮流，1928年以后一本也没有在苏联出版过，只有极少数的几首诗偶尔在期刊上发表。据说，他写了一首有关斯大林的讽刺诗，为此于1934年被捕。1938年死于押往西伯利亚集中营的途中。直到1974年，莫斯科才出版了一本曼德尔斯坦姆选集。

安娜·阿赫玛托娃（1889—1966）是另一位著名诗人。她原名安娜·高琏科，由于她一直用其祖母的姓发表诗作，因此她以阿赫玛托娃闻名于世。她的诗作如《白云集》、《车前草集》、《公元1921年》等很受读者欢迎。众多的爱情诗抒发着作者的深邃情感，倾诉着人世间的悲欢离合，描绘着各种不幸爱情的幻灭，以及激情和禁欲、犯罪和赎罪的交错混合。她的诗作被誉为“女性的抒情日记”。阿赫玛托娃的前夫古米廖夫于1921年被处死。她作为反革命分子的遗孀，处境艰难。1928年起，苏联没有印行过她的任何作品。直到1940年才出版了一本薄薄的选集《选自六本诗集》。1946年遭到严厉批判。斯大林逝世后，才得以第二次回到诗坛。1960年代，她的作品大量译成外文，享誉世界，被授予意大利的塔奥尔米那奖，牛津大学的名誉文学博士学位。

玛利娅·茨维塔耶娃（1892—1941）是苏联流亡者中的第一流诗人。1922年，她被批准出国，先后侨居柏林、布拉格和巴黎。发表了《山岳之歌》、《末日之歌》、《穿杂色衣服的吹笛人》、《离别俄罗斯以后》、《给儿子的诗》、《故乡》、《桌子》等诗作。可是，她的优秀诗篇并没有得到应有的重视，苏联更是禁止出版她的作品。茨维塔耶娃长期生活在贫困和孤独寂寞之中。1939年回国。丈夫和女儿无辜遭逮捕判刑。茨维塔耶娃在冷漠和敌视中，精神崩溃，于1941年悬梁自尽。1965年，厚达800页的茨维塔耶娃诗集出版，受到赞誉。茨维塔耶娃的诗同曼德尔斯坦姆、阿赫玛托娃的诗不同。她的诗激烈奔放，活泼有力，节奏快速，呼声经常是刺耳的。

随着个人崇拜的盛行，还出版了许多平庸浅显、空洞刻板的口号式颂扬伟大领袖的诗歌。1939年庆祝斯大林60寿辰，报刊以“民间创作”为名，发表了许多冒牌的民间诗歌。

戏剧、电影的创作

1930年代是戏剧创作的活跃时期。高尔基接连发表了三部剧本——《叶戈尔·布雷乔夫和其他人》（1932）、《陀斯吉加耶夫和其他人》（1933）、《瓦萨·日烈兹诺娃》（1935），描述俄国革命时期不同阶层人的心态和命运。

维什涅夫斯基（1900—1951）在1933年发表了《乐观的悲剧》，描述一批起义的海军官兵为革命英勇捐躯，虽死犹生的事迹。这部剧直到战后还不断被搬上舞台。同年，柯涅楚克发表了《舰队的毁灭》，描写了一段确有其事的历史——1918 年黑海舰队水兵为了不让舰只落入德国人手中不得不亲手炸毁它的经历。这两部剧都是用乐观主义的声调赞美了伟大的革命牺牲精神，同时也敲起阶级斗争的警钟。

喜剧创作，无论题材还是表现形式都很丰富，其中较有代表性的有：什克瓦尔金的《别人的孩子》（1933）、阿尔布卓夫的《六个有情人》（1934）、阿菲诺根诺夫的《遥远的泰加森林》（1936）、白俄罗斯剧作家克拉比瓦的《谁笑到最后》（1939）、柯涅楚克的《在乌克兰草原上》（1940）等。这些喜剧在嬉笑诙谐中或反映各类人群的面貌，新旧之间的冲突，或讽刺胆小怕事、贪图安逸的庸人。

为了庆祝十月革命 20 周年，教育人民委员部组织一批剧作家撰写反映十月革命历史事件的剧本。1937 年，在莫斯科上演了特列尼约夫的《涅瓦河畔》，柯涅楚克的《真理》，波戈廷（斯图卡洛夫的笔名）的《带枪的人》，展示了列宁伟大而平易近人的形象。拉赫玛诺夫的《不平静的老年》（1937）尽管没有直接出现列宁的形象，但他的光辉照耀着剧情的发展。剧本最后以列宁和本剧主人公的通话告终。波戈廷在 1940 年发表第二部描写列宁的剧作《克里姆林宫的钟声》。他在《带枪的人》中展示了列宁领导十月革命的伟绩，在新创作中又进一步表现列宁制定全国电气化计划的气魄。这些剧作成为后来的列宁题材创作的滥觞。革命历史题材创作由此进入一个新阶段。

为了配合大清洗运动，还出现了一批揭露“人民敌人”的剧本，如屠尔兄弟和舍伊宁合写的《对质》（1937）、穆季瓦尼的《人格》、罗马肖夫的《故居》（1938）、索洛维约夫的《异己的人》（1938）等。这些剧本歪曲事实，夸大敌情，颂扬迫害无辜的内务部人员及其领导，是文学创作中的败笔。

1930 年代，政府对戏剧创作和演出的引导和干预不断加强。1936 年，设立了苏联人民艺术家称号，嘉奖优秀的导演和演员。首批获得这一称号的有：К. С. 斯坦尼斯拉夫斯基、В. И. 涅米罗维奇-丹钦柯、В. И. 卡恰洛夫、Б. В. 史楚金、И. М. 莫斯克温、А. В. 涅日丹诺娃等。另一方面，则禁止许多剧本出版和上演。仅在 1936 年至 1937 年一个演出季节里，就将各共和国剧院上演的 19 个新剧中的 10 个撤掉。

电影业取得了重大发展。1931 年出产了苏联第一批有声电影：Н. 艾克导演的《生路》、Г. 科津采夫导演的《独女》和 С. 尤特科维奇导演的《金色的群山》。1936 年，苏联拍摄的第一部彩色影片《夜莺曲》上映。1940 年，苏联立体电影研制成功。苏联发行了许多描写革命历史的电影，如 С. 和 Г. 瓦西里耶夫兄弟导演的《夏伯阳》（1934）、Е. 济甘的《我们来自喀琅施塔德》（1936）、И. 赫依费茨和 А. 扎尔赫依的《波罗的海代表》（1937）、Г. 科津采夫和 Л. 特拉乌贝尔戈的《马克辛三部曲》（1935—1939）、艾尔姆列尔的《伟大的公民》（1938—1939）。М. 顿斯科依根据高尔基原著改编导演了电影《童年》（1937）、《在人间》（1938）和《我的大学》（1939）。这一时期还拍摄了一批历史题材的影片，如 В. 彼得罗夫的《彼得大帝》（1937—1939）、爱森斯坦的《亚历山大・涅夫斯基》（1938）、普多夫金的《苏沃洛夫》（1940）等。音乐喜剧有 Г. 亚历山德罗夫的《快乐的人们》（1934）、И. 培利耶夫的《富裕未婚妻》（1938）。1935 年在莫斯科举办了国际电影节，中国影片《渔光曲》获荣誉奖状。可惜苏联未能将电影节继续办下去，一直停办到 20 世纪 50 年代中期。电影制作和发行受到严格审查和粗暴干预。1935 年停拍报废的影片有 34 部，1936 年有 55 部。1937 年，虽然拍片数量锐减，但仍有 13 部影片被勒令停拍。在那些年里，有 20 部影片在上映后被禁止。

音乐、绘画和雕塑的创作

1932年，成立了苏联作曲家协会。С. 普罗柯菲耶夫于1933年返回苏联后，创作了歌剧《谢苗・科特克》（1939）、《修道院中的订婚礼》（1941）。А. 哈恰图良的音乐创作富于鲜明的民族风格和个性特征，写有《钢琴协奏曲》（1936）、《小提琴协奏曲》（1940）等。Т. 赫连尼科夫写有 3 部歌剧，其中以《冲向暴风雨》（1939）最为杰出。Д. 卡巴列夫斯基于 1933 年写出了第三交响曲《纪念列宁的追思曲》。1938 年以罗曼・罗兰的小说为题材创作了歌剧《哥拉・布勒尼翁》。И. 杜那耶夫斯基是苏联轻歌剧的创始人之一。他写了 12 部轻歌剧，如《黄金谷》（1937）。他还写了许多动听的电影插曲。Д. 肖斯塔科维奇（1906—1975）根据作家列斯科夫的同名小说于 1932 年创作了歌剧《姆岑斯克县的麦克白夫人》（又名《卡捷琳娜・伊兹迈洛娃》），描写一个商人的妻子为追求爱情自由而杀人犯罪的故事。歌剧于1934年在列宁格勒首演，随即在欧美剧院上演。1936年1月28日《真理报》发表《不是音乐，而是乱弹琴》的文章，全盘否定这部作品，致使它停演了20余年。1936年2月6日，《真理报》又发表编辑部文章《芭蕾舞的矫揉造作》，批判肖斯塔科维奇的芭蕾舞剧《清澈的小溪》(1934)。这部舞剧由此遭禁演。肖斯塔科维奇还创作了器乐作品，如《二十四首钢琴前奏曲》(1932—1933)、《第一钢琴协奏曲》(1933)、《第四交响曲》(1935—1936)、《第五交响曲》(1937)、《第六交响曲》(1939)都具有很高的艺术水平，但在当时未得到承认。

在绘画方面，И. 布罗茨基于1930年创作了《列宁在斯莫尔尼宫》，形象朴实庄重，1935年又创作了《高尔基像》(一名《海燕》)。Б. 约甘松创作了《审讯共产党员》(1933)、《在老乌拉尔工厂里》(1937)，展示革命者的英雄气概和工人的抗争精神。A. M. 格拉西莫夫画了许多有关列宁和斯大林的绘画，获得过众多勋章和奖金。C. B. 格拉西莫夫善于捕捉大自然的美景。代表作有《秋》(1935)、《冬》(1939)、《早春》(1940)。他还画了《集体农庄的节日》(1937)，描绘农村的生活。

在雕塑方面，H. 安德烈耶夫创作了有名的《列宁组雕》后，又于1931年至1932年创作了《领袖列宁》。C. 梅尔库罗夫于1937年为莫斯科运河设计了高16米的列宁和斯大林的花岗石雕像，1939年创作了大理石的列宁纪念碑，放置在苏联最高苏维埃会议大厅内。B. 穆希娜在1937年创作了《工人和集体农庄女庄员》。在绘画和雕塑方面出现了追求美观、豪华、冰冷的庄严的倾向。徒有其表的富丽堂皇、毫不实用的装饰，在建筑上占了上风。

第四节　科学技术的进步

随着经济建设的全面开展，科学技术日益受到重视。1927年成立了以科学院院士巴赫为首的全苏促进社会主义建设科学技术工作者协会，其宗旨是克服科学界的反政治倾向。它认定科学院是科学界反动势力的后台，并多次组织群众大会和示威游行，声讨科学界的错误倾向。苏联科学院被迫将工作重点由科研转向对迫切的实际问题进行巡回指导。1930年5月，苏联中央执行委员会批准了苏联科学院的修改章程，确定科学院是苏联最高的科学研究机关，奉行科学与社会主义建设紧密结合的宗旨。这以后，科研机构不断扩大。到1935年，在原有的苏联科学院、白俄罗斯科学院和乌克兰科学院之外，又建立了科学院远东分院、外高加索分院、阿塞拜疆分院、亚美尼亚分院、格鲁吉亚分院、哈萨克分院、乌拉尔分院。苏联科学院下属的研究所和分院总数，由1929年的438个增加到1932年的1028个；科学工作者也由2.26万人增加到4.79万人。[1]1936年，共产主义科学院与苏联科学院合并，一批马克思主义的哲学社会科学专家进入科学院。

苏联科学院的工作被纳入计划之中。一些科学家如巴甫洛夫、韦尔纳茨基院士曾反对把在经济部门制定计划的做法照搬到科研领域，但未成功。1931年编制了第一个科学研究工作的综合计划。1932年年底，为了配合第二个五年计划，科学院制定了自己的第一个五年计划（1933—1937），将同工农业发展迫切相关的一些理论问题列入科学研究计划，将基本理论研究同应用科学的研究密切结合在一起。1932年，苏联科学院组建了140支勘探队，进行了45项综合性考察。1933年，科学院划归人民委员会领导。科学院的自主权被取消。1934年科学院从列宁格勒迁至莫斯科，进一步强化了它与政府部门的联系。

1934年1月13日，苏联人民委员会通过《关于学位和学衔》的决议，宣布建立博士和副博士学位，建立助教（初级研究员）、副教授（副研究员）和教授（研究员）三级学衔，以鼓励科学工作者和推动提高他们的业务素质。

20世纪30年代，蓬勃的社会主义建设和高涨的爱国主义思想激励着苏联学者，他们在许多科学领域取得成绩。

在原子核结构、量子电动力学、晶体物理学、电介质物理学、分子物理学等方面，苏联学者都进行了重要理论探讨。Д. В. 斯科别利策研制出了发现宇宙线的方法。Д. 伊万年科提出了关于原子核由质子和中子构成的理论。А. 约费在研究晶体的牢固性时发现了多层绝缘体。这项发现奠定了现代半导体物理学的基础。

伊·库尔恰托夫发表了几篇关于诱导放射性的重要论文。他领导的研究小组设计出数种基本粒子加速器，并于1937年制出了欧洲第一台回旋加速

[1] 苏联科学院经济研究所编：《苏联社会主义经济史》，第3卷，第674页。

器。1939 年库尔恰托夫的两名助手彼得恰克和弗罗洛夫发现了铀的核裂变。伊·叶·塔姆和伊·米·弗兰克阐释了“切连柯夫效应”，即一些液体受伽马射线照射会激发出一种荧光性。这项发现对激光技术的发展具有重要意义。

K. Э. 齐奥尔科夫斯基的研究成果，使苏联在宇宙火箭理论方面居于世界领先地位。1933 年，成立火箭科学研究所，一批年轻的学者从事火箭运行的实际研究。

在数学方面，И. M. 维诺格拉多夫发表了分析数论；C. H. 伯恩施坦等发表了概率论。

在化学领域，H. H. 谢苗诺夫提出了链式化学反应理论。捷林斯基和巴兰丁发表了有关催化问题的著作。C. B. 列别杰夫研制出用乙醇合成橡胶的方法，这为苏联的合成橡胶工业奠定了基础。

在地理学和地质学方面，研究工作大规模开展起来，发现了大量的矿藏：伏尔加河与乌拉尔之间的石油，库兹涅茨的煤田，乌拉尔的铁矿等。

1937 年巴巴宁率领探险队在北极的漂流的冰山上进行了 9 个月的科学考察。

尼·瓦维洛夫（1887—1943）

20 世纪 30 年代的科学研究工作经常受到人为的干扰。不懂科学的领导用行政命令的手段指挥科研工作，还粗暴地禁止一些学派。遗传学是一门关系民生的重要学科，却被宣布为唯心主义、种族主义的伪科学，遭到严厉批判和禁止。俄国遗传学派的创建人切特维利科夫于 1929 年被流放到乌拉尔，剥夺了从事科学研究工作的权利和条件。世界知名的遗传学家瓦维洛夫被捕后，死于狱中。李森科的春化理论被肆意夸大和宣扬。李森科学派独霸苏联生物学界达 1/4 世纪以上，使苏联的遗传工程和生物化学长期落后于世界。Н. Н. 卢津为首的莫斯科数学学派被宣布为资产阶级的，反动的。著名的物理学家塔姆、福克等人被诽谤为“唯心主义者”和“敌对思想的走私犯”。

在科学研究领域，阶级斗争被人为扩大。1928年的“沙赫特案件”、1930年的“工业党案件”以及随后开展的大清洗运动，使许多优秀的知识分子遭到无辜迫害。著名的飞机设计师图波列夫、后来成为苏联火箭之父的科罗廖夫等一大批科学工作者遭逮捕，在监狱研究所为国家效力，而农业科学院院长亚·伊·穆拉洛夫、乌克兰科学院院士 И. И. 阿格尔等人则被判刑处死。

在大清洗年代，知识分子的科研工作必须按上级的指示去进行，不能更改，不能反对，否则就受怀疑，遭批判。知识分子只能小心翼翼，同时也是胆战心惊地工作，积极性受到极大挫伤。不过，自然科学界受到的控制和打击，总的看要比社会科学界小得多，学者们保有一定的自主地位，也作出更大的成绩。

第五节　个人崇拜的盛行

个人崇拜的兴起

20世纪30年代，苏联社会政治生活中最突出和最重要的内容是对斯大林的个人崇拜。斯大林被当做偶像、当做神。他不仅从来不犯错误，而且是唯一正确、永远正确的领袖、旷世的天才、一切领域中的导师。人们做事都必须按斯大林的指示办，讲话都要颂扬斯大林。

对斯大林的个人崇拜是从1929年祝贺斯大林的50寿辰开始的。这时斯大林已经战胜托洛茨基和布哈林反对派，完全掌握了党政大权。他要进一步提高自己的声望，巩固自己的地位。他的部下及时行动起来。在斯大林寿辰的前几天，各地就悬挂起领袖的巨幅肖像，报纸刊物连篇累牍地登载歌颂斯大林的文章和诗篇。12月21日斯大林50寿辰这一天，举行了盛大的祝寿庆典。《真理报》用8个版面刊载卡冈诺维奇的《斯大林和党》、伏罗希洛夫的《斯大林和红军》、古比雪夫的《斯大林和国家工业化》、奥尔忠尼启则的《坚定不移的布尔什维克》、加里宁的《布尔什维主义的舵手》、米高扬的《布尔什维克党的钢铁战士》等党政领导人颂扬斯大林的文章。多数文章包含有不符合事实的夸大奉承之词。卡冈诺维奇在文章中说斯大林在党的第一批小组建立时，“就是党的最优秀的组织者和建设者”，是《真理报》的组织者；斯大林“在他所参加的党的政治活动的各个时期，跟随列宁，从不左右摇摆，坚定地、一贯地执行布尔什维克党从地下状态到夺取政权后所有时期的久经考验的政策”。伏罗希洛夫在文章中把斯大林描绘成苏维埃共和国的主要救星，把斯大林待过的战场说成是国内战争时期最重要的战场。他说“在1918年至1920年期间，斯大林看来是唯一的从一个战场被派往另一个战场的中央委员，斯大林选择的地方对革命来说是最危险、最可怕的地方”。[1] 同年12月，国家出版社将党和国家领导人的祝寿文章和回忆录汇集一起，出了一本名为《斯大林》的专集。

斯大林十分注意在群众面前的亮相。他衣着朴素，作风严肃，时时着意显示对民众的关怀。另一方面又不苟言笑，不轻易露面和发表意见，有意同民众保持一定的距离。斯大林十分了解长期在封建专制统治下的俄国百姓的心理和要求，努力把自己塑造成为一个让民众既感到亲切又感到高深莫测、令人敬畏的领袖。民众也期待着这种神一般的领袖，苏联体制更极力促成这样一位党和国家的化身、团结和领导全国的权威。在多种因素的作用下，个人崇拜之风迅速兴起。

20世纪30年代，斯大林进一步被吹捧为列宁在世时是列宁的唯一助手，列宁死后是列宁事业的继承者，是活着的列宁。斯大林被当做社会主义的化身，他的讲话被当做各项具体工作的指针。

1931年6月，斯大林在经济工作人员会议上作了《新的环境和新的经济建设任务》的演说。俄罗斯无产阶级作家协会（拉普）的领导人紧跟这个讲话，立即作出一个《关于斯大林的讲话和“拉普”的任务》的决议，说“斯大林的讲话的每一个部分都是艺术作品的有价值的主题”。[2]

曾经受到斯大林赞许的作家肖洛霍夫给斯大林写了许多封信，反映农村正在出现的饥荒和地方党政工作人员的问题，结果受到斯大林的批评，称他只

---

[1] Правда. 1929. 21 декабря.

[2] 《苏联文学史论文集》，外语教学与研究出版社1982年版，第36页。

“看到了问题的一个方面”，而没有看到“地地道道的政治”一面。[1] 遭到领袖批评之后，作家们认识到必须紧跟形势，宣传斯大林提出的政治经济任务，并说完成这一任务会“使我们的文学达到新的和更伟大的高度，并能被前所未有的思想和形象充实起来”。有的作家还赞扬斯大林具有极好的语言天赋，“非凡地精通俄罗斯语言”，文学作品应该学习斯大林的语言风格。作家卡达耶夫说，“斯大林的精湛的语言决定了他的小说《时间呀，前进》的句法结构”。[2]

1934 年联共（布）第十七次代表大会对斯大林的吹捧进一步加强。每位代表的发言都要讲斯大林如何伟大、天才。古比雪夫在作关于第二个五年计划的报告时，一开头就说，“在确定我国国民经济唯一正确的和保证社会主义胜利的发展方向时，在确定预示着正在建设社会主义的我国将获得空前胜利的第二个五年计划的基本环节时，起着主要和基本作用的是我们党和工人阶级的天才领袖斯大林同志。正是他的天才的预见以及对工人阶级斗争的卓越领导，保证了提出第二个五年计划中各种宏伟的、人类史上划时代的任务”。[3] 基洛夫说，“我们党从来没有这样团结一致，从来没有这样坚定地团结在自己的中央委员会和自己的领袖斯大林同志的周围”。[4]

被批判的反对派分子也卖力地称颂斯大林。布哈林称斯大林是“无产阶级部队的统帅，最最出类拔萃的人”，加米涅夫宣布，“我们所处的这个时代……在历史上将成为斯大林的时代，正如前一个时代以列宁时代载入史册一样”。

在各级领导的带动下，对斯大林的个人崇拜迅速升温，达到宗教狂热的地步。整个苏联社会，从中央领导人到普通老百姓，不管是搞政务的、搞经济的，还是搞科技、搞文艺的，在各种场合都颂扬斯大林，对他顶礼膜拜。

人们用前所未有的、即使对沙皇也从未用过的最华丽的、最崇敬的或是最阿谀奉承的辞藻来颂扬斯大林，称他是“伟大的领袖”、“天才的导师”、“苏联各族人民的太阳”、“一切进步的和先进事物的象征”、“一切时代最伟大的人

[1] 《斯大林致肖洛霍夫的信(1933年5月6日)》,《苏联历史档案选编》，第15卷，第695页。

[2] 参见《苏联文学》1980 年第 2 期，第 146—154 页。

[3] 《古比雪夫文集》，学习杂志社 1955 年版，第 334 页。

[4] ［英］伊恩・格雷著:《斯大林 —— 历史人物》，张志明等译，新华出版社 1981 年版，第 320 页。

物”、“我们星球上最伟大的人物”、“一切科学的泰斗”、“永不犯错误的理论家”等。斯大林无论在哪里出现都会受到欢呼。苏联1937年出版的《论苏联宪法》一书中写道，“斯大林同志一走上讲台，全场就长时间热烈欢呼。全场起立。场内到处高喊：‘斯大林同志乌拉！’‘斯大林同志万岁！’‘伟大的斯大林万岁！’‘伟大的天才斯大林同志乌拉！’‘万岁！’‘红色战线！’‘光荣属于斯大林同志！’”[1]

法国著名作家罗曼·罗兰在1935年访问了苏联，亲身感受到个人崇拜的盛行。6月30日，他参观了莫斯科红场上的体育节游行。在日记中他写道，斯大林“像罗马皇帝一样花了6个小时欣赏自己的封神仪式……一排又一排巨大的斯大林肖像在人们的头顶浮动。飞机在空中画出领袖姓名的第一个字母。

1935年5月1日的红场

[1] 《斯大林选集》，下卷，第390页。

人数很多的群众角色在皇帝包厢前唱起颂扬斯大林的赞歌。人们在行进时，目不转睛地看着举起一只弯着胳膊的手站在那儿的他”。“打开任何一张苏联报纸，并阅读任何一篇文章或者在共产国际会议（或者任何其他会议——政治的，非政治的，科学的，专门讨论医学、或体育、或艺术的等）上的发言，你总能在文章或发言中找到最后对斯大林的过分颂扬——‘我们伟大的、我们强有力的同志，我们勇敢的领导人，我们不可战胜的英雄’等。这是每一首诗歌必不可少的段落”。[1]

1936 年，斯大林主持制定新宪法。人们对斯大林的颂扬再次掀起高潮。《真理报》称斯大林是“新世界的天才，这个时代最有智慧的人，共产主义的伟大领袖”。[2]

对斯大林的个人崇拜是 20 世纪 30 年代苏联社会的中心内容，几乎所有的人都这样做。他们这样做，或许由于对斯大林的热爱和尊重，或许由于传统习惯，或许是随大流，或是担心受迫害，更可能是多种因素的汇合。罗曼·罗兰察觉到其中的问题，他说，“向一个人顶礼膜拜”是“不祥的宗教信仰”。[3]

《联共（布）党史简明教程》的出版

1938 年出版的《联共（布）党史简明教程》进一步突出了斯大林，为斯大林个人崇拜提供根据。从此，个人崇拜进入一个新的、无所不包的阶段。

编写联共（布）历史新教科书的问题，是 1935 年 10 月联共（布）中央宣传鼓动部和苏联中央执行委员会学术委员会提出的。联共（布）中央支持这一倡议，成立了以党中央书记日丹诺夫为首的教科书筹备委员会。В．Г．克诺林、П．Н．波斯别洛夫、Е．М．雅罗斯拉夫斯基等人负责执笔撰写。

1935 年至 1937 年，编写组数易其稿，都未能达到斯大林的要求。1937 年春，斯大林致信给教科书的编者，提出不能“仅限于叙述和简单地描写各种

[1] ［法］罗曼·罗兰著：《莫斯科日记》，夏伯铭译，上海人民出版社 1995 年版，第 33、127 页。

[2] Правда. 1936. 25 ноября.

[3] ［法］罗曼·罗兰著：《莫斯科日记》，第 127 页。

派别的斗争的事件和事实，而没有作必要的马克思主义的说明”，并拟定了全书12章的写作大纲。[1]

斯大林对全书进行了修改和增补。斯大林把他首次被选进党中央的1912年布拉格党代表会议特别凸显出来。[2] 他不顾列宁提出的“布尔什维主义作为一种政治思潮，作为一个政党而存在，是从1903年开始的”，[3] 反复强调布尔什维克只是从布拉格会议起，才由一个政治派别“形成为一个独立政党”、“新型的党”，并说这“对于党和革命后来的发展具有重大的决定的意义”。[4]

《简明教程》夸大斯大林在十月革命和国内战争时期的地位和作用，歪曲历史事实，把斯大林抬高为仅次于列宁的领袖，肆意贬低诽谤其他领导人。

它把布尔什维克党的历史写成为阶级斗争和党内斗争的历史，而且是斗争不断激化的历史。把一切同斯大林意见不同的人都定性为钻进党内的资产阶级代表、外国的间谍特务。

它美化斯大林的社会主义建设的实施，将农业集体化说成“与1917年10月的革命变革具有同等的意义”。[5] 将斯大林创建的社会主义建设模式描绘成是列宁主义的继承和发展，是毫无缺点的唯一正确的模式。

斯大林亲自撰写了第4章第2节“辩证唯物主义与历史唯物主义”。把马克思主义哲学简单化、教条化，并把这一节定为唯一的“经典读本”。此后，哲学家们只能作一些注释、解释、颂扬的工作。

经斯大林亲自审定的《联共（布）党史简明教程》最终成为一部讴歌斯大林英明正确、全面阐述斯大林主义的著作。

1938年9月，《真理报》刊载了《联共（布）党史简明教程》全文。后来，又刊登在党中央理论刊物——《布尔什维克》上，进而出版了单行本。从1938年到1953年的15年中，用67种语言发行了4281.6万册。[6]

---

[1] 《关于联共（布）历史教科书》，《斯大林文集》，第176—179页。

[2] 实际上斯大林是在会后增补为中央委员的。

[3] 《共产主义运动中的“左派”幼稚病》，《列宁选集》，中文第2版，第4卷，第181页。

[4] 《联共（布）党史简明教程》，人民出版社1975年版，第159、161页。

[5] 《联共（布）党史简明教程》，第336页。

[6] Советская библиография. Сб. ст. и материалов. Вып. 1（34）. М., 1953. С. 224.

1938 年 9 月 28 日至 10 月 1 日，党中央召开了莫斯科和列宁格勒宣传工作者和党的意识形态机关工作人员的会议。斯大林在会上两次发言，阐明出版《简明教程》的指导思想以及这部书的中心内容。他强调《简明教程》的权威性，说这部教程的“首要的任务”是给党员和积极分子“一个统一的指导”，使他们知道“应怎样表达思想、说明观点、阐述党的方针”。[1]

1938 年 11 月 14 日，党中央根据斯大林发言的精神，通过了《关于“联共（布）党史简明教程”出版后党的宣传工作》的决议。称《简明教程》是“强有力的布尔什维主义的思想武器”，“马克思列宁主义基本知识的百科全书”，要求按《简明教程》来阐述布尔什维克党的历史，来理解马克思列宁主义。决议特别强调，《简明教程》“所要解决的任务是，消除宣传工作方面最近几年来把马克思主义与列宁主义割裂开来的不良现象”。要求确认列宁的学说当然也包括斯大林的学说，与马克思的学说“有不可分割的统一性、完整性和继承性”，确认“列宁及其学生……对于马克思主义理论作出的新贡献”。决议采用隐晦的手法，但却明白无误地告知，通过学习《简明教程》，要把斯大林和斯大林主义提升到和马克思恩格斯列宁平等的地位。在决议的最后部分，又进一步提出“列宁、斯大林党的领导”，以加强对斯大林地位的确认。

决议提出要组织全体党员学习《简明教程》。大批党校在 1936 年至 1938 年大清洗期间被关闭，现在重新建立起来。学习的基本课本是《简明教程》，而不再是马克思列宁的原著。决议还特别注意对知识分子的思想改造，强调“以马克思列宁主义来教育苏维埃知识分子的这个任务，是布尔什维克党最重要的任务之一”。而“《联共（布）党史简明教程》，就是对苏维埃知识分子进行这种教育的工具”。[2]

《联共（布）党史简明教程》的出版发行以及在全苏的学习宣传，使斯大林最终从历史上和从理论上被塑造成为一尊神。斯大林不仅是伟大的政治家、

[1] 《斯大林在宣传员会议上关于〈联共（布）党史简明教程〉的发言（1938 年 10 月 1 日）》，《苏联历史档案选编》，第 11 卷，第 612 页。

[2] 《关于“联共（布）历史简明教程”出版后党的宣传工作》，《苏联共产党代表大会、代表会议和中央全会决议汇编》，第 4 分册，第 501、502、521、510、511 页。

继列宁之后的无产阶级领袖，而且是伟大的理论家和思想家、马克思主义经典作家。斯大林模式、斯大林主义被灌输到苏联社会的每一个角落，渗透到每一个人的学习、工作直至私人生活之中。对斯大林的个人崇拜无处不在，人们也完全生活在其中。

第六节　居民的生活状况

人口状况

20 世纪 30 年代是一个剧烈动荡时期。整个苏联社会、人民的处境跌宕起伏。各种矛盾甚至对立现象交错并存。

1940 年，苏联共有居民 1. 94 亿，其中城市居民为 6311 万，占总人口的 33%，农村人口为 13096 万，占 67%。俄罗斯联邦的城市人口中，15 岁以下的儿童占 29. 3%，16—49 岁的青壮年占 59. 1%，50 岁以上的占 11. 6%。在农村则分别占 40. 3%、45. 7% 和 14. 0%。农村中，儿童和老年人的比重比城市高出 13 个多百分点。

苏联居民的生育率比较高。1940 年苏联的人口生育率达到 31. 2‰。其中，鞑靼、巴什基尔、楚瓦什、马里等少数民族的生育率更在 40‰以上。农村居民的生育率高于城市。但由于农村局势动荡，农村妇女大量参加社会性生产以及农村男子大量涌向城市，农村居民的生育率总体一直在下降。1926 年农村居民的生育率为 46. 4‰，1939 年降为 38. 6‰。

居民生育率的下降以及 1932 年的饥荒，使得人口发展出现恶化现象。为了遏制这一趋势，政府于 1936 年 6 月 27 日颁布了《严禁堕胎法令》。这项法令并未取得预期的效果。它只是在短期内使苏联的生育率和人口总量有所增长，但不久又再次下降。从 1941 年起，国家新增单身税和少子女税，以限制独身人群的扩展。

苏联居民的死亡率也比较高，1940 年苏联的人口死亡率为 18. 0‰，而马里自治共和国达到 29. 1‰，楚瓦什为 26. 5‰。1 岁以下婴儿的死亡率极高，1938 年为 178‰，1939 年增为 188‰，1940 年更高达 196‰。直到 1930 年代末，死亡率增长趋势才得到遏止。人均寿命不断延长，革命前的 1896 年至 1897 年为 32 岁，1938 年至 1939 年为 47 岁，其中男性为 44 岁，女性为 50 岁。[1]

总之，苏联的人口生育率和死亡率均居高不下。1939 年俄罗斯联邦的人口自然增长率，城市为 16.6‰，农村为 18.8‰。总体呈逐渐走低的趋势。[2]

居民的婚姻，革命前都是由教会登记管理的。苏维埃政权建立后，于 1917 年 12 月 18 日颁布《关于公民婚姻、关于儿童和关于户籍登记证的办理》法令，1918 年 1 月 20 日颁布《关于信仰自由和政教分离》法令，[3] 规定男女结婚必须遵循自愿和权利平等的原则，实行一夫一妻制，严禁重婚、逼婚和将婚姻变成经济交易。同时，将婚姻状况登记的权限由宗教部门转为苏维埃国家机关。该法令规定，“俄罗斯共和国今后只承认非宗教婚姻”；结婚男女只有在国家机关办理了相关登记手续之后，夫妇双方的所有权益包括财产权和拥有子女权才会受到国家保护。不过，在 20 世纪 20 年代的苏联现实生活中广泛存在着不进行结婚登记的婚姻。还有不少人在结婚时举行传统的宗教仪式。国家颁布的婚姻法对社会上的婚姻模式影响微弱。1926 年，婚姻法不得不作出补充规定，对那些证据确凿的未登记婚姻关系提供法律保障。20 世纪 30 年代，国家意识形态压力不断加强，情况发生重大变化。1937 年，以正式登记方式结合的婚姻率占到 85%，不经过宗教仪式的婚姻数量也逐渐占了优势。[4]

妇女的社会地位明显提高。她们和男子一样参加各种生产活动。革命前的 1913 年，俄国工业中只有女工 63.5 万，1929 年为 82.7 万，1932 年增为 170 万，占全苏工人总数的 33%。从事科技工作的妇女人数增长得更快。在高级工程师中，1926 年妇女占 3.1%，1931 年增为 7.4%。在农学家中，1926 年妇女占 9.1%，1931 年增为 14%。[5] 妇女的权益得到特别保护。法律规定，不得雇用妇女从事重体力劳动和危险工作。妇女分娩前后各有 8 个星期的产假，工资照发。

---

[1] Народное хозяйство СССР за 60 лет. С. 42–43、69、137.

[2] *Вербицкая О. М.* Население российской деревни в1939–1959 г. г. Проблемы демографического развития. М., ИРИ РАН. С. 93、108–111、117.

[3] Декреты Советской Власти. Т. 1. М., 1957. С. 372、374.

[4] 参见 *Бененсон С. Д.* Права матери и ребёнка. М., 1938. С. 19.

[5] 《苏联研究》，申报月刊社编辑，申报月刊社 1933 年版，第 282—283 页。

居民的物质生活

苏联人民在党的领导下艰苦奋斗，发展生产，扩大国民收入。钢铁煤电的产量成倍增加，但粮食畜产品却连年减产，居民生活水平提高不多。

在 20 世纪 20 年代，几乎所有的马克思主义经济学家都认为，无货币经济是社会主义的基本特征，货币经济在不断退出阵地，计划经济将牢固确定下来。1929 年 11 月，国家计划委员会主席克尔日扎诺夫斯基向苏维埃中央执行委员会报告说，货币的作用在缩小，它的作用很快就会比实物计划次要得多。[1] 许多商品交易所和大集市被关闭。银行机构数目也在减少，1926 年为 1175 个，1930 年 4 月减为 764 个。[2]1929 年实行对粮食、日用工业用品凭证定量供应。人们普遍认为，在零售商业中实行票证制是长久的。著名经济学家加托夫斯基说，票证制是建立自然经济过程中"不可避免的"组成部分。[3]

莫斯科苏维埃于 1931 年 4 月规定的供应标准为：

1. 面包：工人每日 2 磅，其中 2/3 为黑面包，1/3 为白面包。劳动者略少。[4]

2. 糖：工人、劳动者及儿童每月 1500 克。

3. 通心粉面条：在消费合作社有股份的工人每月 750 克，有股份的劳动者为 500 克。

4. 茶叶：工人每月 75 克，劳动者为 50 克。

5. 咸鱼：工人和劳动者每月均为 600 克。

6. 香皂：工人、劳动者及儿童均为 1 块。

7. 人造黄油：工人每月 400 克，劳动者为 200 克。

8. 大米：儿童每月 500 克。

---

[1] 引自*Девис Р. У.* Советская экономика в период кризиса 1930－1933 годы. // История СССР. 1991. No. 4 С. 198.

[2] XⅥ съезд ВКП（б）. Стеногр. отчет. М. –Л., 1930. С. 531.

[3] *Гатовский Л. М.* На новом этапе социалистического строительства. Сб. ст. Т. 2 М., 1930. С. 17–51.

[4] 当时苏联将各种职业分为 91 类，其中 28 类定为工人，其他 63 类为劳动者。

9. 鲜鱼：工人每月 750 克，劳动者为 700 克，儿童为 1000 克。[1]

这些凭证供应的食品和日用品，价格相对低廉，如白面包每磅平均价为 0. 12 卢布，黑面包为 0. 04 卢布，白糖为 0. 58 卢布，黄油为 3. 45 卢布，人造黄油为 1. 45 卢布，咸鱼为 0. 48 卢布，鲜鱼为 0. 55 卢布，牛肉为 1 卢布，鸡蛋每 10 枚平均价为 0. 95 卢布，牛奶每升为 0. 3 卢布。[2]

这种低价的计划供应保证了居民的基本生活需要。但是国家掌握的物品有限，只能向少数居民提供这种凭证供应。1934 年全国有 1. 65 亿人，获得面包票的有 4000 万人，获得肉类票的有 650 万人，获得油类票的有 300 万人。其次，凭证供应的品种和数量也不断在减少。1932 年，联共（布）中央决定取消对鱼类、鸡蛋、牛奶、蔬菜等物品的凭证供应，仅留下对面包、菇类、肉类和糖的凭证供应。

这种供应方式带来了诸多问题。政府宣传它是走向全面消除市场关系、实现产品直接交换的必要步骤。还有人建议用票证代替卢布，以过渡到社会主义分配方式。在这种思想的影响下，商业发展被忽视，国营议价商店、供销合作社和自由市场更受到多种限制。第二次世界大战前，商业网点只有革命前的 40%。由于供应点不够多，再加上货物供应经常不足，人们为买到凭证商品，需要排长队甚至在商店开门之前就去排长队。其次，供应量有限。上面提到的莫斯科供应标准应该说是全苏最高的了，尚且不能满足生活需要，其他城市居民更需要到自由市场购买商品。但后者的价格在 1932 年要高出凭证供应价 7 倍，到 1933 年就高出 11—14 倍。其中，议价商店的小麦面包每公斤为 4 卢布，肉类每公斤为 16—18 卢布，香肠每公斤为 25 卢布，黄油每公斤为 40—45 卢布。居民生活十分艰苦，食不果腹。1930 年是丰收年。但这年 8 月，伊热夫斯克工厂工人写信给人民委员会主席李可夫求助说："救救挨饿的我们！食堂关门。给的是燕麦米稀粥和少量的面包。商店卖给每人半磅黑面包和面粉。其他再没有什么卖的了，这种情况已经一个月了。我们因饥饿而浮肿，干活没有力气。工人逃离生产，卖掉自己所有的东西，只求能

[1] 曹谷冰：《苏俄视察记》，天津大公报馆 1931 年版，第 137—139 页。

[2] 同上书，第 213—214 页。

养活孩子。”[1]

20 世纪 30 年代中，斯大林改变了过去的想法。他在第十七次党代表大会上提出，“扩展苏维埃商业是一个最迫切的任务”，“说我们必须实行直接的产品交换，说货币很快就要取消，因为货币似乎已经变成简单的计算符号”，这是“左倾清谈”。[2]

随着供应情况的改善，废除凭证供应的问题被提上日程。1934 年 11 月，联共（布）中央举行全会，讨论这一问题。斯大林在会上说，新的统一价格远远低于议价商店的价格，这会使农村市场上的商品价格下跌，农民用余粮喂牲口也会有利。因此它将推动畜牧业的发展。其次，取消配给制有利于稳定卢布的行情，巩固苏联的金融体系。最后，过渡到商业将促使商业机构尊重消费者，注意他们的需求，特别是质量方面的需求。[3]

1934 年 11 月 26 日，联共（布）中央全会通过《关于废除面包和其他几种食品的配给制》的决议，认定“国家现在已拥有大批粮食，可以通过在各地普遍实行粮食买卖来完全保证对居民的供应，不必再实行配给制了”。[4] 中央全会决定从 1935 年 1 月 1 日起废除面包、面粉和去壳粮的配给制；取消面包和其他几种食品现行的零售价格（标准价格和商品价格），实行统一的国家固定牌价。从 1935 年 1 月 1 日起，适当提高工人和职员的工资以及学生的助学金和领抚恤金者的抚恤金。1935 年 10 月 1 日起，又取消了肉类、鱼、糖、油和土豆的配给制。1936 年起，取消工业品的配给制。

取消配给制后，工人职员可以自由选择所需商品。市场逐渐活跃起来，还出现了劳动力市场。但并没有解决供应严重不足的矛盾。居民买不到他们需要的东西，只有莫斯科等几个大城市作为橱窗，供应情况比较好。

居民的住房条件恶劣。工业发展，许多农民涌入城市，但住房建筑缓慢。

---

[1] История России. Под ред. *А. Н. Сахарова.* Т. 2. М., 2003. С. 593.

[2] 《在党的第十七次代表大会上关于联共（布）中央工作的总结报告（1934 年 1 月 26 日）》，《斯大林全集》，第 13 卷，第 303—304 页。

[3] Горизонт. 1990. No. 12. С. 8 – 13.

[4] 《关于废除面包和其他几种食品的配给制》，《苏联共产党代表大会、代表会议和中央全会决议汇编》，第 4 分册，第 426 页。

在新兴工业城市中，问题最为严重。在新库兹涅茨克，每人的平均住房面积为1.3平方米，如果不算土窑和临建，每人只有0.44平方米。在克麦罗沃，1936年全市住房总面积中，76%是棚子、木房和土窑。[1]从全国看，城市居民的平均住房面积，革命前为6.3平方米，1940年为6.5平方米。[2]居住条件改善不多。道路建设缓慢。汽车生产了很多，而崎岖不平的土路依然到处皆是。

工人在苏联受到特别关注。在第一个五年计划期间实现了6日工作周，每天工作7小时。工人在工厂享有各种福利，特别是可以得到廉价的午餐。中国驻德公使曾参观列宁格勒一工厂的食堂，在来宾留言簿上留言："蒋作宾于1931年来列宁格勒，得参观共同生活之大厨房，设备完全，且极注意卫生，为工人筹划，可谓无微不至矣，良用钦佩，书此以志纪念"。[3]

1932年12月27日，苏联中央执行委员会和人民委员会通过决议，在苏联实行身份证制度。党中央政治局为此问题设立的专门委员会的主席、苏联中央执行委员会秘书叶努启泽解释实行这一制度的必要性时说，"必须防止广大农业居民在国内各地不受控制的移动"。[4]为此，不给农民发身份证。过了不到一个月，1933年1月22日，斯大林亲自起草并同莫洛托夫联合署名发布了一个绝密的指示，禁止北高加索和乌克兰的饥民前往西部和中部地区。[5]1月23日，乌克兰党中央政治局指示国家政治保卫总局禁止向准备离开共和国的农民出售车票。25日，北高加索边疆区委员会通过了类似的决定。同时，在各交通路口设置检查站。据国家政治保卫总局的资料，到3月初共截获21. 95万人，其中18. 66万人被遣返，其余的人遭审判。[6]

[1] История России. Под ред. *А. Н. Сахаров.* Т. 2. С. 591.

[2] Народное хозяйство СССР за 60 лет. С. 25.

[3] 曹谷冰：《苏俄视察记》，第30页。

[4] РГАСПИ. ф. 81, оп. 3, д. 93, л. 25. 引自 *Данилов В. П. Зеленин И. Е.* Организованный голод к 70−летию общекрестьянской трагедии. // Отечественная история. 2004. No. 5. С. 107.

[5] Трагедия советской деревни. Документы и материалы. Т. 3. М., 2001. С. 634–635.

[6] 引自 *Данилов В. П. Зеленин И. Е.* Организованный голод к 70−летию общекрестьянской трагедии. //Отечественная история. 2004. No. 5. С. 107。

1940 年 6 月 26 日，苏联最高苏维埃主席团发布命令，将 6 日工作周改为 7 日工作周，7 小时工作日改为 8 小时工作日。"禁止职工擅自离开国营、合作社和公营企业和机关"。"只有企业经理或机关领导人，才能批准离开企业和机关或从一个企业转到另一个企业、从一个机关转到另一个机关"。

工人的工资，按劳动人民委员部 1931 年 4 月 1 日公布的标准为：煤矿工业的每月为 90. 25 卢布，五金工业的为 109. 89 卢布，机器工业的为 112. 82 卢布，电器工业的为 132. 16 卢布，化学工业的为 97. 30 卢布，建筑工业的为 103. 92 卢布，棉织工业的为 71. 51 卢布，制鞋工业的为 92. 86 卢布。[1]1933 年工人的平均月工资为 125 卢布。1928 年至 1940 年，工人职员的名义工资增加了 5. 41 倍，而国营商店和合作社的商品价格指数增加了 5. 37 倍，此外人们还要从自由市场去购买高价食品。德国梅尔里教授认为，1932 年苏联居民的实际收入比 1928 年减少了一半。这以后，情况得到改善，但是居民的消费直到斯大林逝世后才超过 1928 年的水平。[2]

苏联实行计时和计件两种工资制，制定了各种详尽的工资等级表、技术等级表和工资率，扩大工资的级差，推广奖励制度。

1940 年城市居民的收入，71. 3% 来自工资；其支出，53. 8% 用于伙食，11. 1% 用于衣物，17. 5% 用于文化生活服务。集体农庄庄员的收入，39. 7% 来自农庄，48. 3% 来自个人副业；其支出，67. 3% 用于伙食，10. 9% 用于衣物，4. 4% 用于文化生活服务。[3] 此外，城市居民要缴纳个人所得税。从 1932 年起，政府按居民固定收入的多少规定不同税率：月工资 100 卢布的工人、职员和合作化手工业者的税率为 0. 83%，月工资 500 卢布以上者的税率为 3. 5%，拥有非劳动收入者的税率为 36%。居民还要购买国债。1927 年，国家开始发行国债。从 1930 年起，向居民摊派工业化国债，其数目超过工人职员的 1 个月工资。国家发行公债的数目不断扩大。1927 年为 10 亿卢布，1936 年增为 48. 32

[1] 曹谷冰：《苏俄视察记》，第 235—236 页。

[2] *Мерль Стефан*. Экономическая система и уровень жизни в дореволюционной России и Советском Союзе // Отечественная история. 1998. No. 1. C. 102.

[3] Народное хозяйство СССР за 60лет. C. 490–491.

亿卢布，1940 年更猛增为 90 多亿卢布。[1]

斯大林在第十八次党代表大会上宣称居民的物质生活得到改善，说“工业工人的年平均工资从 1933 年的 1513 卢布增长到 1938 年的 3447 卢布”。[2] 斯大林在这里只讲了工资数量的增多，回避了物价上涨的影响。据 A. 贝格松统计，苏联居民日用品和服务的产值，按 1937 年价格计算，1928 年为 158 亿卢布，1937 年仅增为 196. 5 亿卢布。[3] 如果考虑到居民数量在这一时期有所增长，那么 1937 年第二个五年计划结束时的居民生活情况最好也就是维持新经济政策后期的水平。普罗科波维奇著书说，一个莫斯科工人在 1913 年每月收入 24. 3 卢布，其个人生活费为 6. 57 卢布，工资是生活费的 3. 7 倍。1928 年，工人每月工资是 70. 2 卢布，个人生活费是 11. 95 卢布，工资是生活费的 5. 6 倍，超过革命前的一般水平。1935 年工资升为 185. 3 卢布，但生活费是 96. 42 卢布，工资仅是生活费的 1. 9 倍，普通工人的工资水平又低于革命前的水平。1935 年后，工资不断增加。1938 和 1939 年达到高峰，每月工资平均为 270 到 287 卢布，相当于个人生活费的 2. 6 倍。尽管这样，它只达到 1913 年生活水平的 75%，1929 年至 1930 年的 50%。1940 年，实际工资下降，每月工资虽有 323 卢布，实际价值却降到 1935 年的水平。[4]

苏联哲学家布尔拉茨基更把斯大林当政时期的情况归结为，“愈来愈贫穷的、实质上半崩溃的农村，技术落后的工业，住房的严重短缺，人民低下的生活水平，千百万监狱和集中营里的囚徒，国家与外部世界隔绝”。[5]

[1] *Зверев, А. Г.* Государственные займы и вклады в сберегательные кассы. Госфиниздат, 1957. С. 20–21; Государственные займы и народные сбережения в СССР. Вологда, 1941, С. 6.

[2] 《在党的第十八次代表大会上关于联共（布）中央工作的总结报告》，《斯大林文集》，第 260 页。

[3] Коммунист. 1991. No. 1. С. 73–74.

[4] ［德］S. N. 普罗科波维奇著：《苏维埃制度下的国民经济》，苏黎士 — 纽约，1944 年德文版，第 304—306 页。转引自鲍里斯·迈斯纳主编：《苏联的社会变革》，第 22—23 页。

[5] ［苏］费奥多尔·布尔拉茨基著：《赫鲁晓夫和他的时代》，赵敏善等译，中共中央党校出版社 1993 年版，第 29 页。

上面的说法有片面性，因为苏联消除了失业，家庭收入普遍因就业人员增多而增加，此外居民还享受着各种社会保障，如免费的教育，低价的住房、水电交通和文娱活动，带工资的休假，免费医疗，养老退休金，贫困救济等。

苏联的住房为国家所有，房租按居住者的收入和家庭人口计算。1930年代初，莫斯科的月房租一般为每平方米0. 25卢布。收入低、家庭人口多的居住者只需付这个租金的1/5。医疗保障事业发达。1913年到1940年，全俄的医生总数由2. 81万人增为15. 53万人，平均每万名居民拥有的医生由1. 8名增为7. 9名。病床总数由20. 8万张扩大为79. 1万张，平均每万名居民拥有的病床数目由13张扩大为40张。[1]随着医疗条件的改善，天花、霍乱等传染病被彻底清除；麻疹、肠伤寒、结核病、猩红热的发病率明显下降。但白喉病患者有所增多。

许多城镇居民还获有小块土地，可以在那里建设别墅或从事农副业活动。20世纪30年代末，全苏拥有自己小块土地的非农业户大约有1000万。1941年，工人职员饲养了大约40万匹马，350万头牛，270万头猪和480万只羊。[2]

国家为各种社会保障事业的开支专门设置社会消费基金。1933年社会消费基金占国家财政支出的22. 1%，1937年占29. 1%。人均从社会消费基金获得的收入，1932年为61. 73卢布，1937年为234卢布。[3]由于这一制度，苏联居民的实际收入要比他们的个人货币工资大约多1/3。总的看，普通百姓的生活虽然改善不多，但革命后消灭了失业，工作得到了保证，并且享受社会保障，彼此生活水平也大致相同，多数居民接受了这一状况，甚至感到心满意足。

居民的政治文化生活

在苏联社会中，共产党、青年团等社会组织十分活跃，发挥重要作用。

---

[1] Народное хозяйство СССР за 60лет. С. 518.

[2] Merl St. *Bauern nuter Stalin.* Berlin. 1990. S. 320–326.

[3] [俄] К. Н. 普罗特尼柯夫著：《苏联国家预算史纲》，第201页。引自刘克明、金挥主编：《苏联政治经济体制七十年》，中国社会科学出版社1990年版，第366页。

1934年联共（布）第十七次代表大会开会时，全苏共有党员1874488人。经过清洗运动，到1939年第十八次党代表大会时有将近160万党员，减少了27万党员。20世纪30年代，苏联有400多万共青团员，1200多万国防及航空化学建设促进会会员，1700多万工会会员，300多万工农通讯员。[1] 由于过分强调"道义上和政治上的一致"，过分强调党能够"勇敢和彻底保护工农利益"，[2] 苏联政权无视各社会集团的利益矛盾和差距，否认工会等社会团体是不同群体各自利益的代表，更反对这些群众团体维护其成员特殊利益的行为。工会等群众团体变成官办组织，日益脱离群众。它无权参与国家的重大决策，只能在一些次要的生产、生活问题上开展活动，成为党和政府的附属机构，党和国家政策的执行者贯彻者。

国家重视文化建设，修建了许多豪华的剧院和文化宫。1913年，全俄有剧院177所，1940年增为908所。博物馆的数量由1913年的213个增为1940年的991个。[3]

人们的精神面貌有很大的改变。随着社会主义经济建设的蓬勃开展，人们对祖国的未来充满希望和信心，不怕流血流汗，忘我劳动，一心要创造人间奇迹，涌现出一批令人敬佩的劳动英雄、斯达汉诺夫工作者。青年人更是建设的先锋。在西伯利亚和中亚的荒原上到处都有他们的劳动身影。在远东拔地而起的共青团城就是青年创业的一个业绩。

另一方面，人们对物质的匮乏、住房的拥挤、生活的贫困感到不满。但这些都被说成是暂时的、敌人破坏造成的。持怀疑态度则被视为思想不坚定，或是敌视社会主义。在高度集中的行政命令体制下，人们在各方面的活动甚至思想都受到监督控制，备感不自由，只得盲目听从上级，随波逐流。

大清洗运动的开展更使人胆战心惊。有些人记不清在20世纪20年代党内争论时是否曾经表示过同意反对派的某一意见，担心遭迫害而四处躲藏。还有些人捕风捉影，检举告密，以表示自己的忠诚。更有人想借此掀起风浪，显

[1] *Павлова И. В.* Власть и общество в СССР в 1930–е годы. // Вопросы истории. 2001. No. 10. C. 50.

[2] 《关于苏联宪法草案》，《斯大林文集》，第118页。

[3] Народное хозяйство СССР за 60 лет. C. 608、606.

身扬名。尼科拉延科就是一个。她搬弄是非，毫无根据地诬陷基辅的党组织，说它已为托洛茨基分子所把持。她因此被开除出党。但是斯大林竟亲自为这种小人正名，并以“向群众学习”为名鼓励告密行动。[1] 罗曼·罗兰在 1935 年访问苏联，同各界人士接触后得出结论说，“苏联青年具有非常好的品质，但同时又是生硬的，甚至是残忍的——这是过早了解死亡和绝望的代价。年轻人知道他们的熟人中有人死了，但晚上照旧去电影院。他们已学会不露声色。而这是可以理解的。不能过于高声说话。谁倾诉衷肠，谁就暴露了自己”。[2]20 世纪 30 年代的这种麻木不仁、相互猜疑监视、告密陷害的风气极大地损伤了人的尊严，败坏了人的品格，毒化了社会环境。

莫斯科救世主教堂（炸毁之前），1931 年

[1] 参见《论党的工作缺点和消灭托洛茨基两面派及其他两面派的办法》，《斯大林文集》，第 170—171 页。

[2] ［法］罗曼·罗兰著：《莫斯科日记》，第 78 页。

革命前，俄国居民绝大多数都信仰宗教。苏维埃政权成立后，视宗教为反科学反人民的鸦片烟，大力进行反宗教宣传。成立“无神论者同盟”，后改为群众性社会组织“战斗的无神论者同盟”，领导人是雅罗斯拉夫斯基。在列宁格勒的喀山教堂、伊萨克教堂和莫斯科的受难修道院举行反宗教展览。1920年代末至1930年代初，苏维埃国家严厉打击宗教界，逮捕了800多名高级僧侣和几万名普通教士。同时，关闭了几百座教堂和寺庙，取消了几十个修道院。莫斯科的救世主基督教堂是老百姓为纪念战胜拿破仑而捐款修建成的，是19世纪的建筑遗迹。卡冈诺维奇和莫洛托夫向斯大林建议在这个教堂的地方修建一座苏维埃宫，得到批准。1931年12月5日，这座俄罗斯引以为骄傲的宏伟教堂被炸毁了。[1]1933年，莫斯科政府为改善交通状况，决定拆除苏哈列夫塔楼。这座塔楼是遵照彼得一世的倡议，在17世纪末建成的。艺术学家和建筑学家得知要拆除塔楼的消息后，联名写信给斯大林，请求不要拆除这一“举世闻名”、“最伟大的建筑艺术的不朽典范”。[2]斯大林写信给莫斯科市委第一书记卡冈诺维奇，说“塔楼务必拆掉”。卡冈诺维奇则在莫斯科共产党员建筑学家会议上发言说，“在我国建筑学方面残酷激烈的阶级斗争仍在继续进行”。“一小批老建筑学家反对拆掉苏哈列夫塔楼”，“出发点不是关心保护古代的遗迹，而是另有政治动机，那就是试图指责苏维埃政权破坏文物的行为”。[3]1934年，塔楼最终被拆除。被拆毁的还有1330年建的斯帕斯教堂、克里姆林宫的神迹修道院和沃兹涅先斯基修道院。莫斯科大约1/3的具有文物价值的建筑被拆毁。1933年至1934年，苏维埃中央执行委员会和人民委员会通过了《关于保护历史文物》和《关于保护文物建筑》的决议，开始注意保护历史文化遗产。1937年8月，政府又一次发动对教会的突然袭击，许多神职人员被捕，并进行了叛国罪的审讯。

反宗教运动主要是靠行政命令手段推动的，效果并不好。据雅罗斯拉夫

[1] 救世主基督教堂于1997年9月重建完工。

[2] 《格拉巴里等人关于拆除苏哈列夫塔楼致斯大林的信（1933年8月27日）》，《苏联历史档案选编》，第11卷，第378页。

[3] 《卡冈诺维奇在莫斯科共产党员建筑学家会议上的发言（摘录）（1933年9月4日）》，《苏联历史档案选编》，第11卷，第380页。

斯基统计，到 1937 年，成年人中仅有将近一半的人与宗教彻底断绝了关系。而 2/3 的农民和 1/3 的城市居民，即 45% 的居民是教徒。[1] 东正教、伊斯兰教等宗教依然在群众中拥有深厚的影响。战争爆发后，政府不得不放松对宗教的控制，借助宗教力量动员和鼓舞群众进行反法西斯斗争。

[1] Большевик. 1937. No. 4. C. 32.

第四章　斯大林体制的确立

苏联史学界最初把斯大林体制等同于社会主义制度，对它只有颂扬，没有任何批评，并把它奉为最高典范，各国学习的榜样。因此对体制问题很少进行认真研究。

西方学者较早研究这一问题，多持否定态度，并将其归结为极权主义。[1]K. 弗里德里希和布热津斯基认为这种极权主义的基本特点是：一、官方的意识形态，它完全否定以前的社会秩序，宣称负有团结全体公民建设新世界的使命；二、单一政党，它由一人率领，按寡头政治原则组建，同国家官僚机构合为一体；三、恐怖监督体制，它不仅对准所有的"敌人"，也对准所有被党领导认定的人；四、党对所有信息传播工具的监督；五、党对全体武装力量的监督；六、对经济的官僚主义集中管理。[2]

1956 年苏共二十大批评对斯大林的个人崇拜后，出现研究斯大林问题的热潮。[3]苏联解体后，中国学者发表众多著作，探讨苏联社会主义受挫的原因，剖析斯大林体制的内容、特点及其功过是非。[4]

一些学者认为，斯大林模式"适应了从传统社会向工业化社会过渡的客观任务"，"与 20 世纪文明进程的总趋势相一致"。[5]"当然，应当也可以谴责布尔什维克统治时期解决俄国现代化任务的那些方法手段。但是要知道，这一任务已这样或那样地完成了，使俄国同世界工业发达国家站到同一行列上"。[6]"极

---

[1] Tucker R. C. (ed.) *Stalinism:Essays in Historical Interpretation*. New york. 1977; Lampert N. and Rittersporn G. T. (ed.) *Stalinism: Its Nature and Aftermath.* London:Macmillan. 1992; Nove A. (ed.) *The Stalin Phenomenon.* London. 1993.

[2] *Игрицкий Ю. И.* Снова о тоталитаризме. // Отечественная история. 1993. No. 1. C. 3–4.

[3] *Макаренко В. П.* Бюрократия и сталинизм. Ростов–на–Дону. 1989.

[4] 李宗禹等著：《斯大林模式研究》，中央编译出版社 1999 年版；陆南泉、姜长斌主编：《苏联剧变深层次原因研究》，中国社会科学出版社 1999 年版；陆南泉等主编：《苏联兴亡史论》，人民出版社 2004 年修订版。

[5] *Алексеев В. В., Токарев А. И., Уткин А. И.* Сталинизм: сущность , этапы, новые тенденции изучения——Сталинизм в российской провинции: смоленские архивные докуметы в прочтении зарубежных и российских историков. Смоленск. 1999. C. 24.

[6] *Межуев В. М.* Отношение к прошлому——ключ к удущему, ——Куда идет Россия ?——Кризис институциональных систем: век, десятилетие, год. М., 1999. C. 47.

权制度把社会变为超级工业化社会”。[1] 大规模镇压是使传统社会适应现代化的手段。[2]

一些学者持完全否定的态度。认为 20 世纪 30 年代是国家的倒退，背离了 19 世纪末 20 世纪初的俄国历史发展轨道，也背离了现代化的发展方向。说“30 年代实际上发生了反现代化进程”。[3]

第一节 1936 年宪法

创建苏联的社会主义建设模式始于列宁执政时期。列宁时期经历了军事共产主义、新经济政策两种不同的建设模式。但那时，社会主义建设刚刚开始，各方面都不成熟，体制带有过渡性的特点。斯大林担任党政领导后，废除了新经济政策，回归军事共产主义体制，并逐步对其进行改造充实，通过 1936 年新宪法的制定最终定型，形成了苏联的社会主义政治、经济和思想文化体制及其运行机制的斯大林模式。

新宪法的制定

1929 年，斯大林经过激烈的党内斗争击败托洛茨基—季诺维也夫和布哈林反对派，确立自己在联共（布）党内的最高领导地位。这以后，斯大林建设社会主义的理论、方针、政策为全党和全国人民所接受，通过农业全盘集体化和工业化，在苏联确立了社会主义制度。苏联需要有一部新宪法来从法律上肯定这些变化，赋予计划命令体制以合法的形式，记载所取得的成绩。同时，也需要规划未来，为群众指明发展方向。

---

[1] *Шубин А. В.* Правящая элита и общество. ——Тоталитаризм исторический опыт Восточной Европы. М., 1995. С. 27.

[2] *Красильщиков В. А.* Вдогонку за прошедшим веком развитие России в ＸＸ веке с точки зрения мировых цивилизаций. М., 1998. С. 103.

[3] *Повлова И. В.* Власть и общество в СССР в 1930–е голы. // Вопросы истории. 2001. No. 10. С. 54.

在国际方面，苏联日益走出被西方孤立包围的困境。1933 年同美国建立了外交关系，1934 年进入国际联盟。苏联希望以一部新宪法来反映国家的民主富强面貌，争取国际社会的认可和支持，以对付日渐临近的战争威胁和争取发挥自身的大国作用。

1934 年 1 月，联共（布）第十七次代表大会以“胜利者代表大会”姿态结束以后，开始了制定新宪法的工作。

1934 年 5 月 29 日，苏联中央执行委员会主席团秘书阿·萨·叶努基泽写信给党中央政治局，提出 1935 年 1 月 15 日要召开苏维埃第七次代表大会，宪法问题是会议的一项议程，请求政治局讨论这一问题。两天后，苏联中央执行委员会主席加里宁也向政治局提出类似的请求，准备在 1935 年 1 月 5 日召开俄罗斯联邦共和国苏维埃代表大会，讨论俄罗斯共和国宪法问题。此后，政治局并没有专门讨论这一问题，只是以征询方式同意了这一请求，并且没有问及斯大林。而推迟 10 天召开的俄罗斯联邦共和国苏维埃第十六次代表大会也因此没有讨论议程上的宪法问题。出现这一情况的原因是斯大林和叶努基泽在选举制度问题上发生分歧。

叶努基泽在进行地下工作时就是斯大林的密友，革命胜利后一直在苏维埃工作，从未积极参与党内斗争。斯大林希望由他作修改宪法的报告会减少阻力，防止前反对派分子的批评攻击。1934 年 12 月 1 日、4 日、5 日，叶努基泽三次到克里姆林宫见斯大林。1935 年 1 月 10 日，叶努基泽写信给斯大林，汇报根据斯大林的指示拟出的苏维埃代表大会决议草案，“1. 认为过渡到选民通过直接在选举会议上进行直接和公开投票来选举区、州和边疆区执委会，加盟共和国和自治共和国中央执委会以及苏联中央执委会，是合理的和及时的……规定城乡居民的选举名额是一样的”。[1]

叶努基泽的草案远未达到斯大林的要求，特别是有关秘密选举的问题。几天后，斯大林将宪法草案的准备工作转交给莫洛托夫。1935 年 1 月 25 日，斯大林写信给政治局委员阐述自己的意见。1 月 30 日，政治局以征询方式通过相关决议。2 月 1 日，党中央召开全会，按斯大林的建议一字不差地通过了

[1] РГАСПИ. ф. 558, оп. 1, д. 3275, л. 1–10. 引自 *Жуков Ю. Н.* Репрессии и Конституция СССР 1936 года. // Вопросы истории，2002. No. 1. С. 5.

决议，确认修改1924年宪法的原则是，“(1) 使选举制进一步民主化，以平等、直接、秘密的选举来代替不完全平等、多级和公开的选举。(2) 在宪法中正确说明当前的社会经济基础，使宪法符合于苏联目前的阶级力量对比关系（如建立了新的社会主义工业，粉碎了富农，取得了集体农庄制度的胜利，确立了作为苏维埃社会基础的社会主义所有制等等)”。[1]

1935年1月28日至2月6日，召开了苏联苏维埃第七次代表大会。莫洛托夫在会上作了关于修改宪法的报告。在此之前的1月18日，报纸公布了《最高法院军事审判庭对格·叶·季诺维也夫、列·波·加米涅夫、格·叶·叶夫多基莫夫等人案件的判决》，明确展示了不同意新政治路线的人会有什么后果。在这种情况下，代表们没有提出任何意见就一致按斯大林1月25日的意见通过了决议。

2月7日，苏联中央执行委员会根据第七次代表大会的建议成立了宪法委员会，负责起草新宪法。宪法委员会由31人组成，包括三方面的代表：苏维埃领导人——苏联中央执行委员会主席艾塔科夫（来自土库曼)、加里宁、穆萨别科夫（来自阿塞拜疆)、彼得罗夫斯基（来自乌克兰)、拉希姆巴耶夫（来自塔吉克)、霍贾耶夫（来自乌兹别克)、切尔维亚科夫（来自白俄罗斯)，以及叶努基泽（中央执行委员会秘书)、温什利赫特（中央执行委员会秘书）和《消息报》主编布哈林；政府领导人——苏联和各共和国的人民委员会主席——莫洛托夫、柳布琴科（乌克兰)、戈洛杰德（白俄罗斯)、苏利莫夫（俄罗斯)，苏联人民委员会副主席丘巴尔，人民委员布勃诺夫、伏罗希洛夫、卡冈诺维奇、克雷连柯、李维诺夫、米高扬，苏联检察长阿库洛夫，副检察长维辛斯基，苏联最高法院副主席克拉西科夫；党的领导人——斯大林，新当选的政治局候补委员日丹诺夫、《真理报》主编麦赫利斯，党中央国际情报局主任拉狄克，苏联援助革命战士国际委员会中央主席斯塔索娃，乌兹别克斯坦党中央第一书记伊克拉莫夫，布里亚特—蒙古州党委第一书记叶尔巴诺夫。

在讨论制定宪法过程中，委员们提出许多重要的建议。按照马克思理论，随着社会主义的胜利，应当开始无产阶级专政消亡、社会组织取代国家职能、

[1] 《联共（布）中央委员会全体会议（1935年2月1日)》，《苏联共产党代表大会、代表会议和中央全会决议汇编》，第4分册，第437页。

社会自治原则发展的时期。布哈林等人依据这一思想试图推进政治民主化路线，在宪法草案中提出要加强苏维埃对政府的监督，公民有权将侵犯公民权的官员送上法庭；扩大公民权利，实行文艺创作和学术研究自由。在审定宪法文本时，斯大林删掉了这些条款。另外，对偏离 1918 年和 1924 年宪法的限度也各有不同看法。克雷连柯坚决反对权力分割，反对法官由选举产生。布哈林认为不能不加区分地给所有的公民以选举权。

斯大林希望新宪法有更多的民主形式。受斯大林信任的党中央文化宣传部部长斯捷茨基、副部长塔尔，党中央农业部部长雅科夫列夫于 1936 年 2 月提出新宪法草稿，包含了斯大林所要求的基本内容。草案加强了中央的权力，但形式上比以前更民主：权力分割为两个独立分支——有立法权的最高苏维埃和由它组建的有行政权的人民委员会；人民法官由选举产生；撤销外高加索联邦，阿塞拜疆、亚美尼亚、格鲁吉亚分别变成加盟共和国，直接加入苏联；给所有公民选举权的选举制，将工农兵代表苏维埃更名为劳动人民代表苏维埃。

1936 年 4 月，宪法草稿多次在专门会议上进行审查和订正。4 月 22 日，斯大林同莫洛托夫完成宪法草稿的定稿工作。宪法委员会审查后，于 5 月 15 日同意这一草稿，并提交苏联中央执行委员会审议。1936 年 6 月 1 日至 4 日，党中央召开全会，斯大林作《苏联宪法》报告。全会通过决议，“(1) 基本上同意苏联中央执行委员会宪法委员会所提出的苏联宪法草案。(2) 鉴于这个问题非常重要，全会认为应当召集全苏苏维埃代表大会来审查苏联宪法草案”。[1] 斯大林提出在 11 月中旬举行苏维埃代表大会讨论宪法问题。柳布琴科建议推迟到 12 月初，未被采纳。

6 月 11 日，苏联中央执行委员会通过相应的决议，并宣布于 11 月 25 日召开苏维埃代表大会。6 月 12 日，宪法草案在《真理报》上公布，供全国讨论。许多中央委员和地方党委第一书记未在报纸上发表文章支持新宪法。但讨论进行得很热烈，经过五个半月的讨论，全国共提出将近 200 万条修正、补充及其他各种建议。全国各地相继举行共和国、州、边疆区苏维埃非常代表大会，归纳人民提出的意见，上报宪法委员会。

---

[1] 《联共（布）中央委员会全体会议（1936 年 6 月 1 日至 4 日）：苏联宪法草案》，《苏联共产党代表大会、代表会议和中央全会决议汇编》，第 4 分册，第 463 页。

斯大林极力缓解过去镇压迫害的后果，恢复其中一些人的选举权。1935年7月，政治局决定解除判5年以下剥夺自由处分的农庄庄员的前科罪。到1936年3月1日，恢复了近80万名庄员的选举权。1936年1月15日，政治局委托最高法院、检察院和内务人民委员会审查执行1932年8月7日《关于保护社会主义财产》法令的情况。此后6个月，审查了11.5万件案件，其中9.1万件被认为是“不正确的”，3.7万人的判刑被撤销。[1]4月20日，政治局决定废除对哥萨克参加红军的限制。4月，因“工业党”案件而被判10年监禁的拉姆津、拉里切夫、奥格涅夫及其他工程师被释放，并给予选举权。7月，政治局决定，那些在基洛夫被刺后被从列宁格勒流放到外地的人，如果没有具体犯罪，不剥夺其选举权。

与此同时，斯大林继续对托派分子采取严厉态度。5月20日，政治局根据内务人民委员亚戈达的意见，决定立即将托派分子流放到边远地区3年至5年。1936年8月，对季诺维也夫等人进行公审，将他们判处死刑。这是对反对斯大林的人的一次严重警告。但斯大林觉得还不够，因为被惩治的都是已经退出政治舞台的人。7月26日到9月16日，先后逮捕了重工业第一副人民委员皮达可夫，林业副人民委员索柯里尼科夫，内务人民委员部公路管理总局副局长谢列布里亚科夫，党中央国际情报局主任拉狄克等人。10月，斯大林直接出面，要求任命叶若夫为内务人民委员，以保证大清洗大镇压的全面贯彻执行。

经过这番准备，1936年11月25日，全苏苏维埃召开第八次（非常）代表大会。斯大林在会上作了《关于苏联宪法草案》的报告。他首先总结了苏联在1924年至1936年这一时期内的巨大变化。指出，在经济生活方面，“资本主义已经从我们工业范围中完全驱逐出去了，社会主义的生产形式现在是在我国工业中独占统治的体系”。工业“已经发展成为巨大的力量”，“它现在建立在丰富的现代新技术的基础上，十分发达的重工业以及更发达的机器制造业的基础上”。“在农业方面，我们现在已经不是处于无数技术落后的个体小农户形成的、富农到处横行的汪洋大海中，而是有了世界上规模最大的、机械化的、用新技术武装起来的生产，即无所不包的集体农庄和国营农场体系”。“至于国

[1] *Хлевнюк, О. В.* Политбюро. М., 1996. С. 150–151.

内商品流转……都已掌握在国家、合作社和集体农庄手中”。“因此，社会主义体系在国民经济一切部门中的完全胜利，现在已经是事实了”。“人剥削人的现象已被铲除和消灭”。苏联社会主义经济“不会有危机和失业，不会有贫困和破产，而公民们有一切可能享受富裕的有文化的生活”。

在社会政治生活方面，斯大林指出，苏联的阶级结构发生变化。“所有的剥削阶级都消灭了”，只剩下“完全新的”、“人类历史上还从来没有过的”工人、农民和知识分子。这些社会集团之间的“界线正在消除”，“距离正在日益缩小”，“经济矛盾在缩小”，“政治矛盾也在缩小”。在民族相互关系方面，“苏联各族人民的面貌发生根本改变，他们中间互不信任的心理已经消失……建立了各族人民在统一的联盟国家体系中真正兄弟合作的关系”。斯大林在这里显然夸大了已取得的成绩，更严重的是回避和否定了苏联经济政治体制中存在的问题。

斯大林在报告中指出，新宪法草案同资产阶级宪法相比较有六个特点。第一，“新宪法草案是已经走过的道路的总结，是已经取得的成就的总结。所以，它是把事实上已经获得和争取到的东西登记下来，用立法程序固定下来”。第二，“新宪法草案的主要基础是社会主义的原则，是已经争取到和已经实现的社会主义的基本准则”。第三，新宪法草案的依据是，“社会是由工人和农民这两个互相友爱的阶级组成的”，它“把合乎劳动者愿望并有利于劳动者的社会秩序固定下来”。第四，新宪法草案的“出发点是，一切民族和种族权利平等”。第五，实行“彻底的信守不移的民主主义”。第六，“它不限于规定公民的形式权利，而把重点放在保障这些权利的问题上，放在实现这些权利的手段的问题上”。[1] 斯大林在这里强调的不是无产阶级专政，而是民主，新的、有保障的彻底民主，它是社会主义民主，高于资产阶级民主。斯大林还就宪法草案在全国讨论过程中提出的修改和补充意见进行了归纳和回答。

苏维埃代表大会对宪法草案展开了讨论，有 56 人发言。11 月 29 日，莫洛托夫在发言中，解释恢复近百万前富农分子和被判刑者的选举权的原因，同时，严厉谴责托洛茨基分子，说他们“在最肮脏最卑鄙的反革命事务中迎合资

---

[1] 《关于苏联宪法草案》，《斯大林文集》，第 101—111 页。

产阶级国家，并按后者指令行事”。他威胁说，“我们知道，如何对待革命渣滓”。[1] 莫洛托夫的讲话表明，苏维埃在扩大民主的同时，将加紧镇压反对者。

12 月 1 日，苏维埃代表大会通过决议，“1. 同意苏联中央执行委员会宪法委员会所提出的苏联宪法草案并采纳它为宪法的基础。2. 为了审查所提出的修正和补充，并确定苏联宪法的最终全文，成立编纂委员会，由 220 人组成。3. 委托编纂委员会参考宪法草案的全民讨论的结果和代表大会本身的讨论情况，在 3 天内将宪法的最终全文提交代表大会审查”。

宪法编纂委员会对宪法文本进行了 43 处修正和补充，涉及 32 项条款。大部分修正是校正性的，但也有原则性的修改和补充。如草案规定，“民族院由加盟共和国和自治共和国最高苏维埃选派的代表组成”。现在改为直接选举产生。又如草案提到法律保护个人财产，补充为个人财产的所有权以及个人财产的继承权均受法律保护。

1936 年 12 月 5 日，苏维埃第八次代表大会经过逐条表决，一致通过了苏联新宪法，并决定在近期内举行最高苏维埃选举。

新宪法的基本内容

新宪法亦称为根本法，同 1924 年宪法相比较，增添了有关社会结构、法院和检察院、选举制度、公民的权利和义务等新的章节。它共有 13 章 146 条。

第一章是《社会结构》。第一条规定：“苏维埃社会主义共和国联盟为工农社会主义国家”。[2] 在讨论的过程中，有人提出用“社会主义工农业劳动者”代替“工农”的表述，有的人提出增加“劳动知识分子”，还有的人主张将苏维埃国家定性为全民国家。斯大林指出，苏联的工人阶级和农民阶级并没有消失，还有 100 多万非集体农庄农户；即使是农庄庄员，也还有个人经济。至于知识分子，它不是一个阶级，而是一个阶层。因此“工农社会主义国家”已简明、准确地表达了苏联的国家性质和社会阶级成分。

---

[1] Правда. 1936. 30 ноября.

[2] 宪法条文均引自姜士林、陈玮主编：《世界宪法大全》，上卷，中国广播电视出版社 1989 年版，第 1056—1063 页。

第二、三条："苏联的政治基础为劳动者代表苏维埃"、"苏联全部权力属于城乡劳动者，由劳动者代表苏维埃行使之"。

第四条至第十一条规定了苏联的经济体制："苏联的经济基础为社会主义经济体系和生产工具与生产资料的社会主义所有制"；社会主义所有制由国家所有制（全民的财产）和合作社—集体农庄所有制两种形式组成。"苏联的经济生活由国家的经济计划决定并受其指导"。苏联实行"各尽所能，按劳分配"的社会主义原则。"劳动是苏联每一个有劳动能力的公民应尽的义务和光荣的事情"。宪法同时也"容许自力经营而不剥削他人劳动的个体农民和手工业者的小私有经济"。"公民的劳动收入和储蓄、住宅和家庭副业、家常用具和必需品、个人消费品和享乐品[1]的个人所有权，以及公民个人财产的继承权，都受法律保护"。

第二章是《国家结构》。第十三条规定，"苏维埃社会主义共和国联盟为一联盟国家，由各平权苏维埃社会主义共和国按自愿联合原则组成"。由于政治、经济、文化的发展，亚美尼亚、阿塞拜疆、格鲁吉亚由自治共和国变为加盟共和国。南高加索联邦撤销。这样，加盟共和国由原来的7个增加为11个，即：俄罗斯、乌克兰、白俄罗斯、乌兹别克、哈萨克、塔吉克、土库曼、吉尔吉斯、格鲁吉亚、阿塞拜疆和亚美尼亚加盟共和国。

第三章是《苏维埃社会主义共和国联盟最高权力机关》。第三十条规定，"苏联最高政权机关为苏联最高苏维埃"，任期4年。第三十三条规定，"苏联最高苏维埃由联盟苏维埃与民族苏维埃两院构成"。两院权利平等，共同制定法律，"各以过半数票通过"。"联盟苏维埃和民族苏维埃意见发生分歧的时候，问题交由两院同数代表组成的协商委员会解决。如果协商委员会不能通过一致决议或者通过的决议不能使某一院满意时，问题交由两院重新审议。如果两院仍然不能达成一致决议，苏联最高苏维埃主席团即解散苏联最高苏维埃，并且确定举行新选举"。联盟苏维埃由苏联公民按选区选举产生，每30万人选举代表1名。民族苏维埃由苏联公民按加盟共和国、自治共和国、自治州及民族专区选举产生。每一加盟共和国选举代表25名，每一自治共和国选举代表11名，

[1] 享乐品在《世界宪法大全》译为舒适设备品。

每一自治州选举代表 5 名，每一民族专区选举代表 1 名。[1] 有人提出，应当取消民族院。斯大林指出，苏联是多民族国家，各民族除了共同利益以外，还有与民族特点有关的各自特有的特别利益，需要有一个“反映所有劳动者的阶级利益”的机构和一个“反映纯粹民族需求”的机构，即苏联联盟院和民族院。这种两院制有利于调整和改善民族关系，提高决策的科学性。

第三十二条规定，“苏联的立法权只能由苏联最高苏维埃行使”。纠正了过去法出多门，从党中央书记处到苏维埃代表大会、苏联中央执行委员会、苏联人民委员会、劳动国防委员会等都可颁布法令的状况。斯大林指出，“必须铲除不由某一个机关而由许多机关立法的情形了。这种情形同法律稳定性的原则相抵触。而我们现在比任何时候都需要法律的稳定性”。[2]

苏联最高苏维埃每年举行两次会议。最高苏维埃在两院联席会议上选出苏联最高苏维埃主席团，用一级机关代替原来的苏联中央执行委员会和中央执行委员会主席团两级机关。最高苏维埃主席团的组成人员是：主席团主席 1 人，副主席为每一加盟共和国 1 人，主席团秘书 1 人，委员若干人。原来的苏联中央执行委员会享有“最高立法、号令及监督”的权力，有权组织苏联政府。新宪法把这些权力统统集中到最高苏维埃手中。最高苏维埃主席团拥有相当于国家元首的职权，有权召集最高苏维埃会议，颁布法令，任免政府部长和苏联驻外代表，批准和废除国际条约，任免最高武装力量指挥人员，宣布战争状态等。

第四、七、八章规定了加盟共和国、自治共和国最高权力机关以及地方机关的设置和权限。苏联在 1923 年至 1930 年进行了行政区划的改革。1928 年，苏联有 33 个省和拥有省级权力的州，343 个县，3564 个乡。改革后取消了省、县、乡编制，[3] 设立了边疆区、州、区、市、村。1932 年，将中央黑土州分为 6 个州：沃罗涅什州、利佩茨克州、坦波夫州、库尔斯克州、别尔哥罗德州、

[1] 本书对苏联一些行政区划单位的译法与《世界宪法大全》不同，将 край 译为边疆区而不是边区；将 область 译为州而不是省；将 автономная область 译为自治州而不是自治省；将 национальный округ 译为民族专区而不是民族州；将 район 译为区而不是州。

[2] 《关于苏联宪法草案》，《斯大林文集》，第 125 页。

[3] 这里译为省的俄文原文是 губерния ；县是 уезд ；乡是 волость。

奥廖尔州。1937 年，全苏设 47 个边疆区和州，3307 个区，62585 个村。[1] 专区只留下个别的，到 1946 年完全消失。在少数民族居住地区设立了自治共和国、自治州、民族专区。新宪法取消了先前的各级苏维埃代表大会，代之以选举产生的自治共和国、边疆区、州、自治州、民族专区、区、市、村的劳动者代表苏维埃。

第五、六章规定了苏联和加盟共和国管理机关的设置和职权。苏联部长会议是苏联“国家权力的最高执行和发布命令的机关”，“对苏联最高苏维埃负责并对它报告工作”。部长会议下设立了 8 个全联盟的部，10 个联盟兼共和国的部。18 个部中，有 13 个是主管经济的部。联盟兼共和国的人民委员部“通常是通过加盟共和国同名称的部领导各该部所属的国家管理工作，而其直接管理的企业，只以苏联最高苏维埃主席团批准注册的为限”。

第九章《法院和检察院》规定，苏联最高法院、加盟共和国最高法院、边疆区和州法院、自治共和国法院和自治州法院、区法院由相应的各级苏维埃选举产生，行使审判权。第一百一十二条规定，“审判员独立，只服从法律”。关于检察院，规定苏联总检察长行使最高检察权，由苏联最高苏维埃任命。各共和国、边疆区、州、自治共和国、自治州的检察长由苏联总检察长任命。第一百一十七条规定，“各级检察机关独立行使职权，不受任何地方机关的干涉，只服从苏联总检察长”。

新宪法确定了苏联最高苏维埃的全权性。它是最高国家权力机关，唯一的立法机关。国家行政机关（人民委员会）、审判机关（最高法院）和总检察长都产生于最高苏维埃，受其领导和监督。另一方面，法院和检察院都独立行使职权，它们与行政机关三者互相制约。

第十章《公民的基本权利和义务》规定了苏联公民的政治权利：“妇女在经济的、国家的、文化的和社会—政治的生活各方面享有同男子平等的权利”；保障公民享有言论自由、出版自由、集会自由、游行和示威自由。公民有人身不受侵犯的保障，非经法院决定或者检察长批准不得逮捕。公民住宅不可侵犯，通信秘密受法律保护。宪法还规定了公民享有劳动权，休息权，受教育权，年老、患病和丧失劳动能力时享受的物质保证权。

[1] Народное хозяйство СССР за 60 лет. С. 39.

第一百二十六条规定，“苏联公民有权结成各种社会团体，即工会，合作社，青年组织，体育和国防的组织，文化、技术和科学等团体；而工人阶级、劳动农民和劳动知识分子中最积极最觉悟的公民，则自愿结成苏联共产党，即劳动者为建成共产主义社会而奋斗的先锋队，劳动者所有一切社会团体和国家机关的领导核心”。

公民必须遵守苏联宪法，遵行法律，遵守劳动纪律，履行社会义务，尊重社会主义公共生活规则。第一百三十一条规定，公民必须保护和巩固社会主义公有制，“侵犯社会主义公有制的人就是人民的公敌”。服兵役是公民的光荣义务，保卫祖国是公民的神圣天职。

第十一章《选举制度》规定，所有年满 18 岁的公民，不分种族、民族、性别、信仰、教育程度，不问居住期限、社会出身、财产状况、过去职业如何，都有选举权；年满 23 岁的公民都有被选举权；选举实行普遍、平等、直接和无记名的原则。这与原来的规定有很大的不同。过去，许多人被剥夺选举权；城市每 2. 5 万选民选出 1 名代表，农村每 12. 5 万选民选出 1 名代表；实行多级选举制，由下一级苏维埃代表大会选举产生上一级苏维埃代表，只在市、村苏维埃采用直接选举，而且采用公开表决的方式。有人提出，应当剥夺富农、神职人员、过去的白卫分子和不从事有益于社会的劳动的人的选举权，至少应当限制这些人的选举权，只给他们选举权，不给他们被选举权。斯大林不同意这种意见。他说“苏维埃政权从前剥夺不劳动者和剥削者的选举权，不是永久的，而是暂时的，有一定期限的……从那时起，已经过去不少时间了。在过去这一时期中，我们已经把剥削阶级消灭，而苏维埃政权已经变成不可战胜的力量了。修改这种法律的时候是不是已经到了呢？我认为已经到了。有人说这有危险，因为那些敌视苏维埃政权的人，某些过去的白卫分子、富农、神父等等，会钻进国家最高机关里来。但这里究竟有什么可怕呢？你怕狼，那你就不要到森林里去。第一，并不是所有从前的富农、白卫分子或神父都敌视苏维埃政权。第二，如果在某些地方竟会选举敌视苏维埃政权的人，那就证明我们的工作做得太坏，我们就理应受到这种耻辱”。[1] 新的选举法同以前相比较，有了重大进步。但是它也有明显的局限性。苏联实行的是等额选举，即一个选

[1] 《关于苏联宪法草案》，《斯大林文集》，第 126—127 页。

区只提一个候选人，选举一个代表。候选人只能由社会组织提名，个人不能自由地成为候选人。虽然候选人的提名是经过协商提出的，但并不一定能代表多数人意见。虽然选民可以在选票上填写别的名字，但非候选人是不可能当选的。选民实际上是没有选择余地的。宪法规定，选民“依照法律规定的程序可以随时撤换代表”，但一直没有制定过罢免代表的法律程序。选民的这项权利是不落实的。苏维埃代表的选举在很大程度上是形式主义的，是自上而下安排好的。

第十二章规定了苏联的国徽、国旗、首都。第十三章规定了苏联宪法的修改程序，“只有根据苏联最高苏维埃两院各以 2/3 以上的人数通过的决定，才可以修改”。

最高苏维埃的选举

苏联新宪法通过后，各加盟共和国相继制定和通过自己的宪法。1937 年 1 月 21 日，全俄苏维埃第十七次非常代表大会通过俄罗斯联邦宪法。同年 1 月 30 日，乌克兰苏维埃第十四次非常代表大会通过乌克兰宪法。同年 2 月 19 日，全白俄罗斯苏维埃第十二次非常代表大会通过白俄罗斯宪法。同年 3 月 14 日，全阿塞拜疆苏维埃第九次非常代表大会通过阿塞拜疆宪法。同年 2 月 13 日，全格鲁吉亚苏维埃第八次非常代表大会通过格鲁吉亚宪法。同年 3 月 23 日，亚美尼亚苏维埃第九次非常代表大会通过亚美尼亚宪法。同年 3 月 2 日，土库曼苏维埃第六次非常代表大会通过土库曼宪法。同年 2 月 14 日，乌兹别克苏维埃第六次非常代表大会通过乌兹别克宪法。同年 3 月 1 日，塔吉克苏维埃第六次非常代表大会通过塔吉克宪法。同年 3 月 26 日，哈萨克苏维埃第十次非常代表大会通过哈萨克宪法。同年 3 月 23 日，吉尔吉斯苏维埃第五次非常代表大会通过吉尔吉斯宪法。

新宪法是从两种矛盾的政治实践和政治倾向中产生的一部矛盾的根本大法。一方面，宣布社会主义已基本建成，“所有的剥削阶级都被消灭”，社会主义民主不断发扬。另一方面，又强调阶级斗争日益尖锐化，专政机器需大力加强。因此党和政府在准备最高苏维埃的选举时，一方面，具体落实新选举法的实施措施。另一方面，大力加强清洗镇压，以确保选举按规定进行。

苏维埃代表大会通过新宪法后不久，党中央政治局就于1937年1月22日批准进行第二次莫斯科公开审讯。1月23日至30日，审讯了“托洛茨基平行总部”案件，判处皮达可夫等人死刑。

这之后，党中央于1937年2月23日至3月5日举行全体会议，讨论了党组织在苏联最高苏维埃选举中的任务问题。日丹诺夫作报告，强调选举制度进一步民主化的意义，要求各级党组织做好准备迎接这一转变，领导这一转变。全会通过了《关于党组织在按新的选举制度进行苏联最高苏维埃选举前的准备工作以及党的政治工作的相应改进》的决议。提出“必须在无条件地贯彻党章所规定的党内民主制原则的基础上改进党的工作”。“取消委派党委员会委员的办法”，“禁止在选举党机关时采取按整个名单一次表决的办法。应采取按候选人名单逐个表决的办法，同时要保证一切党员都有不选和批评候选人的充分权利”。“规定党机关的选举采用秘密（无记名）投票的方式”。[1]3月3日，斯大林作报告，严厉批评一些领导人的政治上的麻痹大意，要求彻底清除“由暗害分子、破坏分子、特务、间谍、杀人凶手组成的”托洛茨基两面派“匪帮”。他还提出要“以那些等待提拔的新生力量来充实这些干部，从而扩大领导干部的队伍”,[2]暗示要调整更换干部。斯大林的报告成为全会最重要的内容，人们日益感到民主化和绝对服从斯大林之间有着不可分割的关系。

不少地方干部担心新的选举制度可能会使自己落选，仍继续采用旧的选举办法。政治局不得不在3月20日发出通报，要求执行新的选举办法，但效果不大。5月8日，政治局通过党中央《关于违背公布秘密（无记名）投票结果方式》的决定，指出一些党组织在选举后不公布反对票数目的做法是不对的，要求口头（不是书面）公布所有候选人的各种票数。

为了落实新的选举法，苏联中央执行委员会于3月13日通过《关于停止审理因社会出身、财产状况和过去活动而剥夺苏联公民选举权的案件以及撤销

[1] 《关于党组织在按新的选举制度进行苏联最高苏维埃选举前的准备工作以及党的政治工作的相应改进》，《苏联共产党代表大会、代表会议和中央全会决议汇编》，第4分册，第467—468页。

[2] 《论党的工作缺点和消灭托洛茨基两面派及其他两面派的办法》，《斯大林文选》，第144、158页。

苏联中央执行委员会所属中央选举委员会》的决定。后一机构曾负责制定被剥夺选举权者名单。5月5日，政治局决定重新审查顿巴斯煤矿工程技术人员的案件，撤销对那些没有确实证据或工作忠诚努力人员的判刑，恢复其选举权。

从1936年年初起，斯大林就开始对他不信任的人进行调换工作、调离领导岗位直至逮捕法办。1937年，在逮捕了叶努基泽、人民委员会副主席鲁祖塔克、第一副国防人民委员图哈切夫斯基等人之后，政治局才审议选举法问题。雅科夫列夫根据斯大林的意见主持制定了《苏联最高苏维埃选举条例》草案，把尖锐的争论问题淹没到众多的细节规定之中。这样做了之后，还不放心。从3月31日起的3个月内，又将亚戈达等22位中央委员和16位候补中央委员清除出中央委员会。6月11日，军事法庭将图哈切夫斯基等人判处死刑。

1937年6月23日，党中央召开全会。会议没有按规定的议程以讨论新选举法的问题开始，而是首先听取了叶若夫关于清洗领导层情况的介绍。这之后，雅科夫列夫才作关于选举条例草案的报告。他提出，“只有获得绝对多数选票的候选人被认为当选；如果没有一个候选人在选举中获得绝对多数，那就必须在不迟于两个月内对获得最多选票的两位候选人进行复选”。雅科夫列夫强调新宪法第一百四十一条款赋予“每一个劳动人民的组织和团体以提出候选人的权利……它是根据斯大林的建议写入的，其目的是发展、扩大民主……这一条款保证了苏维埃选举的真正民主性”。[1]听了叶若夫通报后的中央委员们，没有对选举条例提出任何意见就一致通过了条例。

7月2日，政治局通过决议，指出“在某个时间从不同地区流放到北方和西伯利亚地区，后来因流放期满而回到本地区的前富农分子和刑事犯罪分子中的大部分，是在集体农庄和国营农场，以及在运输线上和其他一些工业部门内的各种反苏维埃和破坏罪行的主要祸首”。“联共（布）中央要求各州、边疆区组织书记，各州、边疆区和共和国的内务人民委员部代表清查所有返回故土的富农分子和刑事犯，以便立即把其中最为敌对的分子逮捕，并通过三人小组按行政办理其事务的程序将他们处死，而其他不太积极但仍是敌对的分子，最好将他们重新造册登记，流放到内务人民委员部指定的地区。联共（布）中央

[1] РГАСПИ，ф. 17，оп. 2，д. 616，л. 5–9. 引自 *Жуков Ю. Н.* Репрессии и Конституция СССР 1936 года // Вопросы истории. 2002. No. 1. С. 23.

要求在五天内向中央提交三人小组名单，以及应予枪毙者的数目和应予流放者的数目”。[1] 此后一个月，各地报上来的应予枪毙和立即流放者的数目达到25万人。[2] 这一数字还在不断扩大，迫使内务人民委员部命令各地在8月5日至15日到12月5日至15日期间开展专项运动来完成这一任务，以保证12月12日大选的顺利进行。

第一候选人和第一选民，1937 年

经过这一系列准备工作后，苏联于1937年12月12日举行最高苏维埃选举。投票者有9100万人，占全体选民的96. 8%。由共产党和非党联盟提出的苏维埃联盟院候选人获得98. 6%的票数，民族院的候选人获得97. 8%的选票。只有13. 5万张选票上划掉了那个唯一候选人的名字；只有6200张选票是无效的。[3]

1938年3月，进行第三次公开审判，判处布哈林、李可夫等18人死刑。6月，苏联举行了各加盟共和国和各自治共和国的最高苏维埃选举。1939年12月，举行了各级地方劳动者代表苏维埃的选举。投票者占选民总数的99.21%；赞成党与非党联盟提出的苏维埃候选人的票数，在州苏维埃占投票总数的99. 02%，在区苏维埃占98. 72%，在市苏维埃占98. 04%，在城市的各区苏维埃占98. 03%，在村镇苏维埃占98. 04%。

[1] Труд. 1992. 4 июня.

[2] *Хлевнюк, О. В.* Политбюро. С. 189.

[3] Правда. 1937. 15 и 17 декабря.

第二节　高度集中的政治体制

苏联的社会主义建设模式包含了三个层面。第一个层面是1936年宪法所规定的政治经济体制。它是基本大法规定的，是经过全民讨论、最高苏维埃批准的。应该说它是最根本的。但新宪法并没有包括全部。有些重要问题如共产党的地位作用只有原则规定，没有涉及具体内容。还有些重要问题，如领袖的地位作用则没有提到。因此它并没有包括模式的全部内容。

第二个层面是联共（布）党纲党章等文件所规定的体制。由于党领导一切，并且经常是党政不分，以党代政，因此这方面的规定比前者更重要，更能体现苏联模式的基本精神。

第三个层面是不成文的规定，斯大林个人行为所体现的体制。斯大林可以随心所欲地破坏国家的法制和党章的规定。各级领导人也拥有一定的法律之外的权力。这些特权和潜规则没有书面规定，却为人们所认可、所执行，构成斯大林模式的组成部分。

这三个层面各有差异，却又互相关联，有机地组合成一体，构成了斯大林的社会主义建设模式。

在政治体制方面，苏联是民主选举产生的苏维埃共和国，是民族共和国的联盟。最高苏维埃是最高国家权力机关。行政、司法和检察机关都产生于、从属于最高苏维埃。它们之间是领导和被领导、监督和被监督的关系。它与西方“三权分立”的制衡政治体制不同。另一方面，宪法也注意到权力制衡。最高苏维埃设两院，相互制约。司法和检察机关独立于行政机关。三者相互职能分工、权力制约。

斯大林政治体制的基本点是共产党的领导。有关这一规定放在十分不显眼的宪法第十章《公民的基本权利和义务》里。第一百二十六条“保证苏联公民有权结成各种社会团体”，进而说“工人阶级、劳动农民和劳动知识分子中最积极最觉悟的公民，则自愿结成苏联共产党，即劳动者为建成共产主义社会而奋斗的先锋队，劳动者所有一切社会团体和国家机关的领导核心”。宪法没有具体规定共产党应如何领导国家事务。它有意回避了这方面的问题。斯大林政治体制的核心内容实际是在不成文的党政关系，在苏联共产党自身的体制，在斯大林的个人权限中。

斯大林政治体制的最大特点是实行高度的中央集权和个人集权，具体表现在以下四个方面。

第一，党政不分，以党代政。苏联国家机关的权力十分有限。真正的权力统一掌握在苏联共产党一个政党的手里。联共（布）领导一切，决定国家各级领导人的任免，对有关立法、行政、司法等方面的各种事务作出决策，实行直接或间接的管理和监督。为了实现这一领导，党中央设置了负责生产业务的部门。

1930 年 1 月 5 日，联共（布）中央通过《关于改组联共（布）中央机关》的决议，决定按职能特点划分党内机构。原来的中央组织分配部分为两个部：组织指导部与行政管理和工会干部分配部。后者负责编制国家机关和社会机关待任命的官员花名册以及任命这些部门的官员。该部下设重工业局、轻工业局、交通运输局、农业局、财经计划贸易局、财务局、苏维埃机构局和国外干部局，具体掌控干部任免大权。1934 年联共（布）第十七次代表大会通过《组织问题》决议，决定改组党中央所属各部，“取消现有的职能部，设立完整的负责生产业务的部”。“在联共（布）专业委员会下设立：（1）农业部；（2）工业部；（3）运输部；（4）计划财政贸易部；（5）政治行政部；（6）党的领导机关部；（7）文化和列宁主义宣传部；（8）马克思恩格斯列宁研究院”。“在省委员会和边疆区委员会下设立：（1）农业部；（2）工业运输部；（3）苏维埃贸易部；（4）文化和列宁主义宣传部；（5）党的领导机关部”。[1] 在加盟共和国、边疆区、州和市的党委，也设立了众多的生产部。这些党内机构与行政机构重叠，实际成为后者的上级机关。它们制定发展规划和具体政策，决定干部任免，甚至直接就具体事务发布命令和决定，如 1930 年 5 月 15 日党中央作出《关于乌拉尔采矿工业辛迪加》的决定；1930 年 8 月 11 日作出《关于舍甫琴柯机器拖拉机站的工作》的决议；1931 年 6 月作出《关于莫斯科城市经济和发展城市经济》的决议；1934 年 11 月作出《关于废除面包和其他几种食品的配给制》的决议等等。对一些十分具体的问题，

[1] 《组织问题》，《苏联共产党代表大会、代表会议和中央全会决议汇编》，第 4 分册，第 388 页。

党中央也要作出规定。如1931年6月15日党中央的《铁路运输业及其当前的任务》的决议规定当年要"供给铁路运输部门2200万根枕木"。党的机关从中央到地方都出现国家化倾向，党内形成一个相当大的职业管理阶层。这些党内生产部门的设置在1939年的第十八次党代表大会上遭到非议，曾一度取消。但到年底，党中央政治局就通过决议，恢复各级党委中与主要经济部门相对应的生产业务部。

第二，选举制被任命制替代，党政官僚阶层掌控权力。党章规定，各级领导干部均由选举产生。这是民主集中制的一项基本内容。但选举日益受到限制。20世纪20年代，党中央书记处下设有统计分配部，它通过"推荐"和委派的办法，任用或解除各级干部。1923年4月，俄共（布）第十二次代表大会通过《关于组织问题》的决议，提出要对党、政、经济、工会等各部门的领导人员进行登记和挑选。1925年党中央组织局通过《关于选拔、任命工作人员的秩序》的条例。从此，形成了一种叫做"职务名册"的制度。[1]组织部门把经过挑选、并得到领导认可的人分别列入各种等级职位的选拔名册。各级领导人形式上是选举产生的，实际全都是上级从这个名册中选定的。职务名册按级别分为三类：第一类名单的级别最高，他们的选拔任命要经党中央批准；第二类名单上的任命要经党中央组织局的有关部门批准；第三类则由各机关自行确定，并征得中央组织部门的同意。通过"职务名册"制度，明文规定由选举产生的党政干部实际均由上级任命。

选举还直接受内务人民委员部的监督和干预。赫鲁晓夫讲过一件他自己亲身经历的事情："1937年莫斯科党的代表会议上发生了这样一件事。伏龙芝军事学院有一位军事委员，我们在区里认为他是一个好同志。在市委进行选举时，我们提他为候选人，表决时说到他名字的时候，全会场的人都长时间热烈鼓掌。这时突然从内务人民委员部给我送来一张字条：'请采取措施，不让这个人进党的市委。他不可信赖，他同人民的敌人有联系，即将被逮捕。'我们听了，就反对这个人。这给会议代表留下了沉痛的印象"。赫鲁晓夫感叹说，"是否可以选举某人进区委或者市委，最后决定权在内务人民委

[1] 俄文为 номенклатура，有两解：本义为"职务名册"，后延伸为担任名册规定职务的官员，带有贬义，本书译作"在册权贵"。

员部”。[1]

苏联为选举规定了普遍、平等、直接和无记名的民主原则。但党政领导干部、苏维埃代表、党代表大会代表的候选人名单都要由上面审定批准，在选举受内务人民委员部监视的情况下，选举变成走过场的形式，它实际已被任命制代替。同时，被任命的官员特别是高级领导人终身任职且兼职不限，只有病死或失宠犯错才会退出岗位。苏联实行的干部任命制和终身制最终造成一个享有特权的、不受群众监督的党政官僚阶层。它从根本上颠覆了民主选举制度。

第三，权力高度集中于党中央政治局和书记处的少数人甚至斯大林一个人的手中。党的最高权力机关按规定是党代表大会，每年举行一次。1934 年十七大通过的新党章规定，每 3 年召开一次代表大会。但实际过了 5 年到 1939 年才召开十八大。十九大更是隔了 13 年。党代表大会要讨论和决定的问题，都是党中央事先安排好的。代表们只不过是听取指示，接受任务回去贯彻而已。

党中央委员会在 20 世纪 20 年代权力较大，重大事情都是由它讨论决定的。后来则日益缩小。原来每个月至少召开两次中央全会。1925 年十四大改为每 4 个月召开一次。而 1934 年至 1953 年间总共只召开了 23 次全会。

权力转向党中央书记处和政治局。书记处依托“职务名册”制度，全面控制从中央到地方各级干部的任免，掌握人事大权。政治局则决定路线方针。政治局委员一般为 7—9 人，包括候补委员也不过 9—15 人，人数并不多。政治局例会在 20 世纪 30 年代上半期召开得比较频繁，平均每月召开 4—5 次，下半期则明显减少，1936 年全年只召开了 9 次例会。真正决定事情的是斯大林及其周围几个人。许多重要决议名义是政治局作出的，实际并没有举行政治局会议，只是以征询的方式通过的，而且征询的对象经常不是全体委员，仅是经过挑选的人。

政治局的权力实际掌握在斯大林等几个人手里。这一领导核心的最基本成员是斯大林、莫洛托夫和卡冈诺维奇。其他成员则随时间有所变化。最初有

[1] ［苏］费奥多尔·布尔拉茨基著：《赫鲁晓夫和他的时代》，赵敏善等译，中共中央党校出版社 1993 年版，第 23 页。

奥尔忠尼启则，20 世纪 30 年代初，因在洛米纳泽问题上同斯大林发生分歧，被排斥在这个核心之外。1934 年十七大后，日丹诺夫被迅速提拔上来，当选为党中央书记。1934 年 6 月 4 日政治局通过关于中央书记分工的决定，日丹诺夫负责农业部、计划财政贸易部、政治行政部、党的领导机关部、事务管理部和中央书记处。[1] 他开始进入核心领导层。1935 年 3 月 10 日，政治局再次对中央书记进行分工。安德列也夫和叶若夫承担重要职责。[2]

1937 年春，斯大林写信给政治局委员说，"保密性质的问题其中包括外交问题，照例应由联共（布）中央书记处为政治局做准备。由于斯大林以外的中央书记通常或是不在莫斯科（日丹诺夫），或是在别的部门有着严重超负荷的工作（卡冈诺维奇、叶若夫），而中央书记安德列也夫同志时常需要外出，同时保密问题的数量不断增加，中央书记处从总体看已无力完成上述任务。我还没有提到，莫洛托夫同志和伏罗希洛夫同志不是中央书记处的成员，但没有他们的参加是绝对不可能对保密问题其中包括外交问题做好准备的。鉴于上面所述，我建议联共（布）中央政治局建立一个联共（布）中央政治局下属的常设委员会来做准备工作，必要时处理解决保密问题其中包括外交问题，其成员为斯大林同志、莫洛托夫同志、伏罗希洛夫同志、拉·卡冈诺维奇同志和叶若夫同志"。[3]

1937 年 4 月 14 日，政治局通过决议，除了按斯大林的建议建立解决政治外交问题的常设委员会之外，还决定建立为政治局解决经济问题做准备的常设委员会，成员为莫洛托夫、斯大林、丘巴尔、米高扬和卡冈诺维奇。[4]4 月 27 日，政治局又决定撤销劳动国防委员会，成立苏联人民委员会所属国防委员会，主席是莫洛托夫，委员有斯大林、卡冈诺维奇、伏罗希洛夫、丘巴尔、

---

[1] 参见《政治局关于中央委员会书记分工的决定（1934 年 6 月 4 日）》，《苏联历史档案选编》，第 11 卷，第 70 页。

[2] 参见上书，第 84 页。

[3] РГАСПИ. ф. 17. оп. 163. д . 1145. л . 63. *Ю. Н. Жуков*. Репрессии и Конституция СССР. 1936 года. // Вопросы истории. 2002. No. 1. С. 20.

[4] 参见《政治局关于为联共（布）中央委员会政治局准备问题的决议（1937 年 4 月 14 日）》，《苏联历史档案选编》，第 11 卷，第 292 页。

鲁希莫维奇、梅日劳克。候补委员有加马尔尼克、米高扬、日丹诺夫、叶若夫。[1] 这三个委员会的建立使党政军大权集中于少数领导人手中，主要是斯大林、莫洛托夫、伏罗希洛夫、卡冈诺维奇手中。委员会的其他成员处于次要、协助地位。至于其他政治局和书记处成员则被排斥在外，无权参与各项重大问题的决策。

第四，政治局和书记处的活动不受监督，斯大林个人专权。原来设有中央监察委员会，由党代表大会选举产生，负责监督党中央、政治局、组织局和书记处是否正确执行党代表大会、代表会议的决议。但它实际只是一个软弱无力的组织。1926年11月，联共(布）中央委员会和中央监察委员会联席会议上，任命政治局候补委员奥尔忠尼启则担任中央监察委员会主席职务。这不仅违背了中央监委由代表大会选举产生，不得兼职的规定，而且把中央监察委员会置于政治局之下。1934 年第十七次党代表大会决定将中央监察委员会改组为党监察委员会，仍由代表大会选举产生，"委派一名联共（布）中央委员会书记为党监察委员会的领导者"。[2]1939 年第十八次党代表大会进一步决定，"党监察委员会应当由联共（布）中央委员会全体会议选举，并在联共（布）中央委员会的领导下，按照它的指示进行工作"。[3] 从此，党的监察机关正式成为党中央的下属机关。党中央和政治局从名义上也不再受任何机关的监督。

斯大林破坏集体领导原则，个人决定一切。斯大林将自己置于党和国家之上，置于人民之上。他把自己的报告发言等同党代表大会决议，定为最高指示。第十七次党代表大会通过的决议说，"责成各级党组织以斯大林同志报告中所提出的原理和任务作为自己工作的指南"。[4] 从此，斯大林的意见和指示成为全党全国必须执行的决定。

[1] 《政治局关于成立苏联国防委员会的决议（1937 年 4 月 27 日）》，《苏联历史档案选编》，第 11 卷，第 97—98 页。

[2] 《联共（布）第十七次代表大会：组织问题》，《苏联共产党代表大会、代表会议和中央全会决议汇编》，第 4 分册，第 393 页。

[3] 《联共（布）第十八次代表大会：修改全苏联共产党（布尔什维克）党章》，第 5 分册，第 48 页。

[4] 《联共（布）第十七次代表大会：关于联共（布）中央委员会的总结报告》，第 4 分册，第 355 页。

斯大林是法制的倡导者，也是法制的破坏者。斯大林一贯强调无产阶级专政，但在新宪法中，只以非常不起眼的方式提到它。宪法第二条规定，"苏联的政治基础，是由于推翻地主和资本家的政权并争得无产阶级专政，而成长和巩固起来的劳动者代表苏维埃"。宪法更多的是谈民主和法制。诚然，斯大林立法的重点是保卫苏维埃政权和公有财产，但对保护公民民主权利和合法利益也作出一些法律规定。斯大林在《关于苏联宪法草案》的报告中，刻意强调苏联新宪法比资产阶级宪法更民主，它的一个基本特点，"就是它的彻底的信守不移民主主义"。[1] 而在实践中，斯大林完全不把民主和法制看在眼里，而把内务人民委员部置于党和国家之上。1935 年设立了以斯大林为首的党中央政治局特别安全委员会，直接领导内务人民委员部。1936 年，党中央根据斯大林的提议，决定授予内务人民委员部机构为期一年的全权。1937 年 6 月，党中央又通过决议把这一权力无限期延长。斯大林将内务人民委员部置于自己一人的控制和指挥之下。他依靠内务部监视所有的领导人包括政治局委员（如奥尔忠尼启则的办公室就被搜查），以确保手下的忠诚。斯大林下令内务人员逮捕、审讯、处死他认定的"罪犯"、"人民敌人"，以杜绝任何不同意见，消灭一切现实的和潜在的敌人、一切可能威胁他的地位声望的人，以及他不喜欢的人。

斯大林最终将党政军最高权力集于一身，个人决定一切，地位至高无上。他通过高度集中的党政机关，特别是内务人民委员部，维护中央命令指示的绝对贯彻和机制的运转。1936 年宪法所规定的民主法制以及党章所规定的民主集中制被斯大林限制在他所允许的范围和时间之内实施，主要用来装饰门面，或让各机构及其成员相互牵制。

第三节　以俄罗斯族为主体的民族共和国联盟制

革命前的俄国是一个多民族国家，民族问题长期困扰着当权者。布尔什维克党历来重视这一问题，提出民族平等和民族自决的主张。苏维埃政权建立后，积极探索解决民族问题的途径。1922 年苏联的成立和 1924 年苏联第一

---

[1] 《关于苏联宪法草案》，《斯大林文集》，第 110 页。

部宪法的通过，初步规范了民族体制。1936 年宪法最终确定了民族管理体制。斯大林建立的民族管理体制有以下三个特点。

第一个特点是，扶植各少数民族发展，按民族建立行政单位，组成民族联盟。

苏联的少数民族地区特别是中亚和外高加索地区，经济文化发展比较落后。苏维埃政府对它们进行重点帮助，使其经济特别是工业得到较快的发展。同时，注意发展民族教育事业，广泛建立适用本民族语言的学校，努力使民族地区的各级党政干部“民族化”。

随着各少数民族的成长壮大，苏维埃政府不断提高各民族自治实体的地位，完善民族自治体系。在中亚地区，1924 年 10 月，改组土耳其斯坦自治共和国，以及布哈拉、花剌子模人民共和国，组建了乌兹别克和土库曼苏维埃社会主义共和国。还成立了塔吉克自治共和国，隶属于乌兹别克加盟共和国。1926 年成立了吉尔吉斯自治共和国，隶属于俄罗斯联邦。1929 年，塔吉克升格为加盟共和国。1936 年，哈萨克和吉尔吉斯自治共和国都升格为加盟共和国。同年，外高加索联邦分解为阿塞拜疆、亚美尼亚和格鲁吉亚苏维埃社会主义共和国。1936 年宪法规定，苏联由 11 个加盟共和国组成。

对于人数较少的少数民族则分别组成自治共和国、自治州和民族专区。1923 年，全苏联共有 13 个自治共和国；1928 年为 15 个；1936 年，增为 22 个。俄罗斯联邦先后组建了巴什基尔（1919 年 3 月）、鞑靼（1920 年 5 月）、达吉斯坦（1921 年 1 月）、克里木（1921 年 10 月）[1]、雅库特（1922 年 4 月）、布里亚特—蒙古（1923 年 5 月）、卡累利阿（1923 年 7 月）、德意志伏尔加（1924 年 12 月）[2]、楚瓦什（1925 年 4 月）、莫尔多瓦（1934 年 12 月）、乌德穆尔特（1934 年 12 月）以及卡尔梅克（1935 年 10 月）等 12 个自治共和国。1936 年 12 月制定新宪法时，又将卡巴尔达—巴尔卡尔、科米、马里、北奥塞梯和车臣—印古什等 5 个自治州提升为自治共和国。俄罗斯联邦总共有 17 个自治共和国。此外，在乌克兰，1924 年 10 月建立了摩尔达维亚自治共和国。在阿塞拜疆，1924 年 2 月建立了纳希切万自治共和国。在格鲁吉亚，1921 年 3 月建

[1] 1945 年改为自治州。

[2] 1941 年被撤销。

立了阿布哈兹自治共和国；1921 年 7 月建立了阿扎尔自治共和国。在乌兹别克，1932 年 3 月建立了卡拉卡尔帕克自治共和国。

在俄罗斯联邦内有阿迪格、犹太、戈尔诺—阿尔泰、哈卡斯、切尔克斯克自治州。在格鲁吉亚有南奥塞梯自治州。在阿塞拜疆有纳戈尔诺—卡拉巴赫自治州。在塔吉克有戈尔诺—巴达赫尚自治州。

1940 年设有 10 个民族专区：涅涅茨（属阿尔汉格尔斯克州）、泰梅尔（一名多尔干—涅涅茨，属克拉斯诺亚尔斯克州）、埃文基（属克拉斯诺亚尔斯克州）、科里亚克（属堪察加州）、楚科奇（属马加丹州）、亚马尔—涅涅茨（属秋明州）、汉特—曼西（属秋明州）、阿加布里亚特（属赤塔州）、乌斯奇—奥尔登布里亚特（属伊尔库茨克州）、科米—彼尔米亚茨克（属彼尔姆州）。另外，1926 年在原属中国的唐努乌梁素海地区建立图瓦人民共和国。1944 年 10 月，改为图瓦自治州，1961 年 10 月，升格为自治共和国。

1936 年宪法通过时，以民族为特征的行政划分工作基本完成。一些原来没有民族国家或民族自治实体的民族取得了某种自治地位。宪法所确定的联盟制一直维持到苏联解体。

第二个特点是，各民族自治实体都置于中央政权控制之下，联盟制流于形式。

斯大林将民族问题置于从属地位。他认为民族问题、民族利益应完全服从阶级要求，服从社会主义的需要。因此民族平等和民族自决权都只能是相对的、有条件的。在苏联的中央高度集权体制下，民族共和国完全听命于中央，联盟制实际被单一制所替代。

宪法规定，“每一加盟共和国均有退出苏联之权”。这是联盟制的基本原则之一。斯大林强调，“苏联是享有平等权利的各加盟共和国的自愿联盟。如果把关于自由退出苏联的权利这一条从宪法上删去，那就违反了这个联盟的自愿性质”。但是斯大林又说，“在我们苏联没有一个共和国会愿意退出”，[1] 从而否定了退出的现实可能性。宪法以及后来的法律也没有具体规定加盟共和国退出苏联的法律程序。这样，民族共和国自由退出的权利实际上只是一个纸面规定，并没有准备执行，更没有实际保障。

---

[1] 《关于苏联宪法草案》，《斯大林文集》，第 122 页。

宪法规定，各民族可以建立自己的自治实体，但民族区域的划分有很大的主观随意性，实际是按领导人的意志进行的。拥有上百万人口的鞑靼、巴什基尔等民族希望将他们的自治共和国升为加盟共和国。斯大林不赞成。他针对这一意见，提出加盟共和国必须具备三个条件：一、地理位置必须在边疆，只有这样才“有可能在逻辑上和事实上提出退出苏联的问题”；二、用该民族命名的共和国，该民族必须在该共和国的居民中占多数；三、该民族的人口绝对数至少在100万以上。克里木和鞑靼自治共和国没能满足上述三个条件，不能成为加盟共和国。[1]鞑靼等少数民族的要求就这样被斯大林的三条标准简单否定了。

斯大林对主体民族在境外的一些民族，如波兰、朝鲜、保加利亚、库尔德等数十个民族心存疑虑，有意限制这些民族的自治权利。尽管有的民族人数已多达数十万，但苏联领导人用各种借口不准许他们建立自己的民族自治实体。20世纪30年代至40年代，中央政府更以国家安全和惩治叛变投敌为名下令撤销许多自治共和国、自治州的建制，将一些少数民族迫迁到中亚和西伯利亚地区，民族权利遭到肆意破坏。联盟制并无能力保护少数民族的权益。

各民族自治实体的自治权力不断受到限制。宪法规定，“各加盟共和国的主权只受苏联宪法第十四条所规定的范围的限制。在这个范围以外，每一个加盟共和国都独立行使国家权力”。但随着中央集权体制的加强，本来属于民族自治实体的权力包括如何发展民族经济和民族文化的权力都被收了上去。中央可以不顾及哈萨克居民的生活习惯和劳动特点，直接下令，强制推行牧民定居和牧业集体化，造成巨大灾难。民族领导人只能全力推行中央下达的政策，不能根据本民族的情况而对中央提出任何不同意见。即使这样，仍不为中央所满意。20世纪30年代，各加盟共和国的主要领导人都遭到清洗镇压。各民族自治实体实际是中央的下属机构，没有任何实质性的自主权。

第三个特点是，民族联盟以俄罗斯族为主体。俄罗斯族是苏联最大的民族，经济文化比较发达，在苏维埃国家建设中自然起着重要作用。在中央集权的单一体制下，斯大林把民族联盟的核心归于俄罗斯，要其他民族俄罗斯

[1] 《关于苏联宪法草案》，《斯大林文集》，第123页。

化。斯大林片面夸大俄罗斯族的伟大，称“俄罗斯是苏联最杰出的民族，是公认的领导力量”，但闭口不谈其他民族的贡献。1922年，他提出自治化方案，主张各民族共和国包括乌克兰、白俄罗斯等国都以自治共和国身份加入俄罗斯联邦，让他们在俄罗斯范围内实行区域自治。遭到列宁反对后，斯大林放弃了自己的主张。苏联也建立了各民族共和国的联盟。但斯大林仍旧把俄罗斯置于领导地位，而把其他民族共和国置于俄罗斯联邦之下。俄罗斯联邦有着与其他加盟共和国不同的建制。俄罗斯联邦没有共产党中央领导机关，其地方党组织直属党中央俄罗斯局，党中央总书记兼任该局主席。俄罗斯联邦的最高行政机关形同虚设，其职能由联盟政府代为行使。实际上，联共（布）中央就是俄罗斯联邦共产党中央，苏联中央政府就是俄罗斯联邦政府，二者合一，凌驾于其他加盟共和国之上。俄罗斯人控制了联盟中央的政治、经济、外交和军事管理权。历届苏联共产党中央总书记和苏联人民委员会（部长会议）主席中，只有斯大林一人是格鲁吉亚人，一个“俄罗斯化的异族人”，[1] 其他都是俄罗斯人。在各民族共和国中，通常派遣俄罗斯人担任第二把手，握有实权并负责监督当地民族动向。在语言文化方面，联共（布）中央和苏联人民委员会于1938年3月联合发布决议，要求各少数民族一律学习俄语。《真理报》极力夸大俄语的地位和作用，称俄语是“列宁的语言”、“革命语言”、“社会主义文化的国际语言”。[2] 突厥语和鞑靼语的文字在20世纪20年代已由阿拉伯字母改为拉丁字母，书写和拼读较为方便，受到使用民族的欢迎。可是到了20世纪30年代，政府下令将突厥语和鞑靼语的文字由拉丁字母改为吉里尔字母，也就是俄文字母。斯大林的民族联盟制实际就是要各民族向俄罗斯族靠拢、融合。

总之，斯大林建立的民族管理体制包含了两个相互对立的因素。一方面，联盟制从法律上肯定了各加盟共和国的平等主权地位和自由退出联盟的民族自决权。它推动了民族经济和文化的发展。而按民族划分行政单位则壮大了民族国家的实力，强化了各非俄罗斯族的民族特性，促进了民族意识的觉醒，也助长了民族主义的滋长。另一方面，联盟制下的民族自治体又受高度中央集权的

---

[1] 《关于民族或“自治化”问题》，《列宁全集》，第43卷，第351页。

[2] Правда. 1938. 7 июля.

控制和管理。民族的自主权作为中央集权的异物不断被削弱直至完全剥夺，最好的情况也只是中央认可的一种赏赐，随时可能被中央收回。这两种对立因素的并存表明，斯大林的民族体制具有难以调和的内在矛盾，其后果是苏联民族问题长期严重存在。

为了缓解民族体制内的矛盾和平息各种民族问题，斯大林采取简单处理办法，单方面加强中央权力，要求各民族自治体绝对服从和无条件地履行中央的决定。对一切不符合中央口味的言行一律当做资产阶级民族主义进行批判和镇压。还大力推进各少数民族俄罗斯化，人为地加速民族的融合过程，宣扬创建以俄罗斯族为主体的新的人民共同体。斯大林的联盟制只是口头上和形式上给予各民族平等和自由退出的权利，并没有找到解决民族问题的途径。它只是靠中央集权压制了民族的不满和反抗，实际上民族矛盾在不断积累恶化。当中央权力减弱时，矛盾和冲突就会像火山一样爆发出来，无法抑制，联盟制也难以维持下去。

第四节　国家垄断的经济体制

随着新经济政策的废止和农业集体化、工业化的开展，苏联不断限制和排斥商品生产和市场关系，对经济管理体制进行大改组。1929 年 5 月，第五次苏维埃代表大会批准第一个五年计划，初步形成计划经济体制。同年 12 月 5 日，联共（布）中央发布《关于改组工业管理》的决议，规定了国营企业经营和管理的基本原则。1930 年至 1933 年，进行了信贷改革、税制改革和工资改革，勾画了苏联工商业管理体制的基本轮廓。在农业领域，1930 年通过了第一个《农业劳动组合章程》。同年，将全国农业的管理权集中于农业人民委员部、谷物和畜牧业国营农场人民委员部以及农产品采购委员会。国家对农产品的采购由通过市场改为预约订购，改为义务交售。农业的管理体制大体形成。

苏联经济管理体制是在相互矛盾的发展变化中形成的。其主导方向是加强中央控制，扩大行政机关的管理职权，加重惩罚力度。但经济发展的重重困难以及客观经济规律的作用，迫使政府不时采取一些措施，放宽中央控制，试图把中央计划体制与经济刺激手段结合起来。这后一种倾向十分弱小，但长期存在，特别是在大饥荒的1932年，中央削减计划指标，允许农民在农村市场按市场价格进行农产品和手工业品买卖。一些俄国史学家把这一年称为新新经济政策时期。但这一年秋天，斯大林就开始采取强硬措施，如通过《关于保护社会主义财产》的法令，来保证中央计划的完成。1933年，行政命令的经济管理体制最终形成。

经济体制与政治体制相适应，也是高度集权的。它有以下几个主要特征：

第一，实行单一的公有制。苏联宪法承认社会主义所有制有两种形式：国家所有制（全民的财产），合作社—集体农庄所有制（各个集体农庄和各个合作社的财产）。这一区分适应了苏联个体小农经济曾经占据优势的情况，没有立即把它们变成国有经济。但它完全排斥其他经济成分。到1937年第二个五年计划完成时，社会主义所有制的经济成分占有全国生产基金的99%，国民收入的99. 1%，工业生产的99. 8%，农业生产的98. 5%，零售商业商品流转额的100%。[1] 为数甚微的个体经济残余是作为特殊情况而允许暂时存在的，它们在社会主义所有制体系中没有合法的地位。此外，允许集体农庄庄员经营有限的个人副业。

国家所有制被简单地等同于全民所有制，被看做是社会主义所有制的高级形式，是它的主体。据1936年的统计，国家所有制与合作社—集体农庄所有制所占的比重，在全国生产基金中分别是90%和8. 7%；在工业产值中是97. 3%和2. 6%；在农业产值中是76%和20. 3%。[2] 合作社—集体农庄所有制被看做是社会主义所有制的低级形式。它名为集体所有制，但农业的基本生产资料如土地、大农业机器均为国家所有，集体农庄人事、生产和分配的权力实际上也掌握在国家手中。它同国有制的差别主要是国家不负责庄员的劳动收入，允许庄员经营家庭副业和进行有限制的农村集市贸易。国家限制集体农庄所有制的发展，并计划逐步将它过渡到国家所有制。

第二，高度集中的部门管理体制。在中央、地方和企业之间的权力配置

[1] Народное хозяйство СССР за 60 лет. С. 9.

[2] 引自刘克明、金挥主编：《苏联政治经济体制七十年》，中国社会科学出版社1990年版，第363—364页。

关系方面，把权力高度集中于按专业划分的中央工业部门管理。20 世纪 20 年代，经济领导的层次比较多。企业之上有托拉斯、辛迪加、最高国民经济委员会的各总管理局。根据 1929 年的改组决议，撤销了主要经营销售业务的辛迪加，成立了各种联合公司，统一管理企业的生产和销售，实行独立的经济核算。还撤销了总管理局，由最高国民经济委员会直接领导各联合公司。最高国民经济委员会有权确定控制数字和基建计划，委任和解聘联合公司管理委员会成员，分配利润和亏损，决定专用资本的开支，确定产品的出厂价格等。最高国民经济委员会的管理与联合公司的独立经济核算权产生矛盾和不协调。不久就又重新建立非经济核算的总管理局。它代替联合公司，管理托拉斯和企业。1934 年，有一定自主权的托拉斯一级组织被撤销。企业直接受中央相关部门领导，内部实行一长制。厂长、经理、车间主任都由国家指定，是国家机关的代表，对上级机关负责。企业中设有各种生产会议，如小组生产会议、工段生产会议、车间生产会议、全厂生产会议等，由工会主持。它主要是讨论如何完成计划的问题，可以提出建议，但无权管理和监督企业的生产和分配。企业的人、财、物和供、产、销的大权都受控于中央。

为了适应部门管理体制的需要，中央主管经济的部门不断增多。1930 年这样的部门只有 5 个，其中主管工业的只有最高国民经济委员会。1931 年年底至 1932 年年初，国民经济委员会改组为重工业人民委员部，另建轻工业、森林工业人民委员部。这以后，工业部门越分越多，到 20 世纪 30 年代末，共有 21 个工业性质的人民委员部。

第三，指令性计划体制。苏联设有一个从上而下的、庞大的计划管理机构体系。中央一级是苏联人民委员会下的国家计划委员会。地方上，各加盟共和国、州（边疆区）、市（区）三级都设有本地区的计划委员会。另外，还按部门设有计划机构。中央各经济部、所属各总管理局、各企业都设有计划处或计划科。

中央依靠这一计划机构体系，直接指挥和掌控经济发展计划的编制工作。首先，由国家计划委员会根据党中央和政府的指示编制出关于发展计划的指示和控制数字，并下达到各部门各地方计划机构；然后，各部门各地方计划机构依据国家计委的指示制定自己的计划草案，并逐级上报，汇总到国家计委；最后，国家计委在上报材料的基础上编制出统一的国民经济发展计划，党代表大会和最高苏维埃批准后生效。

国家制定的计划指标，范围不断扩大。最初仅限于生产指标，其中包括产量指标和价值指标。后者在五年计划中以不变价格计算（在20世纪30年代按1926年至1927年的价格计算），在年度计划中以当年实际价格计算。后来，增加了财务指标。从第二个五年计划起又增加技术指标。到20世纪40年代初，国家下达给企业的指标多达120项，涉及各个方面，如资金来源，物资供应，产品的品种，数量和价格，生产成本，劳动生产率，工资总额和等级，职工的福利等等。给集体农庄下达的计划指标也几乎无所不包，包括各种作物的播种面积、产量、轮种指数、各种牲畜的头数、畜产品率、农产品收购量，直至生产方法、技术措施以及农庄内部各单位的编制等等。

计划是指令性的，是法令，是必须执行和完成的。国家通过经济计划统一指挥大大小小的企业和农庄的生产、组织分配和流通，规划居民的消费。

第四，行政命令体制。国家管理经济主要采用行政命令的手段。国家通过发布命令、决议和行政手段，组织全国的经济生活。它拒绝用经济方法管理经济，反对运用税收、贷款、财政、利率、汇率等手段来调控国家宏观经济，排斥利用市场、价格、利润等手段来改进管理，发展生产。企业实行的经济核算制实质上往往是一种单纯的计算手段，是监督完成指令性计划的工具。

在这种体制下，生产发展的主要动力是下达的指令性任务。完成任务的保证是党政纪律和领导人的个人责任。行政压力直至惩罚镇压措施成为越来越重要的保证任务完成的手段。与此同时，革命理想和精神鼓励也是重要的推动力量。

经济中的行政命令体制同政治中的不完全一样。它还部分地保留了经济杠杆。1933年允许农庄和庄员在一定条件下到市场进行买卖交易。同年，加强财政监督，稳定卢布币值，在国营企业中推行经济核算。政府在1934年年末大规模提高农产品和工业品的价格，使票证制得以在1935年废除。苏联的行政命令的经济体制不是绝对的，它容纳了某种市场和准市场的存在。

第五，推行以赶超西方资本主义国家为目标的经济发展模式。1929年4月，联共（布）第十六次代表会议讨论通过第一个五年计划后，于29日发布《致苏联全体工人和劳动农民》书，指出“历史向我国劳动人民提出了重大任务。

我们一定要在较短的历史时期内实现整个国民经济的社会主义改造，在技术和经济方面赶上并超过先进的资本主义国家”。[1] 斯大林进一步规划了追赶的年限。他强调，苏联处于帝国主义包围之中，经济落后于西方，生存受到威胁。他说，“我们比先进国家落后了 50 年乃至 100 年，我们应当在 10 年内跑完这一段距离，或者我们做到这点，或者我们被人打倒”。[2] 因此苏联把经济发展速度视为最重要的目标，决定通过计划指令，优先发展重工业。对经济发展比例协调，生产的效益，产品的质量，人民的生活福利等问题则忽视不顾。这造成苏联经济发展畸形，表面成绩惊人，内在问题严重。

第五节　官方全面控制的文化思想体制

思想文化模式同政治模式密切相连。它的基本特征也是高度集中，但垄断性更强，具有文化专制主义的浓厚色彩。

第一，意识形态工作缺乏立法，文化部门直接受党中央领导。联共（布）一直认为意识形态工作是党的本职工作，理应由党中央发布决议和文件来指导这一工作。斯大林时期，苏联没有制定任何新闻法或出版法。

政府中设有教育人民委员部和文化人民委员部，但教育、文化和科学等领域的领导权力实际掌握在党中央。它不仅制定有关文化教育的方针政策，而且直接领导监督各个文化部门和机构。党中央的文化领导部门不断扩大。1930 年中央宣传鼓动部被分为两个部：文化宣传部，鼓动和群众运动部。文化宣传部下又设 12 个局：1）党校教科书和政治常识局；2）大中学校列宁主义教学局；3）群众列宁主义宣传和党的政策局；4）国民教育局；5）科研机构局；6）生产技术宣传局；7）工厂农庄文化服务局；8）报纸局；9）杂志局；10）科学文献局，11）文学局；12）艺术局。20 世纪 30 年代中，将文化宣传部一个部改组扩大为 5 个部：1）列宁主义宣传鼓动部，负责领导理论宣传工作；2）报刊和出版社部，负责对报刊和出版社的领导和监督工作；3）学校部，负责指导

[1] 《联共（布）第十六次代表会议公告（1929 年 4 月 29 日）：致苏联全体工人和劳动农民》，《苏联共产党和苏联政府经济问题决议汇编》，第 2 卷，第 39 页。

[2] 《论经济工作人员的任务》，《斯大林全集》，第 13 卷，第 38 页。

教育人民委员部和整个学校工作；4）文化教育工作部，对文化机构和文化团体进行领导和监督；5）科学事业和科技创造发明部，领导科学机构和学术团体的工作。地方各级党委也相应设置了各种管理文化的机关。党中央主管思想文化工作的领导人，20世纪30年代初是卡冈诺维奇，后为日丹诺夫。他们直接向斯大林报告工作，领取指示，文化意识形态工作的最高决策权完全掌握在斯大林一人手中。

第二，主要用行政干预的手段管理思想文化工作。20世纪20年代，文化思想领域的管理相对比较宽松，思想比较活跃，存在各种文化学术团体。20世纪30年代初，苏联对各种社会团体：自然科学和技术团体、社会科学团体、文艺和普通文化团体进行改组合并，将它们的一切事务，从社会团体的设立、领导人的选定，到社团活动的内容方式都置于党政机关的行政监督管理之下。文化学术团体实际上成为非官方的官方机构。同时，不断组织学术批判活动，将学术问题政治化。斯大林明确指示，“任何背离马克思主义的倾向，即使在最抽象的理论问题上的背离，在阶级斗争日益尖锐化的情况下都具有政治意义”。[1] 苏联把不合领导心意的学术观点定性为资产阶级伪科学、“托洛茨基主义者的私货”，禁止这些学派活动，还把一些学者的相关的活动说成是反党，是阶级敌人进攻，直至对他们进行逮捕镇压。学术批判和组织处分日益成为管理文化学术团体活动的基本手段。

第三，舆论高度统一。苏联全盘否定资产阶级文化，说它已经腐朽没落。严格限制人们同西方文化界接触交往，力图封锁隔离西方文化。苏联拥有多样化的传媒信息机构，如报纸杂志、通讯社、电台、出版社和社会团体，但其性质、方针和任务均大同小异，都是由党中央宣传部的文件决定，都是党的喉舌，进行单一的宣传教育。这一机制限制和扼杀了多层次、多种类、多流向的信息传输和交流。全党、全国的舆论高度统一于联共（布）中央，最后统一于斯大林。对斯大林的个人崇拜成为一条神圣原则和政治标准。斯大林的话就是真理，就是人民行动做事的唯一依据。公民是否有觉悟、能否入党、乃至职务升降，一概以它为准。任何试图稍为离开或改变一下斯大林的理论政策的人，

[1] 《米丁笔记》，转引自马龙闪：《苏联文化体制沿革史》，中国社会科学出版社2007年版，第76页。

都会被视为异端，被宣判为革命叛徒、人民敌人。

第六节 斯大林模式的历史地位

斯大林模式比较集中地体现在1936年宪法之中。随后的新宪法实施，特别是大清洗的实践，以及斯大林在第十八次党代表大会上关于国家问题的论述，《联共（布）党史简明教程》的出版，这一切使斯大林模式继续得到补充，更加完整。

斯大林模式是一个统一的完整体系。政治、经济和思想文化体制之间相互联系、相互补充、相互依存。斯大林模式的基本特征是高度集中。首先是国家的高度集中。国家不仅管理行政、外交、国防、治安、财政等事务，而且依靠垄断掌握的自然资源和生产资料，全面管理生产和分配，还管理教育新闻、卫生体育、文学艺术等文化事业。国家凌驾于整个社会之上。它将全部政治、经济和思想文化生活都置于自己的管理控制之下。其次，联共（布）是整个国家的领导核心，国家的一切大政方针都由党决定。最后，整个权力集中于党的领袖斯大林一人，所有思想舆论完全统一于斯大林一人。斯大林模式所形成的集中，无论从横向看还是从纵向看，都是历史空前的。

斯大林模式是苏联当时所处各种历史条件的产物。首先，斯大林模式是在马列主义和斯大林“一国社会主义”理论的指导下形成的。马克思和恩格斯以及俄共党纲都设想社会主义社会应消除一切私有经济成分，建立没有商品货币关系的自然经济。苏维埃国家不仅是全民财产的唯一所有者，而且应集中统一管理国民经济。在政治方面，应坚持无产阶级专政，坚持共产党一党的绝对领导地位。斯大林提出的“一国社会主义”理论强调国外帝国主义武装干涉的危险和国内阶级斗争日益尖锐化的形势。这些思想决定性地影响了苏联社会主义建设模式的内容和特点。全面集中政治经济文化权力于中央和最高领导人，加强国家机器，用行政命令和惩罚镇压的手段加快实施社会主义自然经济被视为苏联发展的必然和必需，是社会主义建设体制的基本点。

其次，斯大林模式是在沙俄的政治经济文化传统基础上形成的。俄国地跨欧亚，处于东西方文明之间。革命前的俄国，资本主义经济以及民主思想和制度都有一定发展。但是它基本上仍是一个落后的农民国家，市场经济不发达，国家在经济中起着决定性作用，惯于用行政手段管理经济。君主专制制度长期存在，民主制度不健全，居民的公民意识薄弱，“好皇帝”思想广泛流传。泛斯拉夫主义、东正教的救世主思想以及村社的共同生活，使军事强国和平等王国成为官民的共同理想。这些传统全面渗入政治经济文化体制中，使斯大林模式具有浓厚的俄国传统特色，而民主多流于口头和形式上。

第三，斯大林模式是在20世纪30年代的国际环境下形成的。苏联长期处于帝国主义国家的敌视和包围之中，而自身的经济发展落后于西方。苏联一直担心帝国主义国家的入侵，它始终把备战作为工作的中心，备战体制是建设模式的核心。苏联还进一步把高速度发展经济，赶超西方发达资本主义国家作为自己的基本发展模式，以显示社会主义的优越性，最终战胜资本主义。

最后，苏联模式是斯大林主持创建的，带有明显的斯大林个人品质中的简单粗暴特色。多元化社会被组织成为一个单一色彩的整体。没有相互制衡的机制，只有自上而下的命令和监督。缺乏自我调节的机制，打击任何试图调整改革体制的思想和行为。虽然讲民主选举，讲公民权利，但这些最终仍必须服从领导的意愿。纪律和暴力受到特别推崇，达到荒谬地步。内务部高居其他党政机关之上。它监视一切，镇压所有不合领导心意的人，充当贯彻领袖意志的有力工具。斯大林模式正是在这种不受法律制约的暴力镇压基础上形成的。

斯大林模式在某种程度上适应了20世纪30年代的苏联客观条件。它集中全国的人力物力财力资源，迅速发展了经济。也正是在斯大林模式的基础上，苏联人民追求的强国目标和平等理想得以在某种程度上实现，居民的现实和理想的要求得到某种满足。

但是斯大林模式也存在着致命的弱点和错误。应当说，苏联实行比西方集中的体制是适合本国国情的，问题是集中得过分了。它强调领导的权威，忽视人权，压制不同意见，削弱直至从实质上否定民主监督机制，造成干部特权化，机关官僚化，个人专权。他还造成领导的主观唯意志论，忽视客观经济规律的作用，排斥商品货币关系和市场的调节，自以为是，用行政命令的办法统一管理经济，造成经济畸形发展，生产效率低下，资源大量浪费。

斯大林模式的更大问题是把它楷模化和固定化。斯大林模式产生于特定的历史条件，只适用于相对落后的环境。许多具体的规章制度是与历史发展方向相对立的。它不是发展市场商品经济，而是限制消灭私有制、恢复自然经济；不是减弱政权作用、发扬政治民主，而是无限扩大政权作用、建立个人极权体制；不是尊重人权，吸引广大群众参与历史进程，而是不断利用下层群众的激进情绪，并通过大规模的镇压使群众既是受害者又是参与者；不是鼓励创新、繁荣思想文化，而是实行文化专制主义。这些做法甚至比俄国的传统还落后，还要倒退。因此，斯大林模式的适应性极为短暂。当苏联宣布五年计划提前完成，社会主义取得胜利时，危机就爆发了，以致斯大林决定采取大镇压的办法来维持这一模式。第二次世界大战后，斯大林模式更日益成为苏联发展的障碍，成为各届领导力图改革突破的对象。

第五章　20 世纪 30 年代的大清洗

以莫斯科三次公开审判为核心的大清洗至今没有一个清晰明确的界定。有的人称它为大清洗，也有的人称它为大镇压或大恐怖。人们对它的理解更是不同。有的人认为它是一场运动，也有的人把它定为特定的年代，或把它看做是斯大林执政的一个基本属性。由此，对大清洗的内涵和时间也各有己见。

本书讲的大清洗是指20世纪30年代对党政军领导人和广大人民群众的清洗、迫害和镇压。它始于1934年年底的基洛夫被害，止于二次世界大战爆发前的1938年。

苏联的大清洗大镇压是一个令世人震惊的事件，非常受人关注，也存在巨大争议。

苏联史学界长期按《联共（布）党史简明教程》的口径，称20世纪30年代的大清洗大镇压是完全正确的，完全必要的。苏共第二十次代表大会后，大清洗的内幕开始被揭开。苏共中央监察委员会等部门调查了众多历史案件，揭露其真相，为受害者平反昭雪。相关材料于1989年后公布于《苏共中央通报》，《文献资料》。史学家们对大清洗中一些事件的档案资料进行搜集整理，按专题分类，公布于《苏共历史问题》，《文献资料》等处。[1] 俄国学者们发表了众多的综合性的和专题性的著作和论文。[2]

西方学者凡谈到苏联历史时都大谈特谈大恐怖的问题，其中最有影响的是：罗伯特·康奎斯特的《大恐怖：斯大林在三十年代的清洗》，库尔图阿等人的《共产主义黑皮书》等。[3]

---

[1] 参见相关的俄文杂志以及《苏联历史档案选编》第12、30、15卷。

[2] 主要有：[苏] 罗·亚·麦德维杰夫著：《让历史来审判》，赵洵等译，人民出版社1981年版。[俄] 安·弗·安东诺夫-奥弗申柯著：《斯大林时代的谜案》，彭卓吾译，红旗出版社1992年版。*Иванов, В.* М. Маршал М. Н. Тухачевский. М., 1985. *Росляков М. В.* Убийство Кирова. Политические и уголовные преступления в 1930-х годах. Л., 1991. *Лесков В. А.* Сталин и заговор Тухачевского. М., 2003. *Минаков С. Т.* Сталин и заговор генералов. М., 2005.

[3] Conquest Robert. *The Great Terror: Stalin's Purge of the Thirties.* Rev. Ed. New york. 1973 ; *С. Куртуа, Н. Верт, Жан-Луи Панне, А. Пачковский, К. Бартошек, Жан-Луи Марголен*:

中国学者也十分重视这一课题，并就镇压的规模等问题展开争论。[1]

尽管有关大清洗的档案资料在陆续解密，研究也在不断深入，但问题仍然十分多。加之，它同政治、同道义等方面有着密切关联，学术探讨经常掺杂着政治对抗和情绪争论，甚至完全失去学术内容。当前不清楚的或有争议的问题主要有以下几个方面：

首先，许多重大案件的内幕不清楚。如有人说基洛夫被暗杀是尼古拉耶夫的个人行为，有人则说是内务部、是斯大林指使的。

其次，对大清洗大镇压的时间和规模看法不一。有人把它限于1937年至1938年，认为遭镇压的是司法机关判处死刑的68万人。有人则把整个20世纪30年代都视为大清洗大镇压的年代，认为有很多人不是司法机关判处死刑的，有更多的人死于监狱或劳改营。还有人把遭迫害的富农分子、富裕农民以及被迁徙的少数民族也计算在内，他们认为遭镇压的约有300万到800万，遭迫害的则多达数千万。

第三，人们对大清洗大镇压的分析和评价各不相同，有的是完全对立的。关于发生大镇压的原因，有人说是阶级斗争的产物，是巩固政权的需要。有人说是领导认识发生偏差，夸大资本主义复辟危险所导致的。卡尔波夫认为，“清党和清洗军队在当时是需要的，这是斯大林推行的”。“但是另一个事实也不容否认，这就是：托洛茨基分子和反对派分子在这件事上抓住了党的清洗方

Чёрная книга коммунизма. Москва. 1999. ；Getty J. A. *The Origins of the Great Purges: The Soviet Communist Party Reconsidered, 1933–1939.* N. Y. 1985. ；Getty J. A. and Manning R. T.（ed.）*Stalinist Terror. New Perspectives.* Cambridge University Press. 1993；Goldman, Wendy *Terror and democracy in the age of Stalin.* Cambridge University Press. 2007；Levytsky, B. *The Stalinist Terror in the Thirties.* Stanford, California, 1974.（中文译本为：［美］鲍里斯·列维茨基著：《三十年代斯大林主义的恐怖》，克雄、达洲、代军合译，人民出版社1981年版）。

[1] 陈启能主编：《苏联大清洗内幕》，社会科学文献出版社1988年版；吴恩远：《苏联“三十年代大清洗”人数考》，《历史研究》2002年第5期；郑异凡：《论斯大林镇压问题研究中的某些概念和方法》，《历史研究》2005年第5期；马龙闪：《苏联“大清洗”受迫害人数再考察》，《历史研究》2005年第5期；吴恩远：《苏联“大清洗”问题争辩的症结及意义》，《历史研究》2006年第6期。

针，同过去许多事情一样，把这个方针歪曲到荒谬的地步，使清洗变成了真正的血腥疯狂的行为”。[1] 有人说斯大林政权是软弱的政权，而“强大、稳固的制度是不需要靠大规模暴力进行统治的”。[2] 苏联的大清洗不具有事先计划好的性质。它是迫于社会的压力，迫于下面对各级官吏的不满才采取的。“我们至今不知道他（指斯大林——引者注）决定了什么，何时决定的”。[3] 有些人则说大清洗是斯大林个人专权的结果，是制度的产物。认为大清洗不是政府迫于下面的压力而采取的。它是政府利用群众对现状的不满和对维权的无知，有意制造的。大清洗并非群众的要求和自发行为，是领导把群众变为迫害运动的参加者和支持者。[4]

第一节　大清洗的准备

阶级斗争尖锐化理论的提出

苏联社会主义工业化和农业全盘集体化运动是在激烈斗争中进行的。不同阶级之间，特别是当权的无产阶级和规定要消灭的资产阶级、富裕农民之间的矛盾和斗争达到顶点，冲突不断。另外，居民生活水平由于人为地加快工业特别是重工业的发展而下降，强制和半强制劳动范围不断扩大，强迫命令和惩罚判刑力度日益加大，所有这些都导致不满情绪蔓延，消极怠工时有发生。联共（布）党内也出现了激烈的争论和斗争。斯大林一派战胜了温和的布哈林派后，党和政府对敌对势力采取日益严厉的镇压政策，把持不同意见的人，甚至持观望态度的人定为右派分子，加以排斥打击。苏联社会从 20 世纪 20 年代末

---

[1] ［俄］弗・卡尔波夫著：《大元帅斯大林》，何宏江等译，社会科学文献出版社 2005 年版，第 120 页。

[2] Getty A. J. *The Politics of Stalinism.* // Nove A.（ed.）*The Stalin Phenomenon.* London. 1993. p. 118.

[3] Getty A. J. and Manning R. T.（ed.）*Stalinist Terror.* p. 6.

[4] *Павлова И. В.* Современные западные историки о сталинской России 30–х годов. // Отечественная история. 1998. No. 5.

期起，明显动荡不安。五年计划的完成和社会主义社会的建成，一时似乎出现了平静。斯大林宣称，“构成苏联社会的工人、农民和知识分子是在友爱合作的基础上生活和工作的……没有阶级冲突”。[1] 但耀眼的成绩掩盖不住经济畸形发展所带来的严重问题，用巨大代价建成的新社会也远不像宣传的那样理想，一般群众直至党政领导人日益对现行政策产生疑问和意见。一些新提拔起来的领导人骄横跋扈，独断专行，营建个人专权的小王国。不安因素在增长，危机苗头开始显现。在这一动荡时刻，斯大林不是调整政策，缓解矛盾，而是不断加强他所喜爱的专政手段。他陶醉于通过暴力手段所取得的工业化和集体化的成绩，力图进一步加强专政来扩大自己的业绩。

为了开展全国性的大清洗，斯大林在思想理论和组织人事两方面作了准备。他把暴力理论系统化，从理论上论证冲突激化的必然性和采取严厉镇压政策的正确性，提出了社会主义社会阶级斗争尖锐化理论。

1928 年初，出现粮食收购危机。斯大林否定布哈林提出的关于检讨和修订经济政策的建议，片面认定危机是“城乡资产阶级分子仇视社会主义建设的成就所采取的更加激烈的反抗”的结果。7 月，斯大林提出，“随着我们的进展，资本主义分子的反抗将加强起来，阶级斗争将更加尖锐”。[2]1929 年，他在《论联共（布）党内的右倾》的报告中，专门讲了阶级斗争尖锐化的问题。他认为，出现这一情况的原因是，社会主义在进攻，反动阶级的本性所决定，再加上他们的比重虽然在下降，但他们的绝对增长还是有的。斯大林说，“历史上还没有过垂死的阶级自动退出舞台的事情。历史上还没有过垂死的资产阶级不试图用尽全部残余的力量来卫护自己的生存的事情”。资产阶级“愈来愈比我们弱。正因为他们愈来愈弱，他们才感到自己的末日到了，于是不得不用尽一切力量，采取一切手段来进行抵抗”，[3] 并且反抗更加激烈。

此后，斯大林谈这个问题时，进一步联系到“资本主义包围”和国外敌

[1] 《在党的第十八次代表大会上关于联共（布）中央工作的总结报告（1939 年 3 月 10 日）》，《斯大林文集》，第 263 页。

[2] 《联共（布）中央全会：论工业化和粮食问题（1928 年 7 月 9 日的演说）》，《斯大林全集》，第 11 卷，第 150、149 页。

[3] 《论联共（布）党内的右倾》，《斯大林全集》，第 12 卷，第 35 页。

对阶级对国内阶级敌人的支持。1930年，他在第十六次党代表大会的政治报告中讲道，“资本主义包围——这就是说，苏联周围存在着敌对的阶级力量，它们决心要在精神上，在物质上，或用财政封锁的方法，必要时甚至用军事干涉的方法来支持我们苏联内部的阶级敌人。事实证明，我国专家的暗害活动，富农的反苏维埃活动，焚烧和炸毁我们的企业和建筑物的行为，都是受到外来的资助和怂恿的”。并且说，资产阶级反抗的更加激烈，必然会反映到党内。[1]1933年1月，斯大林在《第一个五年计划的总结》中，再次强调这个问题，认为“阶级的消灭不是经过阶级斗争熄灭的道路，而是经过阶级斗争加强的道路达到的”。他还把资产阶级反抗同托洛茨基、布哈林分子的活动联系在一起，认定他们是要反对苏维埃政权的。他说，“苏维埃国家威力的增长一定会使垂死阶级的最后残余的抵抗加强起来。正因为他们正在死亡，他们已经面临末日，所以他们一定会从一种袭击形式转到另一种更猛烈的袭击形式，向居民中的落后阶层呼吁，发动他们反对苏维埃政权。这些从前的人物用尽一切危害和诬蔑手段来反对苏维埃政权，并企图以此发动落后分子。在这个基础上，过去的反革命政党即社会革命党和孟什维克党的残兵败将，中部和边疆地区的资产阶级民族主义者的残兵败将是能够复活和蠢动起来的。托洛茨基分子和右倾分子中的反革命余孽是能够复活和蠢动起来的”。[2]

斯大林一方面把阶级斗争日益尖锐化看做是社会主义社会的发展规律；另一方面又认为当苏联完成生产资料所有制的社会主义改造之后，“剥削阶级已经消灭了”，[3]没有阶级对抗了。为了消除这两者之间的矛盾，他日益把阶级斗争尖锐化归结为资本主义国家在苏联进行间谍恐怖活动的加强，把清洗镇压对象定性为帝国主义代理人、间谍特务。

到1937年，斯大林在《论党的工作缺点和消灭托洛茨基两面派及其他两

---

[1] 《联共（布）中央委员会向第十六次代表大会的政治报告（1930年6月27日）》，《斯大林全集》，第12卷，第265、307页。

[2] 《联共（布）中央委员会和中央监察委员会联席全会：第一个五年计划的总结（1933年1月7日的报告）》，《斯大林全集》，第13卷，第190—191页。

[3] 《在党的第十八次代表大会上关于联共（布）中央工作的总结报告（1939年3月10日）》，《斯大林文集》，第263页。

面派的办法》的报告中指出，“现代的托洛茨基主义不是工人阶级中的政治派别，而是暗害分子、破坏分子、特务、间谍、杀人凶手组成的一伙无原则和无思想的匪帮，是受外国谍报机关雇用而活动的工人阶级的死敌组成的一伙匪帮”。将阶级斗争尖锐化理论总结为，“我们的进展愈大，胜利愈多，被击溃了的剥削阶级残余也会愈加凶恶，他们愈要采用更尖锐的斗争形式，他们愈要危害苏维埃国家，他们愈要抓住最绝望的斗争手段来作最后的挣扎”。[1]

斯大林的阶级斗争尖锐化理论为人为制造和激化分歧、斗争开辟道路，为掩饰政策和工作的失误提供借口，为排斥异己、维护小集团利益提供武器。1936 年 7 月，斯大林在联共（布）中央致地方组织的秘密信件中，提出“人民敌人”这个可以随意解释的罪名，为扩大打击面提供方便。

专政机构的加强

依据斯大林阶级斗争尖锐化的理论，治安机构不断得到加强，并拥有越来越多的特权。早在革命胜利初期的 1917 年 12 月 20 日就成立了全俄肃反非常委员会（契卡），任务是镇压国内外敌人的阴谋活动。1921 年 6 月，又成立俄罗斯共和国内务人民委员部，负责国内治安工作。两个治安机构一度同时并存。随着新经济政策的实施，为了巩固革命法制，1922 年 2 月 6 日，将全俄肃反委员会改组为国家政治保卫局（格伯乌），从属内务人民委员部，权限缩小。苏联成立后，国家政治保卫局于 1923 年成为直属苏联人民委员会的国家政治保卫总局（奥格伯乌），负责侦察和审理反革命案件。一般刑事案件由内务人民委员部处理。1934 年 7 月 10 日，奥格伯乌并入苏联内务人民委员部。

费·埃·捷尔任斯基（1877—1926）出任契卡和格伯乌的首脑，直至 1926 年逝世。接任的是维·鲁·明任斯基（1874—1934）。他也工作到逝世。1935 年亨·格·亚戈达（1891—1938）出任内务人民委员，1936 年 9 月被解职。接任的是尼·伊·叶若夫（1895—1940）。他在 1930 年任党中央干部部部长，1935 年任党中央监察委员会主席。1936 年至 1938 年，叶若夫在大清洗的

[1] 《论党的工作缺点和消灭托洛茨基两面派及其他两面派的办法》，《斯大林文集》，第 144、153 页。

关键年代主持内务部工作，同时还是党中央政治局候补委员和中央书记。1938年12月，叶若夫被解职，由拉·巴·贝利亚（1889—1953）接任。后三人特别是叶若夫是大清洗政策的忠实执行者，他们疯狂迫害镇压无辜者，手中沾满受害人的鲜血，最后自己也落个被解职、被枪毙的下场。

1924年通过的宪法规定设立法院。1933年设置检察院，第一任检察长是阿库洛夫（1888—1939）。安·亚·维辛斯基（1883—1954）最初是副检察长，1935年升为检察长。1934年，设置了最高法院军事审判庭和区军事法庭。

按法律规定，内务部机关必须先向检察长提交说明逮捕理由的决议以及相关的文件资料。经过检察机关审核批准后，内务部机关才能实施逮捕。宪法明确规定，“任何公民，非经法院决定或者检察长批准，不受逮捕”。随后的侦讯，内务部应遵守刑事诉讼法典的规定，并在检察机关的监督下进行。最后由检察机关负责起诉，法院进行审判。

国家政治保卫局、内务人民委员部理应依法行事，实际上它并不受司法检察机关的限制监督，可以无视法律的规定，自行其是。内务部通常是在没有司法检察机关的同意下，自行逮捕人。审讯也是由内务部工作人员主持进行，检察人员通常是不参加的。

1934年11月5日，内务人民委员部设置特别会议（简称“奥索”）以及下属的共和国、边疆区和州的三人小组。特别会议可以绕过法院自行审判，并且通常是在被告、证人、律师、检察官不在的情况下作出判决。1935年5月25日这一权力扩大到地方的三人小组。它一般由地方检察长、内务部地方局负责人和警察局长组成。1937年至1938年，与三人小组并列工作的还有两人小组，其正式名称是苏联内务人民委员部和苏联检察院委员会，由这两个机构的代表组成。三人小组和两人小组经常只审理案件的名单，不召见囚犯和见证人，不对审讯人员收集的材料进行审核，就作出判决，然后上报内务人民委员叶若夫和检察长维辛斯基。他们批准后，小组负责执行。

内务机关自成系统，各级地方机关只受上级机关的领导，不归同级地方党政机关管理，并且有权监督地方党政领导人的活动。如州党委第一书记无权过问州内务机构的事物，却受后者的秘密监视。根据《关于保护领袖的法令》，各级干部不通知内务部派去的警卫人员就什么地方都不能去；不接受警卫人员的监视也不能会见任何人。内务人民委员部实际直属党中央政治局领导。随着斯大林个人权力的膨胀，它日益成为斯大林个人控制和使用的工具。内务人民委员部的这一特殊组成机制使它成为破坏法制、开展大清洗镇压活动的得力工具。

苏联政府还颁布了许多有关惩罚镇压的严酷法律。党中央原来决定，政治案件未经党中央核定不准判处极刑。但它经常遭破坏。政治局不得不在1931年4月20日重申这一规定。1932年8月7日，颁布保护财产的法律，加重对侵犯公共财产者的惩罚。9月16日，政治局决定取消党中央的上述决定，规定经苏联最高法院、加盟共和国最高法院以及国家政治保卫总局委员会批准即可执行死刑。年底和次年年初，政治局又批准乌克兰等地组成三人小组，授予判处死刑的最后决定权。

政治局也曾试图控制清洗的规模，纠正内务部的非法行为。1934年夏，亚戈达向政治局报告，说一些青年小组想要搞恐怖活动。政治局决定，不是企图，而是有准备行动的证据时，才能对他们进行惩罚。9月15日，政治局讨论拖拉机中心案件，涉及有人控告内务部在审问时采用不正当手段。斯大林建议由卡冈诺维奇、古比雪夫和阿库洛夫组成委员会检查内务部工作。[1] 政治局的这种纠正只涉及个别具体问题，从总体讲不但没有改变不断扩大清洗规模的方向，而且愈加严厉地开展清洗镇压。

1934年6月8日，苏联中央执行委员会颁布《关于客观参与》的法律，认定罪犯的成年家属不管是否参与、是否知情，都在客观上参与其事，都要承担责任。对逃往国外的家属、受其抚养的人，可判流放西伯利亚5年。1935年3月30日的法令更加严厉，后来载入刑法第五十八条。它规定对偷越国境的军人和公民判处死刑，叛逃者的家属知其叛逃意图者判处10年以下的徒刑，其他成员判处5年徒刑。1935年4月7日，苏联中央执委会和人民委员会决定，可以对12岁以上（含12岁）的未成年人判刑事罪，直至判处死刑。后来，这条法律成为把小孩当人质，利用对小孩的惩治来胁迫大人认罪的工具。1935年5月13日，联共（布）中央通过决议，要求“无情地揭露人民敌人并把他们消灭”。从此，“人民敌人”这个含义不清的罪名便成为随意镇压无辜者的方便借口。1937年又根据斯大林的建议，作出了一项关于采用肉体感化的

[1] *Роговин, В.* Сталинский неонэп. М., 1994. С. 64.

决定，把早已实施的严刑逼供合法化。内务人员更加肆无忌惮地毒打被关押的人，采取七天七夜不许睡觉等折磨人的行为，甚至把人活活拷打致死，或受伤后死亡。

总之，农业集体化和工业化等运动引发的社会剧烈震荡，在斯大林的阶级斗争尖锐化理论的指导下，在斯大林个人专权和治安体制缺乏民主监督、相互制衡、内务部依仗特权横行无忌的情况下，在国际局势日趋紧张、战争威胁不断增长的背景下，最终发展成为惨绝人寰的大规模迫害镇压无辜者的大清洗大镇压运动。

第二节　大清洗的前奏

大清洗从严格意义上讲是对布尔什维克党内异己分子的清洗。这种清党运动早在 1921 年国家遇到政治经济危机时曾进行过一次。8 年之后，当政府用非常措施应对粮食收购危机时，联共(布）领导认定有必要再进行一次清党。1929 年 4 月，第十六次党代表会议通过《关于清洗和审查联共（布）党员和预备党员》的决议，决定“实行总清党”，清洗“暗藏的托洛茨基分子”，“清洗一切非共产主义分子、蜕化分子、异己分子、官僚主义分子、混进党内的分子、自私自利的分子和以官僚态度对待自己职责的分子”。[1] 开始对一切不忠、不满直至反对党反对斯大林的分子，对一切可能是敌人的人进行清理和镇压。与此同时，在城镇也开始了清洗镇压活动。矛头最初主要对准资产阶级知识分子和前非布尔什维克党成员。所有这些构成了大清洗的前奏。

1928 年初，国家政治保卫局驻北高加索的代表叶菲多基莫夫上报斯大林，说在顿巴斯煤矿的沙赫特地区和其他一些地方存在一个庞大的资产阶级专家的破坏组织。他把因设备落后、缺少必要的知识和技术、盲目增产而造成的生产事故说成是工程技术人员根据本国和外国资本家以及外国间谍机关的指令进行破坏活动的结果，指责他们滥用基本建设资金，购买不适用的外国机器设备，故意损坏贵重设备，烧毁电站，淹没矿井，使矿工的生命受到威胁。格伯乌逮

[1] 《关于清洗和审查联共（布）党员和预备党员》，《苏联共产党代表大会、代表会议和中央全会决议汇编》，第 4 分册，第 52、49、48 页。

捕50名苏联工程技术人员和3名德国顾问进行审问，通过拷打刑讯人为制造出一个反革命破坏组织。7月，维辛斯基主持特别法庭对他们进行审判。49人被判刑，其中5人被判处死刑。1929年4月，斯大林在党中央全会上强调说，“决不能认为所谓沙赫特事件是偶然的。现在我们的一切工业部门中都有‘沙赫特分子’。其中很多人已经落网，但是还远没有捕尽”。[1] 此后，全国掀起了清除“沙赫特分子”的政治运动，矛头指向旧知识分子。1929年，对布良斯克“红色工会国际”铁路工厂的一些工程技术人员进行审判，指责他们“一贯向铁路提供不好的火车头和车厢零件”。

1929年，宣布破获“拯救乌克兰联盟”，其领导人是历史学家米·谢·格鲁舍夫斯基（没有被捕）、乌克兰科学院副院长 С. О. 叶弗列莫夫。指控他们宣扬资产阶级民族文化，同波兰秘密协定，企图把乌克兰从苏联分离出去。然而这种指控是毫无根据的。但1930年春，仍对40多人进行公开审讯。主要领导人最初判处死刑，后改为8—10年监禁。被牵连的还有著名的史学家 Е. В. 塔尔列和 С. Ф. 普拉托诺夫，指责他们错误地解释了苏联的历史。

1930年，宣布破获“劳动农民党”，领导人是著名经济学家 Н. Д. 康德拉季耶夫、亚·瓦·恰亚诺夫、Л. Н. 尤罗夫斯基，农学家 А. Г. 多亚连科。说该党在农业部、财政部、合作社系统、农业科学研究院等处都有地下秘密组织，共有党员10万—20万人。该党同国外的“共和民主联合”组织（米留可夫、克伦斯基）有密切来往。同弗·古·格罗曼、巴扎罗夫（后被称为“孟什维克联盟局”）多次一起开会，准备通过武装起义来夺权，商定未来政府的首脑是康德拉季耶夫。1930年8月，斯大林写信给莫洛托夫，说财政部提出的进口白银的政策[2]“是由那些被康德拉季耶夫—格罗曼‘政府’策动的国家银行机构中的破坏分子（而不是皮达可夫）主持制定的”。“一定要把这些机构中的破坏分子枪毙掉20—30个，包括几十个不同类型的出纳员”。“我认为对康德拉季耶夫—格罗曼—萨德林一案应当十分认真地侦查，不要着急。该案非常

[1] 《论联共（布）党内的右倾》，《斯大林全集》，第12卷，第15页。

[2] 1930年苏联物价飞涨，居民大量储藏银镍辅币造成市场上辅币奇缺，财政部提出进口白银增加辅币铸造，被斯大林否定。

重要。该案的全部文件应当分发给中央委员和中央监察委员。我相信，这些先生与右倾分子（布哈林、李可夫、托姆斯基）之间的直接联系（通过索柯里尼科夫和泰奥多罗维奇）定会暴露出来。康德拉季耶夫、格罗曼和另外两三个坏蛋一定要枪毙。"[1] 苏联没有对劳动农民党案件进行公开审讯。1930 年 9 月 25 日，秘密宣布判处康德拉季耶夫等 48 人死刑。[2]1930—1932 年，因隶属"劳动农民党"而被逮捕的有 1000 多人。康德拉季耶夫最初被判处 8 年徒刑，刑满后又被判处枪毙。

1930 年秋，政府宣布又破获一秘密组织，其领导人是前地主 A．B．梁赞采夫教授，前地主 E．C．卡拉特金将军。说他们在钻进最高国民经济委员会、商业部、渔业公司、肉品公司，破坏鱼肉供应。斯大林写信给莫洛托夫说，"一定要把破坏肉食品供应的整个破坏分子集团都枪毙掉，并将此消息在报上公布"。[3] 经秘密审讯，报纸于 9 月公布消息说枪毙了供应部门中的 46 名破坏分子。

1930 年 11 月 25 日至 12 月 7 日，苏联最高法院特别法庭公开审判了"工业党"案件。交付法庭的有热工学院院长、国家计划委员会和最高国民经济委员会成员列·康·拉姆津教授、国家计委燃料部主席 B．A．拉里切夫、国家计委生产部副主席 И．A．卡林尼科夫、国民经济委员会科技会议主席 H．Ф．恰尔诺夫斯基等 8 人。说"工业党"有 2000 多人，是"资产阶级技术知识界上层反革命分子集团"，同外国反动分子有联系，"企图在苏联国民经济各部门进行间谍破坏活动，还准备在边界制造事端，让法国、波兰、罗马尼亚等国进行武装干涉，日期定在 1930 年，后因缺乏有利条件，延期到 1931 年或 1932 年。"维辛斯基支持公开审讯，判处多数领导人以死刑。在这个案件审讯过程中及以后的一段时间里，西方报刊掀起了大规模的反苏运动。苏联中央执行委员会决定对"工业党"领导人减刑，改判他们以不同期限的监禁。但 7—8 年后，

---

[1] 《斯大林关于经济和肃反等问题致莫洛托夫的信（不早于 1930 年 8 月 6 日）》，《苏联历史档案选编》，第 11 卷，第 131—132 页。

[2] 1987 年 8 月 5 日，苏联最高法院宣布为康德拉季耶夫等人恢复名誉。

[3] 《斯大林关于经济和肃反等问题致莫洛托夫的信（不早于 1930 年 8 月 6 日）》，《苏联历史档案选编》，第 11 卷，第 132 页。

他们中的大多数人被枪决。

在侦讯“劳动农民党”案件的同时，国家政治保卫总局在1930年夏就秘密逮捕了一些前孟什维克。1931年2月23日，国家政治保卫总局副局长亚戈达进一步命令下属各安全机关“立即对苏维埃机关和经济机构中的前、现和流放过的孟什维克的实际工作进行审查，逮捕所有涉嫌进行破坏以及和非法组织有联系的人，并进行侦查”。[1] 此后，许多人被逮捕。3月1日，什维尔尼克主持了又一场公开审讯——“俄国社会民主工党（孟什维克）中央联盟局”案件。国家计划委员会主席团成员弗·古·格罗曼（1874—1940）、国家银行管理局成员瓦·弗·舍尔（1884—1940）、俄罗斯联邦商业人民委员部下属对外贸易垄断研究院工作人员、作家尼·尼·苏哈诺夫（1882—1939）、经济学家、国民经济学院教授阿·莫·金斯堡（1878—1937）、商业人民委员部供应部副主任米·彼·雅库博维奇（1891—?）、作家弗·康·伊科夫（1882—1956）、马恩研究院政治经济学研究室主任、教授伊·伊·鲁宾（1886—1937）、苏联国家银行管理处成员鲍·马·别尔拉茨基（1889—1937）等14人被交付法庭。这些人原来是孟什维克，但于1920年至1922年宣布退出孟什维克党。公诉人尼·瓦·克雷连柯指控他们又秘密加入孟什维克党并组成这个党在苏联境内的领导总部。指控他们从1928年起就开始活动，但没有提出任何一份相关的书面文件资料来证实。指控他们与“劳动农民党”、“工业党”联合，妄图颠覆苏维埃政权。“工业党”负责同外国政府

“工业党”案。被告之一热工学专家拉姆津，1930年

[1] 引自 *Богданова, Н. Б.* Судебный процесс “Союзного бюро ЦК РСДРП (меньшевиков)” в 1931 году. // Отечественная история. 2001. No. 2. С. 44.

联系武装干涉苏联的事务；“劳动农民党”负责组织农民起义和瓦解派去镇压的红军队伍；“孟什维克联盟局”负责组织城市公民卫队，夺取政府机关。法庭审讯受到西方国家特别是第二国际的强烈质疑和反对。法庭指控俄国社会民主工党中央国外代表团领导人 Р. А. 阿布拉莫维奇曾秘密回到俄国策划阴谋活动。国外孟什维克指出，阿布拉莫维奇当时正在参加商议布鲁塞尔社会主义国际的事务，并发表相片加以证实。阿布拉莫维奇说，“这些事都没有：中央联盟局——没有，它的中央全会和决议——没有，它的传单和文件——没有，它同代表团联系——没有，国外来的钱——没有，国外代表团的决议——没有，Р. 阿布拉莫维奇到莫斯科——没有”。另一名孟什维克中央国外代表团领导人 Ф. И. 唐恩也发表声明指出，起诉书指控别尔拉茨基等人在柏林同他会面，并转达了他给舍尔的委托，实际上他已经 9 年多没同他们见过面，指控完全是造谣。[1] 法庭在国外强大反对声中，仅判处他们以 5—10 年的监禁。但这些人后来大多死于流放地（格罗曼、舍尔、金斯堡、别尔拉茨基等）或被枪毙（苏哈诺夫、鲁宾等）。

1920 年代末至 1930 年代初的审判导致一连串新的镇压。报刊为配合这一运动，宣称“应该无条件地认为旧知识分子百分之九十至九十五的人是有反革命情绪的。”审判案只揭发了这些暗害组织的头头，并没有充分揭露这些组织的广泛阶层。此后，旧知识分子、旧军官、留在国内的原立宪民主党人、原社会革命党人和孟什维克、原民族主义政党成员便成了打击的主要对象。如语言学家维·弗·维诺格拉多夫院士等人因“斯拉夫学家”案件被逮捕；化学工程师德·维特科夫斯基等人因“三十三人案”被逮捕；军事科学家 Н. Е. 卡库林，总参学院院长 А. Е. 斯涅萨列夫等人因“保皇反革命组织”案被逮捕。生物学家 В. В. 塔拉诺夫，自然科学史专家 Б. Е. 莱科夫等人也被拘押。到 1933 年 5 月，监狱和隔离所里共监禁了 80 万人。人们把监狱戏称为“工程师和技术员的休养所”。

20 世纪 30 年代初的社会经济危机引发党内意见分歧。一些曾经同斯大林

[1] Социалистический вестник. 1931. No. 6/7. 引自 *Богданова, Н. Б.* Судебный процесс “ Союзного бюро ЦК РСДРП（меньшевиков）” в 1931 году. // Отечественная история. 2001. No. 2. С. 51.

一起反对托洛茨基、布哈林分子的领导人开始对斯大林的政策产生怀疑甚至起来反对。谢·伊·瑟尔佐夫 1926 年至 1929 年任西伯利亚边疆区书记，积极贯彻对余粮户的非常措施。1929 年提升为政治局候补委员，被任命为俄罗斯联邦人民委员会主席，以与苏联人民委员会主席李可夫相抗衡。后来，他对非常措施所带来的不良后果感到担忧，对工业化速度表示怀疑，提出要采取措施进行补救。他与外高加索边疆区第一书记维·维·洛米纳泽多次见面。他们想弥合左翼和右翼之间的鸿沟，认为应把斯大林从党中央书记的岗位上调开。他们没有向中央提出自己的建议，也没有采取什么行动，就被告密。1930 年 11 月 4 日，党中央政治局和中央监察委员会主席团举行联席会议，审查瑟尔佐夫等人的问题，未经党中央开会就决定将瑟尔佐夫和洛米纳泽开除出党中央，将前共青团第一书记、青年共产国际领导人拉·沙茨金开除出中央监察委员会。12 月 1 日，党中央委员会和中央监察委员会作出《关于瑟尔佐夫、洛米纳泽等派别活动》的决议，指责瑟尔佐夫、洛米纳泽和沙茨金组成左派—右派联盟，进行派别活动。沙茨金于 1937 年、瑟尔佐夫于 1938 年被处死；洛米纳泽于 1937 年自杀身亡。

在这些案件后，斯大林又掀起代号为“春天”的战役，通缉十月革命后转到苏维埃一边的前军官。据京琴科统计，在这场战役中共枪毙 130 名红军指挥员，4 名死在狱中。国家政治保卫总局副局长特里利谢尔、梅辛格等人提出不同意见。1931 年 8 月，政治局听取了他们的陈述。斯大林被迫中止了“春天”战役。随后，把提意见的人都赶出国家政治保卫总局。[1]

1932 年秋，国家政治保卫总局逮捕了“马克思列宁主义者联盟”成员。其首领是马尔捷米扬·尼基季奇·柳亭。他于 1914 年加入布尔什维克党，1924 年至 1928 年，任莫斯科市红色普列斯尼亚区党委书记。在 1927 年联共（布）第十五次代表大会上被选为候补中央委员。他不同意对农民采取非常措施，在中央委员会讨论右倾问题时，采取了所谓缓冲立场，被指责为对右倾分子持调和主义态度。1928 年 10 月，被解除红色普列斯尼亚区党委书记和莫斯科委员会常务局委员的职务。1929 年，柳亭赴东西伯利亚任联共（布）中央

[1] *Плимак Е. Г. Антонов В. С.* 1 декабря 1934–год: трагедия Кирова и трагедия Советской России. // Отечественная история. 2004. No. 6. C. 36.

集体化特派员。在那里，他看到了粗暴歪曲列宁主义路线、在集体农庄建设中采取强制和偏激手段的现象。他回到莫斯科后写报告给党中央政治局，这使得斯大林和主管农业问题的拉·莫·卡冈诺维奇大为恼火。1930年9月，中央监察委员会主席团将柳亭开除出联共（布）队伍。理由是他“对党背信弃义、两面三刀，企图非法宣传已被十六大确认不应在党内有立足之地的右倾机会主义观点”。柳亭的主要罪过是，1928年决定解除柳亭红色普列斯尼亚区委员会书记职务时，他竟批评斯大林的行为。关于此事，柳亭在文字说明中写道：“甚至1928年我在红色普列斯尼亚区委常务局会上发言批评斯大林时，仍认为他是党的最高领袖，能够执行列宁主义原则。当时，我在速度问题和对农村形势的估计方面偏离了路线。我认为，斯大林同志没有理由污辱我，用狡猾的手腕撤掉我的党内职务。我认为，此事他对我不够胸襟坦荡。”柳亭被开除出党后，因被指控进行反革命宣传鼓动而被捕。但是，国家政治保卫总局审判庭也不得不承认指控查无实据，于1931年1月17日将柳亭释放。1932年9月，他再次被捕。

马·尼·柳亭

另一名主要成员是瓦西里·尼古拉耶维奇·卡尤罗夫。他于1900年入党，1925年至1930年任俄罗斯联邦工农检查人民委员部顾问，1930年至1932年任中央档案馆计划组领导人。此外，还有米哈伊尔·谢苗诺维奇·伊万诺夫，1906年入党，俄罗斯联邦工农检查人民委员部党组领导人。

他们三人由于对党内普遍存在的粗暴破坏党内民主的行为、对党和国家事务的领导工作中采取行政命令手段的做法深感不安，决定以书面形式对当时形势陈述自己的观点。1932年3月，柳亭准备了两份文件草案：《斯大林和无产阶级专政的危机》和《告联共（布）全体党员》呼吁书。参加上述材料编写工作的有：米·谢·伊万诺夫、瓦·尼·卡尤罗夫和他的儿子亚历山大·瓦西里耶维奇·卡尤罗夫（1914年入党，苏联供应人民委员部高级检查员）。

1932年8月21日，柳亭、伊万诺夫、卡尤罗夫父子等人在莫斯科近郊戈洛维诺村开会，讨论柳亭的题为《党和无产阶级专政的危机》的报告；通过了行动纲领和呼吁书。会议商定将新成立的组织命名为“马克思列宁主义者联盟”，委员会的书记是伊万诺夫。

“行动纲领”和“马克思列宁主义者联盟”宣言——《告联共（布）全体党员》呼吁书认定，国家之所以面临这种严重形势，是斯大林的领导班子在对农民使用强制手段以实现加速工业化和全盘集体化的问题上的偏激做法造成的。文件认为，必须实行党内和国家生活的民主化，恢复列宁主义的准则和原则，停止强迫集体化的行动。文件还谈到不满情绪的自然流露和农民（北高加索、外高加索、西伯利亚、乌克兰）及某些工业中心工人（伊万诺沃、维丘加）的起义、官僚主义变本加厉、无产阶级专政的实质遭到歪曲、苏维埃、工会、共青团的作用被贬低的现象。文件作出结论，在斯大林领导联共（布）中央委员会期间，很难指望会有根本性的变化。文件提出，为了恢复无产阶级专政、恢复党的生活和活动中的列宁主义原则、提高党员的积极性、使国家摆脱严重的经济形势，必须改组党的领导机构，解除斯大林的总书记之职。同时，称斯大林为“大间谍、奸细、党的破坏者”、“俄国革命的掘墓人”。

《告联共（布）全体党员》呼吁书特别指出：“党和无产阶级专政已被斯大林及其亲信引入空前的绝境，正面临着致命的危机。近五年来，斯大林凭借对党员欺骗、愚弄和诽谤的伎俩，凭借令人难以置信的暴力和恐怖手段，打着为布尔什维主义原则和党的团结的纯洁性而斗争的旗号，倚仗强大的中央集权的党的机关，从领导班子中驱逐和罢黜了党的所有最优秀的、真正的布尔什维克干部，在联共（布）和全国建立了自己的个人专政，与列宁主义分道扬镳，走上了肆无忌惮的冒险主义和飞扬跋扈的个人专横道路，使苏联处于深渊边缘。

……冒险主义的工业化速度导致职工实际工资收入大幅度降低、过于繁重的公开和隐蔽的捐税、通货膨胀、物价上涨、货币贬值；冒险主义的集体化是依赖令人难以置信的暴力、恐怖、没收富农的生产手段和土地（实际上主要针对广大中农和贫农）进行的；通过各种苛捐杂税和强迫收购来剥夺农村；

所有这些使全国陷于极度深刻的危机，人民群众异常贫困，城市农村忍饥挨饿……各种经营农业的个人积极性被扼杀殆尽，劳动靠赤裸裸的强制和镇压手段勉强维持，迫不得已建立起来的集体农庄摇摇欲坠。农村中所有年轻力壮的人都背井离乡，数百万人脱离了生产劳动，在国内到处颠沛流离，使城市人满为患，而留在农村的人则食不果腹……展望未来，农村将变得一贫如洗、荒无人烟、满目凄凉……

全国已丧失了自由，到处有人目无法纪、恣意妄为、横行霸道，每一个工人和农民随时都可能有大难当头。每一条革命的法律都遭到粗暴的践踏！……马克思和列宁的学说被斯大林及其亲信无耻歪曲和篡改。科学、文学、艺术被作践成斯大林领导班子低三下四的仆从和帮手。与机会主义作斗争被庸俗化，成为丑剧，成为诽谤和恐吓独立思考的党员的手段。受党章保障的权利被一小撮卑鄙的反复无常的政客所剥夺。民主集中制被领袖的个人专断所取代，集体领导变成了一个心腹网络。

报刊、共产主义教育的有力工具和列宁主义的武器，在斯大林及其亲信的手中变成了骇人听闻的谣言制造所，对群众进行欺诈、恐吓的作坊。他们用谎言和诽谤、枪决和逮捕以及一切权术和伎俩来维护自己在党内和国内的统治，因为他们将党和国家看做自己的世袭领地。

任何一个欲置无产阶级专政于死地、想诋毁列宁主义声誉的胆大包天、聪颖过人的奸细，都无法想出比斯大林的领导班子及其亲信更加高明的韬略……”[1]

“联盟”的纲领文件通过个人接触和邮局寄送被散发。季诺维也夫、加米涅夫、原联共（布）莫斯科委员会书记乌格拉诺夫和莫斯科、哈尔科夫的许多人很快都读到这些文件。

1932 年 9 月 14 日，联共（布）中央收到检举信。国家政治保卫总局立即逮捕了伊万诺夫、卡尤罗夫父子、柳亭等人。

斯大林对柳亭的行动十分恼火，要求枪毙他。基洛夫、柯秀尔、奥尔忠尼启则、古比雪夫、鲁祖塔克等政治局委员反对。

---

[1] 《中央监察委员会等部门关于“马克思列宁主义者联盟”案的调查材料》，《苏联历史档案选编》，第 12 卷，第 662—663 页。

1932年10月2日，联共（布）中央委员会和中央监察委员会主席团举行联席全会，决定将“马克思列宁主义者联盟”成员开除出党。10月9日，中央监察委员会主席团通过决议，说柳亭集团成员“已蜕变成共产主义和苏维埃政权的敌人、党和工人阶级的叛徒、妄图打着‘马克思列宁主义’的骗人幌子、以秘密的方式成立在苏联复辟资本主义、尤其是复辟富农统治的资产阶级富农组织”。[1] 季诺维也夫和加米涅夫在这次会议上对未向党中央报告该组织的情况表示懊悔，但还是被开除出党。

“马克思列宁主义者联盟”在其活动被取缔之前，只是处于成立组织和制定纲领性文件的阶段。除散发“宣言”和政治行动纲领外，该组织成员在实施文件中所含方针方面未采取任何实际行动。“联盟”成员也未加入任何反苏组织或协会。预审机关和国家政治保卫总局审判庭仅仅查抄到“马克思列宁主义者联盟”的“宣言”和“行动纲领”的副本，并未掌握其原件。它是否与尚未发现的原件完全一致值得商榷：这些文件的某些地方显然采用了反革命呼吁书、反苏传单和白俄文件中的提法，这未必符合柳亭的初衷。早在1930年9月，他在受到无中生有的告密时，就曾写信给联共（布）中央监察委员会辩解说：“我只字未提过政变和罢工。这一切都是彻头彻尾的捏造。我不是托洛茨基分子，也不是乌斯特里雅洛夫分子，不会这样胡言乱语。”可是，这份文件中这种“胡言乱语”很多。

1932年10月11日，国家政治保卫总局审判庭将“马克思列宁主义者联盟”成员判处期限不等的监禁、劳改和流放。柳亭刑期最长，被判处10年监禁。1932年至1933年，共有30人因这一案件被追究党内责任和刑事责任。

1936年，在上乌拉尔斯克政治隔离所服刑的柳亭被押到莫斯科。根据他过去写的“行动纲领”和“宣言呼吁书”，对他又提起新的指控：指控他进行恐怖活动。1937年1月10日，苏联最高法院军事审判庭根据1934年12月1日颁布的非常法，在没有公诉人和辩护人参加的情况下，对柳亭等人开庭审讯。判处柳亭、伊万诺夫、卡尤罗夫等12人极刑，并于当天被执行枪决。1988年6月，苏联最高法院撤销对此案的刑事判决。

1932年年底，联共（布）中央又揭露了“斯米尔诺夫反党集团”。

[1] Правда. 1932. 11 октября.

亚·彼·斯米尔诺夫（1877—1938）曾是彼得堡工人阶级解放斗争协会的成员，1912年进入党中央。历任农业人民委员，俄罗斯联邦人民委员会副主席，联共中央书记。同他一起被揭发的还有国内战争参加者、苏联供应人民委员尼·博·埃斯蒙特，交通人民委员 B. H. 托尔马切夫。他们在工人中活动，提出解散集体农庄，改组国家政治保卫总局，工会与国家分开，全部政权归苏维埃等要求。1933年1月12日，党中央和中央监察委员会联席会议通过《关于埃斯蒙特、托尔马切夫、亚·彼·斯米尔诺夫等人的反党集团》的决议，谴责他们“建立了秘密的派别集团”，进行反党活动。决定将埃斯蒙特和托尔马切夫开除出党，将斯米尔诺夫开除出党中央。1935年，埃斯蒙特在一次车祸中去世。斯米尔诺夫、托尔马切夫则在后来被枪决。

不久，又揭发了“乌克兰民族主义者斯克雷普尼克集团”。20世纪二三十年代，乌克兰内部有一股要求民族独立的势力。斯大林把这股反苏维埃的民族势力同乌克兰教育人民委员斯克雷普尼克联系到一起。被软禁的斯克雷普尼克知道此事后于1933年自杀身亡。

1932年10月至1933年4月，未经检察长批准就逮捕了历史学家斯列普科夫等38人。国家政治保卫总局在没有起诉书的情况下，于1933年4月16日判处34人不同期限的剥夺自由，罪名是参加“以积极反对苏维埃政权和在苏联复辟资本主义为目的的反革命右倾组织”，进行“有利于国际资本阶级的积极的反革命活动和反革命宣传”。这些人大部分在1936年至1941年被判处枪决。[1]

1930年至1933年，党监察委员会判定611名党员犯有反革命活动罪。1931年至1933年,62%的党组织审查了近4万件有关政治偏差问题的案件,1.5万名党员被开除出党。

1933年1月12日，党中央委员会和中央监察委员会联席全会通过《关于清党》的决议，同意政治局1932年12月10日关于在1933年进行清党的决定，试图以此制止党内不满和反对情绪的扩散。清党运动原定在5个月内完成，实际进行了一年半。200多万党员中，18%的党员被清除出党，其中15%的党

[1] 参见 Известия ЦК КПСС. 1990. No. 2. С. 32–48。

员是自愿退党的。[1]

20世纪30年代初期，对党外人士的镇压是大造声势地进行，而对党内的清洗则仅是开始，分散地、不太引人注目地进行，还没有涉及高层领导干部。1934年1月26日，召开第十七次党代表大会。会议相对比较平和，没有强调阶级斗争尖锐化，通过了比较现实的经济发展纲领。但没过多久，就掀起大清洗风暴。

第三节 基洛夫遇刺和对前反对派分子的镇压

1934年12月1日，基洛夫在列宁格勒遇刺身亡。这一事件有许多重大疑点无法说清，成为历史之谜。但有一点可以确定，此事对苏联历史的发展产生巨大影响，此后大清洗全面展开并日益指向党政军高层领导人。

基洛夫在联共十七大上讲话，1934年1月

[1] История России. X X век. Под ред. *Дмитренко, В. П.* С. 377.

谢尔盖·米龙诺维奇·基洛夫（原姓科斯特里科夫），生于1886年。1904年加入俄国社会民主工党，长期在高加索工作。1923年，当选为党中央委员。他支持斯大林反对托洛茨基、布哈林的斗争，积极贯彻和热情歌颂斯大林的政策。1926年，接替季诺维也夫担任列宁格勒州委书记、联共(布)西北局书记。同年，当选为政治局候补委员。基洛夫在列宁格勒的工作受到质疑。1929年9月初，《真理报》刊登文章，把列宁格勒的局势说成是"对党的无产阶级路线的歪曲"和"右倾的具体表现"。[1] 同时，列宁格勒的一些工人向党中央监察委员会告密，说基洛夫曾同立宪民主党有牵连，指责他没有同反对派进行必要的斗争，要求撤销他的职务。基洛夫立即作出反应，开展清除"社会异己"分子运动。不久，政治局和中央监察委员会主席团举行秘密会议，审查了基洛夫的问题。斯大林说，"基洛夫在《捷列克报》工作时犯有错误，他承认这点，但他有权同自由派报纸合作。提交呈文的同志没有正确评价基洛夫和正确看待他在列宁格勒的有益工作"。[2] 斯大林的讲话使基洛夫逃过一劫，但也留下一个"犯有错误"的结论。1930年当选为党中央政治局委员。1934年任党中央书记。但始终不是斯大林最亲密圈子中的人。[3]

1934年1月26日至2月10日，举行了联共（布）第十七次代表大会。在这次被称为"胜利者的代表大会"上，代表们狂热地歌颂斯大林，发言中提到斯大林的地方有1500多次。但欢呼的背后却是人们对现实诸多问题的担心，对中央领导的不满。20世纪60年代初期，党中央主席团下属的什维尔尼克委员会仔细调查研究了第十七次党代表大会的问题。证实在大会进行期间，在奥尔忠尼启则家里举行了秘密集会，发起人是北高加索边疆区委员会第一书记Б. П. 舍博尔达耶夫[4]，参加者还有基洛夫、埃赫、米高扬、柯秀尔、彼德罗夫斯基等人。会议商议用基洛夫代替斯大林，但被基洛夫拒绝了。斯大林很快

---

[1] Правда. 1929. 1 сентября.

[2] *Росляков М., В.* Убийство Кирова. Политические и уголовные преступления в 1930-х годах. Л., 1991. С. 109.

[3] 当时斯大林最亲密圈子里的人是莫洛托夫、卡冈诺维奇和伏罗希洛夫。

[4] 1937年被处死。

莫洛托夫、斯大林、加里宁、伏罗希洛夫、卡冈诺维奇（前排站立者左起第三人）在联共十七大代表中间，1934 年

就得知了这件事，可能是基洛夫告诉他的。代表大会最后选举中央委员。选票上的候选人数目同应选出的委员数目一样多。代表可以把名字留下或划掉。赫鲁晓夫回忆说，“斯大林在全体面前，有意在拿到选票后看也不看就走到投票箱前投了票”。[1] 显然是要代表按照他的榜样去投票。卡冈诺维奇还向一些代表建议，划去莫洛托夫、伏罗希洛夫的名字，以防止斯大林的得票数少于其他政治局委员。选举结果，斯大林短了近 300 张选票。选举委员会主席扎通斯基将情况告诉卡冈诺维奇。后者说，让斯大林比基洛夫多得一票。一说，斯大林得知后命令将反对他的选票销毁。最后，扎通斯基向大会宣布投票的结果为，斯大林欠 3 票，基洛夫欠 4 票。实际上，斯大林究竟短了多少选票，确切的数字无法得知。档案中保存有 1059 张选票，但宣布有 1225 名选举人，少了 166 张选票，原因不详。[2] 调查基洛夫被刺案件的什维尔尼克委员会的成员 О. Г. 沙图诺夫斯卡娅专门研究了这个问题，说“代表大会选举中央委员会时，有 292 张选票划去了斯大林名字。斯大林命令烧掉其中的 289 张选票，而在向代

[1] Мемуары Никиты Сергеевича Хрущёва. // Вопросы истории. 1990. No. 3. С. 67.

[2] Известия ЦК КПСС. 1989. No. 7. С. 114–121.

表大会宣布的纪录里，现时只有 3 票反对斯大林”。[1] 选举委员会副主席韦尔霍维赫也说欠 292 张选票。[2] 还有说欠 160 票和欠 300 票的。63 名选举委员会成员全遭迫害，40 人被杀害，其他人被关进监狱或集中营，活到 50 年代中期的只有 3 人。这使这次选举更加扑朔迷离。至今没有确切档案资料说清选举真相，也不知它对斯大林产生什么影响，它与基洛夫被刺案件有没有关系、有什么关系。

1934 年 12 月 1 日星期六下午 4 点多钟，基洛夫来到斯莫尔尼宫，上到三层后，贴身警卫鲍里索夫没有紧跟在基洛夫身后，而是在 20 步以外。基洛夫的前警卫库利涅夫 1960 年 12 月 30 日向苏共中央下设的委员会作证说，上级禁止他们离领导太近，“命令我们不得近于 20—25 步”。[3] 而基洛夫作为政治局委员，有 23 名警卫。这时原本应在 3 层楼道值勤的警卫也不知为什么不在。基洛夫一人走向办公室。隐藏在楼道的凶手尼古拉耶夫得以从背后向基洛夫头部开枪射击。据州统计局负责人米·罗斯里亚科夫 [4] 回忆，他应基洛夫的要求，这天带统计材料到斯莫尔尼宫三层的州第二书记丘多夫的办公室。那里，已经聚集了 20—25 位市和州的领导人等待基洛夫开会。突然听到两声枪响，大家冲出门外，看见基洛夫倒在门左边的地上，头部中枪。门右边躺着一个男子，右手拿着枪。他放的第二枪不知是要把自己装作受害者还是要自杀。人们把基洛夫抬进屋内平放在桌上。内务部列宁格勒地方局局长梅德韦季急忙赶到斯莫尔尼宫时，竟然被不认识他的警卫挡在门口。这些警卫是从莫斯科调来的，并在梅德韦季下令前替换了原有的门卫。医生来后，确认基洛夫已死亡。

凶手是列昂尼德·尼古拉耶夫。他于 1920 年加入俄共，是内务部工作人员。任联共（布）历史研究所职员，后被开除出党。1934 年 4 月起，失业。他在日记中说，“我没有工作，也没有收入，我和我家（5 人）很快就要被赶

---

[1] Аргументы и факты. 1990. No. 22.

[2] *Роговин, В.* Сталинский неонэп. С. 47.

[3] Убийство Кирова. Материалы расследования комиссии Комитета партийного контроля, КГБ, Прокуратуры СССР. 1990－1991（приложение к газете《Гласность》）. С. 74–75.

[4] 基洛夫被刺后，遭逮捕流放。1956 年平反回家。1970 年写成回忆录。1985 年逝世。

斯大林、卡冈诺维奇为基洛夫守灵，1934 年 12 月

出住所流落街头”。[1] 而尼古拉耶夫的母亲和公诉人都说他失业 3 个多月，但是活得很好，还在城外有别墅。1934 年 11 月 5 日和 10 日曾两次企图行刺，未成。被捕后，不知为什么又释放了他，并且没有没收他的手枪。尼古拉耶夫是怎样钻进斯莫尔尼宫的，又是怎样接近基洛夫的，都不清楚。

基洛夫遇刺后的第二天，斯大林、日丹诺夫、莫洛托夫、伏罗希洛夫、叶若夫、亚戈达和其他党政领导人到达列宁格勒。斯大林下车后一言不发，见到梅德韦季就打了他一耳光。

基洛夫遗体被安放在塔夫里达宫，人们悲痛地向他告别。12 月 6 日，为基洛夫举行了国葬。政府最初宣布，暗杀基洛夫是从芬兰、拉脱维亚和波兰潜入的白卫分子干的。在列宁格勒、莫斯科、明斯克、基辅等城市先后处决了 104 名白卫分子，流放了 11702 人。同时，谴责“西方保护伞”是白卫恐怖活动的监护所。

[1] Вестник Верховного суда СССР. 1991. No. 5. С. 17.

斯大林亲自领导了基洛夫案件的侦讯工作。在审问了尼古拉耶夫之后，准备审问基洛夫的贴身警卫鲍里索夫。可是押解鲍里索夫的竟是卡车，又发生了车祸。卡车司机在苏共第二十次代表大会后向中央主席团讲述了当时的情况：当卡车走在半路时，坐在司机旁边的内务部人员抢过方向盘，把汽车开过人行道，直往墙上撞。汽车撞墙后停了下来，没有一个人受伤，只是汽车右边的前灯碰坏了。接着在车厢内，发生了一些事情，鲍里索夫当场死亡。在医疗鉴定书上写的是，鲍里索夫死于车祸。1959 年，幸免于难的几位医生证明，鲍里索夫是由于金属的东西打在头顶上而死的。后来，鲍里索夫的妻子也被杀害了。司机则被关进集中营。[1]

斯大林抓住基洛夫被害事件，开始有计划地镇压前反对派分子。首先，斯大林利用人们对刺杀基洛夫之事的愤怒情绪，把基洛夫被害同季诺维也夫联系在一起。他没有掌握任何证据就说尼古拉耶夫是季诺维也夫分子，刺杀是季诺维也夫反对派策划的。叶若夫在 1937 年党中央二三月全会上讲，“我现在还记得，最初是斯大林同志把我和科萨列夫叫去，说：‘到季诺维也夫分子当中去找凶手’。我应该说，肃反工作人员不相信这一点”。[2] 在斯大林的指令下，内务部不择手段地要挖出这个恐怖集团。首先逮捕了前共青团干部——季诺维也夫分子。后者在 1934 年曾开会讨论编写共青团历史之事。内务部列宁格勒地方局当时曾要求逮捕这些人，但被基洛夫拒绝。基洛夫被刺后，这些人遭逮捕，被斯大林划定为“列宁格勒总部”的成员。

斯大林在一张白纸上写上“列宁格勒总部”和“莫斯科总部”，将季诺维也夫、加米涅夫和其他住在莫斯科的前季诺维也夫分子写在“莫斯科总部”下面，将另一些人的名字写在“列宁格勒总部”下面，还把一些人从一个总部转写到另一个总部。斯大林亲手写的这张纸的影印件曾提交给调查基洛夫被刺案的什维尔尼克委员会。[3]

---

[1] 参见 Известия ЦК КПСС. 1989. No. 3. С. 138. [俄] 安·弗·安东诺夫–奥弗申柯著：《斯大林时代的谜案》，彭卓吾译，第 186 页。

[2] 《党中央监察委员会和马列主义研究院关于“莫斯科总部”案的调查材料（不晚于 1988 年 7 月 27 日）》，《苏联历史档案选编》，第 12 卷，第 700 页。

[3] Tucker, Robert C, *Stalin in power,* New York, London: W. W. Norton & Company. 1990. p. 298.

基洛夫及列宁格勒代表团代表在十七大上表决，1934 年 1 月

12 月 22 日，政府发表了侦查谋害基洛夫案件的通报，说尼古拉耶夫是一个名为“列宁格勒总部”的地下恐怖组织的成员，它由原季诺维也夫反对派成员组成。至于季诺维也夫和加米涅夫，“鉴于罪证不足”，其案情将由内务人民委员部进一步侦查。

12 月 27 日，法院对“列宁格勒恐怖总部”进行审判。法院判定，暗杀基洛夫只是该恐怖组织谋害斯大林和其他领导人的长远计划的一部分，已经发现两个恐怖组织：一个由前共青团第一书记沙茨金领导；另一个由前共青团中央委员科托雷诺夫领导。尼古拉耶夫就是接受科托雷诺夫的指示杀害了基洛夫的。控告结论还说，尼古拉耶夫已经承认，他从某外国领事那里得到 5000 卢布，该领事是托洛茨基和阴谋者之间的联系人。1934 年年底，拉脱维亚驻列宁格勒总领事乔治·比辛尼克斯被驱逐出境。但拉脱维亚政府坚决否定比辛尼克斯同谋杀基洛夫事件有牵连。12 月 29 日，14 名被告全部被处死。1935 年 1 月 9 日，内务人民委员部特别会议又审理了

“萨法罗夫、扎鲁茨基反革命集团”案件，77 人被判处不同期限的监禁和流放。

1934 年 12 月 16 日，逮捕了季诺维也夫和加米涅夫。

季诺维也夫和加米涅夫都是 1901 年入党的老党员，1919 年至 1926 年任党中央政治局委员。季诺维也夫历任列宁格勒苏维埃主席和共产国际执行委员会主席。加米涅夫任莫斯科苏维埃主席，苏联人民委员会第一副主席和劳动国防委员会主席。两位领导人于 1927 年年底被开除出党。他们在第十五次党代表大会上发表《二十三人声明》，宣布停止反对派活动并完全服从党中央和共产国际的决议，1928 年恢复党籍。1932 年 9 月底，季诺维也夫和加米涅夫看到柳亭集团的《呼吁书》和《行动纲领》，未向党和苏维埃机关报告。10 月，再次将他们开除出党，并说他们是“马克思列宁主义者联盟”的参加者和思想煽动者，判处流放 3 年。1933 年 5 月 8 日，季诺维也夫写信给党中央和斯大林，承认他被惩处是正确的，但是希望得到一份工作，向党赎罪。12 月 14 日，中央监察委员会决定恢复季诺维也夫和加米涅夫的党籍，季诺维也夫任《布尔什维克》半月刊编辑委员会委员，加米涅夫任世界文学研究所所长。

1935 年 1 月 15 日，对季诺维也夫、加米涅夫、格·叶·叶夫多基莫夫[1]等 19 名原反对派成员进行秘密审判。指控他们秘密组织“莫斯科总部”，从事反苏秘密活动，企图取代现任领导人。加米涅夫向侦查机关提交一份声明，说“把我划归‘旨在消灭苏维埃政权领导人’的组织之列，与侦查工作的整个性质、向我所提的问题以及在侦讯过程中向我所提起的公诉不符”。[2] 季诺维也夫断言，党的十五大以后反对派总部解散了，不再有什么组织；同时断然否认同基洛夫被刺一事有任何牵连，并且当庭谴责了恐怖行为。但在高压下，他们承认自己过去的反斯大林行为可能在客观上助长了目前存在的恐怖主义倾向，促使

[1] 格·叶·叶夫多基莫夫 1903 年入党，先后任列宁格勒省党委书记，党中央书记，中央组织局成员。1927 年因进行反对派活动被开除出党，1928 年恢复党籍，任食品工业部乳品工业管理总局局长。1934 年再次被开除出党，12 月 8 日被捕。1935 年因“莫斯科总部”案被判处 8 年监禁。1936 年被判处死刑。

[2] Известия ЦК КПСС. 1989. No. 7. С. 81.

犯罪者堕落。因此他们对尼古拉耶夫的罪行在道义上负有间接的责任。这种承认并不能构成“暗害活动的策划者”的罪行。检察机关也拿不出其他任何材料来证明季诺维也夫等原反对派成员犯有罪行。审讯最后结论说，“侦查结果没有得到充分的根据足以证明季诺维也夫分子教唆谋害基洛夫的事实”。尽管如此，军事审判庭仍判处季诺维也夫 10 年监禁，加米涅夫 5 年监禁，其他人不同年限的监禁。现今材料证明，季诺维也夫等人与基洛夫被刺案无关，已为他们平反昭雪。

基洛夫被刺，现在可以确定不是白卫分子也不是季诺维也夫分子干的。但尼古拉耶夫刺杀基洛夫究竟是个人行为还是有幕后指使人，至今仍是未解之谜。

1956 年 2 月，赫鲁晓夫在苏共第二十次代表大会提出，基洛夫事件中隐藏着许多无法说明、无法理解的地方，需要谨慎审核。会后，苏共中央主席团成立了一个以莫洛托夫为主席的委员会，调查基洛夫被刺案件。1957 年 4 月 23 日，委员会作出结论，说凶手尼古拉耶夫从未同托洛茨基—季诺维也夫反对派有任何联系。1960 年，以政治局委员、最高苏维埃主席团主席什维尔尼克为主席的新的委员会，再次审查基洛夫案件。结论是，基洛夫被害是内务部人员根据斯大林指示干的。1961 年 5 月，成立了由苏共中央、苏联检察院和苏共中央监察委员会代表组成的联合委员会，主席是什维尔尼克。其分析没有超出莫洛托夫委员会所作的结论，但认为基洛夫被刺事件需认真审查。1963 年至 1967 年，佩尔谢领导党中央下属的一个委员会重新审查基洛夫案件。认定基洛夫是尼古拉耶夫刺杀的，基洛夫的警卫鲍里索夫是意外车祸死亡的。1988 年至 1990 年，苏联检察院和国家安全委员会（克格勃）再次审查基洛夫案件。认定尼古拉耶夫曾企图获得党积极分子会议的入场券，后来用自己的党证两次进入斯莫尔尼宫，在走廊遇见基洛夫，向后者开了枪，接着又朝自己或是朝天花板开了第二枪，被斯莫尔尼宫的电工普拉特奇击倒。基洛夫的警卫鲍里索夫落在后面大约 20 步，没有能制止刺杀。尼古拉耶夫用的是 1917 年生产的纳甘左轮手枪，持枪许可证是列宁格勒国家政治保卫总局代表处在 1930 年 4 月发的，有效期到 1931 年 4 月 21 日，即行凶时已过期 3 年。至于 28 颗子弹，尼古拉耶夫完全可以合法地在内务部人员经营的体育协会商店“狄纳莫”购买。

近年来，俄国学者对基洛夫案作了大量研究。[1] 一些人认为是内务部根据斯大林指示干的；另一些人认为是尼古拉耶夫的个人行为，或说是因嫉妒基洛夫同他妻子有暧昧关系而干的。2004 年，相关档案已解密，但没有足以说清问题的可靠资料。可能的知情人员，如列宁格勒州委第二书记丘多夫、列宁格勒市委书记、市苏维埃主席，内务部列宁格勒地方局正副局长梅德韦季和扎波罗热茨，基洛夫的警卫人员，以及审讯基洛夫案件的第一批内务部人员都被杀害。尼古拉耶夫的妻子，以及她的姐姐和姐夫也被处死。基洛夫被刺案的真相可能永远是一个谜。

第四节　对前反对派领导人的三次公开审判

对“托洛茨基—季诺维也夫反苏联合总部”案件的公开审判

基洛夫的遇害为斯大林开展大规模的镇压提供了借口。案发的当天，斯大林就立即建议对苏联现行的刑事诉讼法进行修改。根据斯大林的提议，苏联中央执行委员会通过一项决定，决定：“1. 侦查部门应从快处理被控策划和执行恐怖活动的案件；2. 司法机关不得推迟执行对这类罪行的死刑判决，以研究是否可以给予赦免，因为苏联中央执行委员会主席团认为作出这样的赦免是不可容许的；3. 一旦对犯有上述罪行的罪犯作出死刑判决，内务人民委员部机关应立即执行”。[2] 这个决定公布得很匆忙，政治局事先未讨论，签署的也只是中央执行委员会秘书叶努基泽，而不是中央执行委员会主席团主席加里宁。

法令公布后，各类案件的审查处理速度大大加快。在审判了“莫斯科总

---

[1] *Петухов Н. Хомчик В.* Дело о Ленинградском центре. // Вестник Верховного суда СССР. 1991. No. 5、6. *Росляков М., В.* Убийство Кирова. Л., 1991. *Кирилина А.* Неизвестный Киров. СПб. М., 2001. *Лордкипанидзе В.* Убийство Кирова. // Аргументы и факты. 1989. 11–17 февраля. *Плимак Е. Г. Антонов В. С.* 1 декабря 1934–год: трагедия Кирова и трагедия Советской России. // Отечественная история. 2004. No. 6.

[2] 引自［俄］德·安·沃尔科戈诺夫著：《斯大林：胜利与悲剧》，上册，第 377—378 页。

部”案后不久，斯大林于1935年1月17日将他亲自起草的致党的各基层组织的秘密信《与谢·米·基洛夫惨遭凶杀相关联的事件的教训》文本交给政治局委员，并提议“今天就讨论这一案件并作出决议”。第二天，这封信发给各级党组织，断言暗杀基洛夫是“季诺维也夫列宁格勒总部”干的。该总部处于“季诺维也夫分子莫斯科总部”的思想和政治领导之下，而后者“无疑知道列宁格勒总部的恐怖主义情绪并煽动这种情绪”。还说这些情况是“无可争辩的事实”。这封信作出结论，“季诺维也夫派别集团是白匪组织最阴险、最卑鄙……的隐蔽形式”，并要求像对待白匪那样对待他们，不能仅限于开除出党，还应将他们逮捕和隔离。[1]

清党大会

不久，开始对原季诺维也夫分子进行大规模逮捕。在斯大林的倡议下，党中央政治局于1935年1月26日以征询的方式通过决议，“关于季诺维也夫分子：(1) 将663名季诺维也夫分子逐出列宁格勒3—4年；(2) 将党内一批原反对派分子共325人从列宁格勒遣送到其他地区工作”。[2] 根据这一决议，内务人民委员部于1935年1—2月在列宁格勒逮捕了843名原季诺维也夫分子，大部分被流放到西伯利亚北部和雅库特。

斯大林十分注意调整领导机构，积极准备新的镇压浪潮。1935年2月1日，党中央全会通过3项组织决定：米高扬接替基洛夫，成为政治局委员；接替基洛夫任列宁格勒负责人的日丹诺夫被选为政治局候补委员；叶若夫任主管内务

[1] 《党中央监察委员会和马列主义研究院关于“莫斯科总部”案的调查材料（不晚于1988年7月27日）》，《苏联历史档案选编》，第12卷，第725页。

[2] 《中央监察委员会等部门关于“托洛茨基—季诺维也夫反苏联合总部”案的调查材料（不晚于1988年7月27日）》，《苏联历史档案选编》，第12卷，第733页。

人民委员部的党中央书记，同时任党中央监察委员会主席。苏维埃任命维辛斯基接替阿库洛夫，担任苏联检察长。

1935 年 5 月 25 日，解散了老布尔什维克协会。一个月后，又解散了前政治犯和流放者协会。由叶若夫等人组成的委员会接受了这两个协会的档案，掌握了老一代布尔什维克的全部材料。

从 1935 年 5 月起，开展了检查党证的工作。1936 年 6 月，叶若夫在党中央会议上说，通过更换党证共开除了 20 多万党员。斯大林表现出高姿态，认为数目太多，说“如果开除 3 万……600 名前托洛茨基分子和季诺维也夫分子也开除，会更好”。[1]

与此同时，斯大林提出要修订宪法，实行民主选举。5 月 13 日，维辛斯基建议党中央政治局重新审查内务人民委员部因基洛夫被刺而开展的《清除列宁格勒社会异己分子》的行动。6 月 17 日，政治局通过维辛斯基提出的《关于实行逮捕的程序》的决议，规定内务人民委员部要逮捕人必须事前得到检察院的同意。而逮捕全苏和加盟共和国中央执委会委员、各级人民委员会的领导成员、工厂和国营农场的正副厂（场）长、工程师、农艺师、医生、教授等人不仅要得到检察院的同意，还要得到相关人民委员会的同意。[2]7 月 26 日政治局通过《关于解除农庄庄员的前科罪》的决议。随后，政府决定对判处剥夺自由 5 年以下的庄员，如果现时老实劳动，可解除其前科罪，恢复其选举权。到 1936 年 3 月 1 日，共处理了 768989 人。[3]1936 年 4 月，政府释放了因工业党案件而被判处 10 年徒刑的拉姆津、拉里切夫、奥格涅夫等人，并恢复其公民权。

斯大林从宽处理一些已不构成巨大威胁的人，目的是要集中力量镇压他在党内的老对手。1935 年 1—4 月，内务部逮捕了大批的克里姆林宫各机关的

---

[1] РГАСПИ. Ф. 17, оп. 2, д . 571, л. 194. 引自 *Ю. Н. Жуков* Репрессии и Конституция СССР 1936 года. //Вопросы истории. 2002. No. 1. С. 11.

[2] *О . В . Хлевнюк* Политбюро. Механизмы политической власти в 1930–е годы. М., 1996. С. 149.

[3] РГАСПИ. Ф. 17, о п. 163, д . 1106, л . 134. 引自 *Ю. Н. Жуков* Репрессии и Конституция СССР 1936 года. // Вопросы истории. 2002. No. 1. С. 8。

职员及其家属，其中有清扫工、看门人和话务员11人，图书馆工作人员18人。指控他们在政府图书馆和克里姆林宫管理局中组建反革命集团，准备采取恐怖活动反对党和国家领导人，首先是反对斯大林。

6月，党中央召开全会，中央书记叶若夫作了《关于苏联中央执行委员会秘书处公务人员和阿·叶努基泽同志的问题》的报告。报告中说，由于叶努基泽纵容犯罪活动，在克里姆林宫建立了一个完整的恐怖主义集团网络。叶若夫除了摘引被捕者的几段充满矛盾、毫无根据的话外，举不出证据证明存在这种“犯罪网络”以及叶努基泽同它有关联的任何事实。但全会仍决定将叶努基泽开除出党。1935年7月27日，最高法院军事审判庭在禁止旁听也没有国家公诉人参加的情况下对克里姆林宫案进行审讯。审判庭指控加米涅夫是犯罪集团的主要组织者，但没有提出任何事实根据。加米涅夫在预审时和在法庭上都不承认对他的指控，可是审判长乌尔里希仍判处加米涅夫10年监禁，与1935年1月判处的5年监禁合并执行。判处克里姆林宫管理局代理书记西涅洛博夫、工农红军情报部处长切尔尼亚夫斯基死刑，判处其他27人以不同期限的徒刑。在此之前，内务人民委员部特别会议于7月14日对牵连进此案的80人判处了徒刑。[1]

1935年5月17日，斯大林得到叶若夫呈送上来的一部书稿——《从派别活动到公开反革命》。这是叶若夫写的一本有230打字页的小册子，它毫无根据地说，“季诺维也夫分子与托洛茨基分子定期互相通报自己的活动情况。毫无疑问，托洛茨基分子也熟知季诺维也夫组织中的恐怖活动。不但如此，在对基洛夫同志遇刺事件进行侦查时，某些季诺维也夫分子的供词以及随后对季诺维也夫分子和托洛茨基分子的逮捕业已表明，托洛茨基分子也走上了恐怖集团的道路”。[2]

斯大林非常赞赏叶若夫的这本小册子。他认定季诺维也夫分子同托洛茨

[1] 1957—1958年，苏联最高法院军事审判庭决定撤销对因克里姆林宫案而被判罪的人的判决，但加米涅夫等三人不在其中。1988年，最高法院又撤销了对加米涅夫等三人的判决。

[2] 《中央监察委员会等部门关于“托洛茨基—季诺维也夫反苏联合总部”案的调查材料（不晚于1988年7月27日）》，《苏联历史档案选编》，第12卷，第733页。

基分子有组织联系并转向恐怖活动。由于被驱逐出国外的托洛茨基一直在反对斯大林政权，留在苏联境内的季诺维也夫分子与托洛茨基分子同流合污，进行恐怖活动反对苏维埃政权似乎是顺理成章的。斯大林正是采用这一手段把对前反对派分子的打击推向新阶段。

国家公诉人维辛斯基

内务部按照斯大林的意图，千方百计地捏造托洛茨基指挥反苏活动的证据。1936年1月，逮捕了高尔基市师范学院教员瓦连京·奥尔贝格。他原是德国共产党党员，因赞同托洛茨基观点、进行派别活动于1932年被开除出党。1935年7月来苏。内务部迫使奥尔贝格承认，他是带着托洛茨基交给的特殊任务来苏联的，目的是组织针对斯大林的恐怖活动。接着在高尔基、莫斯科、列宁格勒、基辅、明斯克等城市对托洛茨基分子进行大搜查，共逮捕100多人，指责他们进行反革命恐怖活动。

1936年3月，亚戈达向斯大林汇报了“消灭托洛茨基地下势力和揭露恐怖集团”的进程。同时建议将参与恐怖活动的托洛茨基分子交付法庭，全部处死。3月31日，政治局通过决议，“将已被内务人民委员部逮捕、经侦查揭穿、犯有参与恐怖活动罪的全部托洛茨基分子交付最高法院军事审判庭，根据1934年12月1日法令执行枪决。责成内务人民委员部和苏联检察长于侦查终结后提出根据1934年12月1日法令应交付法庭的名单”。[1]

[1] 《中央监察委员会等部门关于“托洛茨基—季诺维也夫反苏联合总部”案的调查材料(不晚于1988年7月27日)》,《苏联历史档案选编》，第12卷，第735页。

1936 年 5 月 20 日，政治局以征询的方式通过决议，并由斯大林签署。决议指出，鉴于托洛茨基分子不肯善罢甘休，反革命气焰嚣张，建议苏联内务人民委员部将现在流放在流放地和保密地点的托洛茨基分子及因大肆进行敌对活动而被开除出联共（布）尚住在莫斯科、列宁格勒、基辅和苏联其他城市的托洛茨基分子，遣送到远方的集中营，期限 3—5 年。[1] 建议由苏联最高法院军事审判庭审判被告发参与恐怖活动的所有被捕托洛茨基分子，将他们处以极刑——枪决。

1936 年 6 月 19 日，亚戈达和维辛斯基遵照斯大林下达的关于加强与托洛茨基分子斗争的指示，向他提交了包括 82 名据说参与恐怖组织活动的托洛茨基分子的名单，并建议将他们作为反苏恐怖组织参加者交付军事审判庭。

托洛茨基

亚戈达试图把恐怖集团局限于伊・尼・斯米尔诺夫[2] 及与他有联系的奥尔贝格等人。斯大林非常不满，认为不能只对托洛茨基分子进行公开审判，而要对托洛茨基分子和季诺维也夫分子进行统一的公开审判，认定亚戈达执行的是一条错误的路线，会使消灭托洛茨基集团的工作半途而废。他召见叶若夫，指示要继续彻底侦查，并指派叶若夫对侦查工作进行监督。

内务部采用非法逼供手段迫使原托洛茨基分子叶・亚・德赖采尔和原

[1] Реабилитация. Политические процессы 30–50–х годов. М., 1991. С. 216–217.

[2] 斯米尔诺夫，1899 年入党，1923—1927 年任苏联邮电人民委员。因进行反对派活动，1927 年被开除出党。1930 年恢复党籍，1933 年再次被开除出党并判 5 年监禁。

季诺维也夫分子理·维·皮克尔[1]承认存在“莫斯科托洛茨基—季诺维也夫总部”，承认它是在恐怖主义基础上建立的。亚戈达在这些供词旁边批上“不可信”，“不真实”。许多被捕者提出申诉。沙茨金在写给斯大林的申诉书中写道：“他们是这样审问我的。首席侦查员根金拟好了我承认进行恐怖活动的4页供词（而且他在其中写上了我与洛米纳泽之间的谈话，关于这场谈话他不可能有任何资料，连假资料都不可能有）。当我拒绝在这份认罪书上签字时，他们就威胁我：不经审判就枪决；或由军事审判庭在侦讯室里开庭审判15分钟走走形式，审判时我只限于作一个字的回答，‘是’和‘否’，然后枪决；在布特尔监狱刑事犯囚房里组织犯人将我毒打一顿；用刑；把我母亲和妹妹流放到科雷玛边疆区。有两次，夜间不准我睡觉：‘直到你签字为止。’而且，有一次夜间连续审问12个小时，审问时侦查人员发号施令：‘站起来！摘掉眼镜！’还在我眼前挥舞双拳：‘站起来！拿钢笔！签字！’如此等等。我举出这些事实，绝不是出于空泛的人道主义向他们表示抗议，而只是想说，采取这样的手段进行几十次的审问（审问的大部分时间用于辱骂）之后，会把人搞得不知所措，这时会出现虚假供词。然而，比审问更重要的是：侦查人员要求在供词上签名时，竟然以党的名义，说是为了党的利益。”[2]

侦查人员经常伪造审讯笔录。叶若夫也不得不承认这点。他在1937年3月3日的党中央全会上说，“我应该坦率地说，有这样一种做法：在让被告签字之前，侦查人员先把笔录审查一遍，然后呈送上级首长，重要的笔录甚至要禀报人民委员。人民委员作出指示，说应该那样记录，而不是这样。然后让被告在笔录上签字。”[3]

内务部为制造恐怖活动的证据，随意编造事实。它迫使曾在外贸部工作过的爱德华·格里茨曼承认他在1932年11月因公出差到柏林时，曾秘密前往

---

[1] 德赖采尔，1919年入党。先后任师政委，车里雅宾斯克州菱镁矿厂副厂长。1928年被开除出党，1929年恢复党籍。1936年7月被捕。皮克尔，1917年入党。在共产国际执委会秘书处工作。1927年被开除出党，1929年恢复党籍。1936年6月被捕。

[2] 《中央监察委员会等部门关于“托洛茨基—季诺维也夫反苏联合总部”案的调查材料(不晚于1988年7月27日)》,《苏联历史档案选编》，第12卷，第742页。

[3] 同上书，第743页。

丹麦的哥本哈根，在一家名为布利斯托里的饭店里，“当面”接受托洛茨基的指示：“必须除掉斯大林，必须挑选合适的人去完成这件事”。苏联政府还将格里茨曼的上述供词作为“反革命恐怖活动”的罪证予以公布。丹麦官方报纸《社会民主》报立即作出反应，发布一条消息说，“布利斯托里饭店已于1917年因大楼拆除而关闭了，苏联政府却说什么格里茨曼1932年在该饭店接受托洛茨基的指示，这纯属虚构”。内务部只好不再提及此事，但仍指控季诺维也夫分子接受托洛茨基指示，组织暗杀斯大林。

加米涅夫

季诺维也夫、加米涅夫等人多次遭逮捕、审讯、单独监禁、流放、囚禁。在1936年的预审和庭审期间，他们在精神和肉体上又备受摧残，被折磨得心力交瘁。他们开始对指控抱无所谓的态度，都予以“承认”。加米涅夫在庭审时说，他承认自己有罪，这并非因为有不利于他的罪证，而是“因为我既然被捕而且被指控犯有这一罪行，我就认罪。”季诺维也夫在给斯大林的信中写道，“我知道，不论怎么说，我的肉体存在也为时不久了。我本人觉察得到，也懂得，我的体力每个小时都在迅速地、无可挽回地枯竭下去，而且在我发生此事之后，也不可能有其他结果”。[1]

1936年1—8月，对季诺维也夫、加米涅夫等人进行预审。在预审尚未结

[1] 《中央监察委员会等部门关于“托洛茨基—季诺维也夫反苏联合总部”案的调查材料（不晚于1988年7月27日）》，《苏联历史档案选编》，第12卷，第745页。

束、庭审尚未开始的时候，叶若夫于7月底将一封预计发往各地方党委员会的秘密信件草稿呈交斯大林审阅。斯大林作了修改和补充，他将标题由《关于托洛茨基—季诺维也夫—加米涅夫反革命集团的恐怖活动》改为《关于托洛茨基—季诺维也夫反革命联盟的恐怖活动》，把被告说成是组织严密的联盟参加者，从而加重了他们的罪责。联共（布）中央于7月29日向各地方党委员会发出这封秘密信，信中断言，“季诺维也夫分子在从事恐怖主义勾当时，与托洛茨基和托洛茨基分子结成了直接联盟”。“谢尔盖·米龙诺维奇·基洛夫就是由托洛茨基—季诺维也夫联盟联合总部的决定而被暗杀的……托洛茨基—季诺维也夫反革命联盟联合总部的基本的、主要的任务是，谋杀斯大林、伏罗希洛夫、卡冈诺维奇、基洛夫、奥尔忠尼启则、日丹诺夫、柯秀尔、波斯蒂舍夫等同志”。[1]

这封秘密信发出后不久，维辛斯基就拟好起诉书的初稿，并呈报斯大林。后者将“根据列·托洛茨基的直接指示，在联合总部的直接领导下，1934年12月1日对谢·米·基洛夫同志进行了凶残的暗杀”改为“根据格·季诺维也夫和列·托洛茨基的直接指示……”。[2] 还添加格·耶·叶夫多基莫夫等4人为被告。最高法院军事审判庭审判长乌尔里希将判决书呈送给在斯大林休假期间代行其职务的卡冈诺维奇。后者也随心所欲地作了修改。

季诺维也夫

1936年8月10—14日对所有被告宣布侦查结束，但是未让被告了解侦查材料。8月19—24日，最高法

[1] 《中央监察委员会等部门关于“托洛茨基—季诺维也夫反苏联合总部”案的调查材料(不晚于1988年7月27日)》，《苏联历史档案选编》，第12卷，第748页。

[2] 同上书，第749—750页。

院军事审判庭在莫斯科工会圆柱大厅对季诺维也夫、加米涅夫、叶夫多基莫夫、姆拉奇科夫斯基、[1]斯米尔诺夫等16人进行了公开审讯。审判长乌尔里希宣布开庭，并声称“所有被告都拒绝请律师”。国家公诉人苏联检察长维辛斯基宣读了起诉书，指控被告犯有杀害基洛夫和准备杀害斯大林及其亲密战友的罪行。但是所有的控告都建立在被告的“交待”和“承认”上，没有任何物证或文件来证实。被告几乎千篇一律地供认了这一罪行。斯米尔诺夫否认自己犯有上述罪行。

8月24日凌晨，军事审判庭判决季诺维也夫等人犯有如下罪行：

（1）根据列·达·托洛茨基的指示，组织托洛茨基—季诺维也夫联合恐怖总部，目的是杀害联共（布）和苏联政府领导人；

（2）通过列宁格勒秘密恐怖集团，策划关于1934年12月1日实施对谢·米·基洛夫的凶杀；

（3）建立一系列恐怖集团，预谋杀害约·维·斯大林、克·叶·伏罗希洛夫、安·亚·日丹诺夫、拉·莫·卡冈诺维奇、格·康·奥尔忠尼启则、斯·维·柯秀尔和帕·彼·波斯蒂舍夫。

1936年8月24日，军事审判庭判决全部16名被告死刑。第二天，执行了死刑。

对“托洛茨基反苏平行总部”案件的公开审判

在进行审讯“托洛茨基—季诺维也夫联合总部”案件的同时，内务部卖力地搜寻其他参与恐怖活动的原托洛茨基分子。1936年7月，内务部从“联合总部”案件被告那里获得一份既不具体又自相矛盾的供词，说前党中央政治局候补委员（1924—1925）、林业第一副人民委员格·雅·索柯里尼科夫也参加了这一组织。26日，逮捕了他。7—8月，内务部又从加米涅夫等人的口中获得了据说是还存在一个“托洛茨基反苏平行总部”的证词。不久，又有人供出重工业第一副人民委员尤·列·皮达可夫（1890—1937），说他曾领导乌克

[1] 谢·维·姆拉奇科夫斯基，1905年入党，历任乌拉尔军区和西伯利亚军区司令。1927年因进行反对派活动被开除出党。

莫斯科“狄纳莫”工厂工人大会表决要求枪毙“托季匪帮”的决议，1936 年

兰托洛茨基总部。叶若夫将此事报告了斯大林。8 月 11 日，叶若夫向斯大林书面报告说，“已召见了皮达可夫。已对他言明撤销中央关于任命他为托洛茨基—季诺维也夫恐怖总部案件公诉人的决定的理由……并已建议他出任奇尔齐克建筑工程局局长。皮达可夫对此反应如下：1. 他理解，中央对他的信任已发生动摇……4. 他请求为他提供任何一种洗冤的形式（由中央斟酌）。在这方面，他个人建议批准他亲手枪毙所有本案被判处枪决的人，其中也包括他的前妻。可将此事公布于报刊。”8 月 11 日，皮达可夫写信给斯大林，说指控他的证词是造谣中伤，他保证彻底清算自己过去的政治错误，努力在行动上执行党的路线，愿意为党、为斯大林献出生命。皮达可夫的恳切而又卑躬屈膝的表态并没有救了他。9 月 11 日，他在出差期间被捕。

在皮达可夫被捕前后，内务部还逮捕了莫斯科十月武装起义领导人、后降为新西伯利亚市供应局农业处处长的尼·伊·穆拉洛夫，内务人民委员会公路管理总局副局长列·彼·谢列布里亚科夫，党中央国际情报局主任卡·伯·拉狄克，列宁格勒军区副司令维·马·普里马科夫，哈尔科夫军区副司令图罗夫斯基，驻英使馆武官维·卡·普特纳，副交通人民委员雅·阿·利夫希茨，重工业人民委员会基础化学工业总局局长斯·安·拉泰恰克等人。

斯大林一方面制定新宪法，树立社会主义建成、苏维埃民主扩大的新形象，另一方面加快清洗和镇压的步伐，以确保局势牢牢控制在自己手中。他对内务部的工作不满意，认为对反对派的镇压还不够有力。1936 年 9 月 25 日，斯大林、日丹诺夫从休养地索契打电报给卡冈诺维奇、莫洛托夫及政治局其他委员说，“我们认为绝对必须和紧急的是，任命叶若夫同志为内务人民委员。亚戈达在揭露托洛茨基—季诺维也夫案件中已明显地表现出不能胜任。国家政治保卫局在这一事件中延误了 4 年。所有党员干部以及绝大多数州的内务部代表都持这种意见”。26 日，亚戈达被解除内务人民委员的职务，接替李可夫担任邮电人民委员。叶若夫出任内务人民委员，并保留党中央监察委员会主席的职务。至于斯大林提出的“延误了 4 年”，看来是指 1932 年未能按他的意见处死柳亭一事。

叶若夫上台后，立即扩大镇压规模，加快镇压速度。1936 年 9 月 29 日，政治局根据叶若夫提交的草案通过了《关于对待托洛茨基—季诺维也夫反革命分子的态度》的决定，提出“必须镇压托洛茨基—季诺维也夫恶棍，不仅镇压被捕者”，“也不仅镇压受侦讯者诸如穆拉洛夫、皮达可夫”，“而且还要镇压早些时候被流放的人”。[1] 这实际把参加过托派组织，或某个时候曾经支持或同意托派观点的人，甚至在国内战争期间曾在托洛茨基领导下工作过的人都定为反革命分子。12 月 4 日，叶若夫在党中央会议上汇报清除托派地下组织的工作情况时说，两个月内在乌克兰逮捕了 400 多人，在列宁格勒州——400 多人，在格鲁吉亚——300 多人，在亚速海—黑海边疆区——200 多人，在西西伯利亚边疆区——120 人，在斯维尔德洛夫州——100 多人。俄国科学院俄罗斯历史所的尤·尼·茹可夫认为大清洗的初期大约逮捕了 4000—6000 人。[2]

内务部加快了对皮达可夫等人的侦讯工作。皮达可夫坚持 33 天不承认自己有罪。只是在同他的上司奥尔忠尼启则面谈后才招供。他们两人谈了什么已

[1] 《中央监察委员会等部门关于“托洛茨基反苏平行总部”案的调查材料（不晚于 1988 年 7 月 27 日）》。《苏联历史档案选编》，第 12 卷，第 769 页。

[2] РГАСПИ. Ф. 17, оп. 2, д . 571, л. 194. 引自 *Жуков Ю. Н.* Репрессии и Конституция СССР 1936 года. //Вопросы истории. 2002. No. 1. С. 11。

无法知晓，但奥尔忠尼启则在本案宣判后几天就自杀身亡。

内务部用体罚和精神摧残的手段获取需要的口供。许多审讯笔录都呈送给斯大林过目。在1936年10月4日审讯索柯里尼科夫的笔录上记录着后者关于他不知道英国记者塔尔博特与英国情报机关有联系的口供。斯大林在这一记录旁边写道："索柯里尼科夫当然向塔尔博特提供了关于苏联、关于中央、关于政治局、关于国家政治保卫局、关于方方面面的情报。由此可见，索柯里尼科夫是英国情报机关的情报员（间谍加奸细）。"[1] 斯大林对维辛斯基呈送的起诉书进行了修改和补充，还更换了一名被告。

1936年12月，新宪法顺利通过。斯大林抓住人们欢庆社会主义胜利的时机，进一步打击前反对派的领导人。1937年1月23—30日，苏联最高法院军事审判庭在莫斯科举行第二次公开审讯。检察长维辛斯基提起公诉，指控皮达可夫等人根据托洛茨基的指示，在"托洛茨基—季诺维也夫反苏联合总部"之外，于1933年在莫斯科建立了一个"托洛茨基反苏平行总部"。指控他们在新西伯利亚等城市建立了地方总部，在库兹巴斯等地进行破坏煤炭生产、铁路运输的活动，还图谋暗杀莫洛托夫。他们的罪行比"联合总部"更为严重，不仅进行恐怖活动，而且替日本和德国情报机关从事间谍活动，图谋推翻苏维埃政权。被告承认自己有罪，说这是为了揭露和粉碎托洛茨基主义。1月23日，皮达可夫在法庭上供认，他于1935年12月利用出差柏林的机会，乘飞机秘密前往奥斯陆，在赫利尔机场着陆，与居住在挪威的托洛茨基密谈。1月25日即皮达可夫供认后的第三天，挪威《晚邮报》发表一条通告：赫利尔机场的官员肯定地声明，1935年12月间没有任何民用飞机在那里着陆，皮达可夫来奥斯陆会见托洛茨基一说，完全不能相信。挪威社会民主党机关报《工人日报》也于1月29日刊登消息：根据官方的航空日志记载，1935年12月没有任何外国飞机在该机场着陆。穆拉洛夫在法庭上说："在过了将近8个月之后，我对自己说，还是让我个人的利益服从国家的利益吧。我为这个国家奋斗了23年，为这个国家在三次革命中英勇战斗，曾经有数十次生命危在旦夕……假定说，甚至要把我关起来或者枪毙，那么我的名字

[1] 《中央监察委员会等部门关于"托洛茨基反苏平行总部"案的调查材料（不晚于1988年7月27日）》，《苏联历史档案选编》，第12卷，第770页。

无论对现在还在反革命阵营里的人，还是对逐渐长大成人的人来说，都将有一种代表意义”。[1]

1937 年 1 月 30 日，军事审判庭仅凭被告人的口供就判决皮达可夫、谢列布利亚科夫、穆拉洛夫、利夫希茨等 13 人死刑，索柯里尼科夫、拉狄克、瓦·沃·阿诺尔德——10 年监禁，米·斯·斯特罗伊洛夫——8 年监禁。13 人当即枪决。阿诺尔德、斯特罗伊洛夫在 1941 年被缺席判处枪决。索柯里尼科夫、拉狄克在 1939 年 5 月被同室囚犯打死。

对“右派和托派反苏联盟”案件的公开审判

在镇压托派分子的同时，斯大林一直未曾忘记打击“右派”领导人。内务部不敢怠慢，迫使“托洛茨基—季诺维也夫联合总部”的被告交代他们与布哈林、李可夫、托姆斯基等人的犯罪联系。

尼古拉·伊万诺维奇·布哈林（1888—1938），1906 年入党，1919 年至 1923 年当选为党中央政治局候补委员，1924 年至 1929 年为政治局委员。1926 年至 1929 年任共产国际执委会政治书记处书记。他是著名的马克思主义理论家，1928 年当选为苏联科学院院士。因反对斯大林对农民采取非常措施被指控犯有右倾错误，于 1929 年被解除政治局委员职务。1934 年至 1937 年任《消息报》总编辑。

阿列克谢·伊万诺维奇·李可夫（1881—1938），1898 年入党。十月革命胜利后，任第一届苏维埃政府的内务人民委员。1918 年，任最高国民经济委员会主席。1922 年至 1930 年，为党中央政治局委员。1924 年至 1930 年任苏联人民委员会主席。1929 年，同布哈林一起反对斯大林的农村政策，被指责犯有右倾错误。1931 年至 1936 年改任邮电人民委员。

米哈伊尔·巴夫洛维奇·托姆斯基（1880—1936），1904 年入党。1923 年至 1930 年为党中央政治局委员。1918 年 10 月至 1921 年 5 月，1922 年 9 月至 1929 年 5 月任全俄（苏）工会中央理事会主席。1929 年，同布哈林等人一

[1] 《中央监察委员会等部门关于“托洛茨基反苏平行总部”案的调查材料（不晚于 1988 年 7 月 27 日）》，《苏联历史档案选编》，第 12 卷，第 772 页。

起被指责右倾，被调往化学工业管理局、国家图书杂志出版社工作。

1936 年 8 月 21 日，报纸公布了维辛斯基检察长的命令，宣布布哈林、李可夫、托姆斯基等人和反革命阴谋案件有关，开始对他们进行侦察。托姆斯基预感到等待他的是什么，于第二天 8 月 22 日自杀身亡。他的家属没能逃脱厄运。妻子被判刑 10 年，死于西伯利亚。两个儿子被枪决，16 岁的小儿子被关进集中营。

“全党喜欢的人物”布哈林在受审，1938 年

对布哈林和李可夫的侦查，没有获得什么确凿的证据，《真理报》于 1936 年 9 月 10 日发布检察院公告说，“侦查没有发现应使布哈林和李可夫承担法律责任的法律材料，因此停止对本案的继续侦查”。但是对布哈林和李可夫的迫害并未就此结束。他们在 1936 年 12 月的党中央会议上遭到围攻。叶若夫指控他们同托洛茨基分子有联系，组织阴谋活动。布哈林等人愤怒反击。会后，布哈林写信给斯大林，驳斥对他的诬陷，论证自己的无辜，但全无回音。1937 年 1 月 16（17）日，布哈林被解除了《消息报》总编辑的职务。而李可夫早在 1936 年 9 月就被免去邮电人民委员的职务。

1937 年 2 月 23 日至 3 月 5 日，党中央召开全会，讨论布哈林和李可夫的问题。布哈林给全会写了一个声明：“为抗议背叛、变节等等闻所未闻的指控，我宣布绝食至死，只要得不到洗刷，我就不停止绝食。如得不到满足，我的最后要求是不要碰我，让我死去。”[1] 党中央全会的回答是增加一项议程：关于布

[1] Материалы февральско–мартовского пленума ЦК ВКП（б）1937 года. // Вопросы истории, 1993. No. 2. C. 24 – 25.

哈林宣布绝食的反党行为问题。布哈林决定出席全会，参加这一议程的讨论。当他来到全会时，斯大林对他说："你向谁绝食，尼古拉，向党中央吗？瞧，你像谁了，虚弱不堪。为自己的绝食向全会道歉吧！"布哈林回答说："既然你们打算把我开除出党，这又有什么用呢？"斯大林说："谁也不想把你开除出党。走吧，走吧，为不良行为请求全会原谅吧。"布哈林相信了斯大林的话，向全会道了歉，同时驳斥了对他的各种诬陷。

叶若夫在会上指责布哈林和李可夫对党耍两面派，继续坚持自己的右倾机会主义观点，坚持在苏联复辟资本主义的行动纲领；同托洛茨基结盟，组织武装暴动，进行暗害活动，以达到推翻列宁斯大林领导的目的。叶若夫建议，"撤销布哈林和李可夫联共（布）中央候补委员资格，开除出党，把他们移送给军事审判庭并处以极刑——枪决"。2 月 26 日，全会根据斯大林的建议通过决议，"撤销布哈林和李可夫联共（布）中央候补委员资格，开除出党，不移送法庭，而把案件转交内务人民委员部"。[1] 斯大林的秘书随即通知布哈林和李可夫必须参加 27 日的中央全会。

布哈林知道与妻子诀别的时刻到了，他让拉林娜逐字逐句背下他写的《致年轻一代党的领导人的信》："我就要离开人间了……在恶魔的机器前我感到无能为力，这台机器用的大概是中世纪的方法，因而拥有无比强大的力量，炮制有组织的造谣诽谤，大胆妄为……我向未来一代党的领导人们呼吁！历史赋予你们的使命是解开骇人听闻的罪行的乱麻，在这些可怕的日子里，这团乱麻越来越大，像火焰一样越烧越厉害，勒得我们党喘不过气来……我请求新的、年轻的、诚实的一代党的领导人在党的全会上宣读我的这封信，宣布我无罪，恢复我的党籍。"

当天，也就是斯大林向布哈林说"谁也不想把你开除出党"后的第四天，布哈林和李可夫不仅被开除出党，而且被直接逮捕入狱。

布哈林在最初的审讯中根本不承认自己有罪，他只承认他在具体问题上同斯大林有分歧，但是没有从事任何暗杀、间谍活动。后来，布哈林屈服了。他在 1937 年 12 月 10 日写给斯大林的信中写道："我向你作出临终前的真诚的保证：我没有犯在侦讯时曾经承认过的罪行"，但是"除了认罪，承认别人的

[1] 《联共（布）1937 年 2—3 月中央全会布哈林和李可夫专案委员会会议记录（1937 年 2 月 27 日）》，《苏联历史档案选编》，第 8 卷，第 511—512 页。

供词并加以发挥外，我别无出路，否则，我就是‘不缴械投降’”。布哈林试图解释产生这一案件的原因。他说，“我思考发生的一切时，得出大致如下的设想：1）由于处在战前时期；2）由于向民主过渡，产生了进行总清洗的宏大大胆的政治思想”。因此要对“(1) 罪犯；(2) 嫌疑者；(3) 潜在的有嫌疑者”进行清洗。这样布哈林落入清洗之列自然也成为必然、合理之事。他需要为自己的“认罪”赴死说服自己，他称斯大林的“大计划、大思想和大利益高于一切”，是“具有世界历史意义的重任”。相形之下，他的个人问题“是太渺小了”。不过，布哈林仍“深感痛苦”，因为他不仅要承认自己有罪，还要“故意作恶”，“亲自帮助消灭一批人（从消灭我本人开始！)”，“造成了他人的毁灭”。他陷入了绝境，他问道：“该怎么办？该怎么办?”他最大的希望就是斯大林能相信他的忠诚，年轻一代的领导人能为他平反。[1]

1938 年 3 月 2—13 日，苏联最高法院军事审判庭在莫斯科的工会大厦十月大厅对“右派—托派联盟”案件进行了公开审理。被告共 21 人，其中 3 人是列宁时期的党中央政治局委员布哈林、李可夫和尼・尼・克列斯廷斯基，1 名共产国际领导人——保加利亚革命家克・格・拉柯夫斯基，还有白俄罗斯共产党中央书记 В. Ф. 沙兰戈维奇，乌兹别克共产党中央书记 А. 伊克拉莫夫和人民委员会主席 Ф. 霍贾耶夫，中央消费合作总社主席捷连斯基等人。前内务人民委员亚戈达也同他们一起受审。

维辛斯基检察长指控被告组织反革命阴谋集团，充当外国间谍，进行破坏活动，暗杀了基洛夫、古比雪夫、高尔基等领导人，图谋瓦解苏联，使乌克兰、白俄罗斯、中亚和高加索各国、远东滨海地区脱离苏联，推翻革命政权。同前两次公开审讯相比，这次又添加一条罪状——妄图在苏联公开复辟资本主义制度。

在庭审时，审判长乌尔里希逐个向被告提出同一个问题，“您是否承认自己有罪?”布哈林、李可夫等大部分被告都说，“是的，我承认。”因为在公开审讯前，内务部人员对被告已进行了多次排演，逼迫他们按规定的台词回答。并威胁说，要按他们的表现决定对他们以及对他们家属的处置。还对一些人说，认罪“是人民和党的需要”，被告在压力下，都承认自己有罪。布哈林笼

[1] 《布哈林给斯大林的信（1937 年 12 月 10 日)》，《苏联历史档案选编》，第 8 卷，第 515—516 页。

统地、抽象地承认指控他的全部罪行，承认自己是“右派—托派联盟”的领导人，表示“对联盟的一切活动都负有责任”。接着又说，“一伙匪帮的成员应当相互认识，以便结成一伙，彼此保持比较密切的关系”，但是他布哈林对该集团的许多成员素昧平生，有的是在法庭上才第一次见面的。他作出结论说，“由此可见，在这里受审的被告们不是一个集团”。布哈林承认“在政治上和法律上都对失败主义的方针（指使苏联在战争中失败——作者注）负有责任”。但接着指出，他“个人并不持这个立场”，向敌军“打开防线”的话不是他说的。布哈林对另一些指控则直接予以否认。他坚决否认从事过间谍活动，否认参与杀害基洛夫、明仁斯基、古比雪夫和高尔基的活动，否认1918年曾企图杀害列宁、斯大林和斯维尔德洛夫。布哈林还进一步指出，他的一些罪名是依靠一些被告的招供确定的，是不能成立的。这种做法的依据“是一条中世纪的法学原则”。

克列斯廷斯基在侦讯过程中遭受毒打。原内务部列福尔托夫监狱卫生处处长罗森布吕姆1956年提供见证说，“克列斯廷斯基经审讯后被送到我们卫生处，已不省人事。他被残酷毒打，整个背部密布伤痕，背上没有一块好地方。我记得他在非常痛苦的状态中在卫生处躺了3天”。[1] 克列斯廷斯基被迫按要求招供。但在庭审时试图翻供，说“我不承认自己有罪。我不是托洛茨基分子。我从来没有参加‘右派—托派联盟’，我不知道还有这样一个联盟。强加于我的罪行，没有一个与我有关，特别是不能承认我和德国侦探机构有联系的罪行”。但对克列斯廷斯基采取一些“措施”后，次日他又重新承认了预审中的供词。

1938年3月13日，最高法院军事审判庭宣布判处布哈林、李可夫、克列斯廷斯基等18人死刑，3人长期监禁。布哈林在写给斯大林的信中，曾“哀求”斯大林，如果判处他死刑，请“不要枪杀我，而让我在囚室内自己服毒”。但请求没人理睬。布哈林、李可夫等18人在判刑后的第二天被枪决。

至此，所有反对派领导人都从肉体上被消灭，只有托洛茨基因在国外，仅被缺席判处死刑。1940年8月20日，他在墨西哥被暗杀。[2] 其他前反对派分子不管现时持什么观点和表现如何，几乎都在1937年被逮捕判罪。

斯大林通过三次公开审判不仅处死了自己的对手，还让他们备受难言的

[1] 《苏联大清洗内幕》，社会科学文献出版社1988年版，第196页。

[2] 凶手是拉蒙·麦尔卡捷尔。普遍认为他是苏联内务部的暗探，但尚无档案资料确认。

痛苦——为“革命事业”，当众自我诋毁，公开承认自己犯下骇人听闻的罪行；让他们蒙受巨大羞辱——遭受全党全国人民的声讨。斯大林这样残酷地对待老一代革命家，这样诽谤和妖魔化他们，极大地丑化了联共（布），严重损害了苏联社会主义事业。

三次公开审判都是人为制造的冤案。1988 年 2 月 4 日，苏联最高法院首先撤销了军事审判庭对“右派—托洛茨基联盟”案的判决，为布哈林、李可夫等人平反，但亚戈达除外。同年，苏共中央监察委员会、苏共中央马克思列宁主义研究院、苏联检察院、苏联国家安全委员会进一步调查了其他两个案件，认定对托洛茨基—季诺维也夫联合总部案“被告提出的组织针对联共（布）中央和苏联政府领导人的恐怖活动的指控查无实据，未经任何材料证实。被判罪人的供词纯属臆造，是他们在遭受非法侦查手段摧残以致心力交瘁的情况下招认的。(应该指出，在对原反对派分子的公开审判结束之后，一些曾参加本案侦查工作的内务人民委员部工作人员被认定参与反苏阴谋，并被消灭。)”“调查证明，1927 年以后，原托洛茨基分子和季诺维也夫分子不曾与党进行过有组织的斗争，彼此之间无论在恐怖主义基础上，还是在其他基础上也不曾联合，‘托洛茨基—季诺维也夫联合总部’是内务人民委员部机关根据约·维·斯大林的当面授意并在他直接参与下人为制造的”。[1] 对皮达可夫的指控也“经不起推敲”，1988 年 6 月 13 日，苏联最高法院全体会议撤销苏联最高法院军事审判庭对所谓“托洛茨基—季诺维也夫反苏联合总部”和“托洛茨基反苏平行总部”案件的判决，为季诺维也夫、加米涅夫、皮达可夫等 33 人恢复名誉。

第五节　对党政军干部的全面打击和镇压

斯大林的清洗镇压并不限于消灭原反对派分子。早在 1936 年 9 月斯大林要求叶若夫担任内务人民委员时，就安排了新的更大规模的镇压。

斯大林的清洗镇压引起一些领导人的不安。格里哥里（谢尔哥）·康斯坦丁诺维奇·奥尔忠尼启则（1886—1937）和阿韦尔·萨夫罗诺维奇·叶

[1] 《中央监察委员会等部门关于“托洛茨基—季诺维也夫反苏联合总部”案的调查材料(不晚于 1988 年 7 月 27 日)》，《苏联历史档案选编》，第 12 卷，第 753 页。

努基泽（1877—1937）是斯大林的密友，早年一起在格鲁吉亚战斗过。奥尔忠尼启则先后任最高国民经济委员会主席、重工业人民委员、人民委员会副主席，1930 年至 1937 年为政治局委员。他参与各种清洗镇压行动，但对镇压规模的迅速扩大感到担心，对内务部随意逮捕他手下的人提出抗议。斯大林、叶若夫不仅不予理睬，反而派人搜查奥尔忠尼启则在克里姆林宫的住所。奥尔忠尼启则十分愤怒却又感到无力，于 1937 年 2 月 18 日自杀身亡。政府第二天发布公告，说奥尔忠尼启则由于心脏麻痹在家中突然逝世。叶努基泽长期担任苏联中央执行委员会秘书，在奥尔忠尼启则自杀后，被逮捕。据说，叶努基泽在受审时说，“我的全部罪过就在于，当他（指斯大林——作者注）把打算审判和枪毙加米涅夫和季诺维耶夫的念头告诉我时，我曾极力劝阻他”。[1] 当年，军事法庭秘密审判了叶努基泽，并以间谍罪判处死刑。

1937 年 2 月 23 日，联共（布）中央举行全会，在同“两面派分子”斗争的口号下，动员开展普遍性的清洗镇压。

莫洛托夫在会上作报告说，“不坚定的共产党员昨日的动摇今天已转化为破坏活动和特务活动，他们与法西斯分子串通一气，极力讨好他们。我们必须以牙还牙，在各地坚决击溃法西斯阵营派出的这些密探和破坏分子别动队……我们应当尽快完成这件事情，不能有丝毫延误和动摇”。[2] 伏罗希洛夫在发言中提出，“如果非党人员以不问政治、漠不关心的面貌出现，那么他就是半个敌人，或者是敌人的间谍”。[3]

3 月 2 日，会议根据莫洛托夫和卡冈诺维奇的报告通过《日本—德国—托洛茨基奸细的暗害、破坏和间谍活动的教训》的决议，要求各人民委员部“制定揭露和预防破坏和特务活动的措施”，“在一个月内呈报党中央政治局和苏联

[1] ［苏］亚历山大·奥尔洛夫著：《斯大林肃反秘史》，徐晓晴等译，江苏人民出版社 1988 年版，第 328 页。

[2] 苏共中央马列主义研究院中央党务档案馆，第 17 全宗，第 2 目录，第 612 卷宗。引自［俄］德·安·沃尔科戈诺夫著：《斯大林：胜利与悲剧》，中册，张慕良等译，世界知识出版社 2003 年版，第 463 页。

[3] 《伏罗希洛夫在联共（布）中央全会上的发言（速记记录），（1937 年 2—3 月）》，《苏联历史档案选编》，第 13 卷，第 520 页。

人民委员会”。

波斯蒂舍夫在会上发言说，“我个人认为，为党和社会主义事业而与敌人进行了长期和残酷斗争的党的健康分子，在1934年能够跌入到敌人的阵营里，这是令人难以置信的。我不相信这一点。”[1]

3月3日斯大林作报告。总结出“三个无可争辩的事实”：“第一，在我们所有的或几乎所有的组织中，无论在经济组织或在行政组织和党的组织中，都在某种程度上碰到了外国代理人的暗害、破坏和间谍活动，在其中托洛茨基分子起了相当积极的作用。第二，外国代理人，包括托洛茨基分子在内，不仅打入了我们的基层组织，而且窃取了某些重要职位。第三，我们的一些领导同志，无论中央的或地方的，不仅不善于看清这些暗害分子、破坏分子、间谍和杀人凶手的真面目，而且表现得这样麻痹大意、温厚宽容和天真幼稚，以致往往自己就帮助外国代理人窃取了某些重要职位。”[2] 斯大林还提出，“必须在联共（布）中央之下设立以6个月为一期的‘国内和国际政策问题讨论会’。派去受训的必须是州组织、边疆区党组织和各民族共产党中央委员会的第一书记。应当从这些同志中间造就出不仅一批而且好几批能够代替我们党中央委员会领导者的人才。这是必要的，而且是应当做到的”。[3] 斯大林就这样安排和布置了清洗党中央委员的工作。

1937年3月19日，叶若夫在内务部领导干部会议上，提到斯大林对内务部工作的“严厉评价”。21日，明确要求“在相对较短的时间内，补上在我们的审判工作和粉碎敌人方面所失去的时间。”[4]

1937年7月，维辛斯基和叶若夫先后得到奖赏，被授予列宁勋章。不久，叶若夫又被提升为党中央政治局候补委员。他们二人更加卖力地推进清洗镇压。

1937年7月3日，叶若夫发布第00447号命令，要求发起逮捕前富农分子和反苏维埃分子战役，并具体规定了各地区应逮捕的人数，要求在4个月内

---

[1] *Аймермахер К.* Доклад Н. С. Хрущева о культе личности Сталина на ＸＸ съезде КПСС. Документы. Москва РОССПЭН. 2002. С. 221.

[2] 《论党的工作缺点和消灭托洛茨基两面派及其他两面派的办法》，《斯大林文集》，第136页。

[3] 同上书，第159页。

[4] *Аймермахер К.* Доклад Н. С. Хрущева о культе личности Сталина на ＸＸ съезде КПСС. С. 186.

完成。这场战役实际用了一年多时间。从 1937 年 8 月到 1938 年 11 月，逮捕了 787397 人，而原定逮捕的人数是 34.2 万人，其中枪决的为 386798 人（原定 7.2 万人），流放到集中营的为 380559 人（原定 27 万人）。[1]

1937 年 8 月 15 日，叶若夫根据政治局的决议下达第 00486 号命令，要求判处所有“叛变祖国者的妻子”以及他们的 15 岁以上的子女不少于 5—8 年的剥夺自由。

1937 年 12 月，基辅州揭露了 87 个破坏组织和托洛茨基组织，365 个暴动—颠覆小组。[2]

1937 年 12 月 29 日一天的时间里，叶若夫和维辛斯基就审理了一份包括 1000 名囚犯的名单，其中判处枪毙的有 992 人。1938 年 1 月 21 日，两人小组审理了一份包括 2164 人的名单。[3]

1938 年 1 月，党中央召开全会，马林科夫作报告，讨论各级党组织在开除党员方面的错误问题。一月全会通过《关于党组织在开除党员方面的错误、对待被开除联共（布）党籍者的申诉的形式主义和官僚主义的态度以及克服这些缺点的办法》的决议。谴责“有些党组织不作任何审查，就毫无根据地开除党员的党籍，剥夺他们的工作，甚至往往毫无根据地宣布他们是人民公敌，任意非法地处置他们”。决议只字不提中央领导的错误，强调问题是一些野心家和暗藏的敌人两面派搞的。决议要求各级党组织“坚决停止那种不分青红皂白大批开除党员的做法”，责成各级组织“在三个月内把所有被开除党籍者的申诉书全部处理完毕”。“禁止立即撤销被开除联共（布）党籍者的职务这种不正确的和有害的做法”。[4] 全会不仅没能纠正清洗运动中的问题，反而因它将各种错误都归结为是尚未揭露出来的敌人的阴谋，使镇

[1] *Зеленин И. К.* Кульминация“Большого террора” в деревне. Зигзаги аграрной политики (1937–1938гг.) // Отечественная история. 2004. No. 1. С. 176.

[2] *Аймёрмахер К.* Доклад Н. С. Хрущева о культе личности Сталина на ХХ съезде КПСС. С. 193.

[3] *Там же* С. 218.

[4] 《关于党组织在开除党员方面的错误、对待被开除联共（布）党籍者的申诉的形式主义和官僚主义的态度以及克服这些缺点的办法》，《苏联共产党代表大会、代表会议和中央全会决议汇编》，第 4 分册，第 489—500 页。

压继续肆无忌惮地进行下去。

对军队领导的镇压

斯大林的打击迫害从前反对派分子进一步扩大到曾同反对派作过斗争的干部，首先指向了军队领导。

20 世纪 30 年代，国际局势日趋紧张。斯大林对一批有职业素养和独立见解、又在军队中享有声望的将领不放心，对他们批评自己提拔的、但不懂得现代化军事科学的伏罗希洛夫和布琼尼更是感到愤怒。

1936 年 4 月 9 日，红军情报总局局长乌里茨基向斯大林和伏罗希洛夫报告说，柏林盛传在将军们中间存在着反对苏联领导人的派别的谣言，但又说人们都不大相信这种传闻。叶若夫也呈送了一份从巴黎搞到的白俄侨民组织“俄国军人大同盟”的材料，说苏联有一批高级指挥员正准备发动政变，为首的是苏联副国防人民委员图哈切夫斯基元帅。1937 年 5 月 8 日，捷克斯洛伐克总统贝奈斯送来了有关图哈切夫斯基计划“在德国总参谋部和盖世太保的协助下”暴

1934 年，联共十七大会议休息期间伏罗希洛夫同不久后被镇压的高级将领在一起

力推翻苏维埃政权的信件。[1]这是德国伪造的文件。为了使人相信，情报机关利用图哈切夫斯基1926年同德国一家公司签约时留下的签字伪造了他的签名；同时还演出了一场德国军部遭纵火和这一文件被盗的闹剧。斯大林究竟如何对待这一文件，不得而知。在图哈切夫斯基案件的卷宗中也没有编入这一文件。[2]

内务部早在1936年就开始积极收集各种指控军队将领的"证词"。1936年8月，先后逮捕了列宁格勒军区副司令员维·马·普里马科夫和苏联驻英国全权代表处武官维·卡·普特纳。两人曾参加托洛茨基反对派，后退出，现均被指控参加"托洛茨基—季诺维也夫反革命组织战斗集团"。斯大林亲自参加了对普里马科夫的审讯。参与审讯的两名内务部工作人员事后供认，普里马科夫和普特纳是在遭到毒打后才招出关于参加阴谋的口供的。

1937年党中央召开2—3月全会，莫洛托夫在闭幕词中说：军队里的"问题大概更为严重……如果在我们所有的经济部门里都有反革命分子，我们能否想象只是那里没有反革命分子呢？这是十分荒谬的……军事部门是一个非常重大的问题，对其工作的审查不是现在就进行，而是晚些时候，并且要非常有力地审查"。[3]根据莫洛托夫这一指示，内务部加紧对军队的镇压活动。

4月27日，内务部从已被捕的内务部副处长 З. И. 沃洛维奇那里取得指

---

[1] *Пфафф, И.* Прага и дело о военном заговоре. // Военно–исторический журнал. 1988. No. 11. С. 50.

[2] 关于图哈切夫斯基案件以及德国材料的真伪等问题，俄国学者有很多评述，主要有：*Викторов Б.* "Заговор" в Красной Армии. // Правда. 1988. 29 апреля; *Иссерсон Г.* Судьба полководца. // Дружба народов. 1988. No. 5.; *Тухачевская Е. Н.* В тени монумента. // Огонёк. 1988. No. 17.; *Хорев А.* Маршал Тухачевский. // Красная Звезда. 1988. 4. июня.; *Жохов М.* Гамарник Ян. //Коммунист Вооружённых Сил. 1988. No. 17.; *Пфафф, И.* Прага и дело о военном заговоре. // Военно-исторический журнал. 1988. No. 10.; *Абрамов Н.* " Дело Тухачевского". //Новое время. 1989. No. 13.; *Сергеев Ф.* Нацистская разведка против СССР: "дело" Тухачевского, операция "цеппелин". // Новая и новейшая история. 1989. No. 1.; *Иванов В. М.* Маршал М. Н. Тухачевский. М., 1985; *Случ С. З.* " Дело Тухачевского": велика ли заслуга СД?// Советское славяноведение. 1992. No. 1 и др.

[3] 《对中央监察委员会等部门关于" 托洛茨基反苏军事组织 "案的调查材料（不晚于1988年3月5日）》，《苏联历史档案选编》，第12卷，第619页。

控图哈切夫斯基的"证词"，说他是一场阴谋的参加者，说他保证动用军队支持这一阴谋。但这些证词是借助欺骗、挑拨和暴力手段取得的。原内务部工作人员 И. Д. 苏罗维茨基在 1961 年 12 月 20 日写给苏共中央监察委员会的自白书中说："内务人民委员部机关当时所做的一切，从头到尾都是经过周密考虑蓄谋已久的陷害活动……审问沃洛维奇的是叶若夫……绝大多数姓名都是由亚尔采夫或我根据他的指示暗示给沃洛维奇的……侦查人员还规定了证词的'逻辑性'。沃洛维奇指控图哈切夫斯基是一场阴谋的参加者、准备派军队协助阴谋分子武装夺取政权的证词，也是这样取得的"。[1] 沃洛维奇未经审判即"按特殊程序"于 1937 年被执行枪决。

5 月中旬，开始新的逮捕浪潮。伏龙芝军事学院院长、二级集团军司令奥·伊·科尔克（1887—1937），莫斯科军区副司令鲍·米·费尔德曼（1891—1937）首先被捕。

打击的主要对象是图哈切夫斯基。他生于 1893 年，曾在沙皇军队服役，任大尉。1918 年加入布尔什维克党。国内战争期间先后任东线第一、第五集团军司令、南方面军副司令、西方面军司令。1919 年 12 月 28 日，共和国革命军事委员会发布命令，"鉴于第五集团军司令米哈伊尔·尼古拉耶维奇·图哈切夫斯基同志在英勇的红军向东部胜利进军（这次进军以攻占鄂木斯克为结局）中，作战勇敢，善于发挥主动性，能当机立断，指挥有方和精通本行业务，特授予他荣誉金剑一柄，以资嘉奖"。[2]1921 年指挥镇压喀琅施塔得叛乱和安东诺夫叛乱，后任军事学院院长，红军副参谋长、参谋长，第一副国防人民委员。1935 年第一批获苏联元帅称号。著有《现代战略问题》，《我们的战术训练任务》等书，强调发展炮兵、航空兵和装甲兵的重要意义，提出纵深作战的理论。为此，曾和斯大林、伏罗希洛夫发生过争执。1937 年 5 月 11 日，被免去副国防人民委员的职务，改任伏尔加沿岸军区司令，5 月 22 日被捕。

同日，航空化学建设促进会中央委员会主席罗·彼·埃德曼（1895—1937）也被捕。接着，基辅军区司令约·埃·亚基尔（1896—1937）和白俄罗

[1] 《对中央监察委员会等部门关于"托洛茨基反苏军事组织"案的调查材料（不晚于 1988 年 3 月 5 日）》，《苏联历史档案选编》，第 12 卷，第 621 页。

[2] *Иванов В. М.* Маршал М. Н. Тухачевский. М., 1985. С. 128.

斯军区司令伊·彼·乌博列维奇（1896—1937）被捕。

1937年5月24日，政治局通过决议："联共（布）中央委员会收到揭发联共中央委员鲁祖塔克和联共候补中央委员图哈切夫斯基参加为法西斯德国服务的反苏托洛茨基右倾阴谋集团和反苏间谍工作的材料。因此，联共中央政治局将开除鲁祖塔克和图哈切夫斯基出党并将其案件转交内务人民委员部的建议，提请联共中央委员和候补中央委员表决"。[1]5月25日至26日，以征询的方式一致通过这项决议。中央委员谁也不怀疑，谁也不给他们辩护，甚至也不想去听一听元帅自己的申辩。布琼尼更在决议旁边写道，"绝对赞成。必须把这些混蛋处死。5月25日。"

1937年5月31日，红军政治部副主任安·斯·布林和国防人民委员部办公厅主任 И. В. 斯莫罗季诺夫到正在生病的扬·鲍·加马尔尼克（1894—1937）家，向他宣读了国防人民委员部关于解除他的红军政治部主任职务的命令。他们刚一离开，加马尔尼克就开枪自杀了。第二天，《真理报》刊登消息："原联共（布）中央委员扬·鲍·加马尔尼克与反苏分子难分难解，害怕真相大白，于5月31日自杀身亡。"

1937年6月，国防人民委员部军事委员会举行扩大会议，伏罗希洛夫作《关于内务人民委员部机关揭露的工农红军中的反革命阴谋》的报告。6月2日，斯大林发言，断定国内曾有一个"由德国法西斯分子鼓励和资助的反苏维埃政权的军事政治阴谋组织"。这一阴谋组织的领导人是托洛茨基、李可夫、布哈林、叶努基泽、卡拉汉、鲁祖塔克、亚戈达；军事部门的领导人是图哈切夫斯基、亚基尔、乌博列维奇、科尔克、埃德曼、加马尔尼克。斯大林担保说，在他列举的13个阴谋领导人中有10人，也就是说，除李可夫、布哈林和加马尔尼克三人是"间谍教唆者"外，其他的人都是德国情报机关的间谍，其中有几个人还是日本情报机关的间谍。[2]

6月5日，斯大林从4—5月逮捕的大批军人中，挑出图哈切夫斯基、亚

[1] 《对中央监察委员会等部门关于"托洛茨基反苏军事组织"案的调查材料（不晚于1988年3月5日）》，《苏联历史档案选编》，第12卷，第630页。

[2] 参见：《斯大林在国防人民委员部下属的军事委员会扩大会议上的发言（速记记录）（1937年6月2日）》，《苏联历史档案选编》，第15卷，第521—526页。

基尔、科尔克、乌博列维奇、埃德曼和费尔德曼，作为“军事阴谋”案件的被告。为了使案件具有托洛茨基色彩，又加上曾赞同托洛茨基观点的普里马科夫和普特纳。为了审理这一案件，成立苏联最高法院特别军事法庭。根据斯大林的建议，其成员由元帅和军区司令组成，有最高法院军事审判庭审判长瓦·瓦·乌尔里希、副国防人民委员雅·伊·阿尔克斯尼斯、远东集团军司令瓦·康·布柳赫尔、莫斯科军区司令谢·米·布琼尼、工农红军总参谋长鲍·米·沙波什尼科夫、白俄罗斯军区司令伊·潘·别洛夫、列宁格勒军区司令帕·叶·德边科和北高加索军区司令尼·德·卡希林。

在审讯前允许被告给斯大林写悔过书，让他们抱有幻想，误认为这会帮助他们保全性命。被捕者都写了这种悔过书，但得到的是嘲弄。在亚基尔的悔过书上有如下的批语：“下流胚加娼妓。约·斯大林”。“所下定义非常准确。克·伏罗希洛夫、莫洛托夫”。“对这个恶棍、坏蛋和……只能严惩不贷——死刑。拉·卡冈诺维奇”。[1]

1937 年 6 月 11 日，苏联最高法院军事审判庭在莫斯科秘密开庭审理“托洛茨基反苏军事组织”的案件。维辛斯基宣读起诉书，指控图哈切夫斯基等人于 1932 年至 1933 年根据德军总参谋部和托洛茨基的直接指示，建立托洛茨基军事组织。该组织从事破坏、颠覆、暗杀活动并准备推翻政府，夺取政权，以达到在苏联复辟资本主义的目的。所有被告都承认自己有罪，基本上承认了侦查时的招供。当夜 11 点 35 分，审判长乌尔里希宣布，8 名被告全部被判处死刑。第二天，图哈切夫斯基等 8 人被枪决。他们在临刑时都高呼：“斯大林万岁！”“共产主义万岁！”[2]

在开庭的 11 日当天，斯大林给各共和国、各边疆区和各州发出指示，要求各地“组织工人大会，在可能的地方也组织农民大会以及红军部队大会，做出必须采取最严厉的镇压措施的决议”。[3] 遵照斯大林的指示，各地纷纷举行声讨集会。

---

[1] 《对中央监察委员会等部门关于“托洛茨基反苏军事组织”案的调查材料（不晚于 1988 年 3 月 5 日）,《苏联历史档案选编》，第 12 卷，第 638 页。

[2] 《什维尔尼克关于图哈切夫斯基案复查情况致赫鲁晓夫的报告(1964 年 6 月 26 日)》,《苏联历史档案选编》，第 13 卷，第 568 页。

[3] 同上书，第 640 页。

在审判图哈切夫斯基之后9天，逮捕了980名军队指挥员和政治工作人员，指控他们参加军事阴谋。8月，伏罗希洛夫又决定逮捕142名军事领导干部。参与审判图哈切夫斯基案件的布柳赫尔、卡希林等将军后来也被指控参与同一阴谋而被逮捕，根据伪造的材料被判处枪决。因“托洛茨基反苏军事组织”案件而被判处死刑的共有401名军队干部，另有7人被判处不同期限的劳动改造。

1955年，苏共中央主席团通过决议，撤销对加马尔尼克的指控。1957年，最高法院军事审判庭撤销对图哈切夫斯基等8人的判决。苏共中央监察委员会决定恢复他们的党籍。后来又为同案中的其他人恢复了名誉。俄国有一些人如弗拉基米尔·卡尔波夫承认图哈切夫斯基等人不是外国间谍，但仍然认为他们犯有阴谋推翻苏维埃政权的罪行。可惜，他拿不出任何可信史料来证实自己的观点。他在《大元帅斯大林》一书中写道：“至于军事阴谋，那些对这一阴谋仍存疑问的人不妨再读一读上面引用的审讯速记记录的片段。整个审讯过程并没有任何刑讯逼供，只有平静的对话。并没有诬陷图哈切夫斯基的意图，只有对情况实事求是的叙述”。[1] 但审讯早已被众多资料证实是有意诬陷，口供更是凭空捏造、刑讯逼供的产物。

苏联元帅瓦西里·康斯坦丁诺维奇·布留赫尔（1890—1938）在国内战争期间，任远东共和国总司令，五次获得红旗勋章。1924年至1927年到中国，任广州革命政府的首席军事顾问，化名加仑将军。1929年起，任远东特别集团军司令。1938年夏，指挥红军打败日军在张鼓峰的入侵。10月被逮捕。11月被秘密处死，但一直没有公布这一消息。另一位元帅亚历山大·伊里奇·叶戈罗夫（1883—1939），内战期间先后任南方和西南方面军司令，方面军委员是斯大林。1931年至1937年任红军总参谋长。1938年被捕，1939年2月遇害。1956年，为这两位元帅恢复了名誉。这样，1930年代的5名元帅除了伏罗希洛夫和布琼尼外，3名被处死。

此外，副国防人民委员雅·伊·阿尔克斯尼斯、伊·费·费季科和弗·米·奥尔洛夫，红军副总参谋长 В. Н. 列维切夫和谢·亚·梅热尼诺夫，红军总政治部副主任安·斯·布林和 Г. А. 奥谢皮扬，海军人民委员彼·亚·斯米尔诺夫，副海军人民委员 П. И. 斯米尔诺夫（斯韦特洛夫斯

[1] ［俄］弗·卡尔波夫著：《大元帅斯大林》，第121页。

基)，海军司令米弗·维·克托罗夫，海军参谋长 П. Г. 斯塔谢维奇，黑海舰队司令伊·库·科扎诺夫，北方舰队司令康·伊·杜舍诺夫，太平洋舰队司令格·彼·基列耶夫，阿穆尔河区舰队司令 И. Н. 科达茨基-鲁德涅夫，莫斯科军区司令 С. П. 乌里茨基，列宁格勒军区司令帕·叶·德边科，白俄罗斯军区司令伊·潘·别洛夫，外贝加尔军区司令米·德·韦利卡诺夫，外高加索军区司令尼·弗·古比雪夫，北高加索军区司令伊·伊·加里卡维，中亚军区司令伊·肯·格里亚兹诺夫，乌拉尔军区司令鲍·谢·戈尔巴乔夫和 Я. П. 盖利特，哈尔科夫军区司令伊·纳·杜博沃伊等都遭镇压。

对红军将领的镇压规模十分巨大。被枪杀的有：16 名集团军司令、副司令中的 15 人；67 名军长中的 60 人；199 名师长中的 136 人；全部 4 名海军高级将领；全部 6 名海军上将；15 名海军中将中的 9 人；全部 17 名集团军政委和副政委；29 名军级政委中的 25 人。[1]8 万名军官中有 3.5 万名遭受从清除出军队到判刑、处死的迫害。[2]

1937 年 5 月至 1938 年 9 月，在一年半的时间里，陆军中遭到清洗镇压的为 36761 人，海军中为 3000 余人。[3]1939 年 6 月 14 日，乌尔里希向斯大林和莫洛托夫报告："目前有大量关于右派托洛茨基组织、资产阶级民族主义组织和间谍组织成员的案件。

莫斯科军区有	800 起
北高加索军区有	700 起
哈尔科夫军区有	500 起
西伯利亚军区有	400 起

为了保密起见，建议在开庭时不许辩护人出庭。请指示。"[4]

---

[1] 《苏共中央政治局大镇压事件复查委员会的简要报告（1988 年 12 月 25 日）》，《苏联历史档案选编》，第 30 卷，第 630 页。

[2] История России ХХ век. Под ред. *В. П. Дмитренко.* М., АСТ. 1997. С. 385.

[3] 国防部中央档案馆，第 37837 全宗，第 10 目录，第 142 卷宗，第 93 页。引自沃尔科戈诺夫著：《斯大林：胜利与悲剧》，中册，第 676 页。

[4] 苏联最高法院档案馆第 75 全宗，第 35 目录，第 319 卷宗。引自沃尔科戈诺夫著：《斯大林：胜利与悲剧》，中册，第 677—678 页。

丹尼洛夫依据档案资料认定，1937 年至 1939 年有 24574 名军官遭迫害，其中 9579 人被逮捕，14968 人被清除出军队，但 11178 人又重新返回军队。[1]

另一份统计资料表明，1937 年至 1939 年间陆军中共有 36898 名军官被解除了职务，其中 28685 人是因政治或民族原因被处理的。1938 年至 1939 年，有 11178 名被解除职务的军官重返军队。到 1940 年 1 月 1 日，遭迫害的军官为 17981 人。[2]

从军事审判庭庭长向联共（布）中央、苏联人民委员会和苏联国防人民委员会提交的苏联最高法院军事审判庭和军事法庭的工作报告中，可以看出红军官兵遭迫害的情况。

工农红军干部因反革命罪而被判刑的人数统计表 [3]

	中高级领导干部	初级指挥干部	士兵	共计
1936 年	79	166	680	925
1937 年	957	578	2544	4079
1938 年	756	366	2010	3132
1939 年	365	98	636	1099
1940 年	61	160	1382	1603

由此可见，1936 年至 1940 年期间因反革命罪被审判的军人有 10838 人，其中中高级领导干部为 2218 人。这个数字是不完全的。因为 1937 年的数据不包括由苏联最高法院军事审判庭判决的“法西斯军事阴谋”和“右派—托洛茨基组织”的参加者。更重要的是，它没有包括内务部“特别会议”及其他非司法机关判处的人员，而对这些人的统计数字至今尚未进行足够的研究。有人

[1] *Данилов В. Д.* Советское Главное командование в преддверии Великой Отечественной войны. // Новая и новейшая история. 1988. No. 6. С. 5.

[2] Известия ЦК КПСС. 1990. No. 1. С. 188–189.

[3] РГВА. Ф. 9, оп. 29, д. 383, л. 19–20、74–75. Архив Военной коллегии Верховного суда РФ, оп. 1, д. 1а, л. 4–9、44–47、62–64; ГАРФ, Ф. 8131, оп. 27, д. 540, л. 108–109.

统计，从1921年到1954年2月1日被判处反革命罪的有3777380人，其中2900000人不是司法机关判处的，占76. 7%。假设非司法机关对军人审判的比例与上述平民的比例相同，那么，1936年至1940年期间因反革命罪受司法机关和非司法机关审判的中上级军官为9519人。

对党政领导干部的镇压

联共（布）第十七次代表大会被称为“胜利者代表大会”。它的1966名代表中，竟有1108人因反革命罪被逮捕，占代表总数的56%。

打击的矛头还指向了党中央委员。1917年8月布尔什维克党第六次代表大会选出领导十月革命的中央委员会。在21名中央委员中，被逮捕处死的有Я. A. 别尔津、尼·伊·布哈林、安·谢·布勃诺夫、格·叶·季诺维也夫、列·波·加米涅夫、尼·尼·克列斯廷斯基、弗·帕·米柳亭、阿·伊·李可夫、伊·捷·斯米尔加、格·雅·索柯里尼科夫等10人，还有列·达·托洛茨基在国外被暗杀。遭迫害的占到一半以上。

1922年列宁最后一次出席的俄共第十一次代表大会选出27名中央委员，其中遭迫害致死的有16人，他们是：尼·伊·布哈林、伊·阿·捷连斯基、格·叶·季诺维也夫、列·波·加米涅夫、H. H. 科罗特科夫、格·康·奥尔忠尼启则（自杀）、卡·伯·拉狄克、克·格·拉科夫斯基、扬·埃·鲁祖塔克、阿·伊·李可夫、T. B. 萨普龙诺夫、亚·彼·斯米尔诺夫（死于狱中）、格·雅·索柯里尼科夫、米·巴·托姆斯基（自杀）、列·达·托洛茨基（遭暗杀）、弗·雅·丘巴尔。此外，格·伊·彼得罗夫斯基被逮捕，后获释。遭迫害的占到60%以上。

1937年10月，党中央会议将捷连斯基[1]等24名党中央委员和候补委员开除出中央委员会。1937年12月，党中央委员会以征询方式通过决议：“中央全会根据确凿的材料认为必须将下列人员开除出联共（布）中央委员会并作为人民敌人予以逮捕：鲍曼、布勃诺夫、布林、梅日劳克、鲁希莫维奇和切尔诺夫，他们是德国间谍和沙皇保安机关的密探；米哈伊洛夫，他同雅科夫列夫的

[1] 中央消费合作总社主席，1938年被处死。

反革命活动有牵连；伦金，他同李可夫、苏利莫夫的反革命活动有牵连”。接着，斯大林亲笔补写一句：“所有这些人都承认自己有罪”。[1] 十七大选出的中央委员和候补中央委员共139人，其中98人即占70%的委员被逮捕，并且全都被处死。

党中央政治局委员也没能幸免。列宁在世时的最后一届党中央政治局委员，即1923年4月第十二次党代表大会后选举产生的7名政治局委员中，除列宁早年逝世外，斯大林将其他5人（加米涅夫、托洛茨基、季诺维也夫、李可夫、托姆斯基）都置于死地。1919年至1935年先后选出31名政治局委员，其中有20人遇害。一些曾积极参加反对托洛茨基和布哈林斗争并得到提拔的政治局委员也遭镇压。仅1937年至1938年就有5名政治局成员遭逮捕。

扬·埃内斯托维奇·鲁祖塔克（1887—1938），1905年加入布尔什维克党。1922年至1926年任全俄工会中央理事会总书记，党中央中亚局主席。1923年第十二次代表大会后当选为政治局候补委员。1926年至1934年为政治局委员。1926年至1937年任人民委员会副主席。1937年5月被捕，被指控领导拉脱维亚反苏维埃民族主义组织。鲁祖塔克在法庭上声明自己无罪，但法庭只用了20分钟就做出死刑判决。1938年7月鲁祖塔克被处死。

斯坦尼斯拉夫·维肯季耶维奇·柯秀尔（1889—1939），1907年入党。1920年任乌克兰中央委员会书记。1925年至1928年任联共（布）中央书记。1928年至1937年任乌克兰党中央书记。1927年当选为政治局候补委员，1930年起为政治局委员。1938年1月，柯秀尔以缺乏警惕性的罪名被解除乌克兰的工作，改任人民委员会副主席。同年5月被捕，指控他在1922年就参加了反革命的波兰军事组织，1934年又成立和领导了“乌克兰反革命阴谋恐怖中心”。1939年2月26日被枪决。

弗拉斯·雅可夫列维奇·丘巴尔（1891—1939），1907年入党。1923年至1934年任乌克兰人民委员会主席。1934年起任苏联人民委员会副主席兼财政人民委员。1926年至1935年为政治局候补委员。1935年至1938年为政治局委员。1938年7月被逮捕，被控参加恐怖组织，是德国间谍。1939年2月

[1] 苏共中央马列主义研究院中央党务档案馆，第17全宗，第2目录，第430卷宗。引自沃尔科戈诺夫著：《斯大林：胜利与悲剧》，中册，第561页。

同柯秀尔一起被处死。

帕维尔·彼得罗维奇·波斯蒂舍夫（1887—1939），1904年入党，历任乌克兰党中央书记，哈尔科夫州委、基辅州委书记，1934年起任联共（布）中央政治局候补委员。1938年1月波斯蒂舍夫在中央全会上发言指出，他到古比雪夫州时看到，经过清洗以后，州党委员会、州执行委员会以及区委员会的工作都瘫痪了。许多区委由于只剩下两三个委员，实际上已经停止工作。在州里，这样的区有30多个。卡冈诺维奇抓住他的发言作文章说，“波斯蒂舍夫在这次全会上的发言是在重复敌视党的言论。他没有看到，最近一年来我们拥有10万多名新提拔起来的人。这是我们伟大的斯大林式的胜利”。其他人也跟着批判波斯蒂舍夫，指控他进行“反党”。波斯蒂舍夫最后说“我完全彻底地承认我在这里所作的发言是错误的，是不符合党性的。我是怎么说出这一番话来的，我连自己也不明白。我请求全会宽恕我。我不仅从来没有同敌人站在一起，而且始终是同敌人作斗争的”。在这位老布尔什维克屈膝之后，斯大林说，“应当撤销他的政治局候补委员资格，保留他的中央委员资格”。这一意见被全会一致通过。[1] 波斯蒂舍夫不久被开除出党。1938年2月被捕，被指控参加了右派—托洛茨基阴谋，充当日本、波兰和德国的间谍。1939年被处死。

罗伯特·因德里科维奇·埃赫（1890—1940），拉脱维亚人，1905年入党。1935年至1938年为政治局候补委员。1929年至1937年任西西伯利亚边疆区党委第一书记。1937年改任农业人民委员。1938年4月被捕。埃赫在法庭上不承认自己有罪。他声明说，“在似乎是我交待的供词中，除了下面的签名之外，没有一个字是我说出来的，就是这些签名也是被迫的。供词是在审讯员的压迫下制造出来的，从我被逮捕时起，就开始对我实施严刑拷打……审讯人员还利用我有病的身躯（我的脊柱已经被折断），在上面击打，就像在琴键上做的那样。这是无法忍受的酷刑……我没有犯罪，我从来也没有参加过什么阴谋活动”。1940年2月被处死。

政府机关也遭到无情的清洗。列宁主持的第一届人民委员会由15人组成，

---

[1] 苏共中央马列主义研究院中央党务档案馆，第17全宗，第2目录，第639卷宗。引自沃尔科戈诺夫著：《斯大林：胜利与悲剧》，中册，第566—567页。

其中就有9人（内务人民委员李可夫，陆海军人民委员安东诺夫-奥弗申柯、克雷连柯、德边科、农业人民委员米柳亭，劳动人民委员施略普尼科夫，司法人民委员洛莫夫，粮食人民委员泰奥多罗维奇，邮电人民委员格列鲍夫-阿维洛夫）在这次清洗中被镇压，托洛茨基在国外遭暗杀。4人在1933年以前逝世。活过这场灾难的只有斯大林一人。

1935年进入人民委员会的委员中，有20人被处死，活下来的只有莫洛托夫、卡冈诺维奇、伏罗希洛夫、米高扬、安德列也夫和李维诺夫6人。1938年年初人民委员会28个成员中有20人很快就被镇压。1937年至1938年被捕后牺牲的政府领导人有：苏联人民委员会副主席兼重工业人民委员、国家计划委员会主席瓦·伊·梅日劳克（1893—1938），接替梅日劳克担任国家计划委员会主席的 Г. И. 斯米尔诺夫，国家计委副主席埃·约·克维林（1888—1937），人民委员会副主席瓦·弗·施米特（1886—1940）和尼·基·安季波夫（1894—1941）；国防工业人民委员莫·里·鲁希莫维奇（1899—1939），司法人民委员尼·瓦·克雷连柯（1885—1938），农业人民委员雅·阿·雅科夫列夫（1896—1938），财政人民委员格·费·格林科（1890—1938），轻工业人民委员伊·约·柳比莫夫（1882—1939），林业人民委员弗·伊·伊万诺夫（1893—1938），食品工业人民委员 С. С. 洛博夫（1888—1939），国内贸易人民委员 И. Я. 魏采尔，卫生人民委员格·纳·卡明斯基（1895—1938），邮电人民委员英·安·哈勒普斯基，水运人民委员 Н. И. 帕霍莫夫（1890—?），机器制造业人民委员 А. 勃鲁斯金，国营农场人民委员莫·约·卡尔马诺维奇（1888—1937）和 Н. Н. 杰姆钦科（1897—1943），国家银行管理局主席 Л. Е. 马里雅辛等。

随着人民委员和副人民委员的被镇压，他们的下属多被牵连。1936年10月到1937年3月底，大约有2000名人民委员部工作人员被逮捕。相关政府部门特别是国防人民委员部、重工业人民委员部、外交人民委员部，以及国家计划委员会遭到毁灭性洗劫。交通人民委员部在1936年至1938年间，有13名副人民委员、65名铁路局局长、63名政治部主任和铁路局副局长被逮捕。坦克制造人民委员部整个管理机关的人员、各企业的所有厂长经理（只有2人除外）、绝大多数的专家工程师都遭逮捕。内务人民委员部是斯大林依靠的惩罚机关。但他们知道的镇压内幕太多了，斯大林不能留下这些见证人。另外，他们是第一线执行人，积怨很深，正好是缓解民怨的替罪羊。因此内务部的清洗更是突出。内务人民委员亚戈达被撤职处死后，他的副手——副内务人民委员以及各局局长都先后被逮捕处死。叶若夫后来承认他“清洗了 14000 名肃反工作人员”，还说他“最大的过错是清洗得少了”。[1] 叶若夫及其同伙也没有得到好下场。贝利亚上台后，逮捕了几乎所有的内务部下属的各局局长和他们的助手。

地方党政机关也被镇压浪潮席卷。在俄罗斯联邦，90% 的州党委和州执委委员遭镇压。列宁格勒的党、苏维埃和经济领导骨干几乎全部被消灭了。1935 年至 1940 年间在列宁格勒有 68088 人被镇压。[2] 在绝大多数自治共和国、边疆区、州和市、区，有 2/3 的党政领导人遭到逮捕。

一般的党员也遭清洗镇压。1937 年至 1938 年受迫害的党员共达 116885 人，占党员总数的 1/9。[3] 这里指的是被逮捕时仍是党员的人数，如果把曾是党员的人也算进去，数目就要大得多。

一些仍留在工作岗位上的领导人的亲人也遭到逮捕，如加里宁的妻子，奥尔忠尼启则的哥哥，卡冈诺维奇的两个弟弟，什维尔尼克的独生女儿。不知斯大林为什么要这样做，是否要想通过这件事来考验或威胁他的下属。

对各民族共和国党政干部的镇压

乌克兰遭受沉重打击。1933 年春，乌克兰掀起反对民族主义分子运动。自 1925 年起就出任乌克兰共产党（布）中央政治局委员的尼·阿·斯克雷普尼克（1872—1933）首当其冲。他于 1897 年入党，长期担任乌克兰教育人民委员，1933 年 2 月起任乌克兰人民委员会副主席兼国家计划委员会主席。他被指责犯有民族主义错误，于 1933 年 7 月 7 日被开除出政治局。当天，斯克

---

[1] 《叶若夫在最高法院军事法庭秘密受审时的最后陈述（1940 年 2 月 3 日）》，《苏联历史档案选编》，第 4 卷，第 447 页。

[2] 《苏共中央政治局大镇压事件复查委员会的简要报告（1988 年 12 月 25 日）》，《苏联历史档案选编》，第 30 卷，第 629 页。

[3] Долг памяти и справедливости. //Правда. 1991. 13 апреля.

雷普尼克自杀身亡。1933 年一年，乌克兰共产党组织减少 10 多万党员。

1937 年 8 月，莫洛托夫和赫鲁晓夫到基辅，要求乌克兰党中央对其中央书记柯秀尔、人民委员会主席帕·彼·柳布琴科（1897—1937）、苏联中央执行委员会主席团成员格·伊·彼得罗夫斯基（1878—1958）投不信任票，选举赫鲁晓夫为中央书记，遭到乌克兰党中央拒绝。后来，莫洛托夫提出邀请乌克兰全体党中央委员和候补委员 102 人到莫斯科讨论此事。柳布琴科预感后果的严重，并担心自己的家属也会遭迫害，他先打死妻子和儿子，然后自杀身亡。其他人去了莫斯科，最后只有彼得罗夫斯基等 3 人活了下来。1938 年 1 月，赫鲁晓夫出任乌克兰党中央第一书记。在 1938 年至 1940 年间，在乌克兰逮捕了 167565 人。[1]

在白俄罗斯，马林科夫和叶若夫编造谎言，说那里存在一个以党政领导人为首的反苏地下组织。这使白俄罗斯的领导人几乎全部被逮捕镇压。白俄罗斯党中央书记，人民委员会主席尼·马·戈洛杰德（1894—1937），党中央常务局委员亚·戈·切尔维亚科夫（1892—1937）等被杀害。白俄罗斯党组织人数减少一半。

高加索的三个共和国的众多领导人遭镇压。外高加索联邦人民委员会主席、苏联中央执行委员会主席团成员、共产国际执委会委员加·穆·穆萨别科夫（1888—1938）遭杀害。亚美尼亚党中央第一书记阿·汉姜（？—1936），中央书记 C. 斯拉比奥尼扬（卢卡申）、A. 约尼扬、Г. 奥弗谢比扬和 A. 科斯达尼扬，人民委员会主席萨·米·捷尔—加布里耶梁（1886—?），亚美尼亚中央执行委员会主席 C. 马尔蒂基扬被镇压。阿塞拜疆党中央书记鲁·阿·阿洪多夫（1897—1938）、人民委员会主席古塞恩·拉赫曼诺夫、苏联中央执行委员会主席团成员 C. M. 埃芬季耶夫遭杀害。在格鲁吉亚，外高加索布尔什维克党组织创始人之一、长期担任联共（布）外高加索边疆区委第一书记的马·德·奥拉赫拉什维利（1881—1937）、格鲁吉亚党中央书记和外高加索边疆区委书记、格鲁吉亚人民委员会主席 Л. И. 拉夫连季耶夫（卡尔特韦利什维利）等人被处死。1937 年召开的格鲁吉亚第十次党代表大会共有 644 名代表，

[1] 《苏共中央政治局大镇压事件复查委员会的简要报告（1988 年 12 月 25 日）》，《苏联历史档案选编》，第 30 卷，第 631 页。

不久以后有425人被逮捕或处死。

中亚共和国受到的清洗更是惊人。1937年哈萨克党中央常务局的成员无一例外地被逮捕处决。牺牲的有中央书记 Л. И. 米尔佐扬（1897—1939）、С. 努尔皮伊索夫，人民委员会主席 У. Д. 伊萨耶夫（1899—1938），苏联中央执行委员会主席团成员 У. 库鲁姆别托夫等人。

土库曼党中央书记 Т. А. 穆哈默多夫和 Я. А. 波波克，人民委员会主席 K. 阿塔巴耶夫，苏联中央执行委员会主席团成员涅·艾塔科夫（1894—1938）等人被镇压。只有120多万人口的土库曼在1937年8月到1938年11月共有15660人被判刑，其中5008人被处决。[1]

乌兹别克党中央第一书记阿·伊克拉莫夫（1898—1938），人民委员会主席法·霍贾耶夫(1896—1938）被处决。1937年至1939年间，在乌兹别克有4.1万人被逮捕，6920人被处死。

吉尔吉斯党中央第一书记马·基·阿姆莫索夫（1897—1939），第二书记 М. Л. 别洛茨基，监察委员会主席 Д. С. 萨达耶夫等人被处死。

在塔吉克共和国，内务部揭露了一个反革命的资产阶级民族主义组织，说它与托洛茨基中心、伊朗、阿富汗、日本、英国和德国有联系。这个组织的领导有塔吉克党中央书记 Ю. 阿舒罗夫和 A. 弗罗洛夫、人民委员会主席 A. 拉希姆巴耶夫（1896—1939）和12名人民委员、苏维埃中央执行委员会主席团成员 C. 绍捷莫利、塔吉克党中央几乎所有各部的部长以及18名区委书记。

仅1937年，中亚地区基层党组织干部的55. 7%、区党委干部的78. 8%被清洗。[2]

在俄罗斯联邦的各自治共和国和自治州的党政干部普遭迫害。卡累利阿、鞑靼、卡巴尔达—巴尔卡尔、马里、科米自治共和国以及犹太自治州的党委书记、人民委员会主席均被逮捕处死。北奥塞梯自治州的11名州党委中有9人被捕。

叶若夫根据斯大林的个人指令，于1937年7月25日签署了第00439号命令，要求各地方机关在5天内逮捕所有在军事工厂和铁路运输部门工作的日

---

[1] 李宗禹等：《斯大林模式研究》，中央编译出版社1999年版，第187页。

[2] 雷振扬：《斯大林民族政策评析》，《东欧中亚研究》1992年第4期，第19页。

耳曼人。1937年8月到1938年11月即远在德国进攻苏联之前，4.2万日耳曼人被处死。

在1937年8月25日到1938年11月15日的反民族主义分子战役中，两人小组和特别三人小组共审理了335513人的案件，其中247157人被判处枪决。[1]

对科技文化工作者的镇压

斯大林的农业政策引发众多严重问题，生物学界也因此受牵连。特·杰·李森科等人曲意迎合政治需要，不断高升，而诚实的生物学家因同他们的学术观点不同而备受打击。农业科学研究院第一任院长尼·伊·瓦维洛夫（1887—1943）是世界著名的育种学家、遗传学家。他搜集了世界各地的5万个野生植物标本和3万多个小麦样品，带回苏联进行遗传学研究，取得重大成果，1926年获得列宁奖金，却于1940年无辜被捕，1943年死于狱中。农业科学研究院院长亚·伊·穆拉洛夫以及棉花、畜牧、农业化学、植物保护等研究所的领导人都遭镇压。更多的生物学家被逮捕流放。植物学家A. A. 米歇耶夫在克累马河集中营[2]被毒打致死。著名的外科医生K. X. 科赫教授也关在克累马河集中营，因没有完成开采黄金的定额被枪决。

国防工业的许多科学家受到迫害。坦克设计师В.И.扎斯拉夫斯基，无后座力炮发明者Л.库尔切夫斯基等众多军械武器设计师遭诬陷被处决。著名的飞机设计师安德烈·尼古拉耶维奇·图波列夫（1888—1972）于1937年10月21日被逮捕，被指控参加“俄国法西斯党”，进行破坏活动。同年，被逮捕的还有第一批火箭发动机的创建人——火箭科学研究所所长伊·帖·克列伊梅诺夫（1898—1938）、他的助手、“卡秋沙”火箭炮的发明人格·埃·朗格马克（1898—1938）以及В. П. 格卢什科。他们的罪名是在火箭科学研究所内建立“反革命组织”。由于被逮捕的工程师非常之

[1] Исторические сборники “Мемориала”. Вып. 1. С. 33.

[2] 克累马河集中营位于伯力附近，是关押政治犯的集中营，许多人无辜在这里被迫害致死。

多，政府不得不将他们集中关在一个特别监狱中，进行各种武器的设计开发工作。早在1929年就在布特尔监狱内设立了内部监狱设计局，为首的是著名的飞机设计师 Н.Н. 波利卡尔波夫和 Д.П. 格里戈罗维奇。设计局后来迁到霍德飞机场地区，改名为中央设计局——第三十九号。后来又陆续设立了多个监狱设计局，其中比较有名的是中央设计局——第二十九号，一般称为图波列夫囚徒设计所。在那里工作过的有6名科学院院士〔谢·帕·科罗廖夫（1907—1966），尤·阿·克鲁特科夫，亚·伊·涅克拉索夫，鲍·谢·斯捷奇金，尤·鲍·鲁麦尔，安·尼·图波列夫〕，17名总设计师，12名教授和科学博士，将近200名囚徒科学家。[1] 火箭专家科罗廖夫于1937年被捕，次年6月被判刑，在克累马河黄金矿当苦力，后调到中央设计局——第二十九号。1944年被减刑提前释放。他后来成为苏联火箭总设计师，把世界第一颗卫星送上太空。

白俄罗斯科学院院长 И. З. 舒尔特被镇压。领头的物理学家如伊·叶·塔姆、В. А. 福克等遭诽谤，被指责为“唯心主义者”和“敌对思想的走私犯”。出色的理论物理学家 М. П. 布朗施坦更遭镇压。

尼·米·费多罗夫斯基是苏联科学院通讯院士，是实用矿物学的创始人之一，负责组建和领导矿物科学研究所，于1937年被逮捕判刑。

厂矿、企业、工地、铁路的成千上万的领导人和工程师被逮捕、判刑、处死。全国瞩目的第聂伯河水电站工程、库兹涅茨克工程的领导人瓦·米·米哈伊洛夫和谢·米·弗兰克福特被镇压。荣获各种勋章的马格尼托格尔斯克联合企业的经理 Е. С. 古戈列、车里雅宾斯克联合企业的负责人 В. А. 雅可夫列夫、马克耶夫卡联合企业的经理 Г. В. 格瓦哈里亚被逮捕处死。重工业部掌握着200家大型机器制造厂，它们的厂长几乎都先后被逮捕，其中如哈尔科夫拖拉机厂、斯大林格勒拖拉机厂、哈尔科夫拖拉机厂、罗斯托夫农机厂、高尔基汽车厂、乌拉尔汽车厂、基洛夫（原普梯洛夫）机器制造厂等工厂的厂长则被处死。克拉斯诺亚尔斯克机车车辆制造厂在1937年至1938年两年中，从事行政技术工作的人员差不多全部被消灭。遭

[1] 参见［苏］沙拉金著：《图波列夫囚徒设计所》，崔芝远、傅士彬译，吉林人民出版社1983年版，第14—18页。

镇压的有工厂的总机械师、计划生产科长、各车间主任。各铁路局的局长几乎都遭镇压。

社会科学领域的许多专家遭到专横的批判后，又被逮捕判刑。红色教授学院院长 В. Г. 克诺林（1890—1939）、马恩列研究院副院长弗·哥·索林、基辅语言学院院长 Н. М. 西雅克、解出通古斯象形字的语言学家 Н. А. 涅夫斯基、曾每周两次给斯大林讲哲学课的扬·斯滕等人被镇压。更多的历史学、哲学、经济学、语言学、教育学家被逮捕，不少人死于监狱或集中营中。哲学家 Л. П. 卡尔萨温死于集中营。亨·卡·德尔曼是拉脱维亚革命家，1900年加入俄国社会民主工党。她是莫斯科图书学研究所的第一任所长，图书馆工作领域里的著名专家。1938 年，对拉脱维亚人大规模逮捕行动开始后，德尔曼也被逮捕判刑。1953 年 1 月，她服满了刑期，但已经瘫痪了，无法办理释放手续。她没有感到自由，于 1954 年 1 月死于医院病床上。1963 年获得平反。

1930 年代被逮捕的作家有 600 多人，占作家协会成员的 1/3。著名的作家波·安·皮利尼亚克、加·谢列布里娅科娃、伊·埃·巴别尔、诗人奥·曼德尔斯坦姆遇害。著名戏剧导演弗·埃·梅耶霍利德死于狱中。各少数民族的文艺家普遍受到迫害。

对国际共产主义运动领导人和外国侨民的镇压

斯大林对共产国际及其派生的组织——青年共产国际、红色工会国际、国际工人援助会都进行了清洗。共产国际执委会书记约·阿·皮亚特尼茨基（1882—1938）于 1938 年被处死。

在本国处于非法状态的奥地利、匈牙利、德国、拉脱维亚、立陶宛、波兰、罗马尼亚、芬兰、爱沙尼亚、南斯拉夫等国的共产党领导人受害尤深。1919 年匈牙利苏维埃共和国的 12 名人民委员，其中包括匈牙利共产党创建人库恩·贝拉都被杀害。匈牙利共产党中央书记居什奈尔·卡尔菲加利波维奇被捕后，死于集中营。1938 年，波兰共产党被指控其领导机关为间谍所渗入，整个党被第三国际解散。在苏联的波兰共产党员几乎全被抓。波兰共产党中央总书记尤·伦斯基–列什琴斯基，中央领导成员爱·普罗赫尼亚克、玛·柯秀茨卡、阿·瓦尔斯基，耶·伦格等在苏联被处决。德国共产党领导成员 Г. 列梅克、Х. 埃别尔莱恩、Г. 诺伊曼、希腊共产党总书记 А. 孔塔斯、南斯拉夫共产党领导成员 М. 戈尔基奇、В. 乔皮奇、М. 菲利波维奇、芬兰共产党领导成员 А. 绍特曼、Г. 罗维奥被镇压。爱沙尼亚、拉脱维亚、立陶宛共产党的领导人在苏联指导他们党的活动，也在 1930 年代遭逮捕遇害。

1937 年 8 月 11 日，叶若夫下达第 00485 号命令，要求逮捕“(1) 在审讯过程中被查明和根据所附的名单至今未被找到的最积极的‘波兰军事组织’成员；(2) 所有留在苏联的波兰军队的战俘；(3) 从波兰来的投敌分子，不取决于他们转入苏联的时间；(4) 从波兰来的政治侨民和政治交换人员；(5) 原波兰社会党党员和波兰其他反苏维埃政治党派的人员；(6) 波兰地区各地防范苏维埃民族主义分子中最积极的那部分人员”。[1] 第二次世界大战前，有 14.4 万波兰人被捕，其中 11.1 万人被枪杀。

1937 年 9 月 20 日，内务部第 00593 号命令逮捕几万名以前在中东铁路工作的苏联公民，把他们简单称为“哈尔滨人”，说他们是“日本谍报机关的代理人”。

1937 年 10 月 23 日，叶若夫签署第 00693 号命令，强调外国谍报机关的代理人打着政治避难的旗号进入苏联，因此“对于一切投诚分子，无论其进入我们境内的动机和情况如何，一律立即逮捕”，并交付审判。[2] 这样一来，为了躲避迫害而来的兄弟党干部，为了寻求更好生活而来的外国劳动者都遭逮捕。1938 年 4 月 12 日，《莫斯科报》[3] 发表社论，说“居住在国外的每一名德国公民都是盖世太保的代理人”。这一观点代表了官方的想法。当时在苏联的德国共产党员，70% 以上被逮捕。[4]

在苏联的中国共产党人和侨民也遭到迫害镇压。十月革命前，在俄罗斯大概有 50 万中国人，他们大多数是在第一次世界大战期间被招募去从事后方

[1] *Аймермахер К.* Доклад Н. С. Хрущева о культе личности Сталина на XX съезде КПСС. С. 190.

[2] 同上。

[3] 《莫斯科报》是周报。1934 年 4 月至 1939 年 5 月用法文出版。

[4] 《迪特里希给德共中央和德共驻共产国际执委会代表处的报告(1938 年 4 月 29 日)》，《苏联历史档案选编》，第 4 卷，第 423、424 页。

“到达劳改营”。犯人叶·克尔斯诺夫斯卡娅画。西伯利亚，1943年4月

工作的。[1] 还有很多中国共产党人在共产国际工作，在中山大学、东方劳动者共产主义大学学习。1927年中国北洋政府搜查苏联大使馆，两国关系紧张。斯大林下令逮捕在莫斯科的中国人。20世纪30年代，进而迫害中国共产党人。曾任中共中央政治局委员的李立三，于1935年作为中共代表参加共产国际第七次代表大会，但于1938年2月23日被逮捕。[2] 苏联军事审判庭指控他为反革命托洛茨基分子、日本间谍、恐怖集团首脑。1938年，爆发了大规模迫害中国侨民的浪潮。在海参崴，“内务人民委员部机关人员根本连证件都不询问，就可以在大街上、公共汽车上抓中国人，他们从整幢整幢的简易房里逮捕工人，包括妇女和年幼儿童”。[3] 在共产国际机关工作和在苏联各大学学习的差不多所有的中国同志都遭逮捕。

第六节　大清洗的逐渐结束及其严重后果

大清洗运动的逐渐结束

漫无节制的清洗镇压不仅引发人民的不满和恐慌，而且造成社会的动荡

---

[1] Правда. 1989. 2 сентября.

[2] 李思慎、刘之昆著：《李立三之谜》，人民出版社2005年版，第246—248页。

[3] *Коровяковский П.* Китайцы—жертвы сталинской репрессий. //Проблемы Дальнего Востока. 1991. No. 2 С. 143–144.

和危机。1938 年 9 月慕尼黑协定的签订更使苏联处于严重的战争威胁之中，斯大林不得不控制、收缩镇压行动。

1938 年 11 月 17 日，人民委员会和联共（布）中央作出《关于逮捕、检察机关的监督和侦讯行动》的决议，指出“在内务人民委员部机关和检察机关的工作中，出现重大的缺点和歪曲事实的现象”，提出“今后，一切案件都要严格依据现行审判管辖法的规定”进行审理，并“警告内务人民委员部和检察机关的全体工作人员，对于丝毫违背苏维埃法律以及党和政府法令的内务人民委员部和检察机关的每一名工作人员，不管是谁，都要严厉追究法律责任”。[1] 内务部于 11 月 26 日发布命令，“立即停止所有大规模逮捕和强行迁出行动”，并宣布取消过去发布的 18 个命令、通令和指示。[2]

斯大林精心安排了结束大规模清洗镇压的进程。叶若夫尽管忠心耿耿，在 1937 年 7 月获得列宁勋章的嘉奖，10 月又当选为党中央政治局候补委员，但仍逃不脱替罪羊的命运。早在 1938 年 8 月，拉·贝利亚就被委派为内务人民委员部第一副人民委员，准备全面接管内务部的工作。11 月 17 日的决议又进一步宣告：“人民的敌人和钻进中央以及地方的内务人民委员部机构的外国间谍机关的特务分子，继续进行自己的破坏活动，千方百计地搞乱被侦查的案件和间谍案件，故意歪曲苏联法律，进行大规模的、毫无根据的逮捕，同时也保护自己的伙伴，尤其是钻入内务人民委员部机关的同伙免于被粉碎。”[3] 11 月 19 日，党中央政治局开会讨论伊万诺夫州内务局局长关于内务部内潜伏有间谍特务问题的声明。叶若夫知道这些行动都是对着他的，便于 11 月 23 日主动请辞内务人民委员职务。第二天，政治局决定“满足叶若夫同志的请求”，免去他的内务人民委员的职务，但保留党中央书记、党的监察委员会主席和海

---

[1] 《苏联人民委员会和联共（布）中央〈关于逮捕、检察机关的监督和侦讯行动〉的决议（1938 年 11 月 17 日）》，《苏联历史档案选编》，第 4 卷，第 436、438 页。

[2] 《苏联内务人民委员部关于纠正谍报——情报工作缺点的命令（摘要）（1938 年 11 月 26 日）》，《苏联历史档案选编》，第 17 卷，第 11—16 页。

[3] 《苏联人民委员会和联共（布）中央：〈关于逮捕、检察机关的监督和侦讯行动〉的决议（1938 年 11 月 17 日）》，《苏联历史档案选编》，第 4 卷，第 433 页。

运人民委员的职务。几个月后，1939 年 4 月 10 日，叶若夫被捕。恶贯满盈的叶若夫自知“性命当然保不住了”，在法庭上说，“我只有一点请求，请从容地处决我，不要折磨我”。为了表白他至死都是忠顺奴才，最后说，“我请求转告斯大林，我一生在政治上从未欺骗过党”，“请转告斯大林，我将高呼着他的名字去死”。[1]1940 年 2 月 4 日，叶若夫以钻入内务部的间谍特务分子的罪名被处死。

叶若夫被撤职后，大规模的镇压停止了。几十万个案件本已在内务部机关做了准备，现在被搁置到一边。还成立了以安德列也夫为首的委员会调查内务部的工作。1939 年 3 月，斯大林在党的第十八次代表大会上含糊地表示，“决不能说，在进行清洗时没有犯过严重的错误”。[2] 日丹诺夫在发言中更列举了诬陷好人的例子。平反工作随之展开。

首先被平反的是红军的中下级指挥员。这显然同国际形势紧张，军队干部缺乏有关。被平反的人很多后来成为著名的将领，康·康·罗科索夫斯基、季·阿·梅列茨科夫成为苏联元帅。

部分科学家和工程师也得到平反。如有名的物理学家 Л. 兰道和阿·贝格在战争爆发前夕被释放了。图波列夫等 10 多名航空设计师和工程师、细菌生物学家 П. 兹德拉多夫和 Б. А. 季利别尔等人在战争初期获得自由。

这次平反规模有限，只涉及几万人。它不过是用来缓解群众的不满，说明主要的镇压活动是正确的一种手段。在平反的同时，新的镇压一直在继续，一批又一批的新人在运动的尾声中断送了性命。

1938 年 12 月 12 日，斯大林和莫洛托夫批准枪决 3167 人。[3]

1939 年 3 月 6 日，乌尔里希向斯大林报告，“苏联最高法院军事审判庭于 1939 年 2 月 21 日至 3 月 14 日在莫斯科不公开地审理了 436 人的案件。413 人

[1] 《叶若夫在最高法院军事法庭秘密受审时的最后陈述（1940 年 2 月 3 日）》，《苏联历史档案选编》，第 4 卷，第 449、450 页。

[2] 《在党的第十八次代表大会上关于联共(布) 中央工作的总结报告(1939 年 3 月 10 日)》，《斯大林文集》，第 268 页。

[3] 国防部中央档案馆，第 32 全宗，第 708323 目录，第 38 卷宗，第 14—16 页。引自沃尔科戈诺夫著：《斯大林 ：胜利与悲剧》，中册，第 618 页。

被处枪决。判决已根据1934年12月1日的法令予以执行。”[1]

前面提到过，政治局候补委员埃赫于1938年被捕，1940年被处死。著名生物学家瓦维洛夫在1940年被捕。许多无辜的人在1939年后继续被逮捕判刑。

这一时期，最大规模的迫害镇压行动发生在新并入苏联领土的比萨拉比亚、西乌克兰、西白俄罗斯和波罗的海沿岸地区。1940年4月10日人民委员会决定将西乌克兰和西白俄罗斯叛乱者的家属迁往哈萨克。内务部报告说，迁走60667人。[2]战争爆发后，内务部来不及将利沃夫、塔尔图等城市的犯人撤出，就把他们都枪杀了。

尽管清洗镇压活动在1939年以后仍在继续，但随着战争的逼近，大清洗大镇压作为一场全国性的政治运动最终还是逐渐结束了。

大清洗的惊人规模

20世纪30年代的大清洗大镇压运动涉及的面极为宽广。最初主要是镇压共产党外的对手（社会革命党、孟什维克、民族主义政党、旧知识分子等），进而是党内的原反对派分子，进而是那些曾同斯大林一起同反对派进行斗争的、但失去信任或被视为潜在敌人的领导人。列宁时代的党政领导几乎都被处死。第一届人民委员会和党中央政治局成员只留下斯大林一人。镇压对象涉及各个阶层，从中央领导人到中下层干部，一直到普通老百姓。

受迫害的人数多得惊人。В.П.波波夫根据苏联内务部特别处代理处长帕夫洛夫上校整理的资料绘制了苏联被判刑人数统计表。制表日期注明为1953年12日11日。

---

[1] 苏联最高军事法庭档案馆，第75全宗，第35目录，第315卷宗，第46页。引自沃尔科戈诺夫著：《斯大林：胜利与悲剧》，中册，第612页。

[2] 参见《别兹鲁科夫关于移民安置问题呈贝利亚的报告（摘录）（1940年10月18日）》，《苏联历史档案选编》，第12卷，第488页。

全俄肃反委员会—国家政治保卫总局—内务人民委员部

判刑人数统计（1921—1940 年）[1]

年份	判刑总数	其中				判刑人			
		极刑	集中营和监狱	流放驱逐	其他刑罚	法庭和法院	国家政治保卫总局委员会	特别会议	三人小组
1921	35829	9701	21724	1817	2587	35825	无资料		
1922	6003	1962	2656	166	1219	6003	无资料		
1923	4794	414	2336	2044	—	4794	无资料		
1924	12425	2550	4151	5724	—	3059	—	9366	—
1925	15995	2433	6851	6272	437	—	2284	9211	4490
1926	17804	990	7547	8571	696	—	2323	13102	2379
1927	26036	2363	12267	11235	171	—	34334	15947	6655
1928	33757	869	16211	15640	1037	—	3756	25844	4157
1929	56200	2109	25853	24517	3741	—	10262	37197	8761
1930	208069	20201	114443	58816	14609	—	9072	19377	179620
1931	180696	10651	105683	63269	1093	—	13357	14592	152747
1932	141919	2728	73946	36017	29228	49106	6604	26052	60157
1933	239664	2154	138903	54262	44345	214334	—	25330	—
1934	78999	2056	69451	5994	11498	32577	12588	1003	32831
1935	267076	1229	185846	33601	46400	118465	—	29452	119159
1936	274670	1118	219418	23719	30415	114383	—	18969	141318
1937	790665	353074	429311	1366	6914	39694	45060	17911	688000
1938	554258	328618	205506	16842	3289	95057	—	45768	413433
1939	63889	2552	54666	3783	2888	—	50868	13021	—
1940	71806	1649	65727	2142	2288	—	28894	42912	—

这份资料中有两处显然不准确。一是表中第 8 栏所注 1937 年被国家政治

[1] 《1921—1940 年苏联被判刑人数统计（1953 年 12 月 11 日）》，《苏联历史档案选编》，第 12 卷，第 361—362 页。

保卫总局局务委员会判刑的人数，因为国家政治保卫总局已于 1934 年撤销。二是苏联内务人民委员部特别会议判刑的人数（第 9 栏）从 1924 年即开始列入表中，但是内务人民委员部特别会议到 1934 年 11 月 5 日才成立。因此，列入上述年份的判刑人数应计入该期间存在的国家政治保卫总局—内务人民委员部。在一份资料上有铅笔写的标注："1921—1938 年判刑人数共计 2944879 人，其中 30%（1062000 人）是刑事犯。"

苏共中央特设委员会于 1956 年 2 月 9 日向苏共中央主席团提交了关于确定对联共（布）中央委员和候补委员采取大规模镇压行动原因的报告。委员会根据国家安全委员会现有的档案资料，列表说明了镇压的规模。

1935—1940 年镇压从事反苏维埃活动分子的人数统计表 [1]

	1935 年	1936 年	1937 年	1938 年	1939 年	1940 年
被逮捕的人数	114456	88873	918671	629695	41627	127313
其中被枪决的人数	1229	1118	353074	328618	2601	1863

从上面的统计表可以看出：1930 年至 1940 年判刑人数总共为 2871711 人，比 1921 年至 1929 年的 208843 人增加 10 多倍；其中判处死刑的相应为 726030 人和 23391 人，扩大了 30 多倍。

1935 年至 1940 年共逮捕反革命分子 1920635 人，其中被处决的有 688503 人。1937 年至 1938 年是高潮，每年逮捕和处决的"人民敌人"比此前的 1936 年陡增约 10 倍。两年被逮捕的共 1548366 人，其中被处决的有 681692 人。

需要指出的是，判决多数不是法院作出的，而是公安机关（内务部的特别会议、三人小组）决定的。据俄国学者波波夫统计，1937 年至 1938 年判刑的 1344923 人中，134751 人是司法机关作出的，1210172 人是非司法机关作出的。[2]

关押在监狱中的犯人，1939 年多达 352508 人，远远超过沙皇时代关在监

---

[1] *Аймермахер К.* Доклад Н. С. Хрущева о культе личности Сталина на XX съезде КПСС. С. 190.

[2] *Попов В. П.* Государственный террор в советской России. 1923–1953гг.: источники и их интерпретации. // Отечественные архивы. 1992. No. 2. С. 28.

狱中的囚犯数目。1901 年为 84600 人，1912 年达到高峰——184000 人。[1] 除了监狱外，苏联还在边远地区设置了集中营。1930 年 4 月 25 日，国家政治保卫总局根据苏联人民委员会 4 月 7 日的决议颁布了 130/63 号命令，成立劳改营管理局，后改为劳动改造营管理总局（古拉格）。劳改营最初设在极北和远东地区如白海的索洛维茨岛，进一步发展成为遍布全国的集中营系统。后来又设立了劳改区，关押刑期在 3 年以下的犯人。集中营和劳改区之间的这种区分并不严格，经常得不到遵守。1932 年全苏有 11 个劳改营。1940 年 3 月 1 日，扩展为 53 个劳改营,475 个劳改区，在押犯人共有 1668200 人。[2] 这一年年初，劳改营中有 7124 名 18 岁以下的孩子,19497 名 60 岁以上的老人,108898 名妇女。犯人由于生活条件恶劣和劳动繁重，成批死去。1935 年为 32659 人，1936 年为 26479 人，1937 年为 33499 人，1938 年猛增为 126585 人，1939 年为 65301 人，1940 年为 56703 人，6 年共有 341226 人死于劳改营和监狱之中。[3]

依据俄国现有档案资料整理出来的数字是，1937 年至 1938 年有案可查的被逮捕的反革命分子大约为 150 万人，被处死的近 70 万人。但是这并不是最后定论。俄国学者泽姆斯科夫依据档案资料计算出，1937 年至 1938 年共逮捕 3141444 人，其中指控犯有反革命罪行的有 1575259 人，犯有刑事罪行的有 1566185 人。由于刑事罪的内涵不清，能确定为单纯刑事犯的（如流氓小偷等）为 647438 人，剩下的 918747 人究竟犯了什么罪尚需研究。如果把他们归为第一类，则遭政治迫害的大约有 250 万人。[4] 另外，除被处决的外，1935 年至 1940 年死在监狱和劳改营的囚犯还有 341226 人。[5]

---

[1] *Смирнов В. С.* Экономические причины краха социализма в СССР. // Отечественная история. 2002. No. 6. С. 107.

[2] История России. Х Х век. Под ред. *В. П. Дмитренко. С.* 330.

[3] *Земсков В. Н.* Заключённые в 1930–е годы: социально–демографические проблемы. // Отечественная история. 1997. No. 4. С. 69、63.

[4] *Земсков, В. Н.* О некоторых проблемах «*Большого террора*» 1937 – 1938 годов. // Отечественная история. 2000. No. 1. С. 203.

[5] *Земсков В. Н.* Заключённые в 1930–е годы: социально – демографические проблемы. // Отечественная итория. 1997. No. 4. С. 63.

上述数字是到今天为止人们对1934年至1938年间大清洗受害人数的一种计算。当然，它并没有全面反映斯大林的迫害镇压规模。如果从整个20世纪30年代看，遭迫害的还有人数众多的富裕农民和富农以及普通农民。在全盘集体化和消灭富农的1929年到1933年间，共有519600名富农分子被逮捕，[1]其中仅在1930年就有20201人被枪决。[2]另外，大约有120万户富农被剥夺财产并被强制迁徙到中亚和西伯利亚，成为特殊移民。据泽姆斯科夫统计，1933年有特殊移民1142084户。他们不属于前面所说的被捕犯人，但受到的迫害十分严重，许多人在恶劣条件下死去。

1935年1月25日，苏联中央执行委员会通过决议，恢复前富农分子的公民权。但他们仍受各种监控，根本不能离开规定的移民区，绝大多数人也没有身份证。不久，又开始新一轮的对前富农分子的迫害镇压。1937年7月30日，叶若夫发布第00447号命令，“从1937年8月5日起，在所有共和国、边疆区和州，开展镇压前富农分子、积极的反苏维埃分子及刑事犯罪分子的战役”。[3]到1937年9月底，逮捕了24.8万人，其中10.8万人是前富农分子。[4]1938年1月18日，内务部发布第17089号命令，要求“排除”原社会革命党人。

1935年2—3月在同“旧时人”“和解”运动的高潮中，内务部机关在列宁格勒进行了搜捕“旧时人”行动，共逮捕4833名旧社会的知名人士。1935年2月27日，内务部列宁格勒州地方局指示，必须把“旧时人”的整个家庭而不是仅限于个别人迁徙走，因为他们的儿子孙子都是“反革命后备军”。[5]

---

[1] Кентавр. 1990. No. 3–4. C. 59.

[2] *Хлевнюк О. В.* Политбюро——Механизмы политическои власти в 1930–е годы. М., 1996. С. 19.

[3] 《叶若夫关于镇压前富农分子和反苏维埃分子的命令草案（摘录）（1937年7月30日）》，《苏联历史档案选编》，第12卷，第311—315页。

[4] Архив Президента Российской Федерации. Ф. 3, оп. 58, д. 212, л. 60–78. 引自 *Зеленин И. Е.* Кульминация *Большого террора* в деревне. Зигзаги аграрной политики (1937–1938гг.) //Отечественная история. 2004. No. 1. C. 176.

[5] *Смирнова Т. М.* В *происхождении своём никто не повинен*… ? // Отечественная история. 2003. No. 4. C. 40.

另外，1937 年至 1938 年还开展了反民族主义分子的战役。1937 年 8 月 21 日，苏联人民委员会和联共（布）中央通过决议，将远东边疆区的全部朝鲜人迁出。到年底，大约有 17. 5 万朝鲜人被强制从布里亚特—蒙古自治共和国、哈巴罗夫斯克边疆区、滨海边疆区和赤塔州迁到哈萨克斯坦和乌兹别克斯坦，并且被剥夺移居苏联其他地方的权利。直到第二次世界大战结束后的 1946 年 8 月，政府才对部分朝鲜人解除这一限制。此外，希腊人、匈牙利人、意大利人、罗马尼亚人也因担心他们可能成为境外敌人的帮手而把他们从世代居住的家园迁往中亚。哈萨克也遭受巨大苦难。“1937—1938 年 600 万哈萨克人中有 2/3 的人牺牲。” [1]

1939 年至 1941 年，西乌克兰、西白俄罗斯、波罗的海三国以及比萨拉比亚被划入苏联版图。从 1940 年 2 月到 1941 年 4 月 1 日，从西乌克兰、西白俄罗斯以及立陶宛迁走了大量少数民族成员，仅波兰人就有 38 万人。[2]

20 世纪 30 年代遭受迫害的有被司法机关和非司法机关判刑的无辜群众、被强行迁走的富裕农民、少数民族等，具体人数至今不明。

关于大清洗中遭迫害的人数，还有其他的说法。米高扬提出，从 1935 年 1 月 1 日到 1941 年 6 月 22 日有 1900 万人遭迫害，其中 700 万人被处死。[3] 前国家安全委员会主席克留奇科夫在 1990 年说，从 1930 年到 1953 年有 3778254 人受迫害。雅科夫列夫在 1997 年把这一数字扩大为 480 万。[4]

罗伯特·康奎斯特在《大恐怖：斯大林在三十年代的清洗》一书中提出，1936 年至 1938 年的大恐怖至少有 600 万人被捕，300 万人被处死，200 万人被埋葬在集中营。[5] 美国修正派历史学家认为这个数字被大大夸大了。

---

[1] *Омырзаков, Токтасын, Мыщтайулы,* Священный Казыгурт——колыбель просветленного человечества или путь к Истине. Алматы. 1996. С. 15.

[2] *ЗемсковВ. Н.* Спецпоселенцы. //Социологические исследования. 1990. No. 11.

[3] Davies R. W. Economic Aspects of Stalinism. // Nove A.（ed. ）The Stalin Phenomenon. London. 1993. p. 70.

[4] Аргументы и факты. 1997. No. 27.

[5] Conquest, Robert. *The Great Terror:Stalin's Purge of the Thirties.* Rev. ed. New York. 1973. p. 189.

法国学者维尔特等编著的《共产主义黑皮书》对各种类型的镇压牺牲者数量作了一个总结：

1932 年至 1933 年有 600 万人死于饥荒。这是剥夺富农政策和国家掠夺性的没收集体农庄的苦果。

72 万人直接根据国家政治保卫局和内务人民委员部的判决被枪毙。其中有 68 万是在 1937 年至 1938 年。

1934 年至 1940 年之间在集中营登记的死亡人数为 30 万人。1930 年至 1933 年的情况没有准确的数据，但在 30 年代总数约为 40 万人（从被捕到在集中营登记之前的死亡者不计算在内）。

有 60 万人是作为被驱逐出境者、迫迁者和特别移民死亡登记的。

有将近 220 万的被驱逐者或特别移民。

1934 年至 1941 年间有 600 万人被关进古拉格群岛的集中营和流放区（把 1930 年至 1933 年间缺乏准确数字这一因素考虑在内）。[1]

按照《黑皮书》的统计，20 世纪 30 年代被镇压的总人数为 1622 万。其中各种死亡人数为 800 万左右（600 万死于饥荒）。

对镇压人数的调查统计仍在继续中。[2]

大清洗的严重后果

20 世纪 30 年代的大清洗大镇压是斯大林制度的产物。它许下了从未有过的美好未来，却无力实现。理想与现实之间的巨大矛盾冲击着这一制度，而它却没有正常的调解矛盾的机制来解决这一问题。斯大林盲目崇信暴力，用恐怖

---

[1] *С. Куртуа, Н. Верт, Жан–Луи Панне, А. Пачковский, К. Бартошек, Жан–Луи Марголен:* Чёрная книга коммунизма. Москва. 1999. С. 207.

[2] 2001 年 11 月，在苏联时期和普京时期担任政治镇压牺牲者平反委员会主席的雅柯夫列夫在同记者谈话时说，斯大林去世后，为 400 万以上的政治镇压牺牲者恢复了名誉。这方面的工作还在继续。他认为在镇压过程中，“政治镇压牺牲者约 3200 万人，其中 1300 万是在国内战争时期。”[www. liga. kiev. ua Украинская баннерная сеть № 42（465）2. 11. 2001]

镇压来维持个人的专权，实现自己的目标。

20 世纪 30 年代的大清洗大镇压达到如此骇人听闻的地步，斯大林起了决定性作用。他以至高无上的领袖地位亲自指挥了这场镇压。他提出阶级斗争日益尖锐化的理论来证明镇压的必要性和必然性。他具体安排镇压的进程，先打击党外人士，再消灭前反对派分子，最后清洗一切他不信任不喜欢的人，包括他的亲属、密友和得力部下。斯大林亲自批准枪决的有：他以前在民族事务人民委员部的副手布罗伊多、他的朋友、中央执行委员会秘书阿・叶努基泽、曾被斯大林称为“真正青年领袖”的亚・科萨列夫、他的“哲学老师”扬・斯滕、同他一起做过地下工作的亚・索尔茨、他十分器重的著名侦察员乌里茨基、被他树为标兵的副外交人民委员列・卡拉汉、列宁的秘书尼・哥尔布诺夫。

斯大林充分利用苏维埃体制的缺陷，依靠内务部和检察院，破坏法律，恣意横行，无人能拦，也无人敢拦。他还利用群众对官僚的不满、对国际局势日趋紧张的担忧，制造遍地有间谍特务的谎言，把矛头指向一切他描绘、定性的人民敌人，把一场灾难和罪行导演成保卫革命的战斗。

共青团中央总书记科萨列夫

斯大林亲自坐镇指挥镇压行动。1937 年至 1938 年，斯大林在克里姆林宫接见内务部领导人 278 次，时间多达 834 小时。[1] 斯大林和他的左右手批准处决大批领导干部。在俄罗斯总统档案馆里，保存着叶若夫在 1937 年至 1938 年间向党中央政治局呈报的 383 份名单，涉及 44465 名党政军领导干部，其中 39000 人被确定为枪决。斯大林在 362 份上签署批准，莫洛托夫签署 373 份，伏罗希洛夫签署 195 份，卡冈诺维奇签署 191 份，

[1] Marc Jansen, Nikita Petrov: *Stalin's Loyal Executioner People's Commissar Nicolas Ezhov, 1895–1940,* Stanford, California, Hoover Institution Press. 2002, p. 205、207.

日丹诺夫签署177份。[1] 斯大林和莫洛托夫在1938年12月12日一天就批准枪决3167人。斯大林等人批准的名单实际要比上面提到得多。因为在这些名单上常常还有其他领导人的签名，所以许多文件在苏共第二十次代表大会后失踪了。

在大清洗大镇压中，斯大林的助手起了恶劣作用。莫洛托夫积极参与和组织大清洗运动，特别是对政府机关工作人员的镇压。伏罗希洛夫则对镇压军队将领负有直接责任。卡冈诺维奇扮演了一个瘟神的角色，亲自组织了许多镇压行动。叶若夫、亚戈达、贝利亚、乌尔里希、维辛斯基等则是第一线的刽子手。此外，日丹诺夫、赫鲁晓夫、米高扬、马林科夫都卖力推行清洗镇压活动。可悲的是，后来被迫害处死的波斯蒂舍夫、柯秀尔、丘巴尔也积极参与了镇压行动。1938年秋，苏联民间流传说，苏联全境只有5个人确保不会遭镇压——斯大林、莫洛托夫、伏罗希洛夫、卡冈诺维奇和叶若夫。当1938年2月叶若夫被解除内务人民委员职务时，人们既惊讶又困惑。后来将5人改为6人，用贝利亚和日丹诺夫替代叶若夫。[2]

20世纪30年代的大清洗大镇压清除了一切反对斯大林、不服从或不绝对服从、敢于有自己看法的干部和群众，从而最终确立了斯大林个人专权体制。有的学者认为，暴力专政是斯大林体制的最基本色彩，“恐怖是斯大林秩序的基础”。[3]

20世纪30年代的大清洗大镇压是一幕人间悲剧，是一桩令人发指的罪行。它迫害镇压了数百万上千万的无辜群众，极大地败坏了苏联和社会主义的声誉。同时，它加深了苏联社会的内在矛盾。它把阶级专政发展成为国家对社会的恐怖，把公民的所有活动都置于国家监管之下。它破坏了社会的正常运转，片面依靠恐怖手段来调整社会关系，贯彻实现其宏伟目标。它还败坏了社会风

---

[1] 《苏共中央政治局大镇压事件复查委员会的简要报告（1988年12月25日）》，《苏联历史档案选编》，第30卷，第627页。

[2] *Земсков В. Н.* О некоторых проблемах *Большого террора* 1937–1938 годов. //Отечественная история. 2000. No. 1. С. 202.

[3] Baberowski J.: *Der rote Terror: Die Geschichte des Stalinismus*. Munchen. Deutche Verlags–Anstalt. 2004. s. 8.

气。人们被卷入迫害镇压的浪潮中，失去人格，不敢坚持正义，甚至还会造谣中伤他人，告密求安求荣。干部没有安全感，唯上是从。所有这些都展现了斯大林模式的致命缺陷，也使苏联陷入前所未有的危机，只是战争的逼近才使危机在 20 世纪 30 年代没有爆发出来，但矛盾也越积越大，越积越深。

第六章　对外政策的剧变

20 世纪 30 年代的苏联对外政策历史受到苏美冷战的影响，得不到公正评述。苏联史学家认为这一时期的政策完全正确，既推动了世界反法西斯的斗争，也履行了自己的无产阶级国际主义义务。西方则认为苏联在利用国际局势的新变化扩展自己的势力，更抓住苏德互不侵犯条约不放，说它直接引发了世界大战。还公布了苏德秘密议定书，进行谴责。苏联则长期否定它的存在。

随着冷战的结束，学者们开始重新探讨这一问题，抛弃那种完全肯定或完全否定苏联对外政策的观点，也抛弃那种单纯用国际反法西斯任务或单纯用苏联国家利益来评论是非的做法。当前，学者们大多肯定苏联在 20 世纪 30 年代及时调整对外政策是正确的，也是成功的。有人称赞斯大林在对抗西方、巩固苏联在世界的影响方面作出重大贡献。[1] 多数学者认为，苏联的对外政策首先是为了维护本国利益，有明智的举措，也有伤害他国利益的做法。但是学者们在对具体问题的评述上，还是有很大差别的。

苏联出版了对外政策文件集。[2] 中美英等国也出版了有关苏联外交的文件集。[3] 上个世纪末，俄国解密了大批档案，承认了苏德秘密议定书的存在。[4] 所有这些文件集为本课题研究提供了可靠基础。

俄国学者大多夸大这一时期苏联对外政策的反法西斯内容，对其作不适当的称颂。一些学者还极力为苏德条约辩护，把它定性为“西方大国统治集团

---

[1] *Константинов С.* Сталин в борьбе за единство России. // Русский геополитический сборник. 1996. No. 2.

[2] Внешняя политика СССР. Сборник документов. Т. Ⅳ.（1935－июнь1941 г.）. М., 1946.; Документы внешней политики СССР. Т. 12－21. М., 1967－1977. ; Документы и материалы кануна второй мировой войны. 1937－1939. В 2－х т. М., 1981.

[3] 《国际条约集（1924—1933）》，世界知识出版社 1961 年版。《苏联历史档案选编》，第 1—32 卷，社会科学文献出版社 2002 年版。 United States, State Department. Foreign Relations of the United States, DiplomaticPapers:The Soviet Union, 1933－1939. Washington, D. C., 1952. Degras, Jane, ed. Soviet Documents on Foreign Policy, Vol. Ⅲ, 1933－1941. London. 1953.

[4] Секретные документы из особых папок. // Вопросы истории. 1993. No. 1.

反苏阴谋的破产”，说它“促进了建立……反希特勒同盟的条件与前提”。[1] 西方学者则经常忽略苏联这一时期的外交活动，只是着重剖析苏德条约的出炉和影响。中国学者专门研究了这一问题，并提出自己的看法。[2]

还有一些争议问题，如斯大林 1939 年 8 月 19 日在党中央政治局的讲话，由于缺乏确凿的史料，至今仍无法断定其真假。[3]

第一节　走出孤立，倡导欧洲集体安全

对外政策的调整

苏联成立后，一直受到协约国的敌视。经过努力，苏联先后同英法等国建立了外交关系，但相互关系并不好。1927 年至 1929 年间，苏英发生冲突，两国外交关系中断。美国则迟迟不肯承认苏联。苏联实际处于被协约国孤立包围的状态，大国地位更是不被承认。在这种情况下，苏联特别注意发展与德国的友好关系。1926 年苏德签订互不侵犯和中立条约。两国在政治、经济和军事等各方面都密切合作，共同反对凡尔赛体系。

20 世纪 20 年代，斯大林开展反对托洛茨基的斗争，严厉批判那种认为西方比俄国先进、苏联社会主义革命和建设要靠世界革命来完成的托洛茨基观点。与“不断革命”论相对抗，斯大林提出“一国建成社会主义”的理论。他强调的不是世界革命，而是自身的经济建设和防止外国的武装干涉，是苏俄的民族利益。同时，斯大林还把苏联置于国际工人运动中不容置疑的至高无上的地位。将苏联定为世界革命的中心、推动他国革命的基地。苏联的利益就是国际共产主义运动的利益。他要求各国共产党把苏联的利益放在第一位，服从苏联的一国利益，并以此作为区分真假革命者的标准。他说，谁“绝对地、无条

[1] 参见基里林主编：《国际关系和苏联对外政策史（1917—1945）》，邢书纲等译，中国社会科学出版社 1990 年版，第 259、262 页。

[2] 林军：《俄罗斯外交史稿》，世界知识出版社 2002 年版。

[3] 参见 *Случ С. З.* Речь Сталина, который не было. // Отечественная история. 2004. No. 1.;*Дорошенко В. Л. и др.* Не миф: речь Сталина 19 августа 1939года. // Вопросы истории. 2005. No. 8.

件地、公开地和忠实地捍卫苏联、保卫苏联，谁就是革命者”。[1] 苏联对外政策中的民族主义、大国主义因素不断加强，日益占据主要地位。

1929 年资本主义世界爆发空前严重的经济危机，西方国家希望扩大同莫斯科的贸易往来以缓解危机的打击。苏联人民委员会抓住这一时机，于 1930 年 10 月通过《关于规定对苏联贸易有特别限制办法的国家的相互经济关系》的决议，对歧视苏联的国家的产品进口进行限制。1933 年 6 月，国际经济财政会议在伦敦召开，讨论如何克服经济危机等问题。苏联代表团提出了一项战胜经济危机、实行广泛经济合作的计划，声称如果西方提供长期贷款并保证苏联出口的正常条件，苏联准备在短期内向国外提出总额约为 10 亿美元的订货，其中包括 1 亿美元的有色金属，2 亿美元的黑色金属，约 1 亿美元的纺织品、皮革原料和橡胶，约 4 亿美元的设备，5000 万美元的消费品等。代表团还宣称，苏联对外贸易政策的基本原则是：1. 世界各国之间尤其是各大国之间进行经济联系，不受各国现行社会政治制度的限制；2. 互利与买卖双方相互信任。这种信任是建立在客观支付能力基础上的并为履行贸易和财政义务的实践所证实；3. 通商各国官方代表享有行使同贸易有关的必要正式职能的自由；4. 通商各国的政府代表与各国公民之间可进行合法联系；5. 外侨应遵守所在国法律。[2] 苏联政府采取多项措施，力图削弱和打破西方对苏联的经济封锁和限制。

经济危机引发政治危机。法西斯侵略势力在各国抬头，国际形势日趋紧张。1930 年 6 月，斯大林在第十六次党代表大会的政治报告中说道，“资本主义的稳定就要终结”，“群众革命运动的高涨将更加猛烈地增长起来”。但他没有进一步谈世界革命问题，而是关注本国的利益。斯大林严重警告帝国主义国家，对苏联“进行武装干涉是吉凶难测的”。进而意味深长地说，“对苏联加强贸易联系岂不是更好吗？况且这连布尔什维克也并不反对”。最后，他明确提出，“我们的政策是主张和平并和一切国家加强贸易联系的政策”，“今后我们

---

[1] 《联共（布）中央委员会和中央监察委员会联席全会（1927 年 7 月 29 日至 8 月 9 日）》，《斯大林全集》，第 10 卷，第 47 页。

[2] Известия. 1933. 23 апреля.

还要用一切力量、用一切方法继续执行这个和平政策”。[1]

1931 年 9 月，日本侵入中国东北，威胁苏联在远东地区的利益和安全。1933 年 1 月，希特勒在德国上台执政，公开打出反共产主义的旗号。苏联同日德的关系恶化。苏联担心英法会利用这一矛盾造成对自己不利的局面，同时注意到德意日法西斯国家同欧美资产阶级民主国家的矛盾也在加深，于是决定利用世界格局这一重大变化，相应调整对外战略，改变对国际联盟的敌视态度，改善同西方民主国家间的关系，走出被包围的孤立状态；同时，倡议在欧洲建立区域性的集体安全体系，共同维护和平。在亚洲则推行中立政策，避免卷入中日冲突。

倡导建立欧洲集体安全体系

1933 年 12 月 12 日，联共（布）中央研究了欧洲集体安全问题，并通过了专门决议。外交人民委员部根据这一决议，拟订了一项关于建立欧洲集体安全体系的计划，并于12月19日得到党中央政治局的批准。计划的主要内容为，“(1) 苏联同意在一定条件下参加国际联盟。(2) 苏联不反对在国际联盟的范围内缔结区域性的共同防御德国侵略的协定。(3) 苏联同意比利时、法国、捷克斯洛伐克、波兰、立陶宛、拉脱维亚、爱沙尼亚和芬兰或其中某些国家参加本协定，但必须有法国和波兰的参加。(4) 在出现未为本协定预见到的军事进攻的情况下，各缔约国应不受相互保卫协定所列义务的限制，保证相互提供外交、道义和可能的物质援助”。[2]

1930 年，马・马・李维诺夫接替患病的契切林担任苏联外交人民委员。他积极推行这一新外交方针。1933 年 12 月 14 日，他向波兰政府建议两国一起发表宣言，共同维护和捍卫东欧和平。波兰政府对苏联心存疑虑，视其为国家独立的主要威胁，于 1934 年 2 月拒绝了莫斯科的建议。这样，苏联的集体安全计划刚一提出就遭到一个计划规定必须参加的国家反对。

[1] 《联共（布）中央委员会向第十六次代表大会的政治报告（1930 年 6 月 27 日）》，《斯大林全集》，第 12 卷，第 222、224、227 页。

[2] Документы внешней политики СССР. Т. 16. М., 1970. С. 876–877.

另一个计划规定必须参加的国家——法国的态度则比较积极。它深感德国侵略威胁的严重。在德国1933年10月退出世界裁军会议和国际联盟后，法国开始寻求同苏联合作，共同对付德国。苏联积极回应。1933年12月29日，李维诺夫在苏联中央执行委员会的会议上发言指出，“并非所有资本主义国家在所有时间和任何地方都是同样需要战争”。苏联应对西方国家区别对待，应接近那些“证明自己诚心希望维护和平”的国家。1934年2月，路易·巴尔都出任法国外交部长。他提出缔结《东方公约》，使之成为欧洲集体安全的基础。5—6月，苏法两国就这一问题举行谈判，最后拟订出东方公约联合草案。

联合草案包含三项内容。第一项是东方各国互相保证条约，即严格意义上的东方公约。条约应包括苏联、德国、波兰、捷克斯洛伐克、爱沙尼亚、拉脱维亚和芬兰等国家。至于其他国家如立陶宛也可以参加这个条约。缔约国相互保证边界不可侵犯，并承担义务帮助受到侵略的国家。第二项是法苏互助条约。规定苏联接受洛加诺公约，充当公约的保证国；法国则承担东方公约保证国的义务。第三项是总则，声明上述两个条约与国联盟约没有矛盾，一旦苏联加入国联，这两个条约即开始生效。

联合草案提出后，苏法两国积极开展外交活动，以摸清有关国家对东方公约的态度。波罗的海三国和捷克斯洛伐克都表示愿意参加。英国也同意在一定程度上给予支持。芬兰避而不答。德国政府则于9月10日发表声明，拒绝签订一个使德国承认在必要时向苏联提供援助义务的条约。波兰于9月27日也表示拒绝参加，说它不愿在任何场合下允许苏联或德国军队通过它的领土。1934年10月9日，巴尔都遇刺身亡。东方公约实际被搁浅。1935年2月，法国外长赖伐尔和英国外相西蒙会谈，决定放弃东方公约。苏法两国共同提出的签订集体保证欧洲安全条约一事最终被葬送了。苏联倡导的建立欧洲集体安全体系的努力严重受挫。

同周边国家签订互不侵犯条约

苏联为了维护自身的安全，特别注意同周边邻国搞好关系，以防止帝国主义国家通过这些国家入侵苏联。1931年6月24日，苏联与阿富汗签订了《中立和互不侵犯条约》。条约规定，“当缔约一方和一个或若干个第三国之间发生战争或敌对行为时，缔约另一方保证对缔约一方遵守中立”；“缔约各方保证避免对另一方和它所占有的领土进行任何侵略，保证不从事亦不容忍足以使缔约另一方遭到政治、军事损害的任何行为”，不参加针对对方的“任何军事或政治性质的任何同盟或联合”，也不参加针对对方的“财政或经济的抵制和封锁”；缔约双方“保证避免对另一方的内政进行任何武装或非武装的干涉”，不容许各自领土内存在旨在推翻对方政体或破坏其领土完整的任何组织和活动，“不准许也不容忍用于反对缔约另一方的军队、武器、弹药、战争装备或一切其他军用物资，借道或运输通过其领土”。[1]

1932 年 1 月 21 日，在赫尔辛基签订《苏联和芬兰互不侵犯与和平解决争端的条约》。4 月 22 日，又签订了《苏联和芬兰和解专约》。双方认定 1920 年划定的边界线是不可侵犯的。双方各派两名代表组成和解委员会，负责友好解决一切争端。

1932 年 2 月 5 日和 5 月 4 日，苏联先后同拉脱维亚、爱沙尼亚签订互不侵犯条约。

苏联特别重视同波兰的关系，因为波兰是西方国家入侵苏联的最方便的走廊，而苏波关系却长期处于冷淡甚至紧张状态。经过长时间谈判，两国最终于 1932 年 7 月 25 日和 11 月 23 日在莫斯科签订《苏波互不侵犯条约》和《苏波和解专约》。[2]

1934 年 2 月 4 日，苏联同匈牙利恢复了外交关系。苏联同罗马尼亚的谈判因比萨拉比亚的归属问题意见分歧，长期没有取得成果。6 月 9 日，两国恢复外交关系。同日，苏联也同捷克斯洛伐克复交。7 月 23 日，同保加利亚复交。9 月 17 日，苏联和阿尔巴尼亚政府换文，决定建立外交关系。

同美国建立外交关系

美国是经济实力最强的资本主义大国。苏联一直同美国有着较为密切的

---

[1] 《苏维埃社会主义共和国联盟和阿富汗中立和互不侵犯条约（1931 年 6 月 24 日订于喀布尔）》，《国际条约集（1924—1933）》，世界知识出版社 1961 年版，第 489—490 页。

[2] 苏芬（兰）条约和苏波（兰）条约的全文见《国际条约集（1924—1933）》。

经济来往。20 世纪 20 年代初期，美国在苏联开设多家公司，开采石棉、锰矿石。后来又向苏联出口汽车制造和钢铁冶炼的设备和技术。1930 年，美国商品占苏联进口量的 25%，苏联是世界各国购买美国机器设备的第二大买主。但是苏联一直得不到美国的正式承认。

经济危机的日趋严重和苏联的发展壮大，迫使美国不得不重新审查同苏联的关系。1932 年 4 月，美国民主党众议员萨巴思向众议院外交委员会提交一份决议草案，指出："由于苏联政府是稳固的，由于所有国家都承认苏俄政府并同它建立了外交关系和贸易关系，由于苏俄政府不止一次地表示愿意同美国建立友好关系，以及由于美国同苏联政府没有友好关系而使美国公民失去了其他国家政府和人民正在顺利进行的那种有利可图的商品交换的机会，参议院和众议院特决定请求美国总统指示国务卿就美国和俄国之间建立友好外交关系和贸易关系问题同俄国的苏维埃政府进行会谈"。[1] 提案未能通过，但已显示出要求承认苏联的势力在增强。苏联也非常想同美国建立正常关系。外交人民委员李维诺夫于 1932 年 12 月 12 日发表谈话，说远东地区发生麻烦，在不小程度上是由于太平洋两岸的国家并不是都有外交关系，向美国传递了建交的意愿。

1933 年 3 月，罗斯福就任美国总统，积极推动美苏关系正常化。5 月 16 日，他向 53 国首脑发出呼吁书，建议裁减进攻型武器、各国相互缔结互不侵犯条约。这份呼吁书递交给了苏联中央执行委员会主席加里宁。这是美国政府第一次直接送给苏联政府的总统文件。苏联积极回应。《消息报》于 5 月 17 日全文刊载了这份呼吁书。加里宁于 19 日复函罗斯福，认为"呼吁书必将在苏联各族人民中引起热烈的反响"，同时重申苏联的和平外交政策。

10 月初，罗斯福指示代理财政部长亨利·摩根索和在美国的苏联代表鲍里斯·斯克维尔斯基接触，表达美国希望两国恢复外交关系。10 月 10 日，罗斯福写信给加里宁，指出两国"人民一百多年来存在着友谊的愉快传统，这对双方都是有利的，但现在竟没有直接交往的实际途径，这是最令人引为遗憾的"。他邀请苏联派代表赴美国直接进行"坦白、友好的会谈"，以便"结束

[1] ［苏］特鲁哈诺夫斯基著：《国际关系和苏联对外政策史（1917—1939）》，第 1 卷，刘功勋等译，世界知识出版社 1965 年版，第 351—352 页。

目前美国一亿二千五百万人民和俄罗斯一亿六千万人民之间目前不正常的关系”。[1] 加里宁在 10 月 17 日的复函中表示：“你在来函中正确指出的不正常状况，不仅对有关两国的利益，并且对整个国际形势也产生不利的影响，增加着不安的因素，使巩固世界和平的程序更加复杂化，而对蓄意扰乱和平的力量则是一种鼓励。”“只要两国间建立起直接的联系，它们之间现存或将来产生的困难是能够解决的。”[2] 苏联政府“欣然”接受美国政府的建议。

1933 年 11 月 8 日至 16 日，苏联外交人民委员李维诺夫同美国国务卿赫尔在华盛顿举行会谈。罗斯福会见了李维诺夫，并同他进行了商谈。双方表示遵守互不干涉内政的原则，互相保证不支持旨在反对对方政治制度的一切活动。双方还就一系列具体问题达成了谅解。

1933 年 11 月 16 日，李维诺夫和罗斯福互换照会，决定建立正常外交关系和互派大使。同一天，两人还就宣传、宗教、公民的法律保护等问题互换了 9 份照会。苏联作出妥协让步。李维诺夫在照会中通知罗斯福，苏联政府“认真地尊重合众国在其管辖范围内以它自己的方式安排其生活的不可争辩的权利，并避免在任何方面干预合众国及其领地或属地的内政”；制止“以任何方式、采取有损于合众国及其领地或属地全部或部分地区的安宁、繁荣、秩序或安全的明显或隐蔽的行动，特别是足以导致煽动或鼓动军事干涉，或任何骚动或宣传的活动”；不准许在其领土内成立任何旨在推翻合众国的政治或社会秩序的组织。关于宗教问题，李维诺夫说，苏联政府给予在苏的美国公民以下列权利：“(1) 自由地行使宗教信仰自由和举行宗教仪式的权利；(2) 进行任何种类的宗教仪式和宗教礼拜，不受任何阻碍或干涉的权利；(3) 在方便的地段租赁、建造或维持适合于宗教目的的教堂、房屋或其他建筑物的权利和机会；(4) 向同宗教者募集为宗教目的的自愿捐献的权利；(5) 对他们的子女单独地或集体地传授教义或由其为此目的而雇佣的人员进行传授的权利”。李维诺夫还通知说，苏联政府准备在两国建交后立即进行谈判，“以缔结一项领事专约，其中规定合众国的国民关于法律保护方面所享有的权利，应不低于最惠国国民在苏联境内在这方面所享有的权利”。“苏联政府同意对在 1918 年 1 月 1 日以

[1] 《罗斯福给加里宁的信》，《国际条约集（1924—1933）》，第 540 页。

[2] Известия. 1933. 21 октября.

前美国在西伯利亚武装部队的活动或美国援助在西伯利亚武装部队的活动所引起的不论何种性质的任何要求，全部予以放弃。因此，此种要求应被视为已最后解决并已按此协定处理完毕”。[1] 美国则同意将苏联的旧债务由 6 亿多美元减为 7500 万至 1.5 亿美元，并向苏联提供贷款。

苏联对两国建立外交关系给予充分肯定。斯大林在 12 月 25 日和《纽约时报》记者谈话时指出，“如果说到美国和苏联之间的关系，那么我对恢复邦交这件具有重大意义的事情当然是满意的，因为从政治上来说，它增加了维护和平的可能；从经济上来说，它消除了偶然因素，使我们两国有可能在实事求是的基础上讨论双方所关心的问题；最后，它为互相合作开辟了道路”。[2]

苏联同美国谈判建交推动和改善了它同其他国家的关系。1933 年至 1935 年，苏联先后同 11 个国家建立了外交关系。除美国外，苏联在 1933 年同西班牙（7 月 28 日）和乌拉圭（8 月 13 日）、1934 年同匈牙利（2 月 4 日）、罗马尼亚（6 月 9 日）、捷克斯洛伐克（6 月 9 日）、保加利亚（7 月 23 日）和阿尔巴尼亚（9 月 17 日）、1935 年同哥伦比亚（6 月 25 日）、比利时（7 月 12 日）和卢森堡（8 月 26 日）建立了外交关系。苏联进一步打破封锁孤立，国际威望得到提高。

加入国际联盟

苏联为了维护自身的安全，特别注意调整同协约国以及它们控制下的国际联盟的关系。

过去，苏联一直认为国际联盟是帝国主义的侵略工具，是世界反革命的司令部。1927 年，斯大林明确宣布苏联不参加国联，因为苏联不愿意对国联所掩饰和信奉的扩军备战负责，不愿意成为帝国主义阴谋的帷幕的组成部分。

随着国际形势的变化，苏联逐渐改变完全否定国联的态度，决定参加国

---

[1] 《美利坚合众国总统和苏联外交人民委员的换文，三、六、七、十一》，《国际条约集(1924—1933)》，第 531、533—535、536、539 页。

[2] 《和〈纽约时报〉记者杜兰特先生的谈话(1933 年 12 月 25 日)》，《斯大林全集》，第 13 卷，第 246 页。

联的一些活动。1932 年 2 月 2 日，国联在日内瓦召开裁军会议，苏联派代表团参加。2 月 11 日，团长李维诺夫在全体大会上发表演说，指出战争危险日益逼近，要消除这一危险仅仅依靠几个局部裁军的决议是不行的，必须采取普遍彻底裁军的根本措施。同时，“全面彻底裁军的思想比起其他方案，更加简单易行，在实行中也便于监督”。苏联代表团提出一份关于全面彻底裁军的决议草案。大多数代表团反对这一主张。希腊和西班牙代表说普遍彻底裁军的方法可能导致“毁灭性后果”。大会否定了苏联的草案。

1933 年 2 月 6 日，苏联代表团又向国联裁军会议提出关于侵略定义的宣言草案。苏联认为，给侵略作出明确的定义，可以防止侵略者利用各种事实和具体的借口为自己的侵略行动辩解，有利于保障各国的安全。草案提出，在国际冲突中凡第一个采取下列行动之一者，应定为侵略国或进攻方：

1. 向另一国宣战者；

2. 虽未宣战而以武装部队侵入另一国领土者；

3. 以陆海空军袭击他国领土或故意攻击他国船只或飞机者；

4. 陆海空军在他国登陆或开入他国境内而未得到该国政府允许者，或违反此种允许之条件，特别是违反有关军队驻留时间或扩大驻留地区之条件者；

5. 对另一国的海岸或港口实行海上封锁者。

苏联草案强调指出，任何政治、战略或经济方面的考虑都不能用作为入侵辩解的理由。一个国家的国内形势和某些外交行为都不能成为遭受进攻的理由。这里所讲的国内形势包括：民众在政治、经济或文化方面落后；政府管理方面有缺陷；存在着可能危及外国人生命财产的危险；存在着革命运动、内战、混乱和罢工；为了在该国确立或保持某种政治、经济或社会制度。所讲的外交行为包括：撕毁国际条约；损害贸易、租让或其他各种经济活动的权益；断绝外交或经济关系；采取财政或经济抵制措施；拒不还债；禁止或限制外侨入境或改变外侨制度；损害他国官方代表的特权；拒绝开往第三国领土的武装部队入境；实施宗教或反宗教的措施；边境事件。草案认为，如果遇某一国家采取威胁行动时，可采取外交或其他措施，以和平解决争端，但绝对不得越过边界，即不得对另一国家采取军事行动。[1]

[1] Документы внешней политики СССР. М., 1970. Т. 16. С. 80–81.

国联裁军会议安全委员会讨论了苏联的草案，同意了它的基本思想。但是裁军会议的组织者迟迟不把关于侵略定义的宣言草案提交全体大会最后通过。苏联政府决定采取外交行动使侵略定义具有国际文件的效力。1933 年 7 月，苏联代表团在伦敦国际经济会议上向出席会议的国家提出缔结关于侵略定义公约的建议。7 月 3 日至 5 日，苏联先后同阿富汗、爱沙尼亚、拉脱维亚、伊朗、波兰、罗马尼亚、土耳其、捷克斯洛伐克、南斯拉夫、立陶宛 10 国签订此项公约。1934 年 1 月 31 日，芬兰也加入这一公约。

苏联的外交活动显示出它的大国地位和作用。1933 年 5 月和 10 月，日本、德国退出国联后，协约国特别是法国希望苏联进入国联，以增强对抗法西斯国家的力量。11 月，法国外长保罗–邦库尔向苏联驻法大使提出苏联参加国联的建议。斯大林抓住这一时机表明苏联对国联的态度。12 月 25 日，他接见《纽约时报》记者时说，“尽管德国和日本退出了国际联盟，或者也许正因为如此，国际联盟才能够成为制止或阻止军事行动发生的一种因素。如果真是这样，如果国际联盟能够起微小的作用，哪怕只是使战争受到一点阻拦而在某种程度上促进和平事业，那么我们也就不反对国际联盟。是的，如果历史事变的进程将是这样，那么尽管国际联盟有很大的缺点，我们也不会不支持它”。[1] 但是苏联拒绝按照常规手续申请，拒绝向国联递交入盟申请书。苏联长期被排斥在国联之外，现在要别国邀请才肯考虑加入问题。

经过法国的倡议和推动，1934 年 9 月 15 日，法、英、意、波、捷、中等 30 个国联成员国联名致电苏联政府，“邀请苏联参加国联并实行宝贵的合作”。当天，李维诺夫致电国联主席，表示“苏联政府一向认为组织和加强和平是自己外交政策的使命，对于有利于和平的国际合作的建议决不漠然置之。苏联认为向它发出的邀请，是国际联盟具有和平诚意的证明，表明国联承认有同苏联合作的必要”，苏联欣然接受这一邀请。苏联“保证遵守根据盟约第一条，国联会员国应负的一切国际义务和决定”，但不承担在它加入国联以前发生的事件所引起的任何争端提付仲裁或司法解决的义务。

1934 年 9 月 18 日，国际联盟第十五届全体大会以 38 票赞成、3 票（荷兰、

[1] 《和〈纽约时报〉记者杜兰特先生的谈话（1933 年 12 月 25 日）》，《斯大林全集》，第 13 卷，第 249—250 页。

葡萄牙和瑞士）反对、7票弃权的结果同意苏联加入国联并担任理事会常任理事国。

在表决之后，苏联代表李维诺夫进入会场并发表演说。他扼要追述了苏联同国际联盟的关系史——苏联早期担心国联会成为其参加国采取集体反苏行动的工具；后来通过世界经济会议、裁军会议和其他会议增加了接触，才了解国联和苏联有一个共同目标即缔造和平。李维诺夫强调，苏联加入国联的唯一目的和唯一诺言，是在维护不可分割的和平事业中，同其他各国人民进行全力的合作。他说，“我知道，国联不掌握彻底消除战争的手段。但是，我仍相信，只要国联全体成员国意志坚定，友好合作，为了随时将战争的可能减低到最小程度，是大有事情可作的。这是一项非常光荣而崇高的任务，实现这项任务将为人类带来不可估量的福利。为了实现这项任务，苏联政府自从成立以来从未停止过自己的努力。今后，苏联政府愿意同国联其他各成员国为此共同作出努力”。李维诺夫还坦率声明，苏联政府反对国联维护殖民主义的委任统治制度，对国联此前所作的此种决议和没有苏联参加所签订的条约概不承担责任。

苏联加入国联并担任常任理事国，表明它已完全走出被孤立的状态，它的大国地位也被国际承认。苏联在国际事务中发挥着越来越重要的作用。

第二节　维护自身安全，反对日德侵略扩张

20世纪30年代初期，日本和德国成为战争策源地。中国遭侵略，法国受威胁。苏联采取灵活对策来维护自身安全。它在亚洲推行中立政策，在欧洲提出集体安全政策，防止战火蔓延到本国。当德日加紧侵略扩张并签署反共产国际协定、叫嚣反苏时，苏联改而援助中国抗击日本，争取联合法英对抗德意。

对“九一八事变”的中立政策

1931年日本制造“九一八事变”，关东军入侵中国东北。这损害了苏联在中国东北的利益、特别是它掌管的中东铁路的利益，并且会使苏日两国军队在边界直接对峙，威胁苏联远东地区的安全。

苏联对这一事变非常关切。“九一八事变”发生后的第二天，苏联副外交

人民委员卡拉汉约见在莫斯科谈判中东路事件善后问题的中国全权代表莫德惠，了解事变原由。接着，又约见日本驻苏大使广田弘毅，询问事变详情，并对战事影响中东路正常运行一事表示关切。9月21日，关东军北上占领吉林。外交人民委员李维诺夫再次约见广田，对战事危及中东路并向苏联边境蔓延表示严重关切。

苏联这时正实施第一个五年计划，需要有一个和平的国际环境。它希望事态不要扩大，极力防止日本入侵中国东北变成为“进攻苏联的序幕”。苏联通过共产国际发出指示，要求各国共产党开展“武装保卫苏联”运动。同时，期望西方国家因其在华利益受到损害而会出面制止日本的侵略。但期望落空，西方国家态度消极。在这种情况下，李维诺夫于9月24日约见英国驻苏大使，指出“日本的行为是露骨的帝国主义，明显地违反了《非战公约》”，苏联希望事态不再恶化并尽快得到解决，但苏联不能充当《非战公约》的“守护者”，即苏联不会单独出面反对日本侵略。

苏联对中国人民的处境表示同情。9月25日，《真理报》发表题为《武装占领满洲》的文章，谴责日本统治集团的侵略行径是“践踏中国人民的主权”，并宣称“苏联劳动人民密切注视着中国的斗争，他们同情中国人民”。但苏联更关心的是自己的利益和安全，决定不介入中日冲突。

当时苏联在远东部署了6个步兵师和1个骑兵师，而关东军只有3个师团。日本军部对北进黑龙江疑虑重重，唯恐苏军干预，引发两国战争，使自己陷于腹背受敌困境。参谋部多次命令关东军不得进军“北满”。

10月29日，卡拉汉发表声明，“苏联政府采取不偏袒任何一方的严格不干涉政策。苏联政府之所以采取不干涉政策，是因为它尊重与中国缔结的条约，尊重他国的主权和独立，并且认为，借口所谓帮助而推行军事占领政策，是与苏联的和平政策以及世界和平的利益不能相容的”。[1]

苏联发表这一声明后，日本认定苏联外交软弱，不再担心苏联会干预关东军的军事行动。11月4日，日本违背自己向苏联作出的关于往北不越过长春的诺言，向黑龙江发起大规模进攻。中国军队奋起反抗，要求使用中东铁路运送部队。苏联担心会遭到日本的抗议，拒绝了中国的请求。

---

[1] Известия. 1931. 30 октября.

11 月 14 日，李维诺夫再次发表声明说，“苏联接到情报，日军司令准备在齐齐哈尔方面越过中东铁路使铁道运输完全停顿。苏联政府希望日本政府严守诺言，不要侵害苏联的利益”，[1] 同时，重申苏联政府信守不干涉政策。日军占领齐齐哈尔后，李维诺夫于 20 日接见广田弘毅，交给他一份书面声明，“苏联政府在和其他国家的各种交往中，都始终不渝地执行严格的和平睦邻关系政策。它认为保持和巩固现有的对日关系具有重大意义。它恪守严格的不干涉各国间冲突的政策。它希望日本政府也努力保持两国的现有关系，在各种行动和指令中都不要侵害苏联的利益”。[2]

1932 年 2 月 5 日，日军占领哈尔滨，要求使用中东铁路大量运兵。苏联认为它“与日俄及中俄现存协定抵触”，予以拒绝。29 日，日本保证不向中俄边境运兵，“不损及苏联在该地区权益”。苏联便不再拒绝，并同意以半价运费运送日军北上。

12 月 6 日，日军攻占中国东北地区的最后一座城市满洲里。苏炳文将军率东北救国抗日联军残部退入苏联境内，受到了苏联的友好接待。

日本侵占中国东北后，莫斯科对日本的担心明显增加。1931 年 11 月 7 日，国防人民委员伏罗希洛夫发出警告，“我们争取和平的劳动。无论在东方或西方都不要向我们挑衅。我们是不会进行战争的。但是，如果有谁想和我们较量一番，那就对不起”。同时，苏联主动调整同日本的关系。1931 年年底，日本驻法国大使芳泽谦吉途经苏联回国就任外相。12 月 31 日，李维诺夫在莫斯科向芳泽提出两国缔结互不侵犯条约的建议。芳泽称自己尚未接任，对远东情况不了解，予以拒绝。1932 年 2 月 10 日至 10 月 7 日，苏联驻日本全权代表特罗扬诺夫斯基又多次向日本提出缔结互不侵犯条约问题。但日本直到 1932 年 12 月 13 日才作出正式答复，以“订约条件不成熟”，“有凯洛格公约已经足够了”为由拒绝了苏联的建议。

苏联为了自身的安全，积极调整同中国的关系，以牵制日本北进。1932 年 2 月 26 日，出席国际裁军会议的中国代表颜惠庆向李维诺夫递交一封信，建议讨论缔结互不侵犯条约问题。12 月 12 日，李维诺夫和颜惠庆在日内瓦达

[1] Известия. 1931. 15 ноября.

[2] Известия. 1931. 21 ноября.

成协议，恢复 1929 年中断的外交和领事关系。两国还进一步就签订贸易协定和互不侵犯条约问题进行了商谈。1933 年，苏联提出缔结苏、美、中、日四国互不侵犯条约的建议。但各方意见分歧，未能达成共识。

1932 年 3 月 1 日，日本一手炮制的伪满洲国宣告成立。3 月 13 日，伪满洲国向李维诺夫发去成立通电，要求苏联同它建立正常外交关系。副外交人民委员卡拉汉发电给苏联驻哈尔滨总领事斯拉乌茨基，要他设法口头转告“满洲国”政府说苏联已经收到通电，但不要回答其他任何问题。苏联没有正式承认“满洲国”，但频繁与其接触，处理各种问题。3 月 3 日，苏联政府就伪满政府任命李绍庚为中东路督办问题，指示苏方在中东路的代表表示同意。16 日，中东路苏方董事长库兹涅佐夫奉命答复李绍庚：“今后将以 1924 年奉俄协定和 1929 年哈巴罗夫斯克议定书为基础，与‘满洲国’协调”。24 日，库兹涅佐夫再次向李绍庚传达政府意见：苏联政府确认“满洲政府”对中东路的主权，苏联政府和“满洲政府”共同经营中东铁路。

1932 年 4 月初，伪满黑龙江省长马占山通电反正，打出抗日旗帜。中国驻海兰泡（苏联称布拉戈维申斯克）领事馆的电台发出这一通电。苏联政府指责中国领事破坏了它的“严格的不干涉政策”，下令关闭在西伯利亚和远东的中国领事馆，随后便允许“满洲国”在西伯利亚和远东建立领事馆。

1932 年 8 月，日本建议苏联出售中东路以维护“远东之持久和平”。经苏日两国多次商谈，李维诺夫于 1933 年 5 月 2 日正式向日本表明苏联准备出售中东路。5 月 9 日，中国政府发表抗议声明，指出根据中俄协定，“只有中苏两国才有权处理中东路之前途”。5 月 12 日，《消息报》登载李维诺夫的声明，提出“南京政府不能履行北京协定和奉天协定的义务已超过 18 个月了”，因此“它已没有谈及这两个协定的正式的或道义上的权利”。声明说，出售中东路给“满洲国”是“解决纷争和冲突的可行办法”，它只涉及苏联在“纯商业企业”中的“财产权”，是“苏联爱好和平的表现”，“只有存心指望苏日、苏满关系恶化的人才会以这样那样的理由来表示反对”。[1] 对此，中国政府于 5 月 14 日和 6 月 25 日又两次提出抗议。

1933 年 6 月 26 日，苏联和伪满双方代表在日本东京开始就中东路问题举

---

[1] Известия. 1933. 12 мая.

行谈判。苏方代表是驻日大使尤列涅夫、外交部远东司司长科兹洛夫斯基、中东铁路苏方董事长库兹涅佐夫。伪满代表是驻日公使丁士源、“外交部”次长大桥忠一（日本人）。苏方提出，中东路及其一切附属设施都是苏方财产，出售此所有权索价 2. 5 亿金卢布（约合 3. 8 亿美元）。伪满认为，中东路素与苏联共营，财产属于“满洲国”，所谓赎买只是赎买苏方的“经营权”。伪满的给价只有 5000 万日元（约合 1150 万美元）。双方观点相左，出价相差 30 多倍，谈判陷于僵局。9 月 24 日，伪满警察局在哈尔滨、满洲里等地以扰乱治安罪逮捕了 6 名中东路苏方职员。对此，苏联于 26 日向日本发出照会，指出这是伪满在日本指使下制造的破坏中东路谈判的严重事件，日本政府必须对此负完全责任。10 月 9 日，苏联又公布了它截获的 4 份日本秘密文件，揭露日本正在策划夺取中东路的阴谋。中东路谈判即告中断。

1933 年 12 月 28 日，苏联人民委员会主席莫洛托夫在全苏中央执行委员会上作报告，指出苏联出售中东路是它爱好和平政策的重大表现，谁也不能强求苏联在这个问题上作出更大的让步。第二天，李维诺夫在会上说，整条铁道、路基、车辆、车站、运输器材及其他附属设施都是苏联人民用金钱建造的，它毫无疑问为苏联所有。苏联现在想作的仅仅是，把该铁路的现有价值归还给它的实际所有者。

1934 年 1 月 8 日，苏驻日大使尤列涅夫奉命向日本外相广田弘毅提出，只要“满洲国”释放苏联职员，苏联准备重开谈判并提出出售价格的新方案。1 月 26 日，斯大林在第十七次党代表大会上指责“日本的代理人在中东铁路上所干的令人不能容忍的事情”，同时表示，“今后仍然要坚决执行和平政策并力求改善和日本的关系”。[1]

1934 年 2 月 24 日，伪满释放苏方职员。2 月 26 日，谈判在东京重新开始。苏联作出重大让步，把出售中东路的价格降为 2 亿日元，另外要求发给苏方人员退职金 3000 万日元。伪满则把赎买价格提高至 1 亿日元。经过日方斡旋，9 月 24 日双方达成协议，中东路售价为 1. 4 亿日元，苏方人员退职金为 3000 万日元。两项合起来约为 3910 万美元。

[1] 《在党的第十七次代表大会上关于联共（布）中央工作的总结报告（1934 年 1 月 26 日）》，《斯大林全集》，第 13 卷，第 269—270 页。

1935 年 3 月 23 日，苏联和“满洲国”在东京签署《关于将苏维埃社会主义共和国联盟在中东铁路（北满铁路）的权利让渡给满洲国的协定》。同日，苏联和日本交换两个换文，日本担保“满洲国”交付售款，苏联同意“满洲国”在莫斯科设领事馆。苏联对“满洲国”作了事实上的承认。

苏联出售中东路、退出中国东北后，苏日关系依然紧张。日本一些军方将领公开鼓吹北进，占领西伯利亚地区。1935 年，日本军阀和特务机关在苏联边境线上的挑衅活动大约有 80 次。1936 年，苏联边防部队扣留了 137 名日本特务。[1]1935 年 2 月，在蒙古边界地区发生武装冲突。3 月 1 日，斯大林在同美国报界人士谈话时向日本发出警告，“如果日本决定进攻蒙古人民共和国，侵犯它的独立，我们就要帮助蒙古人民共和国”。[2]1936 年 3 月 12 日，苏联和蒙古缔结互助条约，规定一方遭到第三方的军事入侵时，另一方将给予包括军事在内的各种援助。

对中国抗日战争的支持

1936 年 11 月 25 日，日本和德国签订反共产国际协定，其秘密附件把矛头直接指向苏联。同日，日本外务省官员有田在枢密院会议上公开宣称，“苏维埃俄国应该懂得，它所面对的是日本和德国”。[3]

面对日本的不断扩张，苏联越来越感到威胁的严重，它逐渐认识到单纯的中立政策并不足以保证国家的安全，需要采取更为积极的对策。苏联开始把对华政策的重点放在它认为最有实力的蒋介石政府上，积极调整同南京政府的关系，支持和援助中国的抗日战争以拖住日本军队，使苏联避免陷入两线作战的不利处境。1935 年 1 月 28 日，莫洛托夫在苏维埃第七次代表大会上公开宣

---

[1] ［苏］德波林主编：《第二次世界大战史》，第 1 卷，上海外国语学院西俄语系俄语教师译，译文出版社 1978 年版，第 224 页。

[2] 《和美国斯克里浦斯—霍华德报系总经理罗伊·霍华德先生的谈话（1936 年 3 月 1 日）》，《斯大林文集（1934—1952）》，第 85 页。

[3] ［苏］维戈兹基等编：《外交史》，第 3 卷，大连外语学院俄语系翻译组译，三联书店 1979 年版，第 886 页。

布，“苏中两国之间的正常关系对两国和普遍和平都是有利的。所以我们以满意的心情接受中国政府关于恢复关系的建议，这必将推动我国和伟大的中国人民之间友好关系进一步加强”。“苏联政府无条件地支持中国的独立、不可侵犯和包括新疆在内的领土主权的完整”。[1] 2 月，梅兰芳京剧团应苏联对外文化交流协会的邀请到莫斯科作访问演出。1935 年 10 月至 1936 年 11 月，苏联同中国政府就加强合作问题进行一系列秘密会谈，准备应对未来可能发生的事件。

1937 年 7 月 7 日，日本对中国发动全面侵略战争。苏联谴责日本的侵略行为。8 月 21 日，苏联代表鲍格莫洛夫同中国代表王宠惠在南京签订互不侵犯条约。条约规定双方保证互不侵犯主权、互不使用武力，遭到第三国侵犯时对该第三国不得提供任何直接或间接的支持与援助。条约有效期限为 5 年。条约的签订是对处于困境的中国的巨大支持。正如延安《解放》周刊当时所指出的，“不侵略国的结合便是对于侵略者有力打击”。[2]

1937 年 11 月，国际联盟倡议的国际会议在布鲁塞尔召开，讨论中国控告日本侵略的问题。苏联建议根据国际联盟第十六条的规定对日本实施制裁，并声明准备参加对日本侵略者采取的集体措施。但是苏联的建议未被采纳。

苏联大力支持中国抗日战争，力图让中国更多地牵制日本，使后者无力北侵。1938 年 3 月 1 日和 7 月 1 日，苏联两次向中国提供贷款，总共为 1 亿美元。1939 年 7 月 10 日再次提供了 1. 5 亿美元的贷款。中国方面动用了大约 1. 73 亿美元。这些贷款不附带任何条件。苏联以低于市价 20% 的价格供应中国急需的军需物资。中国则以茶、羊毛等农副产品和锡、锑、钨等工矿产品偿付。苏联通过蒙古将物资运到中国。日本占领张家口后，改走新疆—甘肃路线。1938 年至 1939 年，苏联向中国提供了大约 600 架飞机，100 门加农炮和榴弹炮，8000 多挺机枪，以及大量武器弹药、燃料、交通工具等军事物资。[3] 到 1939 年 2 月中，苏联派出了 3665 名军人，[4] 其中包括在蒋介石政府担任军

[1] Документы внешней политики СССР. Т. 18. М., 1973. С. 44–45.

[2] 《解放》周刊第 15 期，1937 年 9 月 6 日。

[3] История внешней политики СССР. Под ред. *А. А. Громыко.* Т. 1. М., Наука. 1986. С. 327.

[4] [苏] 德波林主编：《第二次世界大战史》，第 2 卷，潘咸芳等译，译文出版社 1981 年版，第 119 页。

事顾问的德拉特文、卡哈诺夫、切列帕诺夫以及后来成为苏联装甲坦克兵元帅的帕·谢·雷巴尔科。他们分别在总参谋部、各军兵种、各战区司令部工作。苏联还帮助中国在伊犁、兰州、绥宁、成都等地开办空军学校，训练中国飞行员。1938 年至 1939 年，共培训了 1245 名中国飞行员。从 1937 年 11 月起，苏联向中国派遣了 700 名飞行员，组成航空志愿队。苏联飞行员驾机轰炸了台湾岛上的军事设施和长江上的日本军舰，还在汉口、重庆、兰州、成都、西安等城市上空进行了英勇的战斗。有 200 多苏联志愿人员在战斗中牺牲，其中包括轰炸机大队长库里申科和战斗机大队长拉赫曼诺夫等人。苏联飞行员古宾科首次在空战中采用撞击敌机的战术，为此获得中国政府颁发的金质勋章。

苏联援华，自己也受利。日本占领中国东北后，一直没有停止过发动侵苏战争的筹划工作。参谋部每年制订作战计划时，都给关东军配备足够的兵力，使之具备打击苏联的能力。苏联不得不大力加强在亚洲的军事部署。1931 年，苏联在远东地区的兵力仅 6 个师。1937 年增为 20 个狙击师，3 个骑兵师，1560 架飞机，1500 辆坦克。[1] 中国的抗日斗争消耗和牵制了日本的大量军力。1938 年徐州战役后，日本已无法按原先计划在中国东北布置大量兵力。这使苏联在以后的边境冲突中得以顺利地击退日军进攻，平息了事件。

1938 年 7 月 9 日，苏联边防军几十名士兵登上位于中、苏、朝交界的张鼓峰山顶，并构筑了阵地。7 月 15 日，日本向苏联提出抗议。它根据 1886 年《珲春界约》的中文文本解释边界线在张鼓峰东侧，因此张鼓峰属于“满洲国”领土，要求苏军撤出。苏联则根据俄文文本解释边界线在张鼓峰附近的哈桑湖（长池）西侧，说苏军的行动是在自己领土内进行的，拒绝了日本的要求。7 月 30 日至 31 日夜间，日军第 19 师团 1 个营抢占了张鼓峰。31 日，日军另 1 个营攻占了附近的沙草峰。苏军反击，未成。遂组建第 39 加强军，由远东方面军参谋长什捷尔恩任军长。8 月 6 日，苏军 1. 5 万多名官兵在 237 门火炮和 285 辆坦克的支援下，发起攻击，击败日军。[2] 日本此时正准备进攻武汉和广州，无力与苏联继续较量，于 10 日向苏联提出谈判建议。苏联也不想扩大事

[1] 日本防卫厅防卫研修所战史室：《战史丛书（90）；支那事变陆军作战（3）》，东京 1975 年版，第 147 页。

[2] ［苏］德波林主编：《第二次世界大战史》，第 2 卷，第 357 页。

态。11日，两国签订停战协定。张鼓峰事件（苏联称之为哈桑湖事件）以日本挑衅失败而告终。

1939年5月至8月，苏日之间又在诺门坎地区爆发新的边境军事冲突。诺门坎地区位于黑龙江省和蒙古的交界处。日"满"方面认为应以哈拉哈河（苏联称其为哈勒欣河）为两国边界。而蒙古方面认为哈拉哈河是它的领河，边界线应在该河的东侧和北侧。

1939年5月11日和12日，日军和蒙古骑兵在哈拉哈河东岸两次交火。15日，日军将蒙军赶回哈拉哈河西岸。苏联根据1936年3月11日同蒙古签订的互助协定出兵援助。7月2日，日军强渡哈拉哈河。在巴彦察甘山地区展开了3天激战。双方有近400辆坦克和装甲汽车、300多门火炮和几百架飞机参加。日军被击退，但7月8日再次发动进攻。经过4天血战，日军被迫撤退到哈拉哈河东岸。这以后，双方集结兵力，准备再战。苏联组建了由朱可夫上将指挥的第一集团军。日本组建了第6军，荻州立兵中将任司令官。8月20日，苏蒙军队分三路发起猛烈进攻，先后出动35个步兵营、216门火炮、498辆坦克、346辆装甲汽车和250架飞机。与日军出动的兵力相比，苏蒙军队占有明显优势。8月24日，苏蒙南、北两路军队将日军合围。日军伤亡惨重，只有少数部队逃出包围圈。苏蒙军队打到边界线后，停止了进攻。8月30日，日本参谋长载仁亲王向关东军司令官植田谦吉下达大陆命令第343号，"大本营的意图是在处理中国事变期间，以帝国军队的一部分在满洲防备苏联，维持地方的平静。为此在诺门坎尽力不扩大作战，筹划迅速结束之"。[1]9月9日，日本提出停战谈判要求。9月16日，苏日签订停战协定。诺门坎事件（苏联称其为哈勒欣河事件）再次以日本失败结束。据苏联统计，苏蒙军队共伤亡18500多人，日军死、伤和被俘人员约为6.1万人。[2]

苏联在张鼓峰和诺门坎的胜利沉重打击了日本的北进侵苏计划。此后，苏日关系进入一个相对平静时期。苏联对日本挑衅的回击和中国人民的抗日斗争相互鼓舞、相互支援，为世界反法西斯事业作出贡献。

---

[1] 《现代史资料10。日中战争3》，东京1964年版，第141页。

[2] ［苏］德波林主编：《第二次世界大战史》，第2卷，第370页。

苏法和苏捷互助条约的签订

尽管日本在亚洲发动了侵略战争，威胁着苏联的安全，但莫斯科更关注的是欧洲的局势，更担心的是德国的扩张。在东方公约无法缔结的情况下，苏联积极争取先同法国签订互助条约。1935 年 3 月德国宣布实施义务兵役制后，法国感到恐惧，希望利用苏联制衡德国，遂同意和苏联进行缔约谈判。

谈判中，法国外长皮埃尔·赖伐尔千方百计地想取消自动提供相互援助的原则，而是将它与国联的复杂又难以实现的程序联系起来，并坚决回避签订军事公约。苏方据理力争，同时也在军事援助问题上作了让步，以求达成妥协。

1935 年 5 月 2 日，苏联驻法大使弗拉基米尔·波将金和法国外长赖伐尔在巴黎签订《苏联和法国互助条约》，条约正文共 5 条，另附有一份《签字议定书》。条约的第一条规定，“当法国或苏联成为一欧洲国家侵略威胁和侵略危险的对象时，苏联和法国彼此保证相互立即进行协商，以便采取关于遵守国际联盟盟约第十条规定的措施”，即国联筹划的维护主权、防御侵略的措施。此条将侵略国家限定为欧洲国家，表明法国不承担援助苏联抗击日本侵略的义务。互助条约的第三条规定，法国和苏联“任何一方成为欧洲国家未经挑衅的侵略的对象时，则两国保证立即相互进行支援和协助，依照盟约第十六条行事”，即依据国联的决定对侵略国进行制裁。《签字议定书》进一步规定，“缔约双方应采取联合行动，务使行政院尽速提出其建议，借以符合情势逼迫的要求，或者如行政院未能全体一致表决，此项援助的义务仍应予以履行”。[1] 条约的有效期为 5 年，可自动延长。

1935 年 5 月 13 日至 15 日，赖伐尔访问莫斯科，斯大林接见了他。双方声明，将继续努力为缔结东欧区域性公约创造条件。苏联重视同法国的合作互助，表示赞成法国加强防御的措施。法国共产党此后也停止了反对军国主义的

---

[1] 《法兰西和苏维埃社会主义共和国联盟互助条约（1935 年 5 月 2 日订于巴黎，1936 年 3 月 27 日生效）》，《国际条约集（1934—1944）》，世界知识出版社 1961 年版，第 31—33 页。

宣传活动。但是赖伐尔却另有图谋。他在回国途中顺访了波兰，对波兰外长贝克说，法苏条约的目的，与其说是为了取得苏联的帮助和帮助苏联反对可能的侵略，不如说是为了防止德国同苏联接近。赖伐尔对苏法互助条约极不在意，致使条约一直未获批准。直到萨罗取代赖伐尔出任总理后，才于 1936 年 2 月底批准了这个条约。

苏联同法国签订互助条约后不久，又与捷克斯洛伐克签署了类似的条约。1935 年 5 月 16 日，苏联特命全权公使谢尔盖·亚历山德罗夫斯基和捷克斯洛伐克总统爱德华·贝奈斯在布拉格签订。苏捷互助条约的内容与苏法条约几乎一模一样，不同的是《签字议定书》第二条规定，只有法国对被侵略国提供援助时，苏捷才有义务进行援助。添加这一规定，说明捷克斯洛伐克非常重视同法国的关系，不愿单方面与苏联联系。同时，它也反映了苏联的意愿，即不希望在未得到法国援助的情况下卷入同德国的战争。

在缔结互助条约的谈判中，曾约定苏、法、捷三国在 1935 年夏举行关于军事条约的谈判。但这项谈判一直未能举行。苏、法、捷间的互助公约由于缺乏军事条约的保证，再加上法国态度的冷淡，根本没有发挥应有的反对法西斯侵略、维护欧洲和平的作用。

新的黑海海峡公约的签订

1935 年 10 月，意大利入侵阿比西尼亚。苏联在国联呼吁采取“集体的和坚定的”行动，不折不扣地履行国联盟约关于反对侵略的条款。但英法采取纵容意大利侵略政策，使地中海地区的紧张局势不断加剧。苏联不得不加倍关注黑海方面的安全问题。

苏联认为 1923 年洛桑会议通过的黑海海峡公约没有保障苏联南线的安全。《洛桑公约》剥夺了土耳其在海峡地区设防的权利。海峡由主要是非黑海国家组成的“国际海峡委员会”管理，不管平时还是战时，外国军舰均可自由通过海峡。这造成对苏联安全的威胁。苏联从未批准这一公约。

1936 年 4 月 10 日，土耳其在英国的支持下，向洛桑会议参加国发出照会，建议召开新的国际会议修改海峡公约。苏联于 4 月 6 日复照，同意土耳其的建议，并表示同安卡拉政府一样对普遍和平得不到保证感到忧虑。

1936年4月22日到7月20日，国际会议在瑞士的蒙特勒举行。土耳其、英国、法国、苏联、保加利亚、罗马尼亚、南斯拉夫、希腊、澳大利亚和日本等国代表出席了会议。意大利拒绝参加。与会国意见一致，同意土耳其有权在海峡地区设防。但在军舰通过海峡问题上各方发生激烈争论。苏联认为，黑海海峡是黑海沿岸国家通往地中海和世界各大洋的唯一通道，应考虑这些国家的特殊利益，允许它们的军舰自由通过海峡。非黑海国家的军舰通过海峡，平时应受到吨位限制，战时则全面禁止。英国认为，黑海沿岸国家和非黑海沿岸国家应享有同等权利，各国军舰都有权自由通过海峡，封锁海峡须经国联大会2/3多数票同意。土耳其则要求海峡对任何外国军舰一律关闭。苏英各持己见，长期争执不下。在德意对地中海的军事威胁不断加大的情况下，各方最终达成妥协。

1936年7月20日，会议通过《关于海峡制度的公约》，以代替1923年的《洛桑公约》。公约规定，撤销“国际海峡委员会”，土耳其对海峡地区拥有全部主权，有权立即在海峡地区设防。

各国商船无论在平时还是在战时，均可自由通过海峡。允许民用飞机在地中海和黑海之间、在欧亚两洲之间飞越土耳其领土。

关于军舰通过海峡的问题，公约规定：和平时期，黑海沿岸国家的水面军舰不受吨位和等级限制可以自由通行；潜艇只能浮出水面通过。对非黑海沿岸国家的军舰通过则作了某些限制，如只能通过1.5万吨以下的水面舰艇，同时这些国家停留在黑海的军舰总吨位不得超过3万吨，其中任何一国停留在黑海的军舰总吨位不得超过2万吨，停留时间不得超过3星期。

在战争时期，如果土耳其是中立国，则交战国的军舰不得通过海峡。如果土耳其是交战国或者它认为自己受到了军事威胁，它有权决定其他国家军舰是否可以通过海峡。公约有效期为20年。

《蒙特勒公约》基本上满足了苏联军舰自由进出海峡的要求。同时，对非黑海沿岸国家军舰进入黑海作了比《洛桑公约》更为严格的限制。这对保持黑海局势的平稳、维护苏联南疆的安全起了一定积极作用。《真理报》发表社论，说这是“苏联外交的胜利”。[1]

[1] Правда. 1936. 21 июля.

对西班牙人民阵线政府的援助

1936年2月，西班牙人民阵线在大选中获胜，并组成人民阵线政府。7月17日，西班牙驻摩洛哥的军队在佛朗哥将军率领下发动武装叛乱。在德意法西斯支持下，叛乱在第二天就蔓延到西班牙本土。

苏联坚决反对德意干涉西班牙内政，同时，非常重视西班牙事态的发展。苏联把西班牙内战看作是制止法西斯侵略扩张的战斗，是实现共产国际七大提出的纲领——以人民阵线战胜法西斯的重要机遇。因此苏联不顾自己海军薄弱、支援西班牙的客观条件要比德意困难得多，仍毅然站在援助西班牙人民阵线政府的最前列，竭尽全力援助它。全苏各地展开规模浩大的示威游行，声援西班牙共和国。8月3日，莫斯科20万群众在红场游行集会，并决定为西班牙募款。仅3个月就募集了4759.5万卢布，成为援助西班牙共和国的基金。[1]9月，苏联轮船“涅瓦号”冲破封锁抵达西班牙的阿利坎特港，运去大批粮食、药品和其他物资。10月，斯大林致电西班牙共产党中央书记何塞·迪亚斯，指出“苏联劳动人民……清楚地知道，把西班牙从法西斯反动派的压迫下解放出来，不单是西班牙人自己的事业，而是整个进步人类的共同事业”。援助西班牙革命群众是苏联人民“应尽的义务”。[2]

英法害怕西班牙会成为法西斯独裁国家，但也担心会在那里出现共产主义政权。8月初，法国勃鲁姆政府在英国支持下，建议有关欧洲国家签订一项不干涉西班牙内战的协定，以避免战争的复杂化和延长。8月6日，苏联政府发表声明，同意参加这一协定。经过协商，英、法、苏、德、意、葡等27个国家于8月26日签署不干涉协定。9月9日，在伦敦成立“国际不干涉委员会”，由各签约国派出的大使级代表组成。

“国际不干涉委员会”没有能阻止外国对西班牙内政的干涉。德意通过葡萄牙继续给佛朗哥运送军火和派遣军事人员。9月30日，西班牙政府发表白

[1] История международной пролетарской солидарности. Документы и материалы. Сборник Ⅴ. М., 1961. С. 436.

[2] Правда. 1936. 16 октября.

皮书，列举希特勒和墨索里尼向叛军提供军事支援的各种事实。估计到 1936 年年底，德国派往西班牙的士兵和飞行员共计 2 万人。1937 年 2 月，有 4 万名意大利“志愿军”在意大利现役将军指挥下向西班牙政府军开战。

苏联不能容忍德意单方面破坏不干涉协定、支援叛军打击合法政府的举动。10 月 7 日，苏联政府发表声明，指出“如果破坏不干涉协定的行为不立即停止，苏联政府将认为它将不再受该协定所规定的义务的约束”。苏联的警告没有收到效果。苏联政府乃命令其驻“国际不干涉委员会”代表马伊斯基于 10 月 23 日发表声明：苏联从现在起，“不认为自己应比不干涉协定的任何其他参加国更多地受该协定的约束”。

从 1936 年 10 月起，苏联向西班牙运送了大量军用物资。购买这些物资的款项，最初是动用西班牙存放在苏联国家银行的黄金储备。从 1938 年秋天起，苏联政府向西班牙提供了 8500 万美元的贷款。1936 年 10 月，装有苏联武器的第一批轮船抵达西班牙的卡塔黑纳和阿利坎特港。运送军用物资的苏联轮船主要是通过黑海港口运去的。运送的航程十分困难。轮船通过黑海海峡时，会被法西斯特务看到。在地中海航行时，经常受到跟踪和袭击。从 1936 年 10 月到 1937 年 7 月，苏联有 96 艘船只被法西斯军舰拦阻，其中 3 艘被击沉。但苏联船队一直英勇地进行运送工作，并取得成果。从 1936 年 10 月 1 日到 1937 年 8 月 1 日，苏联向西班牙政府提供了 496 架飞机、322 辆坦克、60 辆装甲汽车、714 门火炮、12804 挺机枪、337793 支步枪。此外，还有大量的子弹、火药和燃料。

随着法西斯对西班牙封锁的不断加强，苏联从黑海运送军用物资越来越困难，到 1937 年 10 月，不得不完全停止。苏联改从波罗的海港口和北部港口出发，但路途遥远，障碍重重，运送的物资不断减少。从 1937 年 12 月 14 日到 1939 年 1 月 28 日，苏联只运去了 152 架飞机、25 辆坦克、472 门火炮、7682 挺机枪、160020 支步枪，没有装甲汽车。[1]

苏联还派出大约 3000 名志愿人员——军事顾问、飞行员、海员、坦克手及其他专家到西班牙，帮助共和国建立正规人民军，同西班牙人民并肩战斗，一起反对法西斯。担任西班牙军事总顾问的先后有：别尔津、卡恰诺夫、什捷

[1] ［苏］德波林主编：《第二次世界大战史》，第 2 卷，第 86 页。

尔恩。在各部队、兵团和司令部工作的顾问有：沃罗诺夫、马林诺夫斯基、麦列茨科夫、涅杰林等人。有将近 200 名苏联志愿人员为保卫西班牙共和国献出自己的生命。

苏联通过共产国际，号召各国共产党人和反法西斯民主人士奔赴西班牙，组成“国际纵队”，直接参加反法西斯战争。

苏联的援助和支持，有力地打击了佛朗哥叛军和德意扩张势力。但它没能联合英法共同反对法西斯，没能拯救西班牙共和国。1939 年 3 月，佛朗哥军队在德意支持下占领马德里。德意法西斯国家的侵略气焰进一步嚣张起来。

反对德国对奥地利和捷克斯洛伐克的侵占

1936 年 3 月 7 日，德国宣布废除洛迦诺公约，出兵占领莱茵非军事区。法国的安全受到威胁，政府经过长时间讨论后，决定在得知国联和洛迦诺公约保证国的立场前不采取任何行动。英国作为洛迦诺公约的保证国主张举行谈判，达成谅解。3 月 14 日，国联行政院在伦敦举行会议。英国和法国政府只是口头谴责德国破坏洛迦诺公约的行为。

3 月 17 日，苏联代表李维诺夫在行政院会议上发言指出，德国将莱茵区重新军事化，其目的是建立“德国在整个欧洲大陆的霸权”。他提醒西方大国注意日益增长的德国军国主义的危险性，呼吁采取坚决行动，制止战争势力。

3 月 19 日，国联行政院通过一项决议，确认德国破坏凡尔赛条约和洛迦诺公约，但没有决定对德国进行任何制裁。英法的软弱助长了法西斯德国的扩张野心。

1938 年 3 月 12 日，德国军队进入奥地利。14 日，希特勒签署命令宣布奥地利为德国的一个省。对此，英法只是作了一些形式上的抗议，一个月后就承认奥地利并入德国，撤销了各自的驻奥使馆，代之以驻维也纳领事馆。

苏联始终没有以任何方式承认德国的兼并。3 月 17 日，李维诺夫发表声明，谴责德国对奥地利的军事入侵和残暴剥夺奥地利人民的独立的行为。他指出，德国强占地处欧洲中心的奥地利无疑给欧洲所有国家造成了危险。“当前国际局势对所有爱好和平的国家，特别是大国，提出了它们对欧洲各国人民，而且不仅是欧洲各国人民的今后命运的责任问题”。苏联政府主张立即同国际联盟的会员国和非会员国政府讨论形势所要求的实际措施。声明说，“事到明天，可能就已经晚了，但是只要一切国家特别是大国，对集体拯救和平的问题采取坚定的、毫不含糊的立场，那么今天还不算晚”。苏联声明，它将“一如既往准备参加同苏联共同商定的集体行动，参加旨在制止侵略活动的进一步发展并消除新的世界大战日益增长的危险的集体行动”。[1]

声明的文本送交了英国、法国、美国、捷克斯洛伐克、巴尔干国家、波罗的海沿岸国家、斯堪的纳维亚国家、波兰、比利时和土耳其等国政府。但是苏联的这项建议没有得到其他国家的支持。希特勒得以顺利地迈出了征服欧洲计划的第一步。

德国兼并奥地利后，把侵略矛头指向捷克斯洛伐克。希特勒决定利用捷克斯洛伐克境内的德意志人的地位问题制造入侵借口。他扶植汉莱因建立“苏台德德意志人党”，指使他们向捷克政府不断提出各种无法接受的要求，制造动荡。

苏联十分注意德国的行动，认为法西斯向同苏联、法国关系密切的捷克斯洛伐克的扩张将急剧恶化欧洲局势，威胁苏联的安全，加速战争的到来。1938 年 3 月 15 日，苏联副外交人民委员波将金在同捷克斯洛伐克驻莫斯科公使费林格谈及占领奥地利可能引起的后果时，表示捷克斯洛伐克如果遭到德国进攻，苏联准备履行两国互助条约。[2]1938 年 4 月中旬，费林格同苏联商讨进行军事合作的可能途径。苏联表示愿意立即举行苏法捷三国参谋部代表会议。捷克斯洛伐克外交部长克罗夫塔则要等待观察法国新政府是否同样地看待波、俄问题，认为在当前巴黎、布拉格和莫斯科的关系中，捷克斯洛伐克政府不能采取主动。

5 月 12 日，李维诺夫在日内瓦同新任法国外长庞纳会晤时建议，法国、苏联和捷克斯洛伐克总参谋部代表讨论三国应当采取的具体军事措施。庞纳答应把这一建议报告本国政府，但是答应后没有下文。

5 月中旬，捷共中央书记哥特瓦尔德向捷克斯洛伐克总统贝奈斯通报了苏

[1] Внешняя политика СССР. Сборник документов. Т. Ⅳ（1935–июнь 1941 г.）. М., 1946. С. 343.

[2] Новые документы из истории Мюнхена. М., 1958. С. 15–17.

联的立场。哥特瓦尔德说，斯大林在同他谈话时明确宣布，即使法国违反条约不肯给予军事援助，而萨纳齐亚波兰[1]和贵族罗马尼亚又拒绝让苏军通过，苏联也准备给捷克斯洛伐克以军事援助。斯大林同时指出，这个方案只在一种情况下有效，即捷克斯洛伐克起来自卫，并请求苏联援助。[2]

1938 年 5 月下旬，汉莱因中断同政府的谈判，并制造混乱。希特勒立即进行武力威胁，调动 4 个摩托化师向德捷边境集结，企图压服邻国。但是捷克斯洛伐克政府没有被吓倒。它发布了局部动员令，派遣军队到边界，与德军对峙。形势骤然紧张起来，出现了“五月危机”。英法向捷克斯洛伐克施加压力，要其向德国妥协。

8 月中旬，苏联驻英国全权代表马伊斯基向哈利法克斯声明，苏联认为英国和法国的政策是“软弱的和近视的”。这种政策不仅不能制止侵略者，反而只能鼓励侵略者和麻痹侵略的受害者。因此西方大国应当“承担新的世界战争临近和爆发的责任”。马伊斯基还代表苏联政府声明，苏联决心履行根据苏捷互助条约而承担的义务。[3] 马伊斯基在同捷克斯洛伐克驻英公使和美国驻英临时代办谈话时，也发表了同样的声明。

9 月初，苏联政府向法、英政府提出具体的行动计划：

1. 立即召开苏、法、英三国会议，并以三国名义发表宣言，提出警告：如果德国侵略捷克斯洛伐克，则将援助后者。

2. 紧急呼吁国际联盟根据盟约第十一条查明德国对捷克斯洛伐克的侵略威胁事实。

3. 召开苏、法、捷总参谋部代表会议，以解决三国武装力量为反对侵略而协同动作的实际问题。

李维诺夫在同法国驻苏代办帕亚尔谈话时阐述了苏联政府的立场。他说，“我们认为，目前召开英、法、苏三国参加的会议并通过一项共同宣言……会比其他任何措施都更加有效地制止希特勒的军事冒险”。[4]

---

[1] 指当时的毕苏茨基统治的波兰。

[2] Правда. 1949. 28 декабря.

[3] Документы по истории мюнхенского сговора. 1937 – 1939. М., 1979. С. 171.

[4] Новые документы из истории Мюнхена. С. 72.

英法政府一心要绥靖德国。9 月 15 日，英国首相张伯伦飞抵德国，同希特勒会谈，同意后者提出的吞并苏台德地区的要求。随后，法国也表示赞同英国的决定。9 月 19 日，英法将德国的要求照会给捷克斯洛伐克。当天，贝奈斯总统询问苏联政府：1. 如果法国仍忠于条约，苏联是否根据条约给予及时的和有效的援助？ 2. 捷克斯洛伐克万一遭到进攻，将立即要求国联行政院使盟约第十六条和第十七条生效。苏联作为国联会员国，是否会按上述两条给予援助？

第二天，苏联政府作出了答复。对第一个问题的回答是，“是的，及时地和有效地”。对第二个问题的回答是，“是的，在任何方面”。[1] 苏联政府同时把给贝奈斯的答复内容通知了法国政府。

9 月 21 日，李维诺夫在国联全体会议上发表演说，指出反对侵略者应当采取国联盟约规定的措施，而且要始终不渝、毫不动摇。那时，侵略者将不感到有诱惑他的东西，“和平将得以用和平的手段来维护”。李维诺夫揭露和批评某些国家推行可耻的姑息纵容政策，说事情甚至达到这种地步；他们到侵略者那里去“接受强制命令和最后通牒，同时把这个或那个国家的切身利益带去作为供品奉献给侵略者”。苏联代表声明，“我们打算履行自己的条约义务，同法国一起通过可行的途径援助捷克斯洛伐克。我们的军事部门已作好准备立即参加同法、捷军事部门代表举行的会议，以讨论时局迫使我们采取的措施”。李维诺夫呼吁所有国联会员国明确自己对同时代人、对历史应起的作用和所负的责任，并强调指出，在这种情况下投降将会出现“无穷的惨重后果”。[2]

9 月 23 日，李维诺夫在同英国驻日内瓦代表谈话时建议英法尽快召开三国会议以制定援助捷克斯洛伐克的具体措施。但是苏联的建议没有得到伦敦和巴黎的回应。

苏联一方面进行外交努力，组织力量共同抗击法西斯德国的扩张；另一方面也采取必要的军事措施，以便必要时给捷克斯洛伐克以军事援助。1938 年 8 月，苏联邀请捷克斯洛伐克空军司令法伊夫尔将军访问莫斯科。如他后来所写的，在谈判过程中，“制定了在苏联援助下保卫捷克斯洛伐克的计划”，“共同

[1] Новые документы из истории Мюнхена. С. 99、105.

[2] Новые документы из истории Мюнхена. С. 125–126.

协商的结果是，苏联将立即派出 700 架歼击机援助我们，只要我们为这些飞机准备好有高射炮掩护的适用的机场即可”。苏联向捷克斯洛伐克建议按优惠条件提供飞机。[1]

1938 年 6 月 26 日，苏联将最接近捷克斯洛伐克领土的基辅军区和白俄罗斯军区改组为特别军区，加强了兵力。9 月 21 日，命令一部分部队进入战斗准备状态。几天之内进入战备状态的共有：1 个坦克军、30 个步兵师、10 个骑兵师、7 个坦克旅、1 个摩托化步兵旅和 12 个航空兵旅。防空系统进入战斗准备状态的有：2 个军、1 个师、2 个旅、16 个团、4 个高射炮兵旅和 15 个高射炮兵团以及战斗保障和后勤保障部队。[2] 苏联军队在西部国境线一直驻到 1938 年 10 月 25 日，然后才返回固定驻地。

9 月 28 日，伏罗希洛夫向苏联政府报告，已作好准备派遣由 548 架作战飞机编成的 4 个航空兵旅（8 个航空兵团）前往捷克斯洛伐克，并具体说出部队和机场的位置，以及在每个机场的飞机架数和型号。这一新措施也在同一天通知了法国驻苏武官帕拉斯和捷克斯洛伐克政府。[3]

苏联向西方明确表明了自己武力支援捷克斯洛伐克抗击德国入侵的决心。但是英法仍继续推行绥靖政策。1938 年 9 月 29 日至 30 日，英、法、德、意四国在慕尼黑签署协定，将捷克斯洛伐克的苏台德区割让给德国。英法对法西斯国家的姑息纵容使新的世界战争日益临近。

第三节　外交的转向——苏德互不侵犯条约的签订

慕尼黑协定后的形势

慕尼黑协定签署后，国际形势发生巨大变化。苏联外交也由此进入一个新阶段。

捷克斯洛伐克是苏联的近邻，对苏联的安全至关重要。但是英法在同德

[1] Новые документы из истории Мюнхена. С. 29.

[2] ［苏］德波林主编：《第二次世界大战史》，第 2 卷，第 176—177 页。

[3] 同上书，第 178 页。

国讨论捷克斯洛伐克问题时完全把苏联抛在一旁，并签订慕尼黑协定，力图把法西斯祸水引向东方。这严重损害了苏联的安全利益，导致苏联对英法的极度不信任和高度警惕。

1938 年 9 月 29 日，斯大林在获悉《慕尼黑协定》内容后于当夜召开的党中央政治局会议上，怪罪李维诺夫的政策使英法得以借《慕尼黑协定》把希特勒的侵略矛头指向了苏联。[1] 克里姆林宫深感德日战争威胁的日益严重，重新审视并着手调整苏联同英法、德意之间的三边关系。

1939 年 3 月，斯大林在第十八次党代表大会上作报告，强调“国际政治形势的尖锐化”，“新的帝国主义大战已经成为事实了”。他谴责德意日“三个侵略国……彻底推翻了这个战后的和平制度的体系。日本撕毁了九国公约，德国和意大利撕毁了凡尔赛条约”，四处扩张侵略。同时，揭露英法“在推动侵略者，鼓动侵略者”，并企图“激起苏联对德国的愤怒，毒化气氛，挑拨我们同德国发生无缘无故的冲突”。他警告说，“主张不干涉政策的人们所开始的巨大而危险的政治游戏，最终会使他们遭到严重的失败”。

斯大林宣告，苏联“执行维护和平”的政策，“加强同所有国家的事务联系”；同时，“保持谨慎态度，不让那些惯于从中渔利的战争挑拨者把我国卷入冲突中去”。苏联要“大力加强……红军和红海军的战斗力量”，“准备用双倍的打击去回答企图破坏苏维埃国家边界的不可侵犯性的战争挑拨者的打击”。[2] 斯大林的讲话表明，苏联已准备改变外交政策的走向。主张联络英法建立反法西斯联盟的外交人民委员李维诺夫在代表大会上没有发言。这预示了李维诺夫的亲西方外交方针的终结。

3 月中旬，德国出兵占领捷克斯洛伐克，德国同英法间的矛盾加剧。苏联利用这一矛盾，分别与两方会谈：同英法讨论政治同盟和军事互助的问题，同德国商谈签订贸易协定及改善政治关系的途径，以期更好地维护自身的安全。

8 月，德国入侵波兰的乌云笼罩欧洲。德国和英法都设法争取苏联的合作

---

[1] ［俄］爱·拉津斯基著：《斯大林秘闻 —— 原苏联秘密档案最新披露》，李惠生等译，新华出版社 1997 年版，第 505 页。

[2] 《在党的第十八次代表大会上关于联共（布）中央工作的总结报告（1939 年 3 月 10 日）》，《斯大林文集》，第 239—244 页。

或中立。莫斯科抓住这一有利时机，加紧同英法、同德国的谈判以使自己在未来的国际冲突中处于安全有利的地位，同时也要借机扩大自己在东欧的势力范围。经过衡量，苏联最终放弃了同英法结盟的努力，转为与德国合作。

苏英法三国谈判

1939 年 3 月 15 日，德国侵占捷克斯洛伐克，进而向波兰提出领土要求，准备占领整个波兰。意大利于 4 月吞并了阿尔巴尼亚。战争乌云笼罩欧洲。德意、英法、苏联三方都在积极调整相互关系，争取在未来变化的国际局势里居于有利地位。

法西斯国家的侵略扩张不仅威胁着苏联，也伤害到英法。后者为了维护自身的安全和利益，一方面加强资产阶级民主国家之间的合作支援，另一方面改变完全孤立和排斥苏联的政策。

1939 年 3 月 18 日，英国驻苏大使西兹会见苏联外交人民委员李维诺夫，通报说罗马尼亚接到德国的最后通牒，面临暴力的威胁。大使询问，一旦罗马尼亚受到侵略，苏联政府将采取什么立场。苏方反问英国政府会持什么立场。大使避而不答，只是说，罗马尼亚在地理位置上距离苏联比距离不列颠岛更近。

当天晚上，苏联作出答复，建议召开苏、英、法、波、罗、土 6 国会议，共同讨论新出现的形势。21 日，英国答复说，目前举行这样的会议“为时尚早”。英国建议先由英、法、苏和波兰签署共同宣言，宣布“鉴于任何威胁他国政治独立的行为都可能危及欧洲的和平与安全，我们有关政府特保证立即召开会议商讨为反对上述行为而应当采取的步骤”。苏联接受了英国的建议。但波兰坚持对德国和苏联实行“等距离外交”政策，拒绝同苏联一起签署宣言。英国驻苏大使于 4 月 1 日通告苏联，说它的政府认为“关于宣言的问题，已完全失去意义”。

4 月 14 日，法国政府建议苏联政府对 1935 年 5 月 20 日签订的法苏协定补充以下内容：“如果发生由于法国向波兰和罗马尼亚提供援助而使法国处于对德作战状态的话，苏联必须迅速援助和支持法国。如果发生由于苏联向波兰和罗马尼亚提供援助而使苏联处于对德作战状态的话，法国也必须迅速援助和支持苏联。两国政府同意这种立即提供援助的形式，并采取各种措施来保证这种援助发挥充分的效力”。

4 月 15 日，英国政府致函苏联，说它已先后在 3 月 31 日和 4 月 13 日对波兰和罗马尼亚的独立单方面地提供了保证，希望能得到苏联的“某种程度的合作”，建议苏联政府主动发表一个单方面声明，宣布“苏联的任何一个欧洲邻国遭到侵略时，这个国家如果进行抵抗，那么只要它愿意，就可能指望得到苏联政府的援助，这种援助将用最便利的方式提供”。[1]

4 月 17 日和 18 日，苏联分别向英国和法国提出自己的建议，其主要内容为：

“1. 英国、法国、苏联之间签订一项为期 5—10 年的协定，在欧洲发生针对任何一个缔约国的侵略时，彼此应立即提供包括军事援助在内的一切援助。

2. 当位于波罗的海和黑海之间以及与苏联比邻的东欧国家遭到侵略时，英国、法国、苏联应向它们提供包括军事援助在内的一切必要援助。

3. 英国、法国、苏联应在最短时期内讨论并确定在履行第一和第二条义务而向这些国家中的每一个国家提供军事援助的规模和形式”。[2]

此外，英国政府应当说明，它答应向波兰提供援助仅仅是为了对付来自德国的侵略。1921 年的波兰—罗马尼亚同盟条约只是在这两国遭到侵略时才起作用，它绝不应变成反对苏联的条约。军事冲突发生后，没有三国的一致同意，英法苏不得单独与侵略者进行谈判和签订条约。有关的协定应与三大国关于军事相互支援的规模和形式的专约同时签订。苏、英、法三国一起就签订互助协定问题与土耳其进行谈判。

英国政府于 5 月 8 日才对苏联的建议作出回答，继续坚持要求苏联承担单方面义务。5 月 14 日，莫洛托夫会见英国大使时表明，苏联不能接受英国的建议，因为它没有规定英法在苏联遭受侵略时所应承担的义务，也没有将波罗的海国家（爱沙尼亚、拉脱维亚和芬兰）的安全保障包括在内，

[1] Министерство Иностранных Дел СССР：СССР в борьбе за мир накануне второй мировой войны, сентябрь 1938 г. –август 1939 г.：Документы и материалы. М., 1971. С. 332.

[2] Там же. С. 336–337.

因而使苏联的西北部边界缺少掩护。苏联坚决主张苏、英、法之间签订相互支援反对侵略的有效条约。苏联提出 3 个条件，“1. 英国、法国和苏联之间签订相互援助反对侵略的有效条约；2. 这三个大国向处于侵略威胁之下的中欧和东欧国家提供的保证，也应该包括拉脱维亚、爱沙尼亚和芬兰；3. 英国、法国和苏联签订关于相互给予援助和给予被保证国家的规模和形式的具体规定。”[1]

5 月 27 日，英法联合向苏联提出新方案，同意签订三国条约，在遭到法西斯国家侵略时相互提供援助。谈判向前迈进一步，但没有解决苏联提出的有关保障波罗的海国家安全的问题。

6 月 2 日，苏联政府对英法的建议提出修订和补充，在要求对波罗的海国家提供安全保障的同时，也赞同对比利时、希腊和土耳其提供同样保障。建议规定，“当某一欧洲强国侵略法、英、苏三国中的一国；或者这强国侵略经法、英、苏商定有义务保障其不受侵略的比利时、希腊、土耳其、罗马尼亚、波兰、拉脱维亚、爱沙尼亚、芬兰；或者三国中的一国接受另一欧洲国家的请求，援助它抵抗对其中立的破坏时”，法、英、苏有义务彼此提供刻不容缓的、全面的、有效的援助。草案再次强调签订一个军事协定，并和政治条约同时生效。[2]

从 1939 年 6 月中旬起，英法苏谈判的方式发生变化。决定三大国在莫斯科直接进行谈判，代替以前的相互递送建议和问题的做法。苏联新任外交人民委员莫洛托夫表示欢迎英国外交大臣哈利法克斯前来莫斯科谈判。英国拒绝了这一建议，只派外交部的一个司长斯特朗来协助英国驻苏大使进行谈判。后来，丘吉尔写道，“任命这么一位二等角色，实际上具有侮辱性”。

6 月 15 日，三国代表——苏联大使莫洛托夫、波将金；英国大使西兹、斯特朗；法国大使纳日阿尔在克里姆林宫举行首次会议。英法只表示愿意在波罗的海国家遭受侵略时与苏联一起磋商向它们提供援助的可能性，力图回避承

---

[1] 《莫洛托夫关于苏英法谈判给英国驻苏联大使西兹的备忘录（1939 年 5 月 14 日）》，《苏联历史档案选编》，第 16 卷，第 30—31 页。

[2] Министерство Иностранных Дел СССР：СССР в борьбе за мир накануне второй мировой войны, сентябрь 1938 г. –август 1939 г. С. 432–433.

担援助波罗的海国家的义务。[1] 苏联不接受这种安排。谈判陷入僵局。

6 月 29 日，联共（布）中央政治局委员、外交委员会主席日丹诺夫发表署名文章，强烈谴责英法缺乏和苏联谈判缔约的诚意，并暗示将中断和英法的谈判。英法不愿谈判破裂，作出让步。7 月 1 日，表示同意和苏联一起对波罗的海国家提供安全保证。

在英法作出让步后，苏联政府于 7 月 3 日提出间接侵略问题，认为在抵御对波罗的海国家侵略时，应包括直接侵略和间接侵略两种情况。所谓间接侵略是指没有遭到公开入侵，但被侵略国在侵略威胁下，内部发生迎合侵略者的政变或政策急剧逆转。英国认为，间接侵略的提法会成为干涉他国内政的理由，予以拒绝。谈判又陷入僵局。

7 月，希特勒即将进攻波兰的消息流传出来。各国都在估量形势的发展，研究对策。莫斯科脚踩两只船，一方面积极改善同德国的关系，力争早日签订经济协定；另一方面维持同英法的谈判，争取能有进展，以使自己在事态向任何方向发展时都处于有利地位。

7 月 23 日，苏联建议，撇开陷于僵局的政治谈判，直接开始三国军事谈判。7 月 25 日，英法接受这一建议，但并不急于开始。代表团不是乘飞机，而是走水路，抵达苏联时已是 8 月 11 日。英国代表团团长是没有全权证书的退役海军上将德拉克斯，法国代表团团长是兵团司令杜芒克。

8 月 12 日，军事谈判在莫斯科举行。三国没能就互助同盟关系问题达成一致意见就转向军事问题，浓厚的疑虑和猜忌笼罩着会谈。苏联这时看到德英矛盾在加剧，预见到德国为让莫斯科在未来的对波战争中持中立态度会让出一些东欧地区给苏联，确信自己在三边关系中会处于有利地位。因此在军事谈判开始后摆出积极主动的高姿态，以迫使英法作出更多的让步，也为可能的破裂准备借口。苏联派出高规格的代表团，为首的是国防人民委员伏罗希洛夫，成员有总参谋长沙波什尼科夫、海军人民委员库兹涅佐夫、空军司令罗季奥诺夫和副总参谋长斯莫罗季诺夫。苏联方面提出了共同行动的三个方案。第一个方案规定，如果德国进攻英法，苏联将派出相当于英法军事力量的 70% 的部队抗击侵略国家。波兰必须参加战争。英法应当争取波兰承担义务，允许苏联军队进

[1] Там же. С. 450–451.

入波兰，直抵德国边界。第二个方案规定，如果德国入侵波兰和罗马尼亚，波、罗应全力抵抗，英法立即参战。苏联也将派出军队，其数量相当于英法为直接反对德国而动用的武装力量，但前提条件是，英法同波兰，并尽可能同立陶宛以及罗马尼亚商定，允许苏联军队进入其领土。第三个方案规定，如果德国利用芬兰、爱沙尼亚和拉脱维亚的领土进攻苏联，英法应派出相当于苏联动用军队 70% 的武装力量。波兰也应参战，并允许苏军过境。伏罗希洛夫特别强调允许苏军过境波兰这一问题的重要性，并威胁说“如果这个问题得不到正确解决，目前法、英、苏三国缔结一项军事公约的全部努力是注定要失败的。因此，苏联军事代表团无论如何不能建议它的政府参加这样一个显然要失败的举动”。[1]

英国张伯伦政府对军事谈判态度消极。它给其代表团的训令是，“在缔结政治协定以前，应该极其缓慢地进行谈判”。“在军事协定中应力求限于尽可能一般的措施……最好是同意一个类似政治宣言的东西”。[2] 对于“过境问题”，英法政府认为，这是苏联为军事谈判设置的人为障碍，这个问题“应该要求波兰政府和罗马尼亚政府给予答复”。但是这两国政府特别是波兰政府断然拒绝苏军的过境要求。波兰政府担心允许苏军过境会招致德国的报复，更担心过境苏军会赖着不走，构成新的威胁。英法政府不愿苏联乘机扩大势力范围，没有敦促波兰、罗马尼亚改变立场，但也没有积极采取措施拉住苏联共同对抗德国，在谈判中处于消极被动地位。

这时，苏联已确知德国同意和苏联进行政治谈判，并准备作出让步，便不再对三国军事谈判感兴趣。8 月 17 日，伏罗希洛夫警告说，“我们的会议下一步将如何进展，完全取决于苏联军事代表团能否得到英法代表团对它提出的问题的答复……如果今明两天得不到英法政府的答复，那么，遗憾的是，我们不得不暂时中断我们的会议，以期得到答复”。[3]8 月 21 日，伏罗希洛夫宣布，由于谈判中的基本问题没有得到应有的答复，苏方只好决定无限期休会，并且声明，

[1] Министерство иностранных дел СССР：СССР в борьбе за мир накануне второй мировой войны, сентябрь 1938 г. –август 1939 г. С. 572.

[2] Документы и материалы кануна второй мировой войны，1937–1939. М., 1981. С. 167–170.

[3] Международная Жизнь. 1959. No. 3. С. 153.

“拖延军事谈判和谈判破裂的责任当然应该由法国和英国方面来承担”。[1]

至此，英法苏三国军事谈判乃至政治谈判实际上已经陷于破裂。英法苏在战争迫在眉睫的情况下，没能协调好彼此的利害关系，共同对抗法西斯侵略，反而让希特勒从中渔利。

苏德互不侵犯条约的签订

1933 年法西斯在德国掌权后，苏德关系由过去的友好合作转向冷淡。1934 年 1 月，斯大林在第十七次党代表大会上指责帝国主义政治家“把沙文主义和准备战争作为对外政策的基本要素”。接着把矛头直指纳粹主义，他说“无怪乎法西斯主义在好战的资产阶级政治家中间现在成了最时髦的商品。我指的不仅是一般的法西斯主义，而首先是德国式的法西斯主义”。但斯大林的批评还是有节制的。他说，“法西斯主义，例如意大利的法西斯主义，并没有妨碍苏联和这个国家建立最好的关系”，[2]暗示希特勒只要放弃反苏政策就可以维持苏德友好关系。在具体处理两国关系上，苏联采取克制态度，防止关系过分恶化。1933 年 6 月，苏联宣布延期 10 年的苏德两国军事合作从 9 月起停止。

斯大林在第十七次党代表大会上的报告中只字不谈“集体安全”决非偶然。它表明斯大林并没有把反法西斯侵略放在首位，没有把建立集体安全体系放在核心位置上。苏联对外政策的着眼点是，充分利用英法和德意之间的矛盾来维护自身的安全和利益。1936 年苏联副外交人民委员克列斯廷斯基在答复苏联驻德国大使舒尔茨询问政府是否改变对纳粹的态度时，暗示支持德国的意见在很大程度上符合“领导同志”的观点。[3]

1938 年 10 月，德国驻苏大使舒伦堡与李维诺夫达成协议，双方停止利用无线电和新闻媒体相互攻击两国领导人。此后，苏联报纸和广播电台很快就缓

---

[1] 《苏联、英国和法国军事代表团会议记录（节录）（1939 年 8 月 21 日）》，《苏联历史档案选编》，第 16 卷，第 64 页，

[2] 《在党的第十七次代表大会上关于联共（布）中央工作的总结报告》，《斯大林全集》，第 13 卷，第 260、268 页。

[3] *Нежинский Л. Н.* Советская внешняя политика. 1917–1945. М., Междотн. 1992. С. 144.

和了反德宣传。同年 12 月 19 日，双方签订了贸易协定。

苏德在经济贸易方面也开始了频繁接触。《苏德经济协定》在 1938 年底期满。1939 年 1 月，德国向苏联表示，愿意恢复 1938 年 3 月中断的关于提供 2 亿马克贷款及其他优惠条件的双边经济谈判。1 月 11 日，苏联政府代表与德国外交部经济政策司司长进行了会谈。尽管这些谈判起点不高，不涉及政治问题，但它毕竟拣起了中断多年的线头。

1939 年 3 月 10 日，斯大林在第十八次党代表大会上作中央工作总结报告时，在谴责德国扩张侵略的同时，指责英法在推动侵略者，挑拨苏联和德国发生冲突，提出要加强同所有国家的联系。

德国注意到这一变化。德国外长里宾特洛甫后来说，从 1939 年 3 月起，他就从斯大林的讲话中听到了斯大林改善苏德关系的愿望。里宾特洛甫将斯大林的讲话呈给希特勒，并要求授权进一步弄清斯大林的真实意图。[1] 莫洛托夫在《苏德互不侵犯条约》签订后会见德国代表时也指出，德国方面十分明了斯大林在 3 月 10 日联共十八大的报告，开始了两国间“政治关系的转折”。[2]

1939 年 3 月 8 日，苏联政府得到了希特勒在德国军事经济和党务代表会议上的讲话稿。其中讲到，1940 年和 1941 年德国将一次性永远把自己的宿敌法国从欧洲地图上抹掉。[3]1939 年 3 月 15 日，德国出兵占领捷克斯洛伐克。苏联十分担心被卷入战火，决定采取行动。

1939 年 4 月 17 日，苏联驻德全权代表梅列卡洛夫以询问原捷克斯洛伐克斯科达兵工厂订货问题为由访问德国外交部，和德国外交部国务秘书魏茨泽克会谈，直接讨论了苏德关系问题。梅列卡洛夫告诉德国人：“意识形态的分歧未必会影响俄德关系，它也不应成为对德关系的障碍。苏维埃俄国不会利用德国与西方国家存在的摩擦反对它，也不打算这样做。从俄国的观点看，不存在能够阻碍与我们建立正常的相互关系的理由。一旦实现关系正常化，这种关系

[1] *Семиряга М. И.* Тайна сталинской дипломатии. 1939 – 1941. М., Высшая Школа. 1992. С. 15 – 16.

[2] История и Сталинизм. Сост. *А. Р. Мерцалов.* . М., Политиздат. 1991. С. 227.

[3] МИД СССР: Год кризиса. 1938 – 1939. Документы и материалы. Т. 1. М., Политиздат. 1990. С. 254.

就会变得越来越好。”[1]

1939 年 5 月 3 日，李维诺夫的外交人民委员的职务被莫洛托夫取代。斯大林后来直言不讳地承认，罢免李维诺夫是因为外交人民委员部的外交方针与斯大林领导集团的立场不一致。[2] 外交界普遍认为，亲西方的李维诺夫被解职表明，苏联准备开始同德国进行认真的谈判。英国首相丘吉尔后来谈到这一更换时指出："这位被德国视为眼中钉的大名鼎鼎的犹太人，顿时就像一件破工具似的被扔到了一边，不容许讲一句申辩的话，就被赶下了世界舞台而从此湮没无闻……李维诺夫的去职标志着一个时代的结束"。[3]

李维诺夫下台后，苏德两国外交官进行各种试探性接触。5 月 17 日，苏联驻德临时代办阿斯塔霍夫约见德国外交部东欧经济政治司司长施努尔。后者在给德国外交部的报告中讲到这次会见的情况："阿斯塔霍夫详细解释道，在德国和苏维埃俄国的国际政策问题上，双方没有分歧，所以两国之间不存在产生摩擦的任何原因。""他提到了苏联与英国的谈判，意思是在现在的条件下，未必可以指望从英国得到结果。""阿斯塔霍夫不止一次地举意大利为例，他强调说，轴心国成立后，领袖[4]表示，意大利与苏联之间发展正常的政治和经济关系不存在障碍。"[5]5 月 20 日，莫洛托夫会见德国驻苏大使舒伦堡时表示担心，德国"恢复谈判仅是政治游戏，缺乏严肃考虑"。他提出，"不奠定'政治基础'，就不可能进行贸易谈判"。当德国大使问及这一要求的具体内容时，莫洛托夫没有正面回答。[6]

---

[1] 《德国外交部国务秘书魏茨泽克关于德俄关系的备忘录（1939 年 4 月 17 日）》，《苏联历史档案选编》，第 16 卷，第 25 页。

[2] *Семиряга М. И.* Тайна Сталинской дипломатии. 1939–1941. С. 16.

[3] ［英］阿诺德·托因比、维罗尼卡·托因比著：《大战前夕，1939 年》，下卷，复旦大学历史系世界史教研室译，译文出版社 1984 年版，第 738 页。

[4] 指墨索里尼。

[5] 《德国外交部经济司司长施努尔关于德苏关系给德外交部的报告（1939 年 5 月 17 日）》，《苏联历史档案选编》，第 16 卷，第 32—33 页。

[6] 《德国驻苏大使舒伦堡关于苏德接触致德国外交部电（1939 年 5 月 20 日）》，《苏联历史档案选编》，第 16 卷，第 34 页。

5 月，苏联获悉日本政府已经拒绝接受德国关于缔结反西方同盟的建议，不久，又得知德国已经决定进攻波兰，不会接受华沙的任何建议。5 月 22 日，德国和意大利签订军事同盟条约——钢铁条约。日本没有参加。这进一步证实日本不肯接受反西方义务的约束，德国也不愿意使自己的反波兰反英法的计划从属于日本的反俄同盟的要求。由此，苏联判定德国并没有把苏联视为头号敌人，德国要调整同苏联的关系，会对苏联作出某种政治姿态。

5 月 30 日，魏茨泽克同阿斯塔霍夫进行会谈，指出德国重新提及两国之间没有任何争执，已作出某种政治性姿态，因此德国方面希望贸易谈判在既是经济性又是政治性谈判的情况下恢复进行。

1939 年 5 月 31 日，莫洛托夫在最高苏维埃会议上作报告，在分析了绥靖政策的破产和法西斯国家的侵略之后指出，“我们坚持和平事业，不允许侵略行径进一步发展。然而，我们应该记住斯大林同志提出的原则：‘保持谨慎态度，不让那些惯于从中渔利的战争挑拨者把我国卷入冲突中去’。只有这样，我们才能够最终捍卫我们国家的利益和全世界的利益”。莫洛托夫在报告中还指出，“与英法谈判的同时，我们认为完全没有必要拒绝与德国意大利等国的实业联系”，[1] 暗示有可能恢复与德国的经济谈判，但没有提及“政治基础”问题。

6 月，苏德双方都在观望对方，两国间的经济谈判进展缓慢。舒伦堡在 6 月 29 日同莫洛托夫会谈了一个多小时。他的“印象”是，“莫洛托夫所说的一切表现了深刻的不信任，然而，与德国关系正常化是所希望和可能的”。[2]6 月底，德国决定满足苏联的大多数经济要求，向苏联保证德国对苏联并无敌意，并力图拟出某种经济和政治协议。苏联在 7 月认定，有可能与德国达成经济协定。[3]7 月 21 日，莫斯科公开宣布，苏德已经恢复正式的经济谈判。

[1] МИД СССР: Год кризиса. 1938 – 1939. Документы и материалы. Т. 2. М., Политиздат. 1990. С. 523–527.

[2] 《舒伦堡关于同莫洛托夫谈话致德国外交部电（1939 年 6 月 29 日）》，《苏联历史档案选编》，第 16 卷，第 37 页。

[3] ［美］格哈特 · 温伯格著：《希特勒德国的外交政策》，下编，何江译，商务印书馆 1997 年版，第 802—803 页。

1939年7月24日，阿斯塔霍夫与施努尔在柏林举行会谈。后者表示他接近里宾特洛甫并了解他的主张。德国政府认为，两国政治关系改善应分三步走：首先是完成贸易—贷款谈判；其次是新闻、文化方面的关系正常化、相互尊重；最后才能提出政治接近的问题。施努尔指出，德国在这方面的多次努力都没有得到苏联的回应。[1]

7月26日，阿斯塔霍夫和施努尔再次进行会谈。阿斯塔霍夫表示，"莫斯科不完全相信德国对苏联的政策已经发生了变化"。施努尔答复说，"现在德国的东方政策绝对采取的是另一种方针。谈不上我们对苏联构成威胁。我们的目标完全是另一个方向"。德国可以保证苏联"中立和不卷入可能爆发的欧洲冲突"。[2] 两人还谈到波兰和波罗的海国家的问题。施努尔表示，如果苏联方面需要德国在改善两国关系方面表示诚意的话，那么，德国方面准备"用事实证明可以谈判任何问题，给予任何担保"。如果苏联政府对此谈判感兴趣，将会从"更高层人士口中听到这种意见"。[3] 阿斯塔霍夫回答说，苏德接近符合两国的利益，但必须逐步发展。他表示这次谈话很重要，将向莫斯科汇报。

7月29日，莫洛托夫电示阿斯塔霍夫，"苏联与德国之间，在改善经济关系的基础上可以改善政治关系"。这需要德国方面向苏联方面提出具体在哪些方面改善。但德国方面至今不愿提出"任何具体或清晰的建议"。"事情完全取决于德国人"。莫洛托夫重申："两国之间政治关系的任何改善，苏联方面当然是欢迎的了"。[4]

1939年8月，苏联、德国、英法三方都在进行紧张的外交活动。苏联同英法的谈判进入军事谈判阶段。尽管德国觉察到苏英法谈判进行得不顺利，但仍感到是一种威胁。随着德国准备入侵波兰日期迫近，德国加强了对苏联的外交攻势。

8月2日，里宾特洛甫未经事前安排就会见了阿斯塔霍夫。他证实此前委

---

[1] МИД СССР: Год кризиса. 1938 – 1939. Т. 2. С. 120.

[2] 《施努尔关于苏德接触的备忘录（1939年7月27日）》，《苏联历史档案选编》，第16卷，第41—42页。

[3] МИД СССР: Год Кризиса. 1938 – 1939. Т. 2. С. 138.

[4] МИД СССР: Год Кризиса. 1938 – 1939. Т. 2. С. 145.

托施努尔与苏方举行会谈，进而表示："贷款谈判圆满结束将成为改善政治关系的开端。至今，我们之间关系上形成许多小的伤痕。这些小伤痕的愈合需要时间，而治愈是可能的。其基础前提是应该相信一方不应该干涉另一方的内部事务。如果苏联政府持相同观点的话，德国政府也不把国家社会主义的思想意识作为输出品，这样关系正常化的主要障碍就不存在了。"阿斯塔霍夫根据莫洛托夫的指示要求对方提出具体建议。里宾特洛甫要求将此信息报告莫斯科，在得到苏联的肯定答复之后，双方可以在柏林或莫斯科具体谈判。

8 月 3 日，施努尔根据里宾特洛甫的指示，与苏方代表进一步确定并补充双方会谈的内容。德方希望了解苏联四个方面的意见：(1) 是否愿意交换关于改善双边关系的意见；(2) 苏方能否提出具体商谈问题的范围；(3) 如果苏方愿意举行会谈（里宾特洛甫和希特勒对此都直接感兴趣），德方想了解苏方谈判代表是谁；(4) 德方要求绝对保密。[1] 对此，莫斯科于 8 月 4 日电告阿斯塔霍夫，苏联愿意就改善两国关系问题继续交换意见，其他问题则取决于柏林贸易贷款谈判的进展情况。[2]

8 月 4 日，舒伦堡会晤莫洛托夫，强调"德国与苏联之间在从波罗的海到黑海的空间中不存在分歧"，"一旦有必要对波罗的海国家采取保障苏联在波罗的海地区切身利益的立场的话，德国政府准备这样做"。舒伦堡声明，德国力争和平解决波兰问题，"如果把另一个决定强加于我们，那么我们准备捍卫苏联的全部利益，与苏联政府就这个问题达成共同的协议"。莫洛托夫对此表现出明显的兴趣，并询问波罗的海国家是否包括立陶宛。[3]

8 月 5 日，阿斯塔霍夫同施努尔举行会谈。施努尔告知，近期可能邀请阿斯塔霍夫参加高层会谈。由于贷款谈判还要持续 1—2 周，双方交换意见不宜拖延。施努尔提出，在发表联合公报中保留专门的附加条件，或者在签订贷款协定时附有秘密协议，并征求苏方对此的意见。[4] 显然，德国已迫不及待希望

[1] МИД СССР: Год Кризиса. 1938 – 1939. Т. 2. С. 159.

[2] МИД СССР: Год Кризиса. 1938 – 1939. Т. 2. С. 175.

[3] 《舒伦堡关于与莫洛托夫会晤致德国外交部的电报（1939 年 8 月 4 日）》，《苏联历史档案选编》，第 16 卷，第 47—48 页。

[4] МИД СССР: Год Кризиса. 1938 – 1939. Т. 2. С. 175.

一揽子解决双方的经济和政治关系问题。

8月7日，莫洛托夫电告阿斯塔霍夫，在纯属贷款—贸易性质的条约中不便包括改善政治关系的内容。莫洛托夫明确指出，“在签订贸易协定时附加秘密协议的建议是不合适的”。但他没有直接反对通过秘密协议解决两国政治关系问题的作法。他巧妙地说，这种作法“不合乎逻辑”，它将意味着此前“不应有的、不能理解的疏忽”。[1]这实际暗示应就政治关系问题进行专门的会谈。

在随后的双边交涉中，阿斯塔霍夫逐渐明白德方的意图。他于8月8日致电莫洛托夫，提出自己的分析：德国方面试图在东欧领土方面与苏联进行交易，而此项谈判“只有在没有英法苏军事政治协定的基础上”进行。他推测德国所以提出这一条件，其目的是要求苏联在德波战争中保持中立。[2]

8月10日，阿斯塔霍夫向莫斯科报告他与施努尔最新一次会谈的情况。他说德国方面非常关心苏联对波兰问题的态度。德国已经分析到德波之间可能爆发战争。苏联对此的态度对于德国“很重要”。施努尔不掩饰对苏英法三国谈判的不满，指出与英法签订协议不利于苏德谈判。[3]

8月11日，莫洛托夫致电阿斯塔霍夫，说苏联对德国提出的会谈要点感兴趣，提议谈判地点定在莫斯科。

8月12日，阿斯塔霍夫致电莫洛托夫，说已将苏方意见告知施努尔，并分析德国方面对苏联答复的反应。他认为，德国显然不愿意纠缠于新闻、文化方面的谈判，而急于直接进行领土—政治方面的谈判，以便为对波战争作好准备。同时，德国为阻止苏联与英法之间的军事谈判，作出了半年前不能作出的姿态：放弃波罗的海、比萨拉比亚以及东部波兰，只求得苏联许诺不干涉德波冲突。阿斯塔霍夫暗示不妨利用德国的这种心态。同日，阿斯塔霍夫再次致电莫洛托夫，认为根据德国国内情况分析，德国与波兰的冲突已近在眼前。[4]

8月13日，阿斯塔霍夫电告莫斯科，里宾特洛甫在电话中表示，施努尔在面谈中也表示，德国政府希望尽快进行改善两国关系的谈判，同意谈判地点

---

[1] МИД СССР: Год Кризиса. 1938–1939. Т. 2. С. 177.

[2] МИД СССР: Год Кризиса. 1938–1939. Т. 2. С. 178–180.

[3] МИД СССР: Год Кризиса. 1938–1939. Т. 2. С. 182–183.

[4] МИД СССР: Год Кризиса. 1938–1939. Т. 2. С. 185–188.

定在莫斯科，并拟派遣德国法学科学院的弗兰卡率代表团前往谈判，这样可以避免出现不希望的轰动。然而，第二天希特勒就决定派遣里宾特洛甫去莫斯科谈判，以加快完成对波战争的外交准备。

苏联看清希特勒的急不可待，便抓住这一有利时机争取自己的最大实际利益。它要确保贸易和贷款协议以及互不侵犯条约的签订，然后再同德国在利益范围问题上讨价还价。

德国为加快谈判进程，将谈判的主场从柏林的德国外交部和苏联驻德大使馆转到莫斯科的苏联外交部和德国驻苏大使馆。

8 月 14 日，里宾特洛甫指示德国驻苏大使舒伦堡向苏方转达德国的六点意见。

8 月 15 日，舒伦堡会见莫洛托夫，向他递交了备忘录。备忘录包含六个要点：(1) 苏德之间在世界观上的矛盾是此前两国相互对立和敌视的“唯一的原因”。目前，“不同世界观并不排除这两个国家间可有理智的关系和恢复友好合作的可能性”。(2)“在德国和苏联的利益中没有现实的矛盾”。“德国对苏联没有任何侵略意图。德国政府坚持这种观点，认为在波罗的海和黑海之间没有哪一个问题不能取得使两国满意的解决”。(3)“苏德政治正处在历史转折关头”。(4) 两国之间因意识形态上的敌视，“目前相互之间还不信任”。“但是需要肯定，在此期间德国人民对俄国人民的真情实意从未消失过”。(5) 两国根据各自的经验，“应该认识到，资本主义西方民主不仅是国家社会主义德国，而且是苏联的不可调和的敌人”。西方“企图重新通过签订军事同盟把苏联拉入同德国的战争，1914 年这一政策给俄国带来了很不好的后果”。(6)“英国政策所造成的德波关系紧张”，“迫使德苏关系必须在短期内明朗起来”。否则可能“使两国政府失去恢复德苏友好的可能性，不能在拥有相应章程的情况下共同使东欧领土问题明确起来”。备忘录最后提出，“由于通过一般外交途径作到使这种关系明朗化很慢，所以德国外长约·里宾特洛甫准备近期来莫斯科，以元首的名义向斯大林先生陈述元首的观点”。[1] 莫洛托夫询问德国是否愿意谈判互不侵犯条约问题？德国是否准备向日本施加影响以使它改善苏日关系？德国

[1] 《舒伦堡面交莫洛托夫的柏林声明(1939 年 8 月 15 日)》,《苏联历史档案选编》，第 4 卷，第 456—457 页。

是否准备给与波罗的海国家以可能的共同保证？舒伦堡表示将向国内报告。

8月17日，莫洛托夫再次会晤舒伦堡，并向德方提交了备忘录。莫斯科察觉到柏林急于改善两国关系的心情。它在备忘录中，以不慌不忙并略带强硬的语调答复德国8月15日的建议，以期获得最大的好处。备忘录首先指责了德国的反苏言论，指出德国部分官方讲话具有不友好和敌视苏联的性质，利用所谓反共产国际协定企图建立反苏战线，因而迫使苏联准备抵抗可能面临的侵犯。如果德国政府改变旧政策并认真改善与苏联的政治关系，苏联政府欢迎这种转变并准备调整自己的政策，认真改善同德国的关系。苏联没有侵略意图，坚持和平外交政策。因此“对于建立新的得到改善的两国政治关系不仅有现实的基础，而且对于实现这方面的实际步骤也存在条件”。苏德两国改善关系的第一步是签订信贷贸易协议。“不久之后的第二步可以是签订互不侵犯条约或批准1926年的中立条约，同时通过一个谈判双方都感兴趣的关于对外政策问题的专门协定，并把其作为条约的组成部分”。[1] 莫洛托夫指出，“斯大林同志知道此事，答复是经他同意的。斯大林同志同意我以苏联政府的名义递交”。[2] 舒伦堡也向苏方提交了备忘录，说德国与苏方意见一致，准备与苏联签订互不侵犯条约，期限为25年。元首认为鉴于目前情况，希望尽快弄清两国间有关问题。外长里宾特洛甫受元首委托，准备自8月18日起随时前往莫斯科面对面地全面谈判相关条约的条件。

8月19日，舒伦堡执意要求会见莫洛托夫。会晤时，舒伦堡表示德国政府同意苏联方面关于两国关系正常化的意见，说“柏林担心德国和波兰之间发生冲突……里宾特洛甫认为，在产生冲突之前，必须明确德苏之间的相互关系，因为在冲突期间作到这一点比较困难”。舒伦堡指出，签订贸易信贷协议的问题已经解决，共同保障波罗的海沿岸国家问题、互不侵犯条约问题以及对日本施加影响问题已经明确。因此里宾特洛甫认为他的访问具有重要意义，并且越快越好。德国政府就互不侵犯条约问题提出两点意见：两国政府保证在任

[1] 《莫洛托夫面交舒伦堡的苏联备忘录（1939年8月17日）》，《苏联历史档案选编》，第4卷，第462—463页。

[2] 《舒伦堡关于促成里宾特洛甫会面与莫洛托夫的谈话记录（1939年8月17日）》，《苏联历史档案选编》，第4卷，第459页。

何情况下不进行战争或不采取其他诉诸武力的方式；条约尽快生效，有效期为25年。舒伦堡再次强调，希特勒对里宾特洛甫的访问极为重视。里宾特洛甫可以签订一切协定，其中不仅包括已经提到的问题，而且还包括可能出现的新问题。

莫洛托夫并不像德国那样急于解决问题。他要步步斟酌，争取最大利益。他向舒伦堡表示，"里宾特洛甫的来访有积极的意义"。然而苏联认为，对此需要作些准备工作。莫洛托夫请舒伦堡确定德国政府希望签订新条约，而不是重新确认1926年的条约。德国大使回答说，从电报中可以得出这种结论。莫洛托夫又提出，在里宾特洛甫来访之前，应确定将会得到一定的成果，而信贷贸易协议至今尚未签订。舒伦堡说，里宾特洛甫访苏，可以在冲突发生之前取得一定成果。他认为，在形成特别协定时不会遇到困难，这是毫无疑问的。

莫洛托夫进一步询问大使，德国政府希望加速目前的谈判，是否可以用"德国政府对德波关系，其中包括但泽问题感兴趣"来解释？舒伦堡给予肯定，并补充说，"正是这些问题是在事件到来前愿意考虑苏联利益的出发点"。他进一步强调，莫洛托夫所说的准备工作已经完成，德国方面"准备迎合苏联政府的所有愿望"。莫洛托夫表示，苏联方面对于所谈问题是很认真的，并声明"我们怎么说就怎么做。我们决不食言，同时希望德国方面也这样做。"[1]

莫洛托夫向德方提交并宣读了苏联提出的《苏德条约草案》。其内容为：(1)缔约双方保证，相互之间不单独也不与其他国家一起对对方使用任何武力和实施任何侵略行动。(2)如果签约一方成为第三国实施武力或进攻的目标，在这种情况下，签约另一方不得以任何形式支持该国的类似行动。(3)在签约双方之间在这样或那样一些问题上发生争端和冲突的情况下，双方保证只通过和平途径采取互相协商的方式或在必要的情况下通过成立相应协商委员会的途径，解决这些争端和冲突。(4)本条约所定期限为5年。如果在期满前一年签约双方中没有一方宣布其作废，那么条约的有效期则自动延长5年。(5)本条约应在最短期限内得到批准，然后生效。条约最后有一条附则："本条约只有在签约双方感兴趣的关于对外政策问题的特别协定书同时签署的条件下才有

[1] 《舒伦堡关于互不侵犯条约内容与莫洛托夫的谈话记录（1939年8月19日）》，《苏联历史档案选编》，第4卷，第464—466页。

效。协定书是条约的有机部分”。[1] 苏联的条约草案特别是它的附则表明，斯大林在 8 月 19 日之前已经决定与希特勒就利益问题达成某种特别协定——秘密协定。

最后，莫洛托夫通知说，在贸易贷款协议公布后，里宾特洛甫可以在 8 月 26 日至 27 日来莫斯科。

据说，斯大林 8 月 19 日在党中央政治局会议上讲到同德国签订条约的问题。法国报纸在 1939 年 11 月 28 日至 29 日公布了讲话的全文。斯大林说，签约会使战争爆发，但最后无论是德国还是英法取得胜利都会对苏联有利。苏联的利益是使德国同英法集团彼此作战。对苏联来讲，最重要的是使战争尽量拖长，使双方消耗力量。正是为此，苏联应当接受德国提出的条约。如果战争爆发的话，应促使它进行得尽可能长些。同时应加强在交战国中的宣传工作，作好战争结束时的准备工作。不过，学者们对是否有此讲话看法不一。[2]

8 月 19 日，《苏德贸易信贷协议》在柏林签订。苏联向德国公司提出 2 亿马克的补充订货，主要是各种工厂设备。德国向苏联提供 2 亿马克的补充订货贷款，期限为 7 年，年息 5%。苏联保证在两年内按清单向德国提供 1. 8 亿马克的货物，主要是农林产品和工业原料。[3]

8 月 21 日，苏联《消息报》刊登了《苏德贸易信贷协议》。当天下午 3 点，舒伦堡向莫洛托夫递交了希特勒给斯大林的信。在信中，希特勒认为签订德苏贸易协定是德苏关系变化的第一步，表示真诚欢迎。他说，签订互不侵犯条约意味着“德国恢复了过去数百年来对两国有利的政治路线。在这种情况下，帝国政府决定完全按照这种深远的变化采取行动”。希特勒表示接受莫洛托夫提出的互不侵犯条约草案，“认为尽快澄清与此有关的一些问题是极其必要的”。

---

[1] 《莫洛托夫面交舒伦堡的苏德条约草案文本(1939 年 8 月 19 日)》，《苏联历史档案选编》，第 4 卷，第 467—468 页。

[2] 参见 *Случ С. З.* Речь Сталина, который не было. // Отечественная история. 2004. No. 1. *Дорошенко, В. Л. и др.* Не миф: речь Сталина 19 августа 1939 года. // Вопросы истории. 2005. No. 8.

[3] 协议和供货清单见《苏联历史档案选编》，第 4 卷，第 469—480 页。

“确信，苏联政府希望的附加协定书能够在尽可能短的时间内制订出来，如果德国负责的国务活动家能够亲自去莫斯科进行谈判的话。否则，帝国政府就不能想象能在短期内制订出附加议定书并且取得一致意见。”希特勒指出，当前德国与波兰之间的紧张关系已经变得不能容忍。希特勒再次建议斯大林在8月22日星期二，最迟不过8月23日星期三接见德国外交部长。“帝国外交部长既有起草和签订互不侵犯条约的全权，也有起草和签订议定书的全权。考虑到国际形势，外交部长不能在莫斯科多逗留哪怕是1—2天。”[1]

希特勒的信件给克里姆林宫领导人造成了深刻印象。斯大林认识到，要么同意希特勒的时间表，要么就错过至少在当年与德国达成协议的机会。他在收到希特勒信件的两个小时后，回信给希特勒。斯大林在信中表示，“希望互不侵犯条约将成为根本改善我们两国政治关系的转折点”。苏德两国人民彼此之间需要和平关系。德国政府同意签订互不侵犯条约，“这将为我们两国间消除政治紧张局势和建立和平与合作关系奠定基础”。最后，斯大林宣布，“苏联政府委托我通知您，同意里宾特洛甫先生于8月23日来莫斯科”。[2]

8月22日，苏联《消息报》报道了里宾特洛甫近日将出访莫斯科就签订互不侵犯条约等事项进行谈判的消息。同一天，苏联驻英国全权代表马伊斯基电告国内，伦敦获悉此消息后，政界出现“不小波动。有两种感觉：吃惊，茫然若失；忿怒和担心”。[3]

8月23日，里宾特洛甫带着希特勒亲笔签署的全权证书抵达莫斯科。他一到达就在舒伦堡的陪同下和斯大林、莫洛托夫进行会谈。里宾特洛夫在致德国外交部的电报中要求“立即向元首通报，与斯大林和莫洛托夫头三个小时的

[1] 《里宾特洛甫转发的希特勒关于德外长访苏问题致斯大林的电报（1939年8月20日）》，《苏联历史档案选编》，第16卷，第59—60页。

[2] 《斯大林关于同意里宾特洛夫访苏给希特勒的电报（1939年8月21日）》，《苏联历史档案选编》，第4卷，第489页。

[3] 《麦斯基关于英国对里宾特洛甫访苏反应给苏联外交人民委员部的信（1939年8月22日）》，《苏联历史档案选编》，第4卷，第494页。

会晤刚刚结束。讨论是在积极的气氛中进行的，符合我们的意愿”。[1] 当天深夜举行第二次会谈。最终，莫洛托夫和里宾特洛甫代表两国政府签订了《苏德互不侵犯条约》。

据莫洛托夫讲，条约签订后，斯大林举起盛着香槟酒的杯子说，“为新的反共产国际分子斯大林干杯！为德国人民的领袖希特勒的健康干杯！”随后，里宾特洛甫走向电话机将签订的情况和斯大林的话报告给在柏林的希特勒。他转达了希特勒的答复：“啊，我的大部长！你不知道你的功劳有多大！请代向苏联人民的领袖斯大林先生表示祝贺！”[2] 两国首脑都在最大限度地运用策略，以求达到各自的目的。

斯大林同德国外长里宾特洛甫握手，1939 年

苏德互不侵犯条约共有七条。

第一条　缔约双方保证决不单独或联合其他国家彼此间进行任何武力行动，任何侵略行为或者任何攻击。

第二条　如果缔约一方成为第三国敌对行为的对象时，缔约另一方将不给予该第三国任何支持。

第三条　缔约双方政府今后将彼此保持联系，以便对他们共同利益有关的问题交换情报

[1] 《里宾特洛甫关于与苏领导人谈判致德外交部电（1939 年 8 月 23 日）》，《苏联历史档案选编》，第 16 卷，第 67 页。

[2] 参见［俄］沃尔科戈诺夫著：《斯大林：胜利与悲剧》，中册，张慕良等译，世界知识出版社 2003 年版，第 820 页。

进行协商。

第四条 缔约任何一方将不加入直接或间接旨在反对另一方的任何国家集团。

第五条 如果缔约双方之间在某种问题上或其他问题上发生分歧或抵触时，缔约双方应当只通过和平方法、友好地交换意见或者必要时设立调解委员会，以资解决这些争端或抵触。

第六条 本条约有效期为十年，除非缔约一方在期满前一年通知废止，本条约将被认为自动延长五年。

第七条 本条约应尽早批准。批准书应在柏林互换，本条约签字后立即生效。[1]

条约附有《秘密附加议定书》。法西斯德国战败后，秘密议定书被美国公布。苏联则长期否认此事，直到1989年年底才正式承认存在这一秘密协定。

秘密议定书共有四条：

1. 一旦波罗的海国家（芬兰、爱沙尼亚、拉脱维亚和立陶宛）所属地区发生领土和政治变动，立陶宛的北部边界将是德国和苏联的利益范围界限。在此情况下，立陶宛在维尔诺地区的利益将得到双方承认。

2. 一旦波兰国家所属地区发生领土和政治变动，立陶宛在维尔诺地区的利益范围界限将是那累夫河、维斯瓦河和桑河。

双方的利益是否需要保持独立的波兰国家以及这个国家的边界如何划分的问题，只有在进一步的政治发展过程中才能最终确定。

无论如何，两国政府将以双方友好协商的方式解决这个问题。

3. 至于欧洲东南部，苏联强调它对比萨拉比亚的兴趣。德国方面声明它对这个地区在政治上完全没有兴趣。

4. 该议定书将由双方保存，严格保密。[2]

---

[1] 《国际条约集（1934—1944）》，第226—227页。

[2] Секретные документы из особых папок //Вопросы истории. 1993. No. 1. c6.《苏德互不侵犯条约秘密附加议定书（1939年8月23日）》，《苏联历史档案选编》，第16卷，第68—69页。

1939 年 8 月 28 日，莫洛托夫和舒伦堡在莫斯科签署了《1939 年 8 月 23 日秘密协定的说明》，对秘密协定的第二条款作出最终的明确规定，即“界限将是皮萨河、那累夫河、维斯瓦河和桑河”。[1]

8 月 31 日，苏联最高苏维埃特别会议批准了苏德互不侵犯条约。莫洛托夫在会上说：“苏德互不侵犯条约意味着欧洲发展的转折，意味着欧洲两个最大的国家间的相互关系开始向好的方面转折。这一条约不仅使我们取消了同德国发生战争的威胁，缩小了欧洲发生可能的军事冲突的范围，从而有利于普遍和平事业，而且它保障我们有可能增长自己的力量，巩固自己的阵地，继续增长苏联对国际发展的影响。”[2] 斯大林对苏德互不侵犯条约的签订非常满意，认为它向西方“打开了老虎铁笼的门”。[3]

另外，条约使在联德反苏问题上犹豫不决的日本平沼内阁下台，成功地离间了德日关系，使德日磋商的反苏同盟告吹，缓解了苏联东西两线受敌的严峻形势。

法国史学家让·巴·迪罗塞尔认为，苏德互不侵犯条约是“法国和英国政策的失败”。[4] 亨利·基辛格说，“在外交政策上，斯大林不愧是最冷静的算计者，并且以不受挑拨不轻举妄动而自傲”。[5]

不过，也应看到事情的另一面。苏德互不侵犯条约的有机组成部分——秘密协定完全是大国背着当事国划分势力范围。它暴露了苏联的民族利己主义和扩张意图。其次，苏德互不侵犯条约的签订应首先看成是德国外交的胜利。希特勒成功地破坏了反法西斯联盟的组成，解除了东西两线作战的威胁，8 天后便发动了侵略波兰的战争。希特勒在获得慕尼黑协定和苏德互不侵犯条约后，最终挑起世界大战，给世界人民包括苏联人民带来极大的灾难。史学家林

---

[1] Секретные документы из особых папок：Разъяснение к《секретному дополнительному протоколу》от 23 августа 1939года. //Вопросы истории. 1993. No. 1. С. 7.

[2] Известя. 1939. 1 сентября.

[3] Советская историография. Под ред. *Афанаоьева Ю. Н.* М., 1996. С. 307.

[4] ［法］让·巴蒂斯特·迪罗塞尔著：《外交史（1917—1978）》，上册，李仓人等译，译文出版社 1982 年版，第 258 页。

[5] ［美］亨利·基辛格：《大外交》，顾淑馨、林添贵译，海南出版社 1998 年版，第 294 页。

军认为，“从外交的角度讲，斯大林的‘与强盗联手防贼’的外交决策是苏联外交的一个杰作和胜利，同时，也是其政治和道义上的败笔，并且为此在道义和舆论上遭受了相应的损失”。[1]

[1] 林军：《俄罗斯外交史稿》，世界知识出版社 2002 年版，第 215 页。

附　录

参考书目

1. 文　献

《德波林学派资料选编》，张念丰、郭燕顺编，吉林人民出版社 1981 年版

《国际条约集（1924—1933)》，世界知识出版社 1961 年版

《“拉普”资料汇编》，中国社会科学出版社 1981 年版

《世界宪法大全》，姜士林、陈玮主编，上册，中国广播电视出版社 1989 年版

《苏联共产党代表大会、代表会议和中央全会决议汇编》，第 3、4、5 分册，人民出版社 1956、1957、1958 年版

《苏联共产党和苏联政府经济问题决议汇编》，第 2 卷，中国人民大学出版社 1987 年版。

《苏联检察制度史（重要文件汇编)》，[苏] 奥尔洛夫、列别今斯基编，党凤德等译，人民出版社 1954 年版

《苏联历史档案选编》，沈志华主编，第 1—32 卷，社会科学文献出版社 2002 年版

《苏联粮食问题的理论和政策文献》，人民出版社 1955 年版

《托洛茨基叛国集团案、布哈林叛国集团案、贝利亚叛国集团案资料选集》，中国人民大学出版社 1956 年版

XV съезд Всесоюзной Коммунистической партии（большевиков）: Стеногр. отчет. М. 1961–1962.《全联盟共产党（布尔什维克）第十五次代表大会》（速记记录）

XVI съезд Всесоюзной Коммунистической партии（большевиков）: Стеногр. отчет. М. 1953.《全联盟共产党（布）第十六次代表大会》（速记记录）

XVII съезд Всесоюзной Коммунистической партии（большевиков）: Стеногр. отчет. М. 1934.《全联盟共产党（布）第十七次代表大会》（速记记录）

XVIII съезд Всесоюзной Коммунистической партии（большевиков）: Стеногр. отчет. М. 1939.《全联盟共产党（布）第十八次代表大会》（速记记录）

Аймермахер, К. Доклад Н. С. Хрущева о культе личности Сталина на Ⅹ Ⅹ съезде КПСС. Документы. Москва РОССПЭН. 2002.《赫鲁晓夫在苏共二十大上关于斯大林个人崇拜的报告》（文件集）

Советская деревня глазами ВЧК—ОГПУ—НКВД 1918–1939 гг. Под ред. *Береловича А. Данилова* В. М., Т. 1–3. 1998–2003.《全俄肃反委员会—国家政治保卫总局—内务人民委员部眼中的苏联农村》（1918—1939 年）

Внешняя политика СССР. Сборник документов. Т. Ⅳ（1935–июнь1941г.）М. 1946.《苏联对外政策文件集》

Трагедия Советской деревни. Документы и материалы. Под ред. *Данилова В. П. Ивницкого Н. А*. и др. Т. 1. май1927–ноябрь1929. Т. 2. ноябрь 1929–декабрь1930. Т. 3. 1931–1933. Т. 4. 1934–1936. М. РОССПЭН. 1999–2002.《苏联农村的悲剧》（文件资料集）

Документы свидетельствуют. Под ред. *Данилова В. П. и Ивницкого Н. А.* М., 1989.《文件作证》

Декреты Советской власти. Т. 4. М., 1968.《苏维埃政权法令集》

Документы внешней политики СССР. т. 12–21. М. 1967–1977.《苏联对外政策文件集》

Документы и материалы кануна второй мировой войны, 1937—1939; В 2—х т. М., 1981.《第二次世界大战前夕的文件资料集》

Докумнты по истории мюнхенского сговора. 1937—1939. М., 1979.《有关慕尼黑勾结历史的文件集》

Индустриализация СССР. 1926–1941. Документы и материалы. 1928–1932. М., 1969; 1933–1937. М., 1971; 1938–1941. М. 1973.《苏联工业化：文件资料集》

История международной пролетарской солидарности. Документы и материалы. Сборник Ⅴ. М. 1961.《无产阶级国际团结史：文件资料集》

КозловВ. А. Неизвестная Россия 20века. М., 1992.《不为人知的二十世纪俄国》

Коллективизация сельского хозяйства. Важнейшие постановления Коммунистической партии и Советского правительства. 1927–1935. М., 1957.《农业集体化：共产党和苏联政府重要决定集》

Письма И. В. Сталина В. М. Молотову（1925–1936гг.）. Сборник документов. М., 1995.《斯大林给莫洛托夫的信》

КПСС о культуре, просвещении и науке. Сборник документов. М., 1963.《苏共论文化、教育和科学》（文件汇编）

Письма во власть. 1928—1939: Заявления, жалобы , доносы, письма в государственные структуры и советским вождям. Сост. *Лившин А. Я. и др*. М., РОССПЭН. 2002.《1928—1939 年间致政府的信件。致国家机关和苏联领袖的声明、控告、告密和信件》

Материалы февральско——мартовского пленума ЦК ВКП（б）1937 года. // Вопросы истории. 1993. No. 2.《1937 年联共（布）中央二、三月全会材料》

Министерство Иностранных Дел СССР: Год кризиса. Документы и материалы. Т. 1–2. М., Политиздат. 1990.《苏联外交部：危机年代》（文件资料集）

Министерство Иностранных Дел СССР: СССР в борьбе за мир накануне второй мировой войны. Сентябрь 1938г. —— август 1939г. Документы и материалы. М., 1971.《苏联外交部：第二次世界大战前夕苏联争取和平的斗争》（文件资料集）

Новые документы из истории Мюнхена. М., 1958.《慕尼黑历史的新文件》

Народное хозяйство СССР за 60 лет. М., "Статистика". 1977.《苏联国民经济 60 年》

Соколов А. К. Голос народа—— письма и отклики рядовых советских граждан о событиях 1918–1932гг. М., 1998.《民众的声音——苏联普通公民有关 1918—1932 年事件的信件和反响》

Убийство Кирова. Материалы расследования комиссии Комитета партийного контроля, КГБ , Прокуратуры СССР. Приложение к газете《Гласность》《基洛夫被刺案》（党的监察委员会、克格勃、苏联检察院的调查委员会材料）

Degras, Jane, ed. *Soviet Documents on Foreign Policy*. Vol. Ⅲ . 1933—1941. London. 1953.《苏联外交政策文件》

United States, State Department. *Foreign Relations of the United States , Dip-*

lomatic Papers: The Soviet Union, 1933–1939. Washington, D. C., 1952.《美国外交关系》(外交文件：苏联部分，1933—1939 年)

《现代史资料 10。日中战争 3》，东京，1964 年版

2. 著　作

[俄] 德 · 安 · 沃尔科戈诺夫著:《斯大林：胜利与悲剧》，张慕良等译，世界知识出版社 2003 年版

[俄] 弗 · 卡尔波夫著:《大元帅斯大林》，何宏江等译，社会科学文献出版社 2005 年版

[俄] 安东诺夫—奥弗申柯著:《斯大林时代的谜案》，彭卓吾译，红旗出版社 1992 年版

[俄] 格奥尔吉耶娃著:《俄罗斯文化史——历史与现代》，焦东建、董茉莉译，商务印书馆 2006 年版

[俄] 泽齐娜、科什曼、舒利金著:《俄罗斯文化史》，刘文飞、苏玲译，上海译文出版社 2005 年版

[法] 让 · 巴蒂斯特 · 迪罗塞尔著:《 外交史》，上册，李仓人等译，译文出版社 1982 年版

[法] 艾伦斯坦著:《斯大林现象史》，方光明译，时事出版社 1986 年版

[法] 罗曼 · 罗兰著:《莫斯科日记》，夏伯铭译，上海人民出版社 1995 年版

[美] 安娜 · 路易斯 · 斯特朗著:《斯大林时代》，石人译，世界知识出版社 1979 年版

[美] 亨利 · 基辛格著:《大外交》，顾淑馨、林添贵译，海南出版社 1998 年版

[美] 沃 · 拉德钦斯基等著:《苏联农业的社会化》，赵林叙译，商务印书馆 1964 年版

[美] 格哈特 · 温伯格著:《希特勒德国的外交政策》，下编，何江译，商务印书馆 1997 年版

[美] 国会联合经济委员会编:《苏联经济新剖视》，中册，韩克信等译，

中国财政经济出版社 1979 年版

[美] 萨顿著:《西方技术与苏联经济的发展（1930—1945)》，安冈译，中国社会科学出版社 1980 年版

[苏] 爱·拉津斯基著:《斯大林秘闻——原苏联秘密档案最新揭露》，李惠生等译，新华出版社 1997 年版

[苏] 鲍·尼·波诺马廖夫:《苏联共产党历史》，上下卷，上海师大、市五七干校六连国际组译，上海人民出版社 1974 年版

[苏] 德波林主编:《第二次世界大战史》，第 1 卷，上海外国语学院西俄语系俄语教师译，第 2 卷，潘咸芳等译，上译文出版社 1978，1981 年版

[苏] 费·丘耶夫著:《同莫洛托夫的 140 次谈话》，王南枝等译，新华出版社 1992 年版

[苏] 葛罗米柯等主编:《苏联对外政策史》，中国人民大学出版社 1989 年版

[苏] 罗·亚·麦德维杰夫著:《让历史来审判》，赵洵等译，人民出版社 1991 年版

[苏] 罗·亚·麦德维杰夫著:《斯大林和斯大林主义》，彭卓吾等译，中国社会科学出版社 1989 年版

[苏] 维戈兹基等编:《外交史》，第 3 卷，大连外语学院俄语系翻译组译，三联书店 1979 年版

[苏] 亚·奥尔洛夫:《斯大林肃反秘史》，徐晓晴等译，江苏人民出版社 1988 年版

[苏] 弗拉索夫著:《苏维埃国家机关》，郑华译，法律出版社 1955 年版

[苏] 列利丘克著:《苏联的工业化: 历史、经验、问题》，闻一译，商务印书馆 2004 年版

[苏] 普列奥布拉任斯基著:《新经济学》，纪涛、蔡恺民译，三联书店 1984 年版

[苏] 沙拉金著:《图波列夫囚徒设计所》，崔芝远、傅士彬译，吉林人民出版社 1983 年版

[苏] 特鲁哈诺夫斯基著:《国际关系和苏联对外政策史（1917—1939)》，第 1 卷，刘功勋等译，世界知识出版社 1965 年版

[西德]迈斯纳，鲍·主编:《苏联的社会变革》，上海《国际问题资料》编辑组译，三联书店 1977 年版

[英]阿诺德·托因比、维罗尼卡·托因比著:《大战前夕，1939 年》，劳学素、复旦大学历史系世界史教研室译，译文出版社 1984 年版

[英]伦·夏皮罗著:《一个英国学者笔下的苏共党史》，徐葵等译，东方出版社 1991 年版

[英]多依切，艾萨克著:《斯大林政治传记》，于干译，四川人民出版社 1982 年版

[英]格雷，伊恩著:《斯大林——历史人物》，张志明等译，新华出版社 1981 年版

《邓小平文选》，第 2 卷，人民出版社 1993 年版

《俄国东正教会与国家 1917—1945》，傅树政、雷丽平著，社会科学文献出版社 2001 年版

《俄罗斯外交史稿》，林军著，世界知识出版社 2002 年版

《国际关系史》，王绳祖主编，第 5 卷，世界知识出版社 1995 年版

《赫鲁晓夫回忆录》，张岱云等译，东方出版社 1988 年版

《联共（布）党史简明教程》，人民出版社 1975 年版

《世界宪法大全》，姜士林、陈玮主编，中国广播电视出版社 1989 年版

《斯大林模式研究》，李宗禹等著，中央编译出版社 1999 年版

《斯大林年谱》，秦永立编著，中央编译出版社 1999 年版

《斯大林全集》，第 11—13 卷，人民出版社 1955—1956 年版

《斯大林文选》，人民出版社 1977 年版

《斯大林选集》，上下卷，人民出版社 1979 年版

《斯大林研究》，中央编译局列宁斯大林著作编译室编，第 1—5 辑，1993—1995 年

《苏联大清洗内幕》，陈启能主编，社会科学文献出版社 1988 年版

《苏联国民经济发展七十年》，陆南泉等编，机械工业出版社 1988 年版

《苏联国民经济建设计划文件汇编（第一个五年计划）》，1955 年版

《苏联社会主义经济史》，苏联科学院经济研究所编，第 3 卷，王逸琳等译，第 4 卷，马文奇等译，三联书店 1982 年版

《苏联史纲（1917—1937）》，陈之骅主编，下卷，人民出版社 1991 年版

《苏联文化体制沿革史》，马龙闪著，中国社会科学出版社 2007 年版

《苏联兴亡史论》，陆南泉等主编，人民出版社 2004 年第 2 版

《苏联政治经济体制七十年》，刘克明、金挥主编，中国社会科学出版社 1990 年版

Богденко М. Л., Зеленин И. Е. Совхозы СССР. Краткий исторический очерк（1917–1975）. М., 1976.《苏联国营农场简史》

Борисов Ю. В. Советско–французские отношения. 1924–1945 гг. М., 1964.《1924—1945 年的苏法关系》

Бородин Б. А. Помощь СССР китайскому народу в антияпонской войне. 1937–1941. М., 1965.《苏联在抗日战争时期对中国人民的援助》

Верхотуров Д. Н. Экономическая революция Сталина. ОЛМА–ПРЕСС 2006.《斯大林的经济革命》

Вишневский А. Г. Серп и рубль. Консервативная модернизация в СССР. М., 1998.《镰刀和卢布。苏联的保守主义现代化》

Внешняя политика Советского Союза. 3–е изд., перераб. и доп. М., 1985.《苏联对外政策》

Восленский М. С. Номенклатура: господствующий класс Советского Союза. М., 1991.《在册权贵：苏联的统治阶级》

Всесоюзная перепись населения 1937 г. Краткие итоги. М., 1991.《1937 年的全联盟人口调查小结》

Говорят строители социализма. Воспоминания участников социалистического строительства в СССР. М., 1959.《社会主义建设者的述说。苏联社会主义建设者的回忆》

Данилов В. П. Советская доколхозная деревня: социальная структура, социальные отношения. М., 1979.《集体农庄组建前的苏联农村：社会结构，社会关系》

Данилов В. П. Очерки истории коллективизации сельского хозяйства в союзных республиках. М., 1963.《各加盟共和国农业集体化简史》

Данилов В. П. Создание материальнотехнических предпосылок коллективизации сельского хозяйства в СССР. М., 1957.《苏联农业集体化物质技术前提的建立》

Ермаков В. Т. Исторический опыт культурной революции в СССР. М., 1968.《苏联文化革命的历史经验》

Зезина, М. Р. Кошман, Л. В. Шульгин, В. С. История русской культуры. М., 1990.《俄罗斯文化史》

Зеленин И. Е. Совхозы СССР в годы довоенных пятилеток. 1928–1941. М., 1982,《战前五年计划年代的苏联国营农场》

Иванов В. М. Маршал М. Н. Тухачевский. М. 1985.《图哈切夫斯基元帅》

Ивницкий Н. А. Классовая борьба в деревне и ликвидация кулачества как класса.（1929–1932）. М., 1972.《农村的阶级斗争和富农作为阶级被消灭》

Ивницкий Н. А. Коллективизация и раскулачение. М. 1994.《集体化和剥夺富农》

История и Сталинизм. Сост. *А. Р. Мерцалов*. М., Политиздат. 1991.《历史和斯大林主义》

История внешней политики СССР. Под ред. *Громыко А. А.* Т. 1 М., 1986.《苏联对外政策史》

История Коммунистической партии Советского Союза. В 6–ти т. М., 1964—1980.《苏联共产党历史》

История международных отношений и внешней политики СССР, 1917–1967гг., в 3–х т. М., 1967.《国际关系和苏联对外政策史》

История национально——государственного строительства в СССР. 1917–1978. В 2–х т. 3–е изд., перераб. и доп. М., 1979.《苏联民族—国家建设史》

История России. Х Х век. Под ред. *Дмитренко В. П.* М., АСТ. 1997г.《二十世纪俄国史》

История России. Под ред. *Сахарова А. Н.* Т. 2. М., 2003.《俄国史》

История советского крестьянства. Под ред. *Зеленина И. Е.* Т. 2. М.,《Наука》, 1986.《苏联农民史》

История СССР с древнейших времен до наших дней. Т. 8, 1921–1932 гг. М., 1967. т. 9, 1933–1941 гг. М., 1971.《自古迄今的苏联史》

Ким М. П. 40 лет советской культуры. М., 1957.《苏联文化 40 年》

Кирилина, А. Неизвестный Киров. СПб. М., 2001.《人所不知的基洛夫》

Коржихина, Т. П. История государственных учреждений СССР. М., 1986.《苏联国家机构史》

Кузьмин В. И. В борьбе за социалистическую реконструкцию 1926–1937 г. г. М. 1976.《为社会主义改造而斗争（1926—1937 年）》

Куртуа, С. Верт, Н. Панне, Жан—Луи. Пачковский, А. Бартошек, К. Маргслен, Жан–Луи Чёрная книга коммунизма. М., 1999.《共产主义黑皮书》

Кутаков Л. Н. История международных отношений и внешней политики СССР, 1917-1972. М., 1975.《国际关系和苏联对外政策史》

Летопись Советской внешней политики. 1917–1978: Даты и факты. М., 1978.《苏联对外政策年表》

Максимычев И. Ф. Дипломатия мира против дипломатии войны: Очерк советско——германских дипломатических отношений в 1933–1939 г–х. М., 1981.《和平外交反对战争外交：1933—1939 年的苏德外交关系简史》

На китайской земле: Воспомнания советских добровольцев, 1925–1945. 2–е изд., доп. М., 1977.《在中国的土地上：苏联志愿兵回忆录》

Нежинский Л. Н. Советская внешняя политика. М., Междотн. 1992.《苏联外交政策》

Новейшая история Отечества. Под ред. *Киселёва А. Ф. Шагина. Э. М.* ＸＸ век: В 2 т. изд. 2. М., ВЛАДОС. 2002.《二十世纪祖国现代史》

Осокина Е. За фасадом “сталинского изобилия”——Распределение и рынок в снабжении населения в годы индустриализации, 1927–1941гг. М., 1999.《“斯大林富裕”的背后——工业化年代居民供应中的配给与市场》

Попов В. И. Дипломатические отношения между СССР и Англией 1929–1939 гг. М., 1965.《1929—1939 年的苏英外交关系》

Реабилитация. Политические процессы 30–50–х годов. М., 1991.《平反：1930—1950 年代的政治审判案》

Роговин, В. Сталинский Неонэп. М., 1994.《斯大林的新新经济政策》

Росляков, М. В. Убийство Кирова. Политические и уголовные реступления в 1930–х годах. Л., 1991.《基洛夫被杀害：1930年代的政治和刑事罪行》

Семиряга М. И. Тайна сталинской дипломатии. М., Высшая Школа. 1992.《斯大林外交的之秘密》

“Совершенно секретно”. Лубянка – Сталину о положении в стране（1922–1934 г. г. ）Под ред. Сахарова А. Н. Т. 3. ч. 2. М., 2002.《“绝密”。卢比扬卡就国内局势（1922—1934年）致斯大林》

Симонов Н. С. Военно–промышленный комплекс СССР в 1920–1950–е годы. М., РОССПЭН 1996.《1920—1950年间的苏联军工综合体》

Сиполс В. Я. Дипломатическая борьба накануне второй мировой войны. М., 1979.《第二次世界大战前夕的外交斗争》

Советская историография. Под ред. *Афанасьева Ю. Н.* М., 1996.《苏联历史编纂学》

Советская интеллигенция. Краткий очерк истории. 1917–1975 гг. М., 1977.《苏联知识分子简史》

СССР в борьбе против фашистской агрессии. 1933–1945. М., 1976.《苏联反对法西斯侵略的斗争》

Струмилин С. Г. На плановом фронте. М., 1980.《在计划战线上》

Струмилин С. Г. Экономическая жизнь СССР в хронике событий и фактов. 1917—1959. М., 1961.《苏联经济生活大事记》

Трапезников С. П. Ленинизм и аграрно–крестьянский вопрос. В 2–х т. 2–е изд. М., 1974.《列宁主义和农业—农民问题》

Трифонов И. Я. Ликвидация эксплутаторских классов в СССР. М., 1975.《苏联剥削阶级的消灭》

Хлевнюк О. В. Политбюро. Механизмы политической власти в 1930–е годы. М., 1996.《政治局：1930年代的政权结构》

Andrle, V. *Workers in Stalin's Russia: Industrialization and Social change in a Planned Economy*. Brighton Harvester. 1988.《斯大林俄国中的工人：计划经济中的工业化和社会变化》

Baberowski, J. *Der rote Terror: Die Geschichte des Stalinismus*. Munchen: Deutche Verlags–Anstalt. 2004.《红色恐怖：斯大林主义史》

Conquest, Robert. *The Great Terror: Reassessment*, New York: Oxford University Press. 1990.《大恐怖：再评价》

Conquest, Robert. *The Harvest of Sorrow: Soviet Collectivization and the Terror–Famine.* New York and Oxford. 1986.《伤心的收成：苏联集体化和可怕的饥荒》

Davies, R. W. *The Industrialisation of Soviet Russia*, 2 vols. London: Macmillan, 1980.《苏俄的工业化》

Davies, R. W. *The Socialist Offensive: The Collectivisation of Soviet Agriculture , 1929–1930*, 2 vols. Cambridge, Mass., 1980.《社会主义进攻：苏联农业集体化 1929—1930 年》

Davis, R. W. *The Soviet Economy in Turmoil, 1929–1930*. London: Macmillan. 1988.《混乱中的苏联经济。1929—1930 年》

Davis, R. W. *Crisis and Progress in the Soviet Economy, 1931–1933*. London: Macmillan. 1996.《苏联经济中的危机与进步 1931—1933 年》

Filtzer, D. *Soviet Workers and Stalinist Industrialization*, Armonk:Sharpe, 1986.《苏联工人和斯大林工业化》

Fitzpatrick, Sheila（ed.）, *Cultural Revolution in Russia, 1928–1931*, Bloomington: Indiana University Press, 1978.《俄国文化革命（1928—1931)》

Getty, J. A. and Manning, R. T.（ed.）*Stalinist Terror. New Perspectives*. Cambridge University Press. 1993.《斯大林恐怖。新观点》

Gibson, Michael *Russia under Stalin.* London–New York. 1972.《斯大林统治下的俄国》

Goldman, Wendy. *Terror and democracy in the age of Stalin*. Cambridge University Press. 2007.《斯大林时代的恐怖与民主》

Haslam, Jonathan. *The Soviet Union and the Search for Collective Security, 1933-1939*, New York, 1984.《苏联和集体安全的寻求（1933—1939 年)》

Hochman, Jifi. *The Soviet Union and the Failure of Collective Security. 1934–1938*. Ithaca and London. 1984.《苏联和集体安全的失败》

Jansen, Marc. Petrov, Nikita. *Stalin' s Loyal Executioner People' s Commissar Nicolas Ezhov, 1895—1940*. Stanford, Califonia, Hoover, Institution Press. 2002.

《斯大林的忠实执行者——人民委员尼古拉·叶若夫》

Jasny, Naum. *Soviet Industrialization, 1928–1950*. Chicago. 1960.《苏联工业化。1928—1950年》

Levin, M. *Russian Peasants and Soviet Power: A Study of Collectivization*. London. 1968.《俄国农民和苏维埃权力：集体化研究》

Levin, M. *The soviet century*. London–New York. 2005.《苏维埃世纪》

Malia, M. *The Soviet Tragedy. A History of Socialism in Russia.* N. Y. 1994.《苏联悲剧。俄国社会主义史》

Masna, B. *Social Change in the Soviet Union: Russian Path towards Industrial Society*. London. 1972.《苏联的社会变化：俄国通向工业社会之路》

Merl, St. *Bauern unter Stalin*. Berlin. 1990.《斯大林统治下的农民》

Nove, Alec（ed.）*The Stalin Phenomenon*. London. 1993.《斯大林现象》

Nove, Alec. *An Economic History of the USSR*. London. 1969.《苏联经济史》

Tucker, Robert C. *Stalin in Power. The Revolution from Above, 1928–1941*. New York, London. 1990.《掌权的斯大林。来自上面的革命。1928—1941年》

Volin, L. *A Century of Russian Agriculture from Alexander* Ⅱ *to Khrushchev*. Havord. 1970.《从亚历山大二世到赫鲁晓夫的俄国农业一个世纪》

[日]日本防卫厅防卫研修所战史室：《战史丛书（90）；支那事变陆军作战(3)》，东京，1975年版

3. 论　文

马龙闪：《苏联“大清洗”受迫害人数再考察》，《历史研究》，2005年第5期

雷振扬：《斯大林民族政策评析》，《东欧中亚研究》，1992年第4期

吴恩远：《苏联“三十年代大清洗”人数考》，《历史研究》，2002年第5期

郑异凡：《论斯大林镇压问题研究中的某些概念和方法》，《历史研究》，2005年第5期

Абрамов Н. “Дело Тухачевского”. // Новое время. 1989. No. 13.

Богданова Н. Б. Судебный процесс “Союзного бюро ЦК РСДРП（меньшевиков）” в 1931 году. //Отечественная история. 2001. No. 2.

Викторов Б. “Заговор” в Красной Армии. // Правда. 1988. 29 апреля

Данилов В. П. Зеленин И. Е. Организованный голод к 70–летию общекрестьянской трагедии. //Отечественная История. 2004. No. 5.

Данилов В. П. Советское главное командование в преддверии Великой Отечественной войны. // Новая и новейшая история. 1988. No. 6.

Девис Р. У. Советская экономика в период кризиса 1930–1933 годы. // История СССР. 1991. No. 4.

Жохов М. Гамарник Ян. // Коммунист Вооржённых Сил. 1988. No. 17.

Жуков Ю. Н. Репрессии и конституция СССР 1936 года. //Вопросы истории. 2002. No. 1.

Зеленин И. Е. Коллективизация и единоличник（1933—— первая половина 1935 г.）// Отечественная история. 1993. No. 3.

Зеленин И. Е. Кульминация《Большого террора》в деревне. Зигзаги аграрной политики（1937——1938г. г.）// Отечественная история. 2004. No. 1.

Земсков В. Н. Спецпоселенцы. // Социологические исследования. 1990. No. 11.

Земсков В. Н. Заключённые в 1930–е годы: социально–демографические проблемы. // Отечественная история. 1997. No. 4.

Земсков В. Н. О некоторых проблемах《Большого террора》 1937–1938 годов. // Отечественная история. 2000. No. 1.

Зима В. Ф. Голод 1932–1933 годов в письмах трудящихся России. // Отечественная История. 2006. No. 2.

Иссерсон Г. Судьба полководца. // Дружба народов. 1988. No. 5.

Кирьянова Е. А. Коллективизация Центра России（1929–1937гг.）// Отечественная История. 2006. No. 5.

Коллективизация: истоки, сущность, последствия. Беседа за《круглым столом》. //История СССР. 1989. No. 3.

Константинов С. Сталин в борьбе за единство России. // Русский геополитический сборник. 1996. No. 2.

Коровяковский П. Китайцы. Жертвы Сталинской Репрессий. //Проблемы Дальнего Востока. 1991. No. 2.

《Круглый стол》: Советский Союз в 30–е годы. // Вопросы истории. 1988. No. 12.

Лельчук В. С. 1926–1940 годы: завершенная индустриализация или промышленный рывок? // История СССР. 1990. No. 4.

Мерль Стефан Экономическая система и уровень жизни в дореволюционной России и Советском Союзе. // Отечественная история. 1998. No. 1.

Павлова И. В. Власть и обшество в СССР в 1930–е годы. //Вопросы истории. 2001. No. 10.

Павлова И. В. Современные западные историки о сталинской России 30—х годов. //Отечественная история. 1998. No. 5.

Плимак Е. Г. Антонов В. С. 1 декабря 1934год: трагедия Кирова и трагедия Советской России. // Отечественная история, 2004г, No. 6.

Попов В. П. Государственный террор в советской России 1923–1953г. г.: Источники и их интерпретации. // Отечественные архивы. 1992. No. 2.

Попов В. П. Крестьянские налоги в 40–е гг. // Социалогические исследования. 1997. No. 2.

Пфафф И. Прага и дело о военном заговоре. // Военно–исторический журнал. 1988. No. 10.

Рогалина Н. Можно ли отделить советскую модернизацию от ГУЛАГа? // Отечественная История. 2000. No. 4.

Сергеев Ф. Нацистская разведка против СССР: "дело" Тухачевского, операция "цепплин". // Новая и новейшая история. 1989. No. 1.

Сиаров В. А. О работе Комиссии Политбюро ЦК（б по вопросам сплошной коллективизации. // Вопросы истории КПСС. 1964. No. 1.

Случ С. З. "Дело Тухачевского". Велика ли заслуга СД?// Советское славяноведение 1992. No. 1.

Смирнов В. С. Экономические причины краха социализма в СССР. // Отечественная история. 2002. No. 6.

Смирнова Т. М. В происхождении своём никто не повинен…… // Отечественная история. 2003. No. 4.

Тухачевская Е. Н. В тени монумента. // Огонёк. 1988. No. 17.

Хорев А. Маршал Тухалевский. // Красная звёзда. 1988. 4 июня

Davies, R. *The Socialist Market: A Debate in Soviet Industry. 1932–33*. //The Slavic Review. Vol. 42.

4. 报　刊

《解放周刊》，1937 年

Аргументы и факты

Большевик

Вестник Верховного суда СССР

Военно–исторический журнал

Вопросы истории

Вопросы истории КПСС

Гласность

Горизонт

Дружба народов

Известия ЦК КПСС

Источник

Кентавр

Коммунист Вооружённых Сил

Международная жизна

Новая и новейшая история

Новое время

Огонёк

Отечественная история

Отечественные архивы

Проблемы Дальнего Востока

Советское славяноведение

Социологические исследования

The Journal of Moderen History

The Slavic Review

Известия

Красная звёзда

Правда

主 题 索 引

L

M

N

O

R

S

T

W

X

Y

Z

人 名 索 引

K

L

M

N

P

Q

R

S

T

W

X

Y

人物简介

A

阿尔克斯尼斯，雅·伊·（Алкснис Я. И. 1897—1938）——苏联副国防人民委员，遭镇压。

阿赫玛托娃，安·（Ахматова А. 1889—1966）——苏联女诗人。

阿洪多夫，鲁·阿·（Ахундов Р. А. 1897—1938）——阿塞拜疆共产党（布）中央书记，遭镇压。

阿库洛夫，伊·阿·（Акулов И. А. 1888—1939）—— 1933—1935 为苏联第一任检察长，后任苏维埃中央执行委员会秘书。遭镇压。

阿姆莫索夫，马·基·（Аммосов М. К. 1897—1939）——吉尔吉斯共产党（布）中央书记，遭镇压。

阿斯塔霍夫，Г. А.（Астахов Г. А. ）—— 苏联驻德临时代办。

埃德曼，罗·彼·（Эйдеман Р. П. 1895—1937）——苏联国防航空化学建设促进会中央委员会主席，军长。遭镇压。

埃赫，罗·因·（Эйхе Р. И. 1890—1940）—— 1929—1937 年任联共（布）西西伯利亚边疆区委员会书记，1937 年任苏联农业人民委员。1935—1938 年为联共（布）中央政治局候补委员，遭镇压。

埃斯蒙特，尼·博·（Эйсмонт Н. Б. 1891—1935）——俄罗斯联邦商业人民委员、苏联供应人民委员。1933 年被开除出党，死于车祸。

艾塔科夫，Н.（Айтаков Н. 1894—1938）—— 苏联中央执行委员会主席团成员，土库曼党政领导人，遭镇压。

爱伦堡，伊·格·（Эренбург И. Г. 1891—1967）——苏联作家。

安德列也夫，安·安·（Андреев А. А. 1895—1971）——1934—1952 为联共（布）中央政治局委员，1930 年任联共（布）中央监察委员会主席。

安东诺夫—奥弗申柯，弗·亚·（Антонов—Овсеенко В. А. 1884—1938）——1934 年任俄罗斯联邦检察长，1938 年任苏联司法人民委员，死于狱中。

安季波夫，尼·基·（Антипов Н. К. 1894—1941）——苏联人民委员会副主席，苏维埃监察委员会主席，遭镇压。

奥尔贝格，瓦·帕·（Ольберг В. П. ）—— 德国共产党党员，高尔基市师范学院教师。因“托—季反苏联合总部”案件被处死。

奥尔洛夫，弗·米·（Орлов В. М. 1895—1938）—— 海军司令，副国防人民委员，遭镇压。

奥尔忠尼启则，格·康·（Орджоникидзе Г. К. 1886—1937）—— 1930—1937 年为联共（布）中央政治局委员，1930 年任苏联最高国民经济委员会主席，1932 年任重工业人民委员。因与斯大林在大清洗问题上产生分歧而自杀。

奥拉赫拉什维利，马·德·（Орахелашвили М. Д. 1881—1937）——联共（布）外高加索边疆区委第一书记，遭镇压。

奥斯特洛夫斯基，尼·（Островский Н. 1904—1936）——苏联作家。

B

巴尔都，路易（Barthou Louis 1862—1934）——1934 年 2 月出任法国外长，10 月被暗杀。

鲍里索夫（Борисов М. ）—— 基洛夫的警卫。

鲍曼，卡·雅·（Бауман К. Я. 1892—1937）—— 联共（布）中央政治局候补委员和中央书记，1929 年任莫斯科州委第一书记，1931 任联共（布）中亚局第一书记，遭镇压。

贝利亚，拉·巴·（Берия Л. П. 1889—1953）—— 1938 年 12 月起任苏联内务人民委员。

贝奈斯，爱·（Benes, Eduard. 1884—1948）—— 捷克斯洛伐克外长，1935—1938 年任总统。

彼得罗夫斯基，格·伊·（Петровский Г. И. 1878—1958）——1926—1939 年为联共（布）中央政治局候补委员，乌克兰中央执行委员会主席，曾无辜遭逮捕。

别尔津，扬·卡·（ Берзин Ян. К. 1889—1938）—— 苏联二级集团军政委，1936—1937 年任西班牙共和国军事总顾问，遭镇压。

别尔拉茨基，鲍·马·（Берлацкий Б. М. 1889—1937）——苏联国家银行管理处成员。因“孟什维克中央联盟局”案被判刑，死于狱中。

波将金，弗·（Потёмкин В. П. ）—— 苏联驻法国大使，副外交人民委员。

波克罗夫斯基，米·尼·（Покровский М. Н. 1868—1932）——苏联历史学家。

波斯蒂舍夫，帕·彼·（Постышев П. П. 1887—1939）——1934—1938 年为联共（布）中央政治局候补委员，历任乌克兰共产党（布）中央书记，哈尔科夫和基辅州委书记，遭镇压。

布勃诺夫，安·谢·（Бубнов А. С. 1993—1940）——1924—1929 年任红军政治部主任，1929—1937 年任俄罗斯联邦教育人民委员，遭镇压。

布哈林，尼·伊·（Бухарин Н. И. 1888—1938）——1924—1929 为联共（布）中央政治局委员,1934—1937 年任《消息报》主编。被控组织“右派与托派联盟”被处死。

布林，安·斯·（Булин А. С. 1894—1937）—— 红军总政治部副主任，遭镇压。

布留哈诺夫，尼·帕·（Брюханов Н. П. 1878—1942）——联共（布）中央候补委员，遭迫害。

布留赫尔，瓦·康·（Блюхер В. К. 1889—1938）——苏联元帅，中国称他为加伦将军，遭镇压。

布琼尼，谢·米·（Буденный С. М. 1883—1973）——苏联元帅。

C

茨维塔耶娃，玛·（Цветаева М. 1892—1941）——苏联女诗人。

D

德边科，帕·叶·（Дыбенко П. Е. 1889—1938）——先后任苏联中亚军区、伏尔加军区和列宁格勒军区司令，遭镇压。

德波林，阿·莫·（ Деборин А. М. 1881—1963）——苏联科学院院士，哲学家。

德赖采尔，叶·亚·（Дрейцер Е. А. ）——曾任红军师政委，获两枚红旗勋章。后任某菱镁矿厂副厂长。因“托季反苏联合总部”案被处死。

迪亚斯，何塞·（Diaz J. 1894—1942）——西班牙共产党总书记。

多亚连科，А．Г．(Дояренко А. Г. ）—— 苏联农学家，因“劳动农民党”案件遭迫害。

F

法捷耶夫，亚·亚·（Фадеев А. А. 1901—1956）——苏联作家。

费尔德曼，鲍·米·（Фельдман Б. М. 1891—1937）——红军指挥人员管理部部长，莫斯科军区副司令，因军人案件被处死。

费季科，伊·费·（Федько И. Ф. 1897—1939）苏联第一副国防人民委员，遭镇压。

佛朗哥（Franco, Francisco 1892—1975）——西班牙陆军参谋长，1936年发动反政府叛乱。

弗鲁姆金，莫·伊·（Фрумкин, М. И. 1878—1938）——苏联副财政人民委员。

伏罗希洛夫，克·叶·（Ворошилов, К. Е. 1881—1969）—— 苏联元帅，国防人民委员。

G

盖达尔，阿·彼·（Гайдар А. П. 1904—1941）——苏联儿童文学作家。

高尔基，阿·马·（Горький А. М. 1868—1936）——苏联作家。

戈洛杰德，尼·马·（Глодед Н. М. 1894—1937）——白俄罗斯党中央书记，人民委员会主席，遭镇压。

戈洛谢金，菲·伊·（Голощекин Ф. И. 1876—1941）——哈萨克边疆区委员会书记苏联人民委员会总调解员，遭镇压。

哥尔布诺夫，尼·彼·（Горбунов Н. П. 1892—1938）——苏联科学院院士，遭逮捕迫害。

哥特瓦尔德，克·（Gottwald K. 1896—1953）——捷共中央书记。

革拉特科夫，费·瓦·（Гладков Ф. В. 1883—1958）——苏联作家。

格拉西莫夫，亚·米·（Герасимов А. М. ）——苏联科学院院士，画家。

格林科，格·费·（Гринько Г. Ф. 1890—1938）——苏联财政人民委员，遭镇压。

格鲁舍夫斯基，米·谢·（Грушевский М. С. ）—— 苏联历史学家，被控为"拯救乌克兰联盟"的领导人。

格罗曼，弗·古·（Громан В. Г. 1874—1940）——苏联国家计划委员会主席团成员，因"孟什维克中央联盟局"案被判刑，死于流放地。

古比雪夫，瓦·弗·（Куйбышев В. В. 1888—1935）——1927年起为联共（布）中央政治局委员，最高国民经济委员会主席，1930年任国家计划委员会主席。

广田弘毅——日本驻苏大使，外相，1936年3月—1937年1月任日本内阁总理大臣。

H

哈恰图良，阿·伊·（Хачатурян А. И. 1903—1978）——苏联音乐家。

哈塔耶维奇，门·马·（Хатаевич М. М. 1893—1937）——联共（布）中央委员，乌克兰党中央第二书记，遭镇压。

汉姜，阿·（Ханджян А. ？—1936）—— 亚美尼亚党中央第一书记，遭镇压。

赫尔（Hull C. 1871—1955）—— 美国国务卿。

赫鲁晓夫，尼·谢·（Хрущёв Н. С. 1894—1971）—— 1938 年任乌克兰党中央第一书记，1939 年起为联共（布）中央政治局委员。

霍贾耶夫，法·（Ходжаев Ф.）——乌兹别克斯坦人民委员会主席，遭镇压。

J

基洛夫，谢·米·（Киров С. М. 1886—1934）—— 1930—1934 为联共（布）中央政治局委员，1926 年起任列宁格勒省委和市委书记，1934 年遇刺身亡。

基谢廖夫，阿·谢·（Киселев А. С. 1879—1938）——苏联中央执行委员会秘书，遭镇压。

季诺维也夫，格·叶·（Зиновьев Г. Е. 1883—1936）——1921—1926 为联共（布）中央政治局委员，因"托—季反苏联合总部"案件被处死。

加里宁，米·伊·（Калинин М. И. 1875—1946）——1926—1946 为联共（布）中央政治局委员，苏联中央执行委员会主席，1938 年起任苏联最高苏维埃主席团主席。

加马尔尼克，扬·鲍·（Гамарник Я. Б. 1894—1937）——苏联红军政治部主任，副国防人民委员，遭迫害，自杀身亡。

加米涅夫，列·波·（Каменев Л. Б. 1883—1936）——1920—1926 年为联共（布）中央政治局委员，因"托—季反苏联合总部"案件被处死。

杰姆钦科，尼·涅·（Демченко Н. Н. 1897—1943）——基辅州委员会第一书记，苏联国营农场人民委员，遭镇压。

捷尔—加布里耶梁，萨·米·（Тер—Габриелян С. М. 1886—？）——1928—1935 年任亚美尼亚人民委员会主席和外高加索人民委员会副主席，遭迫害。

捷尔任斯基，费·埃·（Дзержинский Ф. Э. 1877—1926）—— 1923—1926 任苏

联国家政治保卫总局主席。

捷连斯基，伊·阿·(Зеленский И. А. 1890—1938）——苏联中央消费合作总社主席，遭镇压。

金斯堡，阿·莫·(Гинзбург А. М. 1878—1937）——苏联国民经济学院教授，因“孟什维克中央联盟局”案被判刑，死于流放地。

K

卡巴科夫，伊·德·(Кабаков И. Д. 1891—1937）——联共（布）中央委员，乌拉尔州委第一书记，遭镇压。

卡达耶夫，伊·伊·（Катаев И. И. 1881—1966）——苏联作家。

卡尔马诺维奇，莫·约·（Калманович М. И. 1888—1937）——1929 年任苏联副农业人民委员，1934 年任国营农场人民委员，遭镇压。

卡冈诺维奇，拉·莫·（Каганович Л. М. 1893—1991）——1930—1957 年为联共（布）中央政治局委员，1930—1935 年兼任莫斯科州委和市委第一书记。

卡拉汉，列·米·（Карахан Л. М. 1889—1937）——苏联副外交人民委员，遭镇压。

卡拉特金（Каратыгин Е. С. ）——苏联前地主，被控破坏食品供应被处死。

卡林尼科夫（Калиников И. А. ）——苏联国家计委生产部副主席，因“工业党”案件被镇压。

卡明斯基，格·纳·（Каминский Г. Н. 1895—1938）——苏联卫生人民委员，遭镇压。

卡希林，尼·德·（Каширин Н. Д. 1888—1938）——北高加索军区司令，红军军训部部长，遭镇压。

卡尤罗夫，瓦·尼·（Каюров В. Н. ）—— 1925—1930 年任俄罗斯联邦工农检查人民委员部顾问，1930—1932 年任中央档案馆计划组领导人。“马克思列宁主义者联盟”主要成员，遭迫害。

卡尤罗夫，亚·瓦·（Каюров А. В. ）——瓦·尼·卡尤罗夫之子，苏联供应人民委员部高级检查员，“马克思列宁主义者联盟”主要成员，遭迫害。

康德拉季耶夫，尼·德·（Кондратьев Н. Д. 1892—1938）—— 苏联经济学家，诺贝尔奖获得者，副粮食人民委员，因“劳动农民党”案被处死。

柯秀尔，斯·维·（Косиор С. В. 1889—1939）—— 1928—1938 年为联共（布）中央政治局委员，乌克兰共产党（布）中央第一书记，遭镇压。

科尔克，奥·伊·（Корк А. И. 1888—1937）—— 苏联伏龙芝军事学院院长，二级集团军司令，因军人案件被处死。

科罗廖夫，谢·帕·（Королёв С. П. 1907—1966）—— 苏联火箭总设计师，曾被捕，遭迫害。

科萨列夫，亚·瓦·（Косарев А. В. 1903—1939）——苏联共青团中央书记，遭镇压。

克尔日扎诺夫斯基，格·马·（Кржижановский Г. М. 1872—1959）—— 1922 年起任国家计划委员会主席，1929—1939 年任苏联科学院副院长。

克拉西科夫，П. А.（Красиков П. А. 1870—1939）——苏联最高法院副主席。

克雷连柯，尼·瓦·（Крыленко Н. В. 1885—1938）——苏联司法人民委员，遭镇压。

克列斯廷斯基，尼·尼·（Крестинский Н. Н. 1883—1938）—— 1919—1921 年为俄共（布）中央政治局委员，1930 年起任苏联副外交人民委员，遭镇压。

克列伊梅诺夫，伊·帖·（Клейменов И. Т. 1898—1938）—— 苏联火箭科学研究所所长，遭镇压。

克诺林，В. Г.（Кнорин В. Г. 1890—1939）——联共（布）中央委员，红色教授学院院长，遭镇压。

克维林，埃·约·（ Квиринг Э. И. 1888—1937）——苏联国家计划委员会副主席，遭镇压。

库恩，贝拉（Кун Бела 1886—1939）——匈牙利共产党领导人，遭镇压。

库尔恰托夫，伊·（Курчатов И. ）——苏联物理学家。

L

拉狄克，卡·伯·（Радек К. Б. 1885—1939）—— 1932 年起任联共（布）中央国际情报局主任，因“托洛茨基反苏平行总部”案件被判刑，死于狱中。

拉里切夫，В. А.（Ларичев В. А. ）—— 苏联国家计委燃料部主席，因“工业党”案件被镇压。

拉姆津，列·康·（Рамзин Л. К. 1887—1948）——苏联热工学院院长，国家计划委员会和最高国民经济委员会成员，因“工业党”案件被判刑。

拉泰恰克，斯·安·（Ратайчак С. А.）1932—1934 年先后任苏联副重工业人民委员，重工业部基础化学工业总局局长，因“托洛茨基反苏平行总部”案件被判刑。

拉希姆巴耶夫(Рахимбаев А. Р. 1896—1939)——塔吉克人民委员会主席，遭迫害。

赖伐尔，皮·（Laval Pierre 1883—1945）—— 法国外长，总理。

朗格马克，格·埃·（Лангемак Г. Э. 1898—1938）——苏联科学家，喀秋莎火箭炮的发明者，遭镇压。

李可夫，阿·伊·（Рыков А. И. 1881—1938）—— 1923—1930 年为联共（布）中央政治局委员，1924—1930 年任苏联人民委员会主席，因“右派与托派联盟”案件被处死。

李森科，特·杰·（Лысенко Т. Д. 1898—1976）——苏联生物学家。

李维诺夫，马·马·（Литвинов М. М. 1876—1951）—— 1930—1939 年任苏联外交人民委员。

里宾特洛甫（Ribbentrop Joachim von 1893—1945）—— 德国外交部长。

利夫希茨，Я. А.（Лившиц Я, А. ？—1937）—— 苏联副交通人民委员，因“托洛茨基反苏平行总部”案件被处死。

梁赞采夫，A. B.（Рязацев А. В.）—— 苏联教授，以破坏食品供应罪被处死。

梁赞诺夫，达·波·（Рязанов Д. Б. 1870—1938）——1921—1931 年任马克思恩格斯研究院院长，苏联科学院院士。1931 年遭逮捕流放。

列宁，弗·伊·（Ленин В. И. 1870—1924）

列若瓦，安·马·（Лежава А. М.）——俄罗斯联邦国家计划委员会主席。

柳比莫夫，伊·约·（Любимов И. Е. 1882—1939）——苏联轻工业人民委员，遭镇压。

柳布琴科，帕·彼·（Любченко П. П. 1897—1937）——乌克兰人民委员会主席，遭迫害，自杀身亡。

柳亭，马·尼·（Рютин М. Н. 1890—1937）—— 1925—1928 年任联共（布）莫斯科市红色普列斯尼亚区委员会书记。最高国民经济委员会主席团委员。因“马克思列宁主义者联盟”案被处死。

卢那察尔斯基，阿·瓦·（Луначарский А. В. 1875—1933）—— 1917—1929 任苏联教育人民委员，后任苏联中央执行委员会学术委员会主席。

鲁宾，伊·伊·（Рубин И. И. 1886—1937）—— 苏联马恩研究院政治经济学研究室主任，因“孟什维克中央联盟局”案被处死。

鲁希莫维奇，莫·里·（Рухимович М. Л. 1899—1939）——苏联副重工业人民委员，国防工业人民委员，遭镇压。

鲁祖塔克，扬·埃·（Рудзутак Я. Э. 1887—1938）——1927—1932 年为联共（布）中央政治局委员，1931—1934 年为联共（布）中央监察委员会主席，遭镇压。

罗斯福，富·（Roosevelt Franklin D. 1882—1945）—— 美国总统。

洛博夫，С. С.（Лобов С. С. 1888—1939）—— 苏联林业人民委员，俄罗斯食品工业人民委员，遭镇压。

洛米纳泽，维·维·（Ломинадзе В. В. 1898—1935）—— 联共（布）中央委员，外高加索边疆区第一书记，被控组织“左派右派联盟”，自杀身亡。

洛莫夫，格·伊·（Ломов Г. И. 1888—1938）——苏联国家计委负责人，遭镇压。

M

马卡连柯，安·谢·（Макаренко А. С. 1888—1939）—— 苏联作家，教育家。

马林科夫，格·马·（Маленков Г. М. 1902—1988）——联共（布）中央政治局委员。

马雅可夫斯基，弗·弗·（Маяковский В. В. 1893—1930）—— 苏联诗人。

马伊斯基，伊·米·（Майский И. М. 1884—1975）——苏联驻英全权代表。

麦赫利斯，列·扎·（Мехлис Л. З. 1889—1953）——《真理报》主编，1937—1940 年任红军总政治部主任。

麦列茨科夫，季·阿·（Мерецков К. А. 1897—1969）—— 苏联元帅。

曼德尔斯坦姆，奥·埃·（Мандельштам О. Э. 1891—1938）——苏联诗人，死于押往西伯利亚途中。

曼努伊尔斯基，德·扎·（Мануильский Д. З. 1883—1959）——联共（布）中央委员，共产国际执委会主席团委员会书记。

梅热尼诺夫，谢·瓦·（Меженинов С. А. 1890—1937））——红军副总参谋长，遭镇压。

梅日劳克，瓦·伊·（Межлаук В. И. 1893—1938）——苏联人民委员会副主席兼重工业人民委员，遭镇压。

梅耶霍利德，弗·（Мейерхольд В. 1874—1942）—— 苏联导演，遭镇压。

米尔佐扬，Л. И.（Мирзоян П. И. 1897—1939）——先后任阿塞拜疆、哈萨克党中央书记，遭镇压。

米高扬，阿·伊·（Микоян А. И. 1895—1978）—— 1935—1966 年为联共（布）中央政治局委员，1930 年代任食品工业人民委员。

米丁，马·波·（Митин М. Б. 1901—1987）——苏联哲学家，科学院院士。

米留可夫，巴·尼·（Милюков П. Н. 1859—1943）——俄国立宪民主党领袖。

米柳亭，弗·巴·（Милютин В. П. 1884—1937）——苏联农业人民委员，最高国民经济委员会和国家计划委员会副主席，遭镇压。

明仁斯基，维·鲁·（Менжинский В. Р. 1874—1934）—— 1926 年起任苏联国家政治保卫总局主席，任内务人民委员。

莫洛托夫，维·米·（Молотов В. М. 1890—1986）—— 1930—1941 年任苏联人民委员会主席，1939—1949 年兼任外交人民委员。

姆拉奇科夫斯基，谢·维·（Мрачковский С. В. 1888—1936）——历任乌拉尔军区和西伯利亚军区司令，因“托—季联合总部”案被处死。

穆拉洛夫，尼·伊·（Муралов Н. И. 1877—1937）——莫斯科十月武装起义领导人，后降为新西伯利亚市供应局农业处处长，因“托洛茨基反苏平行总部”案被处死。

穆拉洛夫，亚·伊·（Муралов А. И. 1886—1938）——先后任俄罗斯和苏联农业人民委员，苏联农业科学院院长，遭镇压。

穆萨别科夫，加·穆·（Мусабеков Г. М. 1888—1938）——外高加索联邦人民委员会主席，苏联中央执行委员会主席，遭镇压。

穆希娜，В. И.（Мухина В. И.）—— 苏联女雕塑家。

N

尼古拉耶夫，列·（Николаев Л.）——刺杀基洛夫的凶手。

涅米罗维奇—丹钦柯，В. И.（Немирович—Данченко В. И. 1858—1943）——苏联导演，戏剧家，获“人民艺术家”称号。

P

帕霍莫夫，Н. И.（Пахомов Н. И. 1890—?）——苏联水运人民委员，遭镇压。

帕斯捷尔纳克，鲍·列·（Пастернак Б. Л. 1890—1960）——苏联作家。

潘菲洛夫，Ф.（Панферов Ф. 1896—1960）——苏联作家。

佩尔谢，阿·雅·（Пельше А. Я. 1899—1983）—— 1966年起任苏共中央监察委员会主席。

皮达可夫，尤（格）·列·（Пятаков Ю.（Г.）Л. 1890—1937）—— 苏联国家银行行长，1932年起任副重工业人民委员，因“托洛茨基平行总部”案被处死。

皮亚特尼茨基，约·阿·（Пятницкий И. А. 1882—1938）——共产国际执委会书记，遭镇压。

普拉托诺夫，安·普·（Платонов А. П 1894—1951）——苏联作家。

普拉托诺夫，С. Ф.（Платонов С. Ф. ）—— 苏联史学家。

普里马科夫，维·马·（Примаков В. М. 1897—1937）——列宁格勒军区副司令、军长，因军人案件被处死。

普列奥布拉任斯基，叶·阿·（Преображенский Е. А. 1886—1937）——苏联经济学家。历任俄共（布）中央书记，财政人民委员部部务委员，遭镇压。

普罗柯菲耶夫，С.（Прокофьев С. ）——苏联音乐家。

普特纳，维·卡·（Путна В. К. 1893—1937）——苏联驻英国武官、军长，因军人案件被处死。

Q

齐奥尔科夫斯基，康·爱·（Циолковский К. Э. 1857—1935）——苏联科学家，星际航行理论的奠基者之一。

恰尔诺夫斯基，Н. Ф.（Чарновский Н. Ф. ）—— 苏联国家经济委员会科技会议主席，因“工业党”案遭镇压。

恰亚诺夫，亚·瓦·（Чаянов А. В. 1888—1937）—— 苏联经济学家，因“劳动农民党”案遭镇压。

切尔尼亚夫斯基，米·孔·（Чернявский М. К. 1901—1935）——红军情报部处长，因“克里姆林宫案”被处死。

切尔维亚科夫，亚·戈·（Червяков А. Г. 1892—1937）——白俄罗斯共产党中央领导人，遭镇压。

丘巴尔，弗·雅·（Чубарь В. Я. 1891—1939）——1934—1938年为联共（布）

中央政治局委员，1923—1934 年任乌克兰人民委员会主席，1934 年后任苏联人民委员会副主席，遭镇压。

丘吉尔，温・(Churchill, Winston 1874—1965）——英国保守党领袖、首相。

R

日丹诺夫，安・亚・(Жданов А. А. 1896—1948）——1934 年为联共（布）中央书记，兼任列宁格勒州委和市委书记，1935 年为政治局候补委员，1939 年起任政治局委员。

S

瑟尔佐夫，谢・伊・(Сырцов С. И. 1893—1937）——1929—1930 年为党中央政治局候补委员，俄罗斯联邦人民委员会主席，遭镇压。

沙波什尼科夫，鲍・米・(Шапошников Б. М. 1882—1945）—— 红军总参谋长。

沙茨金，拉・(Шацкин Л. 1902—1937）—— 联共（布）中央委员，共青团第一书记，青年共产国际领导人。被控组织“左派右派联盟”，被处死。

沙吉娘，玛・谢・(Шагинян М. С. 1888—1982）——苏联女作家。

沙图诺夫斯卡娅（Шатуновская О. Г. ）——苏共调查基洛夫被刺案件的什维尔尼克委员会成员。

舍博尔达耶夫，鲍・彼・(Шеболдаев Б. П. 1895—1937）——历任联共（布）下伏尔加边疆区委员会书记，北高加索边疆区委第一书记，遭镇压。

舍尔，瓦・弗・(Шер В. В. 1884—1940）——苏联国家银行管理局成员，因“孟什维克中央联盟局”案被判刑，死于流放地。

施略普尼科夫，亚・加・(Шляпников А. Г. 1885—1937）——历任苏联劳动人民委员，最高国民经济委员会主席团委员，遭镇压。

施米特，瓦・弗・(Шмидт В. В. 1886—1940）—— 苏联人民委员会副主席，遭镇压。

施努尔（Schnurre, Karl）—— 德国外交部东欧经济政治司司长。

什维尔尼克，尼・米・(Шверник Н. М. 1888—1970）—— 1930 年起任全苏工会中央理事会第一书记，1956 年任苏共中央监察委员会主席。

舒伦堡（Schulenburg, Friedrich Werner von 1875—1944）—— 德国驻苏大使。

斯达汉诺夫，A. Г.（Стаханов А. Г.）——苏联顿巴斯采煤工人，先进工作者代表。

斯大林，约·维·（Сталин И. В. 1879—1953）

斯捷茨基，A. И.（Стецкий А. И. 1896—1938）——1930—1938年任联共（布）中央宣传鼓动部部长，1934年起兼任《布尔什维克》杂志主编，遭镇压。

斯克雷普尼克，尼·阿·（Скрыпник Н. А. 1872—1933）——乌克兰教育人民委员，1933年2月任乌克兰人民委员会副主席兼国家计划委员会主席。遭迫害，于同年7月自杀身亡。

斯米尔加，伊·捷·（Смилга И. Т. 1892—1938）——俄共（布）六、七、八、十四大中央委员，遭镇压。

斯米尔诺夫，彼·亚·（Смирнов П. А. 1897—1938）——苏联海军人民委员，副国防人民委员，遭镇压。

斯米尔诺夫，亚·彼·（Смирнов А. П. 1878—1938）——联共（布）中央委员会书记，俄罗斯联邦人民委员会副主席，遭镇压。

斯米尔诺夫，伊·尼·（Смирнов И. Н. 1881—1936）——1923—1927年任苏联邮电人民委员，因“托—季联合总部”案件遭镇压。

斯塔索娃，叶·德·（Стасова Е. Д. 1873—1966）——1898年入党的老布尔什维克，联共（布）中央监察委员会委员，国际支援革命战士协会中央主席。

斯坦尼斯拉夫斯基，康·谢·（Станиславский К. С. 1863—1938）——苏联演员、导演、戏剧理论家，获“人民艺术家”称号。

斯特鲁米林，斯·古·（Струмилин С. Г. 1877—1974）——苏联经济学家、科学院院士。

斯滕，雅·（Стэн Я. Э. 1899—1938）——苏联哲学家，遭镇压。

苏哈诺夫，尼·尼·（Суханов Н. Н. 1882—1939）——俄罗斯联邦商业人民委员部下属对外贸易垄断研究院工作人员、作家，因“孟什维克中央联盟局”案件，遭镇压。

苏利莫夫，Д. Е.（Сулимов Д. Е. 1890—1938）——俄罗斯联邦人民委员会主席，遭镇压。

索柯里尼科夫，格·雅·（Сокольников Г. Я. 1888—1939）——1924—1925年为联共（布）中央政治局候补委员。1935年先后任苏联国家计划委员会副主席、副外交人民委员、副林业人民委员。因“托洛茨基反苏平行总部”案被判刑，死于狱中。

T

塔尔，Б. М.（Таль Б. М.）——联共（布）中央文化宣传部副部长。

塔尔列，Е. В.（Тарле Е. В.）—— 苏联史学家。

塔姆，伊·叶·（Тамм И. Е. 1895—1971）——苏联科学院院士，物理学家，遭迫害。

泰奥多罗维奇，伊·阿·（Теодорович И. А. 1875—1937）——1928—1930 年任农民国际总书记，遭镇压。

特里利谢尔，梅·阿·（Трилиссер М. А. 1883—1940）——先后任苏联国家政治保卫总局副主席，俄罗斯联邦副工农检察人民委员。

特瓦尔多夫斯基，阿·特·（Твардовский А. Т. 1910—1971）——苏联诗人。

图波列夫，安·尼·（Туполев А. Н. 1888—1972）——苏联著名航空设计师，遭迫害而被捕入狱。

图哈切夫斯基，米·尼·（Тухачевский М. Н. 1893—1937）——苏联元帅、副国防人民委员，因军人案件被处死。

托尔斯泰，阿·尼·（Толстой А. Н. 1883—1945）——苏联作家。

托洛茨基，列·达·（Троцкий Л. Д. 1879—1940）——历任苏联党政军领导，1927 年被开除出联共（布），1929 年被驱逐出境，遭暗杀。

托姆斯基，米·巴·（Томский М. П. 1880—1936）——历任联共（布）中央政治局委员、苏联工会中央理事会主席。遭迫害，自杀身亡。

W

瓦雷基斯，约·米·（Варейкис И. М. 1894—1939）——联共（布）中央委员、远东区委书记，遭镇压。

瓦维洛夫，尼·伊·（Вавилов Н. И. 1887—1943）——苏联著名遗传学家，遭迫害，死于狱中。

维诺格拉多夫，维·弗·（Виногрдов В. В. 1895—?）苏联科学院院士、语言学家。

维辛斯基，安·亚·（Вышинский А. Я. 1883—1954）——1935 年起任苏联检察长。

魏茨泽克（Weizsacker, Ernst von）—— 德国外交部国务秘书。

温什利赫特，И. С.（Уншлихт И. С. 1879—1937）—— 联共（布）中央候补委员、空军管理总局局长，遭镇压。

乌博列维奇，伊·彼·（Уборевич И. П. 1896—1937）——苏联白俄罗斯军区司令、一级集团军司令，因军人案被处死。

乌尔里希，瓦·瓦·（Ульрих В. В. 1889—1951）—— 苏联最高法院军事审判庭审判长。

乌格拉诺夫，尼·亚·（Угланов Н. А. 1886—1937）——1924—1928年任联共(布)莫斯科省委和市委第一书记，1926—1929 年为联共（布）中央政治局候补委员。

乌里茨基（Урицкий С. П. ）——莫斯科军区司令，遭镇压。

X

西兹（Сидс У. ）——英国驻苏大使。

希特勒，阿·(Hitler, Adolf 1889—1945）——法西斯德国元首。

肖洛霍夫，米·亚·（Шолохов М. А. 1905—1984）——苏联作家、诺贝尔奖金获得者。

肖斯塔科维奇，Д.（Шостакович Д. 1906—1975）——苏联音乐家。

谢列布里亚科夫，列·彼·（Серебряков Л. П. 1888—1937）—— 1919—1921 年任俄共(布）中央书记，后任内务部公路管理总局副局长。因“托洛茨基反苏平行总部”案件被处死。

Y

雅科夫列夫，雅·阿·（Яковлев Я. А. 1896—1938）——1929 年任苏联农业人民委员，1934 年任联共（布）中央农业部长，遭镇压。

雅库博维奇，米·彼·（Якубович М. П. 1891—?）——苏联商业人民委员部供应部副主任，因“孟什维克中央联盟局”案被判刑。

亚戈达，亨·格·（Ягода Г. Г. 1891—1938）—— 1934—1936 年任苏联内务人民委员，在“右派与托派联盟”案中被处死。

亚基尔，约·埃·（Якир И. Э. 1896—1937）—— 基辅军区司令、一级集团军司令，因军人案件被处死。

叶尔巴诺夫，М. Н.（Ербанов М. Н. 1889—1938）——苏联布里亚特—蒙古州党

委第一书记，遭镇压。

叶夫多基莫夫，格·叶·（Евдокимов Г. Е. 1884—1936）—— 1925—1927 年任联共(布) 中央书记，后降为食品工业部乳品工业管理总局局长。因“托季反苏联合总部”案被处死。

叶弗列莫夫，С．О．(Ефремов С. О. ）——乌克兰科学院副主席。

叶戈罗夫，亚·伊·（Егоров А. И. 1883—1939）——苏联元帅，1931—1937 年任红军总参谋长，遭镇压。

叶努基泽，阿·萨·（Енукидзе А. С. 1877—1937）——苏联中央执行委员会秘书，遭镇压。

叶若夫，尼·伊·（Ежов Н. И. 1895—1940）—— 1936—1938 年任苏联内务人民委员，联共（布）中央政治局候补委员和中央书记，后被处死。

伊科夫，弗·康·（Иков В. К. 1882—1956）——苏联作家，因“孟什维克中央联盟局”案被判刑。

伊克拉莫夫，阿·（Икрамов А. И. 1898—1938）—— 乌兹别克斯坦共产党中央第一书记，遭镇压。

伊林，马·（Ильин М. 1895—1953）——苏联作家。

伊萨耶夫，У．Д．(Исаев У. Д. 1899—1938）——哈萨克人民委员会主席，遭镇压。

伊万诺夫，弗·伊·（Иванов В. И. 1893—1938）—— 苏联林业人民委员，遭镇压。

尤尔金，吉·亚·（Юркин Т. А. ）——苏联集体农庄中心理事会主席。

尤罗夫斯基，Л. Н.（Юровский Л. Н. ）——苏联经济学家，因“劳动农民党”案，遭迫害。

Z

扎通斯基，弗·彼·（Затонский В. П. 1888—1938）——联共（布）17 大选举委员会主席，遭镇压。

张伯伦，尼·（Chamberlin Neville 1869—1940）——英国首相。

朱可夫，格·康·（Жуков Г. К. 1896—1974）—— 1939 年任苏联第一集团军司令，打退日军在诺门坎的进攻。

左琴科，米·米·（Зощенко М. М. 1895—1958）—— 苏联作家。

大事记

1928年

1月　联共（布）中央政治局决定采取非常措施来应对粮食收购危机。

1929年

4月16—23日　联共（布）中央委员会和中央监察委员会举行联席全会，谴责布哈林等人组织右倾集团。

4月23—29日　联共（布）第十六次代表会议举行，通过第一个五年计划（1928/29—1932/33）。

5月20—28日　苏维埃第五次代表大会审核通过第一个五年计划。

11月7日　斯大林在《真理报》上发表文章《大转变的一年》。

11月21日　《真理报》用8个版面刊载为斯大林祝寿的文章。

12月27日　斯大林发表《论苏联土地政策的几个问题》的演说。

1930年

1月5日　联共（布）中央通过《关于集体化的速度和国家帮助集体农庄建设的办法》的决议。

1月30日　联共（布）中央政治局通过《关于迁移被剥夺的富农》的决议。

3月1日　苏联中央执行委员会和人民委员会通过《农业劳动组合标准章程》。

3月14日　联共（布）中央通过《关于反对歪曲党在集体农庄运动中的路线》的决议。

4月25日　国家政治保卫总局劳改营管理局成立。

7月25日　联共（布）中央通过《关于普及初等义务教育》的决议。

9月25日　秘密审判“劳动农民党”案件，判处康德拉季耶夫等人死刑。

11月25日—12月7日　审判“工业党”案件。

12月20日　莫洛托夫接替李可夫担任人民委员会主席。

1931 年

3 月 1 日　审判“俄国社会民主工党（孟什维克）中央联盟局”案件。

10 月　斯大林的《论布尔什维主义历史中的几个问题》在《无产阶级革命》杂志发表。

11 月 3 日　苏联中央执行委员会决定成立马克思恩格斯列宁研究院。

1932 年

4 月 23 日　联共（布）中央通过《关于改组文学艺术团体》的决议，决定解散拉普（俄罗斯无产阶级作家协会）。

8 月 7 日　颁布《关于保护社会主义财产》的法令。

10 月 11 日　苏联国家政治保卫总局审判庭秘密审判“马克思列宁主义者联盟”案件。

12 月 27 日　苏联中央执行委员会和人民委员会决定实行身份证制度。

1932—1933 年　乌克兰、北高加索和哈萨克斯坦发生大饥荒。

1933 年

1 月 19 日　联共（布）中央和人民委员会决定实行农产品义务交售制。

11 月 16 日　苏联同美国建立正式外交关系。

12 月 19 日　联共（布）中央政治局批准关于建立集体安全体系计划。

1934 年

1 月 26 日—2 月 10 日　联共（布）举行第十七次代表大会，通过第二个五年计划（1933—1937）。

8 月 17 日—9 月 1 日　第一次全苏作家代表大会召开。

9 月 18 日　苏联加入国际联盟并担任理事会常任理事国。

11 月 26 日　联共（布）中央决定废除面包配给制。

12 月 1 日　联共（布）中央政治局委员、列宁格勒州委书记基洛夫遇刺身亡。

1935 年

1 月 16 日　审判“莫斯科总部”案件。

2 月 11—19 日　全苏集体农庄突击手第二次代表大会举行，通过《农业劳动组合标准章程》。

3 月 23 日　苏联同“满洲国”签署协定，将中东铁路卖给“满洲国”。

5 月 2 日　《苏法互助条约》签订。

5 月 16 日　《苏捷互助条约》签订。

8 月 30—31 日　矿工斯达汉诺夫创建采煤新记录，超过定额 13 倍。

1936 年

7 月 20 日　关于黑海海峡制度的《蒙特勒公约》签订。

7 月 27 日　审判“克里姆林宫案”。

8 月 19 日—24 日　公开审判“托洛茨基—季诺维也夫反苏联合总部”案件，判处季诺维也夫、加米涅夫等 16 人死刑。

10 月 23 日　苏联宣布不再受“不干涉协定”约束，开始向西班牙政府提供军事援助。

12 月 5 日　苏维埃第八次代表大会通过新宪法。

1937 年

1 月 30 日　公开审判“托洛茨基反苏平行总部”案件，判处皮达可夫等 13 人死刑。

2 月 18 日　党中央政治局委员奥尔忠尼启则自杀身亡。

2 月 23 日—3 月 5 日　联共（布）中央举行全会，斯大林做“论党的工作缺点和消灭托洛茨基两面派及其他两面派的办法”的报告。

6 月 11 日　秘密审判“托洛茨基反苏军事组织”案件，判处图哈切夫斯基等 8 人死刑。

8 月 21 日　《苏中互不侵犯条约》签订。

12 月 12 日　举行最高苏维埃第一次选举。

1938 年

3 月 13 日　公开审判“右派和托派反苏联盟”案件，判处布哈林、李可夫等 18 人死刑。

7 月 9 日—8 月 11 日　苏日在张鼓峰发生武装冲突（哈桑湖事件）。

8 月　《联共（布）党史简明教程》出版。

1939 年

3 月 10—21 日　联共（布）第十八次代表大会举行，通过第三个五年计划（1938—1942）。

3 月 18 日—8 月 21 日　苏英法三国先后举行政治、军事谈判。

5 月 11 日—9 月 16 日　苏日诺门坎事件（哈勒欣河事件）。

8 月 23 日　《苏德互不侵犯条约》签订。

СОДЕРЖАНИЕ

责任编辑：张伟珍
封面设计：吴燕妮
封面制作：王春峥

图书在版编目（CIP）数据

斯大林模式的形成 / 徐天新 著. －北京：人民出版社，2013.9（2026.2 重印）
（苏联史 / 郑异凡主编；4）
ISBN 978－7－01－009531－8

I. ①斯… II. ①徐… III. ①苏联－历史 IV. ① K512.5

中国版本图书馆 CIP 数据核字（2010）第 245252 号

斯大林模式的形成
SIDALIN MOSHI DE XINGCHENG

徐天新 著

人民出版社 出版发行
（100706 北京市东城区隆福寺街 99 号）

北京新华印刷有限公司印刷 新华书店经销

2013 年 9 月第 1 版 2026 年 2 月北京第 2 次印刷
开本：710 毫米 ×1000 毫米 1/16 印张：28.75
字数：451 千字

ISBN 978－7－01－009531－8 定价：126.00 元

邮购地址 100706 北京市东城区隆福寺街 99 号
人民东方图书销售中心 电话（010）65250042 65289539